INVITATION

au monde francophone

INVITATION

au monde francophone

Gilbert A. Jarvis
The Ohio State University

Thérèse M. Bonin
The Ohio State University

Diane W. Birckbichler
The Ohio State University

In collaboration with Philippe Dubois
Bucknell University

HOLT, RINEHART AND WINSTON
A Division of Harcourt College Publishers

Fort Worth Philadelphia San Diego New York Orlando Austin San Antonio
Toronto Montreal London Sydney Tokyo

Publisher	**Phyllis Dobbins**
Acquisitions Editor	**Jeff Gilbreath**
Market Strategist	**Kenneth S. Kasee**
Project Editor	**Laura Therese Miley**
Art Director	**Garry Harman**
Production Manager	**James McDonald**

Cover credit: Pat Sloan

ISBN: 0-03-030952-2
Library of Congress Catalog Card Number: 99-66940

Address for Domestic Orders
Harcourt College Publishers, 6277 Sea Harbor Drive, Orlando, FL 32887-6777
800-782-4479

Address for International Orders
International Customer Service
Harcourt, Inc. 6277 Sea Harbor Drive, Orlando, FL 32887-6777
407-345-3800
(fax) 407-345-4060
(e-mail) hbintl@harcourt.com

Address for Editorial Correspondence
Harcourt College Publishers, 301 Commerce Street, Suite 3700, Fort Worth, TX 76102

Web Site Address
http://www.harcourtcollege.com

Harcourt College Publishers will provide complimentary supplements or supplement packages to those adopters qualified under our adoption policy. Please contact your sales representative to learn how you qualify. If as an adopter or potential user you receive supplements you do not need, please return them to your sales representative or send them to: Attn: Returns Department, Troy Warehouse, 465 South Lincoln Drive, Troy, MO 63379.

Printed in the United States of America

9 0 1 2 3 4 5 6 7 8 048 9 8 7 6 5 4 3 2 1

Holt, Rinehart and Winston
Harcourt College Publishers

Brief Table of Contents

Chapitre préliminaire................ Premiers contacts 2

Chapitre un............................ La vie à l'université 12

Chapitre deux........................ Identité 38

Chapitre trois........................ La famille et le logement 64

Chapitre quatre .... Bon voyage ! 88

Chapitre cinq......................... Bon appétit ! 114

Chapitre six........................... Le cadre de vie 140

Chapitre sept......................... Le temps passe 168

Chapitre huit.......................... La pluie et le beau temps 192

Chapitre neuf......................... Le monde du travail 220

Chapitre dix........................... On fait des achats 246

Chapitre onze .... Être bien dans sa peau 280

Chapitre douze....................... Des goûts et les couleurs 308

Chapitre treize....................... Le passé et les souvenirs 332

Chapitre quatorze................... Le monde d'aujourd'hui et de demain 362

Chapitre quinze...................... Les arts et la vie 386

Appendix A............................ International Phonetic Alphabet 413

Appendix B .... Glossary of Grammar Terms 415

Appendix C............................ Verb Charts 420

Vocabulaire .... Français—Anglais 439

Vocabulaire .... Anglais—Français 453

Index.................................... 463

Literary and Realia Credits........ 467

Photo Credits......................... 469

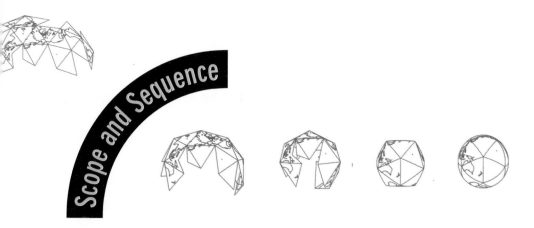

Scope and Sequence

Chapitre préliminaire **Premiers contacts**

Vocabulaire et expressions utiles	Prononciation
Bonjour tout le monde !	**Bien Prononcer :**
Dans la salle de classe	L'alphabet
Quelques expressions utiles	
Quel jour c'est ?	
Les nombres de 0 à 31	

Chapitre un **La vie à l'université**

Vocabulaire	Culture	Formes et Fonctions	Communication	Prononciation
Point de départ : Faisons connaissance	Info-culture : Passe d'abord ton bac !	Exploration I : Les noms et les articles	Parler : Activités Explorations I , II , III Intégrations et perspectives	Bien prononcer : La Liaison
Mots à retenir : Situations I, II, III Intégration et perspectives	Info-culture : Et après le bac ?	Exploration II : Les verbes du premier groupe	Lire : Mosaïque	
Vocabulaire	Chez nous en Suisse	Exploration III : La forme interrogative et la forme négative	Écouter : Réponse	
			Écrire : Au téléphone	

Chapitre deux   Identité

Vocabulaire	Culture	Formes et Fonctions	Communication	Prononciation
Point de départ : Qui est-ce ? Mots à retenir : Situations I , II , III Intégration et perspectives Vocabulaire	Info-culture : Français, qui êtes-vous ? Info-culture : Images du Québec Chez nous au Luxembourg	Exploration I : Le verbe *être* et quelques adjectifs Exploration II : Les adjectifs qualificatifs Exploration III : Les nombres de 30 à 99	Parler : Activités Explorations I , II , III Intégrations et perspectives Lire : Vos papiers s'il vous plaît Écouter : Cours pour étrangers Écrire : Un programme d'échanges	Bien prononcer : Le masculin et le féminin des adjectifs

Chapitre trois   La famille et le logement

Vocabulaire	Culture	Formes et Fonctions	Communication	Prononciation
Point de départ : La maison Mots à retenir : Situations I , II , III Intégration et perspectives Vocabulaire	Info-culture : Maison individuelle ou appartement ? Info-culture : La famille française Chez nous dans la République Démocratique du Congo	Exploration I : Le verbe *avoir* et les membres de la famille Exploration II : La préposition *de* et les adjectifs possessifs Exploration III : Les adjectifs prénominaux	Parler : Activités Explorations I , II , III Intégrations et perspectives Lire : C'est la vie ! Écouter : Accueil France Écrire : Votre famille	Bien prononcer : Les voyelles nasales

Chapitre quatre Bon voyage !

Vocabulaire	Culture	Formes et Fonctions	Communication	Prononciation
Point de départ : Les voyages	Info-culture : Vive les vacances !	Exploration I : Le verbe *aller*	Parler : Activités Explorations I , II , III Intégrations et perspectives	Bien prononcer : La voyelle nasale /ɛ̃/
Mots à retenir : Situations I , II , III Intégration et perspectives	Info-culture : Les Antilles	Exploration II : Les prépositions et les noms de lieux	Lire : Voyage aux Antilles	
Vocabulaire	Chez nous à Tahiti	Exploration III : Les nombres supérieurs à 100 et les nombres ordinaux	Écouter : À l'agence de voyages	
			Écrire : Au Syndicat d'Initiative	

Chapitre cinq Bon appétit !

Vocabulaire	Culture	Formes et Fonctions	Communication	Prononciation
Point de départ: La nourriture et les magasins d'alimentation	Info-culture : Les repas	Exploration I : Les adjectifs démonstratifs	Parler : Activités Explorations I , II , III Intégrations et perspectives	Bien prononcer : Le "r" français
Mots à retenir : Situations I , II , III Intégration et perspectives	Info-culture : Bon appétit !	Exploration II : Le partitif	Lire : Le poulet aux champignons et à la crème	
Vocabulaire	Chez nous en Haïti	Exploration III : Le verbe *prendre* et le verbe *boire*	Écouter : Vous travaillez dans un restaurant	

Chapitre six   Le cadre de vie

Vocabulaire	Culture	Formes et Fonctions	Communication	Prononciation
Point de départ : Mon pays, ma ville, mon quartier Mots à retenir : Situations I , II , III Intégration et perspectives Vocabulaire	Info-culture : Les moyens de transport Info-culture : Les villes et la vie urbaine Chez nous en Mauritanie	Exploration I : Les prépositions Exploration II : Le verbe *faire* Exploration III : Les mots interrogatifs et l'inversion	Parler : Activités Explorations I , II , III Intégrations et perspectives Lire : Où habiter ?... Écouter : Un nouvel appartement Écrire : On fait un peu de publicité	Bien prononcer : Les voyelles /i/, /y/, /u/

Chapitre sept   Le temps passe

Vocabulaire	Culture	Formes et Fonctions	Communication	Prononciation
Point de départ : Sondage d'opinion sur la télévision et les spectacles Mots à retenir : Situations I , II , III Intégration et perspectives Vocabulaire	Info-culture : La télévision Info-culture : Le programme télé Chez nous à St. Pierre-et-Miquelon	Exploration I : L'heure Exploration II : Le passé composé Exploration III : *Choisir* et les verbes du deuxième groupe	Parler : Activités Explorations I , II , III Intégrations et perspectives Lire : Qu'est-ce qu'il y a à la télé ? Écouter : Télévision : Sélections du soir Écrire : Au programme ce soir...	Bien prononcer : Le son /s/ et le son /z/

Chapitre huit Le pluie et le beau temps

Vocabulaire	Culture	Formes et Fonctions	Communication	Prononciation
Point de départ : Quel temps fait-il ? Mots à retenir : Situations I, II, III Intégration et perspectives Vocabulaire	Info-culture : La France et son climat Info-culture : Tour d'horizon climatique Chez nous au Togo	Exploration I : Les verbes conjugués comme *partir* et comme *venir* Exploration II : Le passé composé avec l'auxiliaire *être* Exploration III : *Depuis* et autres expressions de temps	Parler : Activités Explorations I, II, III Intégrations et perspectives Lire : Une année sous les tropiques Écouter : Île de La Réunion : Bulletin météorologique Écrire : Souvenirs de voyage	Bien prononcer : Les voyelles fermées et les voyelles ouvertes

Chapitre neuf Le monde du travail

Vocabulaire	Culture	Formes et Fonctions	Communication	Prononciation
Point de départ : Professions et métiers Mots à retenir : Situations I, II, III Intégration et perspectives Vocabulaire	Info-culture : Les français au travail Info-culture : L'entrée des jeunes dans le monde du travail Chez nous au Niger	Exploration I : Les verbes *vouloir, pouvoir,* et *devoir* Exploration II : Les pronoms compléments d'objet direct Exploration III : Le subjonctif avec *il faut* et *il vaut mieux*	Parler : Activités Explorations I, II, III Intégrations et perspectives Lire : Inventez votre emploi Écouter : Demande d'emploi Écrire : Lettre de demande d'emploi	Bien prononcer : Les voyelles /y/, /ø/, /œ/

Chapitre dix   **On fait des achats**

Vocabulaire	Culture	Formes et Fonctions	Communication	Prononciation
Point de départ : Les achats	Info-culture : Faire du shopping en France	Exploration I : Les verbes comme *vendre*	Parler : Activités Explorations I , II , III Intégrations et perspectives	Bien prononcer : La lettre **e**
Mots à retenir : Situations I , II , III Intégration et perspectives	Info-culture : L'euro, qu'est-ce que c'est ?	Exploration II : L'impératif	Lire : Acheter ou ne pas acheter ?	
Vocabulaire	Chez nous au Maroc	Exploration III : Le comparatif et le superlatif	Écouter : Soldes de printemps	
			Écrire : On fait de la pub !	

Chapitre onze   **Être bien dans sa peau**

Vocabulaire	Culture	Formes et Fonctions	Communication
Point de départ : La santé et le sport	Info-culture : Les Français et le sport	Exploration I : L'infinitif et le présent des verbes réfléchis	Parler : Activités Explorations I , II , III Intégrations et perspectives
Mots à retenir : Situations I , II , III Intégration et perspectives	Chez nous au Québec	Exploration II : Le passé composé des verbes réfléchis	Lire : Être et rester en forme
Vocabulaire		Exploration III : L'impératif des verbes réfléchis	Écouter : Journal d'un étudiant fatigué
			Écrire : Quoi ?! Tu n'es pas encore prête ?

Chapitre douze   Des goûts et des couleurs

Vocabulaire	Culture	Formes et Fonctions	Communication
Point de départ : Être et paraître **Mots à retenir : Situations I , II , III** Intégration et perspectives Vocabulaire	**Info-culture : Les nouveaux visages de la mode** **Info-culture : Les gestes parlent** **Chez nous en Guinée**	**Exploration I : Les compléments d'objet indirect** **Exploration II : Les verbes conjugués comme *mettre*** **Exploration III : La négation**	**Parler : Activités** Explorations I , II , III Intégrations et perspectives **Lire : L'ABC des bonnes manières** **Écouter : Portraits** **Écrire : Aux galeries Lafayette**

Chapitre treize   Le passé et les souvenirs

Vocabulaire	Culture	Formes et Fonctions	Communication
Point de départ : La vie et les sentiments **Mots à retenir : Situations I , II , III** Intégration et perspectives Vocabulaire	**Info-culture : Rites et coutumes** **Info-culture : Le Jour « J »** **Chez nous à Madagascar**	**Exploration I : L'imparfait et le passé composé** **Exploration II : Les pronoms *y* et *en*** **Exploration III : Le subjonctif avec les verbes de volition, d'émotion et de doute**	**Parler : Activités** Explorations I , II , III Intégrations et perspectives **Lire : « Barbara »** **Écouter : « Familiale »** **Écrire : Les étapes de la vie**

Chapitre quatorze Le monde d'aujourd'hui et de demain

Vocabulaire	Culture	Formes et Fonctions	Communication
Point de départ : À la une des journaux	Info-culture : « Liberté, égalité, fraternité »	Exploration I : Le futur et le futur antérieur	Parler : Activités Explorations I , II , III Intégrations et perspectives
Mots à retenir : Situations I , II , III Intégration et perspectives	Info-culture : Le mouvement écologique	Exploration II : Le conditionnel et la phrase conditionnelle	Lire : Soyez acteurs de l'environnement
Vocabulaire	Chez nous au Caméroun	Exploration III : Les pronoms relatifs	Écouter : « Les Verts »

Chapitre quinze Les arts et la vie

Vocabulaire	Culture	Formes et Fonctions	Communication
Point de départ : Sondage d'opinion sur les arts et les loisirs	Info-culture : La vie culturelle	Exploration I : Les pronoms démonstratifs	Parler : Activités Explorations I , II , III Intégrations et perspectives
Mots à retenir : Situations I , II , III Intégration et perspectives	Info-culture : Le musée d'Orsay	Exploration II : Le plus-que-parfait et le conditionnel passé	Lire : Van Gogh et Millet enfin réunis.
Vocabulaire	Chez nous au Sénégal	Exploration III : Le participe présent et l'infinitif	Écouter : On va au cinéma ?
			Écrire : Critiques de films

Introduction
to the
Instructor's
Edition

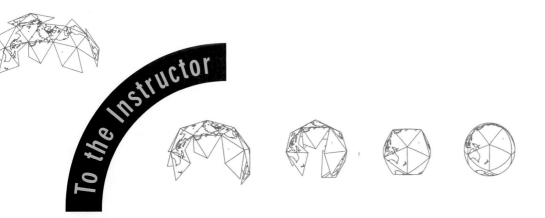

To the Instructor

"Learning French" can have many different meanings. It might refer to the traveler's memorization of a few phrases that will be useful during a tour of a French-speaking area, or it can refer to a multiple-year, multiple-skill comprehensive study of the language. Between these extremes are many possibilities. *Invitation au monde francophone* provides a new, forward-looking alternative to learning French.

Invitation au monde francophone is based upon the solid learner-centered conceptualization that made *Invitation : Contextes, culture et communication* and *Invitation Essentials* so successful through so many editions. *Invitation au monde francophone*, while retaining the strong points of each of its predecessors, has been updated to take advantage of current media. The cultural element has been broadened and strengthened, and learning strategies have been integrated into listening, reading, and writing activities to allow students greater success with these tasks.

As before, new language is presented in context. These contexts are enriched by ample use of visuals and realia to facilitate student understanding and learning. This book's organization capitalizes on familiar grammar concepts and high-frequency vocabulary. Such an organization offers a highly efficient way of learning French. Immediately, however, the language is practiced and used in functional contexts and communicative situations. Instead of a comprehensive definition of French, the language presented is that which provides the greatest communicative potential—what is essential in the productive skills of speaking and writing and what is most important for comprehension in listening and reading.

This text is suitable for use in two-year and four-year colleges and universities. It accommodates both semester and quarter systems, and provides a complete instructional package with its accompanying Instructor's Annotated Edition, Student Activities Manual, Tapescript, Instructor's Resource Manual, Overhead Transparencies, Multimedia CD-ROM, and video with accompanying Student Video Manual. In addition, an instructional Web site is available to instructors using *Invitation au monde francophone*.

Invitation au monde francophone emphasizes adaptability. Its flexible format accommodates varied teaching styles, different student interests, diverse course objectives, and varying amounts of class time. What does not vary is the continuing commitment throughout the text to the development of true proficiency and to the understanding of peoples of the world who speak French.

Highlights of the Program

The primary goal of *Invitation au monde francophone* is to help students acquire proficiency in communication within culturally significant contexts. "Communication" refers not only to the ability to express ideas orally or in writing but also the capacity to comprehend linguistic and cultural meaning while reading or listening to French. To achieve these communication aims, *Invitation au monde francophone* includes the following features as an integral part of its organization.

1. **Emphasis on communication and role-playing throughout each chapter**—Varied activities provide for meaningful practice of every new grammar structure. Communication, therefore, takes place at once rather than at some unspecified time in the future.

2. **Presentation of cultural contexts throughout the book**—Cultural context is integrated into various activities in every chapter: in culturally authentic dialogues and reading passages; in contextualized activities that have a cultural setting; and in many communication activities. Students gain additional information from the two **Info-culture** sections in each chapter. The **Chez nous** cultural sections, new to this edition, allow students to examine a different francophone country or region in each chapter. Additional notes in the Instructor's Annotated Edition explain cultural allusions in the text or present supplemental cultural information.

3. **Language learning in situational and functional contexts**—Context is an integral part of every stage of the learning process. For example, the **Situation** conversations that accompany each **Exploration** take place in an authentic situational or functional context designed to illustrate real-life use of the topic. Grammar exercises are also placed in a context to demonstrate ways in which the structures could be used in authentic cultural settings or in situations typically encountered in daily life. In addition, the **C'est votre tour** role-playing activities build upon the **Situations** further by illustrating language functions and potential contexts for communication. Abundant use of realia and authentic documents provide further real-life contexts for language learning and practice.

4. **Streamlining of grammar coverage**—The most common structures and patterns of French are included in the book, whereas more complex, low-frequency grammar points have been omitted or presented for recognition only. This streamlining allows instructors more time for classroom practice of the most frequently used structures.

5. **Thematic presentation of vocabulary**—The number of vocabulary words presented, while not overwhelming in volume, allows students to express themselves on a variety of topics. The presentation of vocabulary in semantic or topical clusters and the use of visual support make the learning task easier, as does the systematic introduction of vocabulary in context. Use of cognate vocabulary, where appropriate, further reduces the students' learning load, while expanding their range of comprehension.

6. **Thematically integrated chapters**—Readings, grammar, culture, and communicative activities are all related to a broad chapter theme to maximize communicative potential and facilitate learning. In addition, each chapter begins with a special section that provides vocabulary and expressions related to the topic of the chapter.

7. **Careful sequencing**—Each grammar topic is presented with abundant examples, illustrated by a **Situation**, practiced carefully in structured drills and preparation activities, and then applied in communication activities. In addition, the sequencing of topics and structures in terms of learning

difficulty and usefulness in communication allows students to acquire quickly a genuine feeling of being able to speak and understand French.

8. **Flexible organization**—Abundant drills and activities are provided so that instructors and students can select those that are best suited to their purposes. Others can be omitted. In addition, the organization of the book itself is flexible, and each section can be used in a variety of ways.

New to this edition:

Chez nous cultural sections

These colorful segments highlight a different francophone area in each chapter. They offer some general information on each locale and a brief first-person account that gives students some insight into daily life there. Featured areas are: la Suisse, le Luxembourg, la République Démocratique du Congo, Haïti, la Mauritanie, le Togo, le Niger, le Québec, la Guinée, Madagascar, le Cameroun, la Belgique, le Maroc, le Sénégal, and St. Pierre-et-Miquelon.

Learning strategies

The **Intégration et perspectives** portion of each chapter contains three different strategy sections that provide students with suggestions that will help make them more efficient and effective lifelong learners of French:

- *Pour mieux lire* provides students with suggestions to help them read more successfully, ranging from contextual guessing to skimming and scanning activities. This section accompanies the reading in each **Intégration et perspectives** section.
- *Pour mieux écrire* offers process-oriented writing suggestions designed to help guide the student through the writing task (e.g., brainstorming, sensitivity to the audience, increasing sentence complexity, proofreading).
- *Pour mieux comprendre* gives hints that help students become more efficient listeners of French. They learn, for example, the value of recognizing context-specific vocabulary or of listening for limited information rather than trying to understand all the details of a passage. Each passage included in the listening strand recorded on audio CD is accompanied by a strategy printed in the textbook.

Activities using the Internet

One or more Web-based activities related to the chapter theme have been added to each chapter. These Internet activities invite students to explore Internet sites from around the French-speaking world and gain additional information about and insights into the cultures of these countries and regions.

Information Gap Activities

Many of the communication activities and **C'est votre tour** role-plays are now information gap activities, for which one student must obtain information from another in order to complete a task.

Invitation au monde francophone **Overhead Transparencies:** The artwork from the **Point de départ** sections, as well as many additional illustrations, are now available on overhead transparencies.

Invitation au monde francophone **Multimedia CD-ROM:** This text-specific, dual-platform interactive multimedia CD-ROM follows a four-skills plus culture model.

***Invitation au monde francophone* World Wide Web Site:**
A text-specific Web site to accompany *Invitation au monde francophone* is made available to adopters of this introductory French program.

Updated in this edition:

Intégration et perspectives

The readings have been updated, expanded, or changed altogether from previous editions of *Invitation*. Although still within the ability range of students, these readings, which are for the most part excerpted and adapted from original sources or based on authentic documents, are designed to expose students to a wider range of semi-authentic or authentic texts. In some cases, other elements of the chapter have been revised to further enrich the reading segment. For instance, in Chapter 13, students read the Jacques Prévert poem about World War II, "Barbara." The **Info-culture** section that follows this poem deals with D day, thus allowing a continuation of the discussion about war initiated by the poem. Students then have the opportunity to work with two more Prévert poems, one of which, "Familiale," is recorded as part of the listening strand.

Info-culture

Many of these cultural sections have been updated to keep up with the changing times and/or expanded to increase students' knowledge of culture in the francophone world. For instance, in Chapter 8, the two **Info-culture** sections still deal with the weather, but information is now given for all major francophone countries instead of just France.

A VISUAL GUIDE TO *INVITATION AU MONDE FRANCOPHONE*

Invitation au monde francophone has a preliminary chapter and fifteen regular chapters. The opening page of each chapter lists the main language functions to be covered.

Point de départ

This section uses illustrations to introduce new vocabulary centered on a topic that is related to the chapter theme.

Info-culture

The **Info-culture** section provides up-to-date information about important aspects of everyday life. Each **Info-culture** section contains an **Et vous ?** activity that asks students to interpret a *document authentique* or to discuss cultural differences and similarities. The notes are in English in the first seven chapters and in French thereafter.

Explorations

Each chapter introduces three grammar topics and their functional uses. Sample sentences illustrate the structure.

La famille et le logement   71

Exploration 1

Parler de votre famille et de vos possessions : Le verbe *avoir* et les membres de la famille

We often like to talk about our families. Here are some useful words.

La famille	
le père *father*	la mère *mother*
le frère *brother*	la sœur *sister*
le cousin	la cousine
l'oncle *(m)*	la tante *aunt*
le mari *husband*	la femme *wife, woman*
le fils *son*	la fille *daughter, girl*
les parents *(m)* *parents, relatives*	les enfants *children*

Optional vocabulary: les grands-parents (la grand-mère, le grand-père, l'arrière-grand-père, l'arrière grand-mère), le petit-fils, la petite-fille, la nièce, le neveu, le beau-père *(stepfather or father-in-law)*, la belle-mère *(stepmother or mother-in-law)*.

The verb **avoir** can be used to tell how many family members we have.

avoir	
j'ai	nous **avons**
tu **as**	vous **avez**
il / elle / on a	ils / elles **ont**

Option: Have students check out the verb charts in the back of the book so that they are familiar with what the charts provide.

Est-ce que tu **as** un frère ?
Non, mais j'**ai** trois sœurs.

A. When the verb **avoir** is used in the negative, any indefinite article (**un, une, des**) that follows it becomes **de** or **d'**.

| Il a **un** vélo. | ↔ | Il n'a pas **de** vélo. |
| J'ai **des** frères. | ↔ | Je n'ai pas **de** frères. |

Point out that the same rule applies to **posséder** and **acheter**, as well as other verbs that indicate possession or acquisition.

B. **Avoir** is also used in several expressions.

- To indicate what *there is* or *there are*.

  Il y a vingt étudiants dans la classe.

- To talk about how old you are.

  — Quel âge **avez-vous ?**
  — J'**ai** vingt-deux ans.

- To indicate that you need something.

  J'**ai besoin de** travailler.
  Nous **avons besoin d'**un ordinateur.

The **Situation** conversation that follows each presentation of a structural topic is designed to demonstrate how the grammar structure can be used in a real-life setting. A comprehension check, **Avez-vous compris ?,** evaluates students' understanding of the conversation.

---

72   Chapitre trois

- To indicate that you feel like doing or having something.

  Je n'**ai** pas **envie de** travailler.
  Elle a **envie d'**une moto.

Situation : Étudiante au pair

Diane, a young American, is an **au pair** student in a French family. She is speaking with Claire.

CLAIRE	Tu as des frères et sœurs ?
DIANE	Non, je suis fille unique. Et toi ?
CLAIRE	J'ai un grand frère et une petite sœur.
DIANE	Quel âge est-ce qu'ils ont ?
CLAIRE	Mon frère a 24 ans et ma sœur a 16 ans. Elle est encore au lycée.
DIANE	Tu as de la chance. Moi, j'aimerais bien avoir un frère ou une sœur.

Mots à retenir :
unique *only, sole,* **encore** *still, yet,* **avoir de la chance** *to be lucky*

Avez-vous compris ?

Combien d'enfants est-ce qu'il y a dans la famille de Diane ? Combien de frères et de sœurs est-ce qu'il y a dans la famille de Claire, et quel âge est-ce qu'ils ont ?

Communication et vie pratique

Arbre généalogique. Working in pairs, ask and answer questions about Pierre's family tree. One student will ask who various family members are; the other will give the relationship between Pierre and that person.

EXEMPLE   Qui est Monique Lefèvre ?
C'est la tante de Pierre.

Paul Bertin   Marie Bertin

Huguette Bertin   Thomas Bertin   André Bertin   Monique Lefèvre   René Lefèvre

Nicolas Bertin   Pierre Bertin   Simone Bertin   Jacqueline Lefèvre   Jean-Loup Lefèvre

(margin notes) Have students vary the role-play in the following way. Diane has two brothers, one is 10. Her older brother is 20 and is a university student. She doesn't have any sisters. Claire has an older sister (22) and a younger brother (12). She also has an older brother who is married and lives in Nice. If desired, you can make up additional variations or have the students prepare them.

IAE Drills: Substitution: 1. J'ai une voiture. (nous / Serge / ta / mon frère / mes cousins / vous); 2. Il n'a pas de chance (nous / Je / tu / ma sœur / mes amis); 3. Est-ce que tu as un stylo ? (Marie-Claire / le professeur / Marc / vous). Have students put the following sentences in the negative: J'ai un téléviseur. Tu as une chaîne-stéréo. Il a un magnétoscope. Nous avons un lecteur de disques compacts.

Have students create a real or imaginary family tree. They can work in pairs and ask each other questions about the different members of the family.

Intégration et perspectives

The reading recombines and integrates the grammar and vocabulary used in the chapter and provides additional cultural and/or human-interest perspectives. The **Pour mieux lire** section that precedes each reading provides students with a strategy for understanding what they read.

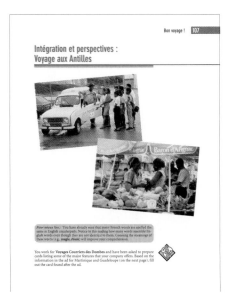

Communication et vie pratique

The **Communication et vie pratique** sections that follow each **Point de départ**, **Exploration**, and **Intégration et perspectives** contains a rich variety of activities that provide many opportunities for communicative language use. The activities following the **Intégration et perspectives** section focus on specific skill development: one activity, for example, is designed to further increase listening comprehension skills; another focuses on writing, and still others emphasize speaking. The **Pour mieux comprendre** and **Pour mieux écrire** strategy sections are found here.

Chez nous

Highlighting a different francophone area in each chapter, these colorful segments offer some general information on each locale, as well as a brief first-person account that will give you some insight into daily life there.

Bien prononcer

The most significant features of spoken French (and their written counterparts) are described in the first ten chapters. Practice of both individual sounds and short conversations containing critical sounds is included.

Vocabulaire

Each chapter is followed by a list of vocabulary words intended for active use in that chapter and in subsequent chapters. The lists contain the most important noncognate and cognate vocabulary used in the lesson or page references to thematically grouped vocabulary.

Appendixes

The appendixes consist of a key to the International phonetic alphabet, a glossary of grammar terminology, verb charts for regular, irregular, and spelling-changing verbs, vocabularies (French-English and English-French), and a grammar index. The glossary of grammar terms may be particularly helpful to students who lack a knowledge of such terminology.

Program Components

- Instructor's Annotated Edition with Free Audio CD
- Student Textbook with Free Audio CD
- Student Activities Manual: Invitation à écouter et à écrire
- Lab Cassettes or CDs
- Tapescript
- *Invitation au monde francophone* Video
- Student Video Manual
- *Invitation au monde francophone* Multimedia CD-ROM
- *Invitation au monde francophone* World Wide Web site
- Dasher™ Tutorial Software
- Instructor's Resource Manual with Testing Cassette
- *Invitation au monde francophone* Overhead Transparencies
- Introductory Situation Cards for Oral Evaluation

Instructor's Annotated Edition

In addition to this general introduction, the Instructor's Edition contains the complete Student Edition of *Invitation au monde francophone* accompanied by marginal notes. The marginal notes are not intended to be prescriptive or all-inclusive but are suggestions for ways in which the material in the text can be used, modified, or elaborated on. Use of these suggestions will depend to a large degree on individual instructional preferences and teaching style, students' interests, course objectives, and the amount of class time available. In many cases, however, they function as time-savers for the instructor. Where appropriate, the marginal notes also offer additional cultural information.

Student Textbook with Free Audio CD
The textbook has a preliminary chapter, fifteen regular chapters, and appendixes. *Invitation au monde francophone* comes packaged with an audio CD that contains the recorded passages for listening comprehension exercises.

Student Activities Manual: Invitation à écouter et à écrire
The combined workbook and laboratory manual contains written and oral activities for each chapter. The first half of each chapter contains writing activities; the second half, oral exercises. A quick self-test, **Êtes-vous prêts ?**, is provided before each group of grammar activities to help students decide whether or not they need additional review of the grammar explanations in the textbook before they attempt those exercises.

Each chapter of the workbook contains a short **lecture** consisting of an unedited reading related to the chapter theme. Students are asked to read and interpret these selections and are given specific tasks to help develop their reading strategies. The end-of-chapter writing practice includes a pre-writing phase (e.g., vocabulary brainstorming, outlining, jotting down ideas) that helps students prepare for the varied writing tasks in the workbook and encourages them to focus on the writing process.

The tape program and laboratory section of the manual has been designed to provide students with the opportunity to practice their oral skills outside class. Each chapter of the main text has accompanying exercises in the tape program. The lab section includes directions and models for listening tasks that involve writing in the manual. Space is provided for students to complete the listening tasks, write out dictation sentences, and answer the comprehension questions on the listening passage. Page references are given for those exercises and pronunciation sections that are taken from *Invitation au monde francophone*. These exercises are marked with an asterisk.

Answer keys for the workbook and listening comprehension exercises are included in the Student Activities Manual.

Lab Cassettes or CDs

These cassettes or CDs are available for students who do not have access to language laboratory facilities or who prefer to have their own copies of the audio program, which they can listen to as their schedule permits. They correlate to the **partie orale** of the Student Activities Manual.

Tapescript

The tapescript for the lab program is available from the publisher upon request.

Invitation au monde francophone Video

Filmed on location in Québec City, Québec, and Paris, France, the *Invitation au monde francophone* video consists of 15 scenes dramatizing real-life situations such as dining in a restaurant, shopping at the market, and visiting the doctor. Its purpose is to teach students how to function both linguistically and culturally in a French-speaking country.

Student Video Manual

This manual provides activities that are correlated to the *Invitation au monde francophone* video. It may be purchased alone or along with a copy of the video.

Invitation au monde francophone **Multimedia CD-ROM:** This text-specific, dual-platform interactive multimedia CD-ROM follows a four-skills plus culture model.

- **Writing**—Students can collect their work from all CD-ROM activities in an electronic notebook to create a writing portfolio.
- **Speaking**—Students can record their voices and compare them to those of native speakers. The student's voice is tracked graphically alongside that of a native speaker in order to see the differences.
- **Listening**—For all recorded portions, students may choose between two rates of speech: a native rate and a learning rate. Recordings are broken into manageable portions.
- **Reading**—Students may access a marginal glossary while working through extended readings.
- **Culture**—This section will have links to the World Wide Web, as well as activities for listening, speaking, reading, and writing.
- **Games**—Each chapter contains a highly interactive game used to reinforce vocabulary and grammar.
- The CD-ROM can be **networked in labs.**
- Students' answers to all quantifiable questions will flow into an **electronic gradebook.** The instructor can access a spreadsheet that contains the scores for a class.

Invitation au monde francophone **World Wide Web Site:**
A text-specific Web site to accompany *Invitation au monde francophone* is made available to adopters of this introductory French program. All activities are consistent with the main text both thematically and linguistically. Students may print out their work to hand in or send it directly to their instructor by e-mail.
This site includes three main sections.

- **Online quizzing activities** that offer the student practice with the grammar and culture of each chapter.
- **Online audio activities** that test aural comprehension.
- **Task-based cultural Internet activities** that invite students to visit Web sites in the French-speaking world and then return to the *Invitation au monde francophone* site to complete activities based on their online journeys.

Dasher™ Tutorial Software
Available in Windows and Macintosh formats, this program features error analysis and is particularly suitable for extra practice of specific problem structures, reviewing before a test, or learning a concept if a student has been absent due to illness.

Instructor's Resource Manual
Suggestions for lesson planning, additional activities, the *Invitation au monde francophone* video script, and the testing program are included in the Instructor's Resource Manual.

Testing Program
The test package includes two versions of each chapter test, suggested oral tests and scoring procedures. The tests focus on communicative use of language rather than on discrete-point testing of grammar and vocabulary. Each of the tests contains a listening comprehension section; a reading section consisting of materials taken from authentic sources and cultural questions; and a writing section, which usually includes a more open-ended writing task.

Testing Cassette
All listening portions of the testing program are recorded on an audiocassette, which is packaged with the Instructor's Resource Manual.

Computerized Test Bank
The testing program is also available electronically for Macintosh and PC. With these word-processing files, instructors can alter testing materials according to their own needs.

Invitation au monde francophone **Overhead Transparencies**
A set of 50 text-specific transparencies includes all of the line-art from the **Point de départ** sections of the book, plus some additional illustrations that will be helpful for in-class use.

Situation cards for oral evaluation
A set of 144 cards keyed to all chapters of the text accompany the *Invitation au monde francophone* program. These may be used for extemporaneous speaking practice or for evaluating speaking through oral interviews. When time allows, instructors may select several situation cards appropriate for a given chapter and dramatize the situations with a student for the class, or ask two students to

dramatize it. The cards may also be used for oral proficiency evaluation. Following is the correlation of *Invitation au monde francophone* chapters to the situation cards.

Chapter	Situation cards
Chapitre préliminaire	1,2
un	3, 4, 5, 6, 7, 8, 21
deux	9, 10, 12, 13
trois	14, 17, 18, 19, 20, 33, 35, 36, 106
quatre	15, 16, 25, 26, 27, 28, 88, 115, 116, 117, 118
cinq	43, 48, 49, 50, 52, 53, 54
six	37, 38, 39, 60, 62, 129, 135, 136
sept	21, 25, 42, 57, 67, 74, 97, 98, 99, 102, 103, 104, 106, 121
huit	57, 67, 74, 99, 104, 121
neuf	31, 94, 96, 123, 127, 128, 130
dix	40, 44, 45, 61, 62, 63
onze	65, 67, 101, 105, 107, 110, 112
douze	34, 41, 60, 66, 69, 70, 71, 82, 96, 122
treize	83, 84, 85, 86, 89, 90, 91, 92, 93, 99, 104
quatorze	113, 114, 115, 116, 117, 118, 131, 132, 133, 134, 142, 143, 144

Teaching Suggestions

Because of its emphasis on communicative and functional use of language, *Invitation au monde francophone* can be used in many ways. It is not intended that every section be used throughout or that all exercises and activities always be completed. Rather, it is assumed that each instructor will choose sections or activities that best suit his or her purposes. The extent to which a given section of a chapter is emphasized will depend on course goals, the amount of instructional time available, teacher preferences, and the needs and interests of the class or individual students. Suggestions and options for using individual activities are given in the marginal notes of the Instructor's Annotated Edition.

Chapitre préliminaire
The **Chapitre préliminaire** gives reasons for learning French, general language-learning strategies, introduces the student to useful classroom expressions and everyday conversational phrases, presents useful classroom objects and numbers from 1 to 31, and gives a brief overview of different francophone regions. Although designed to be completed before beginning *Invitation au monde francophone*, the content of the chapter can be spread across the first several days of instruction.

Point de départ
The **Point de départ** sections, at the beginning of each chapter, present vocabulary words related to the chapter theme. These words are illustrated visually in pertinent contexts. Accompanying communication activities provide immediate practice with this vocabulary, which is reentered throughout the chapter and succeeding chapters. Thus, mastery of these words is essential to student success. In-class presentation of these words using visuals (which are available on overhead transparencies), gestures, synonyms, antonyms, or English equivalents will

help students master the vocabulary. To ensure appropriate pronunciation, have students practice saying aloud each of the words and phrases. The **Communication et vie pratique** activities can be completed in class or assigned as homework. If done as homework, the activities can be used as a point of departure for in-class activities the next day.

Info-culture

Info-culture segments, which follow the **Point de départ** and the **Intégration et perspectives** reading, can be assigned as out-of-class supplementary reading or used for discussion in class. The **Info-culture** sections can stand alone as overviews of a particular topic and/or can be supplemented by additional information or personal anecdotes from both instructors and students. Attention can be drawn to photographs and realia in the book, and students can be asked to look for related information on the Internet or in newspapers and magazines (in both English and in French), or if available, through international satellite broadcasting. If appropriate, students can be asked to do supplementary readings, research projects, or reports. The **Et vous ?** activity invites students to analyze cultural similarities and differences, to describe a similar cultural topic in their own culture, or to examine and interpret a piece of realia related to the topic of the **Info-culture** section. Although the **Et vous ?** activities can be used for homework, they are particularly well suited for class discussion, in English in early chapters of the book and in French in subsequent chapters.

Explorations

The **Exploration** section forms a logical progression from understanding a particular grammar topic to practicing it in meaningful contexts, and most important of all, to using these forms in communicative situations.

Each **Exploration** begins with what is basically a deductive grammar explanation; that is, it is based on information the student already knows in English or in French and proceeds to new material. This presentation does not preclude, however, discussing the grammar topic in French should the instructor or the class so desire. In addition, many grammar topics easily lend themselves to inductive presentations in which the instructor leads the students to discover the pattern and rules through careful comparisons of examples and asking of appropriate questions. If an inductive approach is used, students can use the explanation in the book to check their understanding. Because the grammar patterns are illustrated with abundant examples, the instructor can also assign the **Exploration** as homework, thereby preserving valuable class time for oral, especially communication, practice. Each explanation is divided into subsections, so that all or part of a topic can be assigned, depending on the amount of coverage desired. The Exploration can also be used for review or remedial work. Users of *Invitation au monde francophone* are encouraged to view the **Exploration** as a way to access the language and not as an end in and of itself. Thus, lengthy discussions of grammar and lectures about the structure of French should be avoided so that class time can be spent using the language.

Situation

The **Situation** conversation follows each presentation of a structural topic and is designed to show students how the grammar structure can be used in a real-life setting. It provides additional conversational patterns useful in communication and introduces students to a wide variety of language functions used in different cultural settings. These conversations can be used in class in several ways. First, they can be assigned as homework in the lab where students can listen to the taped version of the conversation and practice repeating the conversation. Instructors might also want to do this familiarization phase in class, perhaps using the taped version as a mode. (Note that these conversations are not intended to be memorized; rather, students should become familiar with the exchanges through laboratory and in-class work.) Students can then be asked to repeat and dramatize the conversation in small groups. If time permits, students might want to record or videotape the **Situation**. Functions of language and cultural information contained in the **Situation** can be pointed out. **C'est votre tour**, the role-playing activity based on the Situation, is found at the end of the **Communication et vie pratique** section.

The **Avez-vous compris ?** section that follows each **Situation** is used to check student comprehension of the **Situation**. Other comprehension techniques require students to use the content of the passage in slightly different ways.

- Students can make up a new title for the **Situation** (in English in early chapters and later in French) or choose a title from among several offered by the instructor.
- Students can create a new beginning or end of the conversation.
- Students can play the role of a character or characters in a conversation and have other students ask them questions.
- Students can be given a copy of the **Situation** with blanks and be asked either to fill them in with words used in the original conversation or to provide different words that fit the context.
- Students can be given dictations that are based on the **Situations**.

Communication et vie pratique

The **Communication et vie pratique** exercises are designed to prepare students for communication tasks. It is not intended that each activity be used or that each question or item be fully discussed but rather that instructors and students choose activities that best suit their needs and interests, or use them as a point of departure for creating additional activities.

Because students, especially in early stages of language learning, can be frustrated by totally unstructured communication tasks, many activities provide both a framework of language structures and a set of ideas from which the student can draw. Thus, to communicate an idea successfully, less able or less secure students can choose ideas from those provided. A question mark invites and encourages others to venture beyond the suggestions provided and to create their own responses. Should an instructor wish, many of these structured tasks can be made more open-ended by having students complete the activity with their books closed. In addition to the guided communication activities, many are less structured and require the student to produce both the necessary language and the ideas. Ways of encouraging communication and explanations of how to use the communication activities in *Invitation au monde francophone* are outlined later in this introduction.

C'est votre tour

The **C'est votre tour** role-playing activities are based on the **Situation** conversations presented earlier in the sequence. Some of these role-plays are fairly close to the **Situation**; others (especially later in the book) are more open-ended. All give students the opportunity to try out their language skills in survival and communication situations. Although spontaneous language use is the desired outcome of the **C'est votre tour**, students may find it difficult to react spontaneously, especially in the initial states of language learning. Thus, it is important that students be prepared carefully for the **C'est votre tour** role-plays. As a first step, the **Situation** conversation can be repeated and dramatized by students. Especially at early stages in the book, it would be useful to model the suggested role-play with a good student in front of the class to give other students an idea of the direction the role-play might take. (If possible, you might want to tape or videotape a model role-play to use in class.) You may want to assign the **C'est votre tour** as homework or give students some preparation time in class. Preparation can also consist of reviewing relevant vocabulary, listing phrases that might be useful in the situations described, sketching out in greater detail the situation, or planning an outline of the conversation to guide students as they play their assigned roles. Role-plays can be acted out in front of the class with other students assigned to listen and answer questions about what took place. Students can also be given a limited amount of class time to enact the role-plays in groups of two or three with the instructor circulating among groups. Additional suggestions for using the **C'est votre tour** section are given in the margin in the Instructor's Edition.

Intégration et perspectives

The **Intégration et perspectives** section, which reinforces and integrates the content of a given chapter, contains a reading, an **Info-culture** segment and **Communication et vie pratique** activities. The reading can be given as a regularly scheduled class assignment to be used as the basis for oral or written discussion, or it can be assigned as a supplementary activity. To help improve the student's comprehension skill, each reading is accompanied by a reading strategy, **Pour mieux lire**. Instructors can ask students to use the strategy, discuss whether or not they found it useful, and describe other strategies that they use when reading.

In addition to the **Pour mieux lire** strategies, the following techniques can be used to enhance comprehension and reading skill:

- Students try to guess what the passage is about by looking at the title and/or accompanying photos and illustrations.
- Students can be given a brief introduction in French or in English to help "set the scene."
- Students can be asked to discuss what they already know about a topic or about their personal preferences and experiences. For instance, the reading in Chapter 15 deals with art. Students might be asked: **Pouvez-vous donner le nom d'un peintre de l'école impressionniste ? de l'école cubiste ? Quelles sortes de tableaux préférez-vous ? Est-ce que vous aimez l'art moderne ? Quel est votre peintre favori ?**
- Students can anticipate the content by looking over the **Avez-vous compris ?** section before reading the passage.
- Give students copies of the **Intégration et perspectives** reading without glosses and see if students can guess the general meaning of the passage. Then ask them to guess the meaning of the new vocabulary words. In addition to vocabulary building, students are gaining skill in contextual guessing.
- Have students examine their own reading strategies to discover to what extent they take advantage of useful reading skills such as anticipating content, contextual guessing, and reading for the gist.

Each reading is followed by a comprehension section (**Avez-vous compris ?**) designed to assess student understanding of the passage. Instructors can assign this section as homework or use the questions for guided comprehension practice by asking students to read the passage to find one piece of information or to answer one question. They can subsequently be asked to find other bits of information. Although time-consuming, this focused comprehension allows students to make sense gradually of a passage and reduces frustration, especially in early stages of language learning when students have a tendency to try to understand everything at once. Students can also be asked to read the passage once (or more, depending on time available) and then write in English (or French) what they remember. The information that they recall will help identify those areas (e.g., vocabulary, grammar, culture) that have interfered with comprehension. Responsibility for finding the answers to questions and reporting back to the class may be assigned to individual students or to small groups of students. Other comprehension techniques require students to use the content of the passage in slightly new ways:

- Have students make up a new title for the reading (in English in early chapters and later in French) or choose a title from among several offered by the instructor.
- Have students create a new beginning or end to the passage.
- Have students rewrite the material from a different perspective.
- Have students give the topic sentence and the main idea(s) in each paragraph in order to focus their attention on the important ideas in the reading.
- Have students summarize the passage in French or in English.
- Provide students with a resume of the passage with misinformation and then have them choose only those sentences that summarize it accurately.
- Have students work in pairs to complete the comprehension sections. The different groups can compare their answers.
- Have students play the role of a character and have other students ask them questions.
- Have students write descriptions of the people in the readings, their interests, personalities, activities, etc.

The **Communication et vie pratique** section that follows the reading passage contains a rich variety of activities that provide additional communication practice of a more open-ended nature. Although not all of the activities need to be used, this section allows students to apply their cumulative knowledge of grammar and vocabulary while exploring their reactions to a wide variety of topics and situations.

This section also includes an activity designed to further develop listening comprehension skills. Before beginning the passage, discuss with students the listening strategy (**Pour mieux comprendre**) which accompanies each activity so that they can try to use it as they listen to the material which is recorded on the audio CD included with the textbook. It might also be useful to have students tell whether or not they found the strategy useful and to explore with them their own strategies, both successful and unsuccessful. Have students read the directions for the activity ahead of time so they will know what they are listening for. The recorded passages can be played twice, and students given time to complete the comprehension exercise in the text between each listening.

For variety, students may be asked to do the comprehension exercises in pairs or the instructor may assign the section as lab homework. In groups of four, two persons from each group can be asked to step out of the classroom while the passage is played twice. When the students come back into the room, the "insiders" retell the story. The "outsiders" then try to complete the comprehension questions with as little help as possible from the other members of the group.

Bien prononcer

The main purpose of the pronunciation section (included in chapters 1-10) is to provide a systematic presentation of important aspects of French pronunciation. These end-of-chapter pronunciation sections can be used in several ways. They can be completed before beginning a chapter, spread throughout a chapter, or used in their entirety at the end of a chapter. The drills provided in these sections can be used for brief but intensive pronunciation practice in class, or they may be completed in the laboratory outside class. The instructor plays an important role, however, in explaining how to form these sounds, in modeling correct pronunciation, and in giving feedback to students.

Encouraging communication

Classroom atmosphere

Both students and instructors contribute to the creation of an atmosphere in which communication is likely to occur. In a communicative classroom, the student becomes an active participant in the communication process rather than a passive recipient of information about language or a rote manipulator of grammatical forms. If the student's role is defined so that he or she feels comfortable in expressing an idea, then communication is likely to occur. This implies not only that students should be encouraged to express their thoughts but also that what they communicate should be valued and respected. When students feel comfortable, they are more likely to take the necessary risks to express their ideas.

Giving feedback

The amount of error correction an instructor undertakes during communication activities will vary. Because no definitive research exists to guide in the correction of student errors, instructors must rely instead on their experience, common sense, intuition, and knowledge of the individuals in the class. Some believe that students generally need not be corrected during communication and prefer to make corrections only during manipulative practice. Others point out only errors that impede communication or that might be offensive to a native speaker. This does not imply, however, that structure and guidance are not necessary. It implies, rather, that a balance be maintained, allowing students to speak freely and take risks in using French (especially when communicating) while at the same time having standards that will develop students' language abilities to the fullest. It is also important to remember that errors are a natural part of the language learning process and often result from a student's trying out a new structure or vocabulary word.

Errors can often be pointed out to students in discreet and unobtrusive ways. The student's statement **Je suis dix-huit** can be rephrased—**Ah, vous avez diz-huit ans**—or the instructor can react to the student's statement by using a variation of the correct structure—**C'est vrai ? Moi, je n'ai pas dix-huit ans**. In addition, frequently recurring mistakes can be pointed out to the entire class. Whatever strategies are used, the learning environment should encourage students to take risks, be willing to make errors, and test their limits of self-expression in the second language.

Small-group work

Many of the activities in *Invitation au monde francophone* can be used for partner or small-group work. Small-group work is useful in encouraging communication and cooperation for the following reasons: (1) communication is more lifelike in small groups because real-life communication usually takes place in a small group of people; (2) students are more at ease in small groups; and (3) the amount of communication increases because each student talks more frequently. The instructor, in addition to providing vocabulary or help when needed, can participate in conversations rather than merely direct them.

The instructor is very important if small-group work is to be effective. First, the students' tasks should be clear so that they know exactly what they are to do. Second, the time allotted should be clearly indicated. Third, students should be responsible for the information found out during the activity. If they are to ask other students questions, they can report back to the class what they learned about the students interviewed. They can also write a short report of their interview to submit to the instructor.

Types of communication activities

Invitation au monde francophone contains a rich variety of communication activities and role-playing situations that can be used to help develop the student's language proficiency. Below are some of the typical communication activities in *Invitation au monde francophone* and possible ways to use them as whole-class or small-group activities.

Conversations/Interviews

The conversation format appears under a variety of titles and consists of a series of questions that students answer or ask another student. The following example is taken from Chapter 7.

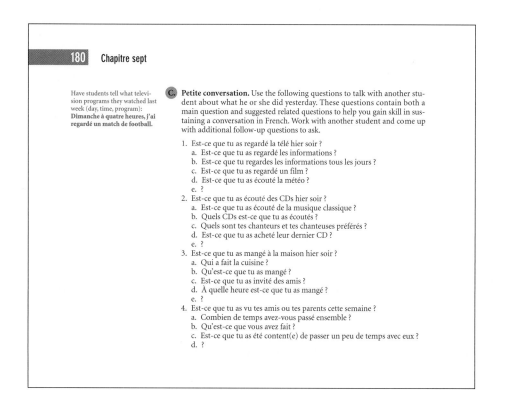

180 Chapitre sept

Have students tell what television programs they watched last week (day, time, program): **Dimanche à quatre heures, j'ai regardé un match de football.**

C. **Petite conversation.** Use the following questions to talk with another student about what he or she did yesterday. These questions contain both a main question and suggested related questions to help you gain skill in sustaining a conversation in French. Work with another student and come up with additional follow-up questions to ask.

1. Est-ce que tu as regardé la télé hier soir ?
   a. Est-ce que tu as regardé les informations ?
   b. Est-ce que tu regardes les informations tous les jours ?
   c. Est-ce que tu as regardé un film ?
   d. Est-ce que tu as écouté la météo ?
   e. ?
2. Est-ce que tu as écouté des CDs hier soir ?
   a. Est-ce que tu as écouté de la musique classique ?
   b. Quels CDs est-ce que tu as écoutés ?
   c. Quels sont tes chanteurs et tes chanteuses préférés ?
   d. Est-ce que tu as acheté leur dernier CD ?
   e. ?
3. Est-ce que tu as mangé à la maison hier soir ?
   a. Qui a fait la cuisine ?
   b. Qu'est-ce que tu as mangé ?
   c. Est-ce que tu as invité des amis ?
   d. À quelle heure est-ce que tu as mangé ?
   e. ?
4. Est-ce que tu as vu tes amis ou tes parents cette semaine ?
   a. Combien de temps avez-vous passé ensemble ?
   b. Qu'est-ce que vous avez fait ?
   c. Est-ce que tu as été content(e) de passer un peu de temps avec eux ?
   d. ?

Students can prepare questions for homework so that they are better able to answer in class. If the questions are used for small-group interviews, various follow-up activities encourage students to be responsible for the information they learned. For example, students can share with the class information they learned from their partner; they can take brief notes on their partner's answers and submit them as an informal composition; or instructors can ask for information that students learned in their small-group interviews (e.g., **Quel film est-ce que Caroline a regardé hier soir ?**). This format can also be used for guided composition practice.

An essential part of the communication process is the ability to ask questions. Thus, many of the activities in *Invitation au monde francophone* use interview formats especially designed to develop the student's ability to ask questions. Some of these activities are structured, especially in early chapters; others are more open-ended.

The following example taken from Chapter 4 illustrates a guided question format that asks students to transform a series of cues into questions that they ask other students. In order to help students keep track of their partner's answer; a grid has been included in the activity.

---

96   **Chapitre quatre**

C. **Le week-end prochain.** Ask other students if they plan to do these things next weekend. Keep track of their answers so that you can report back what they plan to do.

EXEMPLE   aller à la bibliothèque
Est-ce que tu vas aller à la bibliothèque ?
Oui, je vais peut-être aller à la bibliothèque.

	oui	non	peut-être
1. aller au concert			
2. manger dans un bon restaurant			
3. aller à la campagne			
4. aller chez des amis			
5. aller au cinéma			
6. étudier pour un examen			
7. regarder la télé			
8. rester à la maison			
9. ?			

Students can use the phrases to ask each other questions in small- or large-group activities, or they can interview another student about the items listed. Interview sheets, which contain the cues and a place for students to record their partner's answers, can be duplicated and distributed to students. Therefore, they can more easily remember their partner's responses for follow-up whole-class discussions. The cues can also be transformed into questions asked by the instructor (**Est-ce que vous allez étudier pour un examen ?**) or used in directed dialogues (**Demandez à Michelle si elle va aller à la bibliothèque**).

---

204   Chapitre huit

D. **Expériences communes.** Y a-t-il des étudiants dans votre classe qui ont fait les choses suivantes ? Posez-leur des questions pour le savoir. Après cela, annoncez à la classe les résultats de votre petite enquête.

Trouvez des étudiants...

1. qui sont nés le même jour ou le même mois
2. qui sont nés dans la même ville
3. qui sont allés au même lycée
4. qui sont venus à l'université la même année
5. qui sont déjà allés en France ou dans un pays où on parle français
6. qui n'ont jamais voyagé dans un pays étranger
7. qui sont sortis vendredi soir
8. qui sont rentrés tard samedi soir
9. qui ne sont pas partis en vacances l'été dernier
10. qui ont oublié d'étudier pendant le week-end

Another type of activity (**Trouvez quelqu'un qui...**) requires students to formulate questions and then circulate among other members of the class in order to find someone who fits into the categories provided. **Experiences communes** from Chapter 8 illustrates this format.

Students can be given one of these questions (perhaps placed on an index card) and asked to find students who fit the category or they can be given a grid with each of the items in the activity in it and asked to find one or several students to fit the categories. Upon completion, students can share their answers with the rest of the class. It may be helpful to go over the questions as a group before beginning the activity.

Using scales

Students use a scale or continuum to indicate the degree to which they like something or agree with an idea or opinion. In such activities, students can also indicate the relative importance of an idea such as the following activity taken from Chapter 9 illustrates.

Students can give their preference orally and ask for the opinion of another student in small-group or whole-class situations (**Un salaire assez élevé est très important pour moi. Et pour toi ? Est-ce que c'est important aussi ?**). In addition, instructors can solicit student opinions by transforming these items into

---

224   Chapitre neuf

B. **Il faut bien réfléchir.** Qu'est-ce qui compte le plus pour vous dans le choix d'une profession ou d'un emploi ? Examinez les avantages et les inconvénients mentionnés dans le **Point de départ** et indiquez l'importance de chacun.

| très important | assez important | pas très important | sans importance |

EXEMPLE   Est-ce que la sécurité de l'emploi est importante pour vous ?
Oui, c'est assez important pour moi.

direct questions (e.g., **La sécurité de l'emploi, est-ce important pour vous ?**). This activity can also be transformed into a ranking activity where students are asked to rank a list of items in the order of their preference. They can then compare and contrast their choices with those of other students (**Mon premier choix est la sécurité de l'emploi. Quel est ton premier choix ?**). Note that as soon as comparatives and superlatives have been presented, they can be used instead of ordinal numbers.

Role-plays

In addition to the role-plays in each of the **Situations**, many of the **Communication et vie pratique** activities ask students to role-play situations that they might encounter in the target culture. The role-play activities range from the structured role-plays in the early part of the book to the more open-ended, less predictable situations in the later part of the book. As was indicated earlier (see section on the use of the **C'est-votre tour** activities), preparation for role-plays is essential: reviewing useful vocabulary and grammar, modeling a role-play so that students can see possible ways to act out the role-play, discussing the cultural/sociolinguistic constraints of the situation (e.g., appropriate tone, forms of address, social roles), and alternating between spontaneous role-playing and situations in which students are given time (either in class or as homework) to prepare the role-plays. In addition, it is important that all students be involved, whether in the role-play preparation stage or in the presentation of role-plays to the class.

In Chapter 11, for example, students are asked to role-play a conversation between a patient and his or her doctor, who diagnoses the illness and prescribes a remedy. As preparation the day before, students can be asked to come up with a list of possible illnesses and the symptoms that might be present. Students might also be asked to suggest remedies for illnesses and others asked to rate the usefulness of the remedy. The instructor might want to discuss briefly how a doctor is addressed in French and describe briefly how the sécurité sociale system functions in France.

Pairs of students can then be assigned to prepare the role-play as homework or in class. The next day, they can role-play the situation in small groups, alternating roles as time permits. Selected groups can present their role-plays to the class; the "observers" can help the doctor diagnose the problem and prescribe an appropriate remedy. Students can also be put in groups of three where two students role-play the situation while a third student listens and takes notes so that he or she can report to the class the patient's symptoms and the doctor's prescription. If videotaping equipment is available, these role-plays can be recorded and played back to the class (or to future classes).

Information gap/Partner activities

Information gap or partner activities are particularly useful in the development of communication skills because they provide practice in asking and answering questions. These activities are built on the premise that communication occurs when someone needs or wants information that another person has—and in fact many of the activities in *Invitation au monde francophone* are based on this premise. In information gap activities, each partner has information needed by the other to complete a task. Thus, each partner must ask and answer questions, discuss, clarify meaning, and so forth, in order to give and receive the necessary information. Many of the **C'est votre tour** activities are information gap activities as the following **C'est votre tour** taken from Chapter 4 illustrates.

In order to complete the activity, partner A who plays the role of the travel agent has access to the information about the hotels in Biarritz and needs to find lodging that suits the traveler with whom he or she is talking. Partner B (who does not have access to the hotel information) must decide the travel needs of his or her party and negotiate with the travel agent.

The following **C'est votre tour** activity for Chapter 5 is based on a supermarket ad. Both students have access to the advertisement in this case. Partner A (who plays the clerk) needs to decide ahead of time which items are out of stock. Partner B asks questions to find out which of the advertised items are no longer available. Other supermarket ads (or ads for other products) could also be used in this activity.

Many exercises—such as **Emploi du temps** in Chapter 7—can be easily transformed into partner activities. This activity is based on the class schedule of a French student. Partner A can be given a blank schedule (and if desired, a list of courses that Philippe is taking); Partner B is given the completed class schedule. Students then ask and answer questions until Philippe's schedule is completed. If desired, you could also give each student a blank schedule and then give Partner A half of the week's schedule and Partner B the other half. Together the two partners would reconstruct the week's schedule. Students could, as a follow-up activity, be given a blank schedule and asked to find out the courses his or her partner is taking, at what times, and on what days.

Completions
Students complete sentences in ways that are personally meaningful. **Si...** (see Chapter 15) asks students to tell what they would do in various situations.

Les arts et la vie **397**

E. **Si...** Imaginez ce qui se serait passé si les événements suivants avaient eu lieu.

1. Si vous étiez né(e) il y a deux cents ans...
2. Si Christophe Colomb n'avait pas découvert l'Amérique...
3. Si on n'avait pas inventé l'automobile...
4. Si vous aviez décidé de ne pas faire des études universitaires...
5. Si vous aviez grandi dans une autre région...
6. Si vous étiez né(e) en France...
7. Si on n'avait pas inventé le téléphone...

Students can formulate their answers as homework or in class; in either case, prior preparation is helpful. Students can offer their reactions in response to teacher questions (e.g., **Si vous aviez grandi dans une autre région, comment aurait été votre vie ?**) or in small-group activities where the students elicit information from each other. Depending on the abilities of individual students or the class in general, the cues can be used for eliciting short statements or as the basis for longer sentences with explanations and elaborations.

Planning a course syllabus
As indicated already, *Invitation au monde francophone* consists of fifteen chapters plus a **Chapitre préliminaire**. In some semester programs, the content of *Invitation au monde francophone* can be divided so that eight chapters are covered in the first semester and seven the next. In a quarter system, five chapters can be assigned for each quarter. Because of the way the chapters are designed, however, coverage can be organized and altered in many ways. For example, one may elect to teach fewer chapters in one quarter so that supplementary readers can be added. In order to achieve more in-depth mastery or to include additional cultural or reading material, the content can also be spread over a greater number of terms in both semester and quarter programs.

Sample lesson plans

The sample lesson plans in this section suggest ways in which the material in specific chapters of *Invitation au monde francophone* can be organized and presented. Ultimately, of course, lesson planning, like other aspects of classroom organization, will depend on the individual needs of the instructor and the class.

Whether lesson plans are prepared in great detail or consist simply of a list of activities and exercises to be covered, it will be important to keep in mind certain guidelines:

1. Plan specific communication objectives for each class period.
2. Plan activities that relate to course objectives. If the course emphasizes conversation, a correspondingly large portion of class activities should be geared toward developing speaking skill.
3. Plan a variety of activities that sustain students' interest and that give them the opportunity to develop the skills emphasized in the course.
4. Involve students as much as possible. Teaching a skill course implies that students should use that skill rather than talk—or be told—about it.
5. Plan to systematically review and recycle material from the chapter you are working on and from previous chapters.
6. Consider using the review, view, and preview format used in the sample lesson plans below. The *review* phase allows students to work with familiar material and to review important grammar and vocabulary; the *view* phase focuses on the material assigned for that day; and the *preview* phase provides a brief overview of the material to be covered for the next class meeting. (See the *Instructor's Resource Manual* for more information on the review/view/preview format as well as additional activities to incorporate into lesson plans.)

The sample lesson plans that follow are prepared for a four-skill course that meets three times a week. They do not include specific suggestions for use of the supplementary course materials. The first set of plans includes the Preliminary Chapter and Chapter 1 and covers six days of instruction. The second set of plans deals with Chapter 12, which is an all-French chapter.

For classes that meet four or five days a week, the division of course material will obviously be different. Suggestions for emphasizing or de-emphasizing given sections according to class needs have been discussed in the preceding section. General guidelines for those who have more time for the course material follow the sample lesson plans.

Chapitre préliminaire
FIRST DAY
1. Explain course goals, evaluation procedures, the organization of the book, course syllabus, and other administrative materials.
2. Call roll, having students respond **présent** or **présente.**
3. Have the students arrange their seats to form a circle and then greet a student by saying **Bonjour, Monsieur** or **Mademoiselle** and shaking hands. Greet several students in this way and then have the entire class repeat the phrase chorally.

4. Help students get to know you and each other by giving your name and asking a student his or her name (**Je m'appelle...et vous ?**). Exchange names with several students and then, have the entire class repeat the phrase chorally. Now put the two phases together for a mini-conversation:
   —**Bonjour, Monsieur**.
   —(response).
   —**Je m'appelle... et vous ?**
   —(response).
   Model with several students and then have four or five students walk around the circle greeting and introducing themselves to the rest of the class.

5. Begin teaching the words for classroom objects in the **Dans la salle de classe** section. Point to various objects in the classroom and have students repeat the French word. If students catch on rapidly, ask **Qu'est-ce que c'est ?** while pointing to an object and see if they can provide the name of the appropriate classroom object.

6. Begin teaching the numbers 0-31 by having students repeat them. If time is available, count different classroom objects or students present.

7. Begin teaching the alphabet by having students repeat in sequence the letters of the alphabet while you hold up letters for them to see.

ASSIGNMENT: **Chapitre préliminaire**

SECOND DAY
Review
Review greetings introduced in the previous class session, by introducing yourself to one student who will in turn introduce himself or herself to you. Then have that student stand up and greet another student and introduce himself or herself. The activity continues until all students are standing and have greeted several students.

View

1. Model the three informal conversations found in the **Bonjour, tout le monde !** section and have the class repeat them chorally. Model each of the conversations with a different student, substituting in the names of your students. Have the class practice the conversations in pairs. Do the same for the two formal conversations.

2. After reviewing classroom objects, have students repeat the useful classroom expressions (**Quelques expresions utiles**). Have them complete the **Dans la classe, il y a...** activity.

3. Finish teaching the alphabet and then spell five or six of the names given in the **Bien prononcer, c'est important !** section and have students write down what they hear. Briefly review accents in French and then have students spell their names to each other (see **Et vous ?**).

4. Finish introducing numbers from 0-31 and complete **Les notes** and **Codes postaux**. Begin teaching the days of the week by having students repeat them while looking at a monthly calendar. Then, point to a square on the calendar and have students identify the day and the date. Next do **C'est quel jour ?**.

5. Ask students to complete the **Internet** activity which follows **C'est quel jour** before the next class or if possible, complete the activity in class. You might want to offer an orientation session to the World Wide Web for your

students during which you give them general information on using the World Wide Web for assignments in French. For example, you might want to point out search engines such as Yahoo!®France and Yahoo!®Canada.

6. Ask students to find as many cognates as they can in the material taken from **Le Journal de Genève** presented in **Apprendre le français, c'est facile.** Have them compare the words they have found and make a list of those cognates (or near-cognates) identified by the class. Ask them to guess the meaning of selected words taken from the headlines from **Le Journal de Genève** and then have them skim these headlines in order to answer the questions on the headlines.

Preview

Then tell students they can make use of cognates and contextual guessing as they listen to a description of Catherine that they have for the next class meeting. Read them the captions underneath the drawings in the **Point de départ** section of Chapter 1 and have students jot down in French (1) what Catherine studies, (2) what she likes, and (3) what she doesn't like.

ASSIGNMENT: **Chapitre 1 : Point de départ, Communication et vie pratique, Les noms et les articles.**

Chapitre 1—Point de départ

FIRST DAY

Review

As a review or warm-up activity, greet several students, ask how they are, and say good-bye using first the informal structures and expressions and then the formal structures and expressions. Next, set up an informal setting (**entre amis au café**) and a formal setting (**entre étudiants et professeurs à l'université**) and have students greet three or four different students in a manner appropriate for each of the settings. Quickly review numbers by having students complete **Les notes** or **Codes Postaux**.

View

1. To begin the **Point de départ**, put the transparency for this section on an overhead and ask several questions about Catherine and about Laurent, having students respond **c'est vrai** or **c'est faux** and correcting the sentence if it is false. Have the entire class repeat the answers chorally so that they become familiar with the vocabulary and pronunciation.
2. As a whole-class activity, **complete Communication et vie pratique A (Les cours)** orally. As a follow-up, have students tell what subjects they are currently studying.
3. Have students do **Communication et vie pratique B (Préférences)** in pairs. Then have students change partners and do **Communication et vie pratique C (Présentations).** Ask them to record their partner's answers on the grid provided; then ask several students to introduce their partners to the class. (If desired, you can spread these introductions over a period of several days until all students have been introduced).
4. Give students a copy of the conversation in **Situation : Visite du campus** with the definite and indefinite articles and nouns deleted. Read the conversation to the students, having them fill in the missing words. Then, ask the comprehension questions in the **Avez-vous compris ?** section. Complete **Communication et vie pratique A (Petits boulots)** by asking the

questions and having students respond. Then have students role-play **Communication et vie pratique C (Les études universitaires)**.

5. In pairs, have students interview each other using the cues provided in **Communication et vie pratique D (Et toi ?)** Have students record their partner's answers so that they can report them to the class.

6. If time permits, complete the **C'est votre tour** role-play.

7. Have students work in small groups to identify the similarities and differences between the types of questions found on the baccalauréat and the types of questions that American students encounter on exams. (see **Info-culture, Et vous ?**) Have groups share their findings with the class.

Preview

Present **-er** verbs using the conversation in **Situation : On mange ensemble ?** to show various forms of the verbs. After showing students the complete conjugation of travailler, complete **Communication et vie pratique A (Soirée disco)** to check student comprehension.

ASSIGNMENT: **Les verbes du premier groupe**, prepare **Communication et vie pratique C (Rarement ou souvent ?)**.

SECOND DAY

Review

Review verbs introduced in the **Point de départ** by asking students to talk about their interests and preferences. Give statements about your own interests and ask students to give their preferences (for example, **Moi, j'aime beaucoup marcher. Et toi ?**).

View

1. Complete **Communication et vie pratique B (Après les cours)** with books closed and then asked students to ask each other questions about how often they do different activities (**Communication et vie pratique C, Rarement ou souvent ?**).

2. Have students complete **Emploi du temps** from the previous **Exploration**. Have them first describe Sébastien's schedule; then have them jot down their own activities for the week. Ask students to use vocabulary they know as much as possible; you may want to provide other vocabulary that they need. Then pass out similar schedule forms and have students describe their schedules to other students who will jot down what they hear on the form provided.

3. Use the conversation in the **Situation : On mange ensemble ?** section as a listening comprehension passage. Then dictate the first four sentences to the students for writing practice. Have students check their work with the correct version in the book, on a handout, or on the overhead projector. Then complete the **C'est votre tour** section that accompanies this **Situation.**

4. Go over the **Bien prononcer** section at the end of the chapter, having students repeat the examples and the **Petite conversation.**

Preview

Present the negative and interrogative forms using the conversation **Situation : Anglais ou français ?** and complete **Communication et vie pratique A (Qu'est-ce que tu étudies ?)** and B (**Absolument pas !**) for practice.

ASSIGNMENT: **La forme interrogative et la forme négative**, write out the captions for **Communication et vie pratique E (Me voici à l'u-**

niversité) in the **Exploration** for -er verbs and complete **Communication et vie pratique B (Absolument pas).** Make up the list of questions required for **C'est votre tour.**

THIRD DAY

Review

Use the transparency for **Me voici à l'université** and have students share the captions that they have created for these different pictures. Then have them compare their own situation with that of Jean-Luc (e.g., **Moi aussi, j'aime nager, mais je ne regarde pas souvent la télé.**) Then have them make a list of different school subjects that they are taking (e.g., **la biologie, le français, l'anglais).**

View

1. Begin working on the negative by completing **Communication et vie pratique A (Qu'est-ce que tu étudies ?)** using the list created in the review phase as a guide.
2. Then complete **Communication et vie pratique B (Absolument pas)** orally with books closed. **Communication et vie pratique C (Pas vraiment)** with books open; have students play the roles of Claire and Pierre.
3. Then ask students to complete **Communication et vie pratique D (Activités et loisirs).** As a follow-up, see how many students do these different activities in their free time and determine which seem to be the more popular free-time activities.
4. Have students repeat chorally and in pairs the conversation in **Situation : Anglais ou français ?** Give students time to brainstorm questions that they can use in the **C'est votre tour.** Then model the role-play with a student in the class and then have students role-play the **C'est votre tour** situation in small groups. If time permits, have one or several groups role-play in front of the class and then ask comprehension questions based on the role-play to make the rest of the class accountable for the content of the conversation.

Preview

Have students scan the first paragraph of the Intégration et perspectives reading, Mosaïque, and answer two or three questions (for example, What is Amadou studying?, Where is he studying?, Name one thing he dislikes). As suggested in the **Pour mieux lire** strategy, have students try to guess the meanings of the new words from context. To preview the culture, ask students to jot down the different options available to American students after they have completed their high school education (career, technical school, community college, etc.) and then ask them to read the **Info-culture** section for the next class session.

ASSIGNMENT: **Intégration et perspectives**, write out the answers to **Avez-vous compris ?**, **Communication et vie pratique B (Réponse),** and write out the list of facts about Dakar requested in the **Internet** exercise. Read **Chez nous (en Suisse).**

FOURTH DAY

Review

As a warm-up activity, give four or five student leaders a list of cues (**aimer danser, étudier l'anglais,** etc.) and then assign them to small groups. The student leaders will form questions based on the cues and keep track of their groups' responses. As a follow-up, the student leaders can introduce each group member and provide one piece of information about him or her.

View

1. Have students in small groups prepare in writing (on the board or on a transparency) a description of one of the people described in the **Intégration et perspectives** reading. Correct written descriptions as a class. As a follow-up, ask several questions based on the reading (for example, **Est-ce qu'Amadou étudie l'anglais ? Et vous, est-ce que vous étudiez aussi la médecine ?**).

2. Ask students questions about the graph in the **Et vous ?** section of the **Info-culture.** Then, as a class or in small groups, make a similar graph describing post-secondary education in the United States.

3. Complete **Communication et vie pratique A (Petites annonces)** as a whole-class activity or in small groups. Then have students read aloud their prepared letters (**Communication et vie pratique B**) without revealing to whom they wrote. The rest of the class must guess to whom the letter was addressed.

4. As suggested in **Pour mieux comprendre,** which accompanies the exercise, have students listen twice to the recording of **Au téléphone** in **Communication et vie pratique D:** the first time for things that Carolyne doesn't like about her present situation, then for the things that Carolyne and Annick have in common.

5. Ask students to read quickly the **Chez nous** section and give two to three pieces of information about Christophe and about Switzerland.

Preview

Introduce the vocabulary in **the Point de départ, Chapitre 2** by using the transparencies for this section. Have students repeat the words and structures in chorus to familiarize them with the pronunciation. Complete **Communication et vie pratique A (Présentations).**

ASSIGNMENT: **Chapitre 2 : Point de départ, Communication et vie pratique B and C, Info-Culture.**

Chapitre 12—Des goûts et des couleurs

FIRST DAY

Review

As a warm-up activity, briefly review the different expressions used to give compliments and have students create a list of adjectives that they might use in giving a compliment. Then have students practice giving compliments to each other using vocabulary that they already know (as well as the clothing vocabulary in this chapter) (e.g., **Quelle jolie robe ! C'est un ensemble élégant. Tu as des camarades de chambre très sympathiques.**).

View

As a first activity, have students complete **Faites vos valises (Communication et vie pratique A)** in small groups. Then have the different groups compare and contrast their selections as a whole-class activity. Go over the clothing and color vocabulary presented in **Point de départ** by having students imagine they are sitting outside of a café in France and are describing people they see (clothing, hair, eyes, etc.) as you hold up magazine pictures. Then have them describe themselves or each other in small groups.

Describe orally five or six students in the class beginning with **Cette personne a les yeux bleus, les cheveux blonds,** etc. and ending with **Qui est-ce ?** Students must understand your descriptions in order to identify the students being described.

Dictate a short description of one or two of your family members including hair, eyes, clothing, shoe size, and a compliment. Have the students check their work and then have students prepare the description that they would give to their host family in France so that they could be recognized at the airport (**Communication et vie pratique D, Arrivé à l'aéroport**). Collect the descriptions to use in the next day's lesson. Have students describe what they know about fashion and clothing in France based on the Info-Culture section, their own experience, and/or the information they have learned from one of the suggested Web sites (or another of your choice). Then discuss as a class the questions in the **Et vous ?** section, comparing and contrasting fashion in France and in the United States.

Preview
Present the indirect objects by reading the **Situation : Noël approche** and pointing out the uses of the indirect object pronouns. Have students complete the **Avez-vous compris ?** section. Complete the Instructor's Edition drills in the margin for indirect object pronouns.

ASSIGNMENT: Indirect object pronouns, write out **Communication et vie pratique A (Générosité)** and **B (Messages).**

SECOND DAY
Review
As a warm-up activity, give a series of statements and have students tell whether the person has made the right choice of clothing (for example, **Marie-Louise va faire du camping; elle va porter une jolie robe.**). Then ask students what they like to wear on different occasions. Then read aloud several of the descriptions that students wrote of themselves in the previous class session. See if students can guess who is being described.

View
Begin working with indirect object pronouns by completing any of the **Premiers pas** exercises that were not completed in the previous lesson. Dictate several sentences from the **Situation : Noël approche,** or create your own **dictée,** including a variety of indirect object pronouns. Have students check their work.

Have students do **Communication et vie pratique D (Est-ce que ça me va bien ?)** by telling whether or not the item looks good on the person in the illustration (e.g., **Ce tee-shirt ne lui va pas très bien; c'est beaucoup trop petit).** Introduce the **C'est votre tour** by having the class make a list of gift items for the following people: **votre professeur de français, vos parents, votre meilleur(e) ami(e), un(e) de vos camarades de classe.** Then have students role-play the **C'est votre tour** in small groups. If time permits, present several of the role-plays in front of the class. Following each presentation ask students what they thought of the gift ideas.

Preview
Introduce the verb **mettre** through a short dictation in which you use the different forms of **mettre** (e.g., **Je mets une robe bleue aujourd'hui; tu mets une cravate, n'est-ce pas ?; Robert met un jean et un tee-shirt).** Put the correct sentences on the board or on a transparency and have students correct their

work; then repeat the forms chorally and introduce the **passé composé.** If time permits, complete **Communication et vie pratique A Qu'est-ce qu'on va mettre ?**

ASSIGNMENT: Write out **Communication et vie pratique B** and C (**Et vous ?** and **Chose promise, chose due**). Have students make a list of three positive and three negative comments that they might make about different outfits that they might wear to use in the **C'est votre tour** for **Les verbes conjugés commme mettre;** ask them also to bring in several magazine pictures of several outfits that they might like to wear.

THIRD DAY

Review

Review reflexive verbs from chapter 11 by having students complete **Le train quotidien** (Chapter 11, present of reflexive verbs); then have them describe their typical day using reflexive verbs and time expressions (**Je me lève à huit heures, je me lave, je m'habille, je prends mon petit déjeuner,** etc.)

View

Then ask students to expand the description by talking about what they usually put on in different situations by completing in pairs **Communication et vie pratique B (Et vous ?).** Ask students to compare their answers with their partner and then with the class. Then ask them to write a short description of their daily schedule, including times, clothing they generally put on (see **Communication et vie pratique B, Et vous ?),** etc. Ask them to put their names on the back of the description. Collect the descriptions and hand them out to the class; the students' task is to ask questions to find out who has written the description. Model several questions: **Est-ce que tu te lèves à six heures ? Est-ce que tu mets toujours un jean et un pull pour aller en classe ? Est-ce que tu mets un complet pour aller dîner dans un bon restaurant ?** and so on.

Complete **Communication et vie pratique C (Chose promise, chose due),** first completing the exercise in the textbook and then asking students to add two or three additional resolutions for each category and share them with the class.

Give a short dictation in which you include the verb **mettre** and different positive and negative comments that could be made about different clothing (e.g., **Ne mets pas ça, cette couleur ne te va pas très bien.**) Have students correct their work.

Then complete the **C'est votre tour** activity. First ask students to put their lists of positive and negative comments on the board so that these ideas can be used in the role-play. Then put them in groups of three or four, assigning one student who will show the group several possible outfits; the other students will give their opinions. If time permits, change roles and/or have several groups present their role-play to the class.

Preview

Introduce the negatives inductively or deductively and then have students read the **Situation : Dans une boutique de mode** and ask them to identify the negatives in the conversation.

ASSIGNMENT: Have students complete **Communication et vie pratique A (Que la vie est cruelle !)** and B **(Mais non, ne'inquiete pas.)**

FOURTH DAY
Review
Have students complete **Un individu suspect Communication et vie pratique C,** using photos or pictures that you provide. Several students (or small groups of students) can be asked to describe the same individual so that they can compare and contrast their descriptions.

View
Complete **Communication et vie pratique A (Que la vie est cruelle !)** as a role-play situation, making sure that the students who play Jean are appropriately negative in tone.

Then role-play **Communication et vie pratique B (Mais non, ne t'inquiéte pas)** making sure this time that students use a reassuring tone of voice. Then have students work in small groups to come up with at least five different complaints for each of the groups in **Communication et vie pratique C (Rien ne va plus),** using as many different negative expressions as possible. Next, have each group share their complaints with the class, who will decide which group is the most discontented. As preparation for the **C'est votre tour,** have students playing the customers decide what they want to buy (e.g., article of clothing, style, color, price) and those playing the salesperson decide what items thay have available and in what style, price, and color. Then have students role-play the situation. Encourage the use of negatives where appropriate in the role-play.

Preview
As preparation for the **Intégration et perspectives** reading, ask students to think of etiquette for different situations in the United States (e.g., when invited to dinner, while eating, visiting people, host or hostess gifts, accepting and refusing invitations). Ask students to write these ideas down and then compare them with the French customs described in **L'ABC des bonnes manières.**

ASSIGNMENT: Read **L'ABC des bonnes manières** and complete the **Avez-vous compris ?** Prepare a description of a famous person, including physical characteristics, personality, typical clothing, and so on.

FIFTH DAY
Review
Read several of the descriptions that students prepared earlier in the chapter for **Arrivée à l'aéroport.** See if students can guess who is being described.

View
Divide the class into three or four groups and appoint one student as group leader. Ask students to read the descriptions of famous people they prepared as homework and see if other students can guess the person they are describing. Evaluate student comprehension of the **Intégration et perspectives** reading by asking them to imagine that they are French students who need to give American vistiors advice on good manners. Then ask students to complete the same activity but from the perspective of Americans giving advice to French visitors (**Communication et vie pratique B L'ABC des bonnes manières**). Then complete the **Info-Culture** questionnaire on gestures (perhaps trying to give the gesture as they read their answers) and the accompanying **Et vous ?** activity.

Have students listen to the conversation that Micheline and Robert had at Galeries Lafayette twice. The first time through ask them to listen for what Micheline and Robert want to buy; the second time, ask them to listen and then answer the comprehension questions.

Preview

Introduce the vocabulary and structures in the **Point de départ** for Chapter 13. As preparation for the **imparfait/passé composé** distinction, have students tell what they did last weekend.

ASSIGNMENT: Chapitre 13: Prepare the **Point de départ** and the **Info-culture** sections. Write out **Communication et vie pratique C, Voeux et condoléances.**

Introduce inductively the comparative and see if students can guess the pattern from the examples you give. Then introduce the superlative inductively, again asking students to try to determine the pattern. Complete the drills in the Instructor's Edition, then work with students to complete the **Premiers pas** exercises.

Tell students about the reading strategy suggested in the Instructor's Edition and then ask them to use that strategy as they prepare the **Intégration et perspectives** reading (L'ABC des bonnes manières) and to be ready to tell whether or not they found it useful.

Classes meeting four or five days a week

Under such a system, a more in-depth coverage of the different sections of the book will be possible. Many of the optional activities and follow-up suggestions given in the marginal notes of the Instructor's Annotated Edition can be implemented. In addition, the instructor can provide more opportunities to develop listening, reading, writing, and speaking skills as well as to discuss in greater detail the Info-culture sections. These classes will also have time for using more supplemental materials.

Listening
Scripts

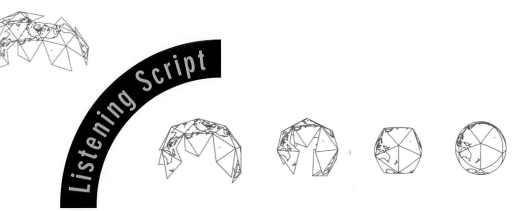

Chapitre un

C. Au téléphone. Carolyne Menton is looking for a new roommate. She calls Annick Lesage who has placed an ad on the student bulletin board. Listen to their conversation and then tell why Carolyne is not happy with her current living arrangements and why Annick and Carolyne are probably compatible as roommates.

Carolyne	Allô. Je m'appelle Carolyne Menton. Vous cherchez toujours une camarade de chambre ?
Annick	Oui. Vous aussi ?
Carolyne	Oui, j'habite maintenant avec une amie. Mais elle aime beaucoup écouter de la musique et elle parle tout le temps au téléphone. Et quand elle ne parle pas au téléphone, elle regarde la télévision. Je n'aime pas beaucoup ça. Je préfère la solitude.
Annick	Moi aussi. J'aime bien le théâtre et la musique classique, mais j'étudie presque tout le temps.
Carolyne	Vous étudiez l'informatique, n'est-ce pas ?
Annick	Oui, et vous, qu'est-ce que vous étudiez ?
Carolyne	La chimie et la biologie.

Chapitre deux

A. Cours pour étrangers. David Thornburg is registering for courses at the *Cours pour étrangers* of the *Université de Nice*. Élise Martel is helping him fill out the registration form in your textbook.

Élise	Nom et prénom, s'il vous plaît ?
David	Pardon ?
Élise	Quel est votre nom ? Comment vous appelez-vous ?
David	Je m'appelle David.
Élise	Et votre nom de famille, c'est quoi ?
David	Thornburg...T-H-O-R-N-B-U-R-G.
Élise	Vous êtes marié ou célibataire ?
David	Je suis célibataire.
Élise	Nationalité ?

David	Je suis américain.
Élise	Profession ?
David	Je suis étudiant.
Élise	Date et lieu de naissance ?
David	Pouvez-vous répéter, s'il vous plaît ?
Élise	Où et quand êtes-vous né ?
David	C'est indiqué ici, sur mon passeport.
Élise	Domicile habituel ?
David	Je suis de Saint-Louis. J'habite encore avec mes parents.
Élise	Oui, mais quelle est votre adresse ?
David	83, Avenue Washington, Saint Louis, Missouri 63144.

Chapitre trois

B. Accueil France. An employee of Accueil France Famille, an organization that finds host families for foreign students, is taking a call from Mme Lenormand. Listen for information regarding the kind of accomodations Mme Lenormand has to offer. Then answer the questions in your textbook.

Mme Lenormand	Allô, allô, France Famille ?
L'employée	Oui, c'est ici Accueil France Famille. Bonjour, madame. Qu'est-ce que je peux faire pour vous ?
Mme Lenormand	Je voudrais participer à votre programme d'accueil.
L'employée	Très bien...Vous avez des enfants ?
Mme Lenormand	Oui, j'ai un fils et deux filles.
L'employée	Et quel âge est-ce qu'ils ont ?
Mme Lenormand	Le garçon a quinze ans. Une des filles a seize ans et l'autre a dix-neuf ans.
L'employée	Vous parlez anglais ?
Mme Lenormand	Non, mais les enfants étudient l'anglais au lycée.
L'employée	Et votre mari ?...
Mme Lenormand	Je suis divorcée.
L'employée	Quelle est votre profession ?
Mme Lenormand	Je suis dentiste.
L'employée	Et comme logement, qu'est-ce que vous avez ?
Mme Lenormand	Nous avons une grande maison avec terrasse et jardin.
L'employée	Vous avez tout le confort moderne, je suppose ...
Mme Lenormand	Oui, bien sûr.

L'employée	Combien de chambres est-ce qu'il y a ?
Mme Lenormand	Quatre. Ma fille commence ses études à l'université, alors nous avons maintenant une chambre libre.
L'employée	Très bien, je vais noter votre nom et votre adresse.

Chapitre quatre

A. À l'agence de voyages. Three friends, Michel, Raymonde, and Mathieu, are consulting a travel agent. Michel has some definite ideas about which countries he'd like to visit. Listen to their conversation and then answer the questions.

L'agent	En quelle saison désirez-vous prendre des vacances ?
Michel	En juin ou en septembre.
L'agent	Excellente idée. Est-ce que vous préférez rester en France ou aller dans un pays étranger ?
Raymonde	Moi, je préfère visiter un pays étranger. D'habitude je passe mes vacances en France. Je suis fatiguée de faire toujours la même chose. Vous n'êtes pas d'accord ?
Mathieu	Si, si on est d'accord.
L'agent	Vous préférez les voyages individuels ou les voyages organisés ?
Mathieu	Quand on va à l'étranger, c'est peut-être préférable de prendre un voyage organisé ?
L'agent	Oui, c'est mieux comme ça.
Michel	Moi, je voudrais bien aller en Afrique du Nord et visiter le Maroc ou la Tunisie ....
L'agent	Nous avons justement un voyage de dix jours au Maroc.
Michel	Est-ce qu'il y a encore des places pour juin ou est-ce que tout est complet ?
L'agent	Tout est complet en juin, mais pour septembre, je suis sûr que c'est possible.

Chapitre cinq

A. Vous travaillez dans un restaurant. Imagine that you are working for the summer as a waiter or waitress in a French restaurant. Listen and write down what Monsieur and Madame Tabet order for lunch.

Le serveur	Vous êtes prêts à commander ?
Mme Tabet	Oui, et pour commencer nous allons prendre un artichaut et du pâté de campagne.
Le serveur	Et comme viande ?
Mme Tabet	Je prends du poulet avec des petits pois.
Le serveur	Et Monsieur ?

M. Tabet	Je pense que je vais prendre du veau avec des haricots verts.
Le serveur	Et comme boisson ?
M. Tabet	Une carafe de vin rouge, s'il vous plaît.
Mme Tabet	Et pour moi, de l'eau minérale, s'il vous plaît.

Chapitre six

A. Un nouvel appartement. You are looking for a new apartment and are talking to a real estate agent who describes three apartments to you. Listen to him describe the three apartments, then tell if the statements in your textbook refer to the first, second, or third apartment mentioned.

J'ai trois jolis appartements en ce moment. Le premier est juste en face d'ici. Il y a deux chambres et une grande salle de séjour. Cet appartement coûte 4 500 francs par mois. C'est assez cher, mais comme c'est dans le centre, on ne passe pas des heures dans le métro pour aller au travail ou pour aller faire des courses en ville. Le deuxième appartement a seulement une chambre mais il coûte seulement 2 800 francs par mois. En métro, il est dix minutes du centre. C'est un appartement très agréable. Il y a un parc à coté et c'est parfait pour une personne qui aime faire des promenades ou faire du sport. Le troisième appartement est situé en banlieue. Il a deux chambres, mais il n'est pas trop cher—2 000 francs par mois. La vie est très calme dans ce quartier, mais ça prend quarante-cinq minutes pour aller en ville.

Chapitre sept

A. Télévision : Sélections du soir. La speakerine va vous annoncer quelques-unes des émissions qu'on va présenter ce soir à la télévision. Pour chaque émission mentionnée, indiquez l'heure, la chaîne et le type de programme.

À 17.30, sur la Cinq. Tennis. En direct de Wimbledon, reportage sur la finale des championnats internationaux.

À 18.00, sur TF1. « Riviera », le nouveau feuilleton européen en deux cent soixante épisodes. Ce soir, dans le premier épisode de la série, vous allez rencontrer la prestigieuse famille De Courcey, propriétaire d'un château situé sur la Côte d'Azur, entre Monaco et Nice.

À 19.20, sur TF1. « La Roue de la fortune », un jeu animé par Christian Morin et Annie Pujol.

À 20.00, sur M6. Le « Le Cosby Show », une série américaine. Ce soir, Claire, fatiguée de faire le ménage et la cuisine, décide de partir en vacances. Cliff reste seul avec les enfants.

À 20.45, sur Antenne 2. « Jeux sans frontières », le grand jeu européen. Six pays participent à ce jeu : la France, l'Italie, le Portugal, l'Espagne, la Grande Bretagne et la République de San Marin.

À 21.00, Canal+ présente « Les milles et une nuit », un film franco-italien en deux parties de Philippe de Broca.

À 22.15, sur TF1, « Bonjour les 70 ». Cette nouvelle série de documentaires nous propose un voyage dans les années soixante-dix : événements importants dans le domaine de l'actualité politique, du sport, de la mode, du cinéma et de la musique.

À 23.25, pour les gens qui aiment la nature, TF1 présente une série de documentaires sur les régions de France. Cette semaine, nous allons visiter la Sologne, une région située seulement à deux heures de Paris.

Chapitre huit

A. Île de La Réunion. Bulletin météorologique du samedi 12 et du dimanche 13 décembre. Vous êtes à La Réunion avec Daniel et ses amis. Vous écoutez le bulletin météorologique pour le reste de la journée et pour le jour suivant. Notez dans les cases suivantes une or deux caractéristiques du temps qu'il va faire dans les différents parties de l'île.

Ce soir, le temps va être assez beau sur la partie intérieure de l'île. Par contre, sur les côtes, il va y avoir des nuages et peut-être même de la pluie pendant la nuit. Dimanche matin, le ciel va être clair et ensoleillé, excepté quelques nuages sur les côtes et dans la région de St. Denis.

Pendant la journée, les nuages vont revenir, surtout dans les montagnes où ils risquent de donner quelques pluies en fin d'après-midi. Par contre, sur les côtes, le temps va rester beau et ensoleillé et la mer va être calme jusqu'à la fin de l'après-midi. À St. Denis, la température moyenne va être de 28° C.

Le soir et pendant la nuit, il va y avoir un peu de vent qui va souffler surtout près du volcan et dans la baie de la Possession.

Chapitre neuf

A. Demande d'emploi. Le directeur du personnel d'une entreprise est en train d'interviewer marie-Hélène Charpentier pour une poste dans leur établissement. Écoutez leur conversation et répondez aux questions présentées dans le formulaire de demande d'emploi.

L'employé	Comment vous appelez-vous, madame ?
La candidate	Marie-Hélène Charpentier.
L'employé	Pardon...Pouvez-vous répéter, s'il vous plaît ?
La candidate	Marie...Hélène...Charpentier.
L'employé	Où et quand êtes-vous née ?
La candidate	Je suis née le 20 juin 1964, à Strasbourg.
L'employé	Et où est-ce que vous habitez en ce moment ?
La candidate	Ici à Lyon, 68 rue de la République.
L'employé	Quels diplômes possédez-vous et où avez-vous fait vos études ?
La candidate	J'ai mon baccalauréat et j'ai fait deux années d'études en sciences économiques à l'université de Grenoble.
L'employé	Quels emplois avez-vous occupés récemment ?
La candidate	J'ai été secrétaire bilingue dans une entreprise; après ça, j'ai été aide-comptable, et en ce moment je travaille à la banque du Commerce et de l'Industrie.
L'employé	Et combien gagnez-vous ?

La candidate	7 500 francs par mois.
L'employé	Pourquoi cherchez-vous un autre emploi ?
La candidate	Parce que ce n'est pas assez bien payé et c'est un emploi sans avenir.

Chapitre dix

B. Soldes de printemps. Vous écoutez la radio et vous entendez une annonce publicitaire pour Monoprix, un magasin qu'on trouve dans presque toutes les villes françaises. Écoutez ce qu'on dit et répondez aux questions dans votre texte.

Venez à Monoprix et profitez des soldes de printemps du 1er au 10 mai. Vous allez trouver des occasions exceptionnelles à tous nos rayons. Au rayon maroquinerie, il y a trente pour cent de réduction sur tous nos sacs à main. Et n'attendez pas la pluie pour acheter ce nouveau parapluie qu'il vous faut. Ils sont en solde entre soixante-dix et cent vingt francs. Au rayon chaussures, nous avons ces chaussures de tennis que vous cherchez depuis longtemps, des chaussures *Le Coq* pour hommes et femmes à cent cinquante francs. Et n'oubliez pas vos enfants. Au rayon jouets, nous avons tous les jeux vidéo qu'ils vous demandent. Alors ne perdez pas de temps ! Venez nous rendre visite à Monoprix pendant les soldes de printemps.

Chapitre onze

A. Quoi ? ! Tu n'es pas encore prête ? Valérie et ses amies vont régulièrement à leur cours de gymnastique. Ses amies, Sophie et Janine, viennent la chercher mais elle n'est pas prête. Écoutez la conversation entre Sophie, Janine, Valérie et Madame Rigaud, la mère de Valérie. Ensuite dites si les phrases suivantes sont vraies ou fausses.

Sophie	Bonjour, Madame Rigaud. Est-ce que Valérie est prête ?
Janine	On va à notre cours de gymnastique aérobique.
Mme Rigaud	Non, elle vient seulement de se réveiller. Elle a peut-être oublié. Attendez, je vais l'appeler. Valérie ! Tes amies sont ici. Elles sont venues te chercher pour ton cours de gymnastique.
Valérie	Zut ! J'ai complètement oublié ! Vous êtes sûres que vous voulez vraiment aller au cours de gym aujourd'hui ? Je ne me sens pas très bien...Je ne sais pas pourquoi mais je suis fatiguée et j'ai mal partout.
Mme Rigaud	Moi, je sais pourquoi tu te sens si fatiguée, c'est parce que tu t'es couchée à une heure impossible. Tu ne te reposes pas assez.
Valérie	Voilà, je suis prête.
Mme Rigaud	Valérie, tu as oublié de te peigner. Voyons, tu ne peux pas sortir comme ça.
Valérie	Ne t'inquiète pas, Maman; je peux me peigner dans la voiture.
Sophie	La voiture ? Quelle voiture ?
Janine	Non, ma chère, on va laisser la voiture au garage. Tu as besoin d'une petite marche pour te réveiller !

Chapitre douze

A. Aux Galeries Lafayette. Micheline et Robert ont décidé d'aller faire des courses aux Galeries Lafayette. Écoutez les conversations qu'ils ont eues aux différents rayons et répondez aux questions dans votre texte.

Au rayon des vêtements de sport

Le vendeur	Bonjour, monsieur. Est-ce que je peux vous aider ?
Robert	Oui, monsieur, je voudrais essayer un de ces shorts.
Le vendeur	Quelle taille, s'il vous plaît ?
Robert	Cinquante-quatre.
Le vendeur	Voici un modèle qui est très populaire. Vous pouvez les essayer ici, monsieur...Cette couleur vous va très bien, monsieur, mais c'est peut-être un peu trop grand.
Robert	Non, c'est confortable—pour faire du sport c'est mieux comme ça.
Le vendeur	Alors, monsieur, vous le prenez ?
Robert	Oui. Ça fait combien, s'il vous plaît ?
Le vendeur	Quatre-vingt-dix francs.

Plus tard, au rayon des chaussures

La vendeuse	Bonjour, madame.
Micheline	Je cherche une paire de chaussures. C'est pour porter au bureau.
La vendeuse	Nous avons exactement ce que vous cherchez. C'est parfait pour la femme qui travaille. Quelle est votre pointure ?
Micheline	Trente-huit. Vous les avez en bleu foncé ?
La vendeuse	Non, pas dans votre pointure. Mais nous les avons en noir. Vous voulez les essayer ?
Micheline	Oui, s'il vous plaît...Ils me vont très bien. Vous êtes sûre que vous ne les avez pas en bleu ?

Chapitre treize

E. Familiale. Écoutez le poème de Prévert intitulé « Familiale » et ensuite, indiquez qui sont les trois personnages dans le poème, ce qu'ils font et comment se termine le poème. Utilisez les illustrations suivantes pour vous guider dans votre récit.

« **Familiale** » de Jacques Prévert

La mère fait du tricot

Le fils fait la guerre

Elle trouve ça tout naturel la mère

Et le père qu'est-ce qu'il fait le père ?

Il fait des affaires

Sa femme fait du tricot

Son fils la guerre

Lui des affaires

Il trouve ça tout naturel le père

Et le fils et le fils

Qu'est-ce qu'il trouve le fils ?

Il ne trouve rien absolument rien le fils

Le fils sa mère fait du tricot son père des affaires lui la guerre

Quand il aura fini la guerre

Il fera des affaires avec son père

La guerre continue la mère continue elle tricote

Le père continue il fait des affaires

Le fils est tué il ne continue plus

Le père et la mère vont au cimetière

Ils trouvent ça naturel le père et la mère

La vie continue la vie avec le tricot la guerre les affaires

Les affaires les affaires et les affaires

La vie avec le cimetière

Chapitre quatorze
F. « Les Verts ». Hélène parle avec son amie Martine. Une d'elles a décidé de devenir membre d'un groupe d'action écologique. Écoutez leur conversation et ensuite répondez aux questions dans votre texte.

Hélène   Alors, Martine, tu t'intéresses vraiment à l'écologie ?

Martine   Mais, Hélène, c'est impossible de ne pas s'y intéresser ! Quel monde allons-nous laisser à nos enfants ? Ça ne t'inquiète pas, toi ?

Hélène   Si, Martine, mais qu'est-ce que je peux y faire ? Ce sont les industries qui sont responsables. Leurs déchets toxiques polluent nos rivières. La fumée de leurs usines empoisonne l'air que nous respirons.

Martine   Oui, mais si on ne dit rien et si on ne fait rien, ces industries dont tu parles continueront à polluer. Les gens continueront à consommer de plus en plus de choses dont ils n'ont pas vraiment besoin jusqu'au jour où on aura épuisé une bonne partie de nos ressources. Et on ne saura plus quoi faire des déchets.

Hélène   Oh, Martine, il ne faut pas exagérer; on n'en est pas encore arrivé là.

Martine   Non, mais il n'y a pas de temps à perdre.

Hélène   Qu'est-ce qu'on peut faire ?

Martine   On pourrait commencer par consommer moins, surtout moins d'eau et d'électricité. Les gens pourraient s'arrêter de jeter des papiers et des déchets un peu partout. Toi, par exemple, Hélène, si tu prenais le temps de séparer tes déchets, tu pourrais les recycler au lieu de les jeter à la poubelle.

Chapitre quinze

D. On va au cinéma ? Thierry voudrait que Maryse aille avec lui voir un film qu'on joue en ce moment. Écoutez leur conversation et répondez aux questions dans votre texte.

Thierry	Il fait absolument que tu ailles voir ce film, Maryse. Tu sais, c'est rare qu'on ait l'occasion de voir un film de cette qualité.
Maryse	Je voudrais bien, Thierry, mais je doute que j'aie le temps cette semaine. Si tu m'en avais parlé plus tôt, j'aurais peut-être pu me débrouiller pour être libre. Mais maintenant, il faut que je finisse un compte rendu et que je sois prête pour mon examen de chimie. Et ce n'est pas en sortant tous les soirs que je vais y arriver.
Thierry	Écoute-moi avant de te fâcher ! Je ne te demande pas de sortir tous les soirs, seulement d'aller voir ce film avec moi ! On pourrait y aller en rentrant de l'université. Et puis, le travail, c'est bien beau, mais il faut aussi prendre le temps de se détendre un peu.
Maryse	Attends. Il est possible que je sois libre vendredi soir. Je vais regarder...Zut, j'ai promis à mon amie Chantal de passer la soirée avec elle. Elle veut que je fasse la connaissance de son cousin.
Thierry	Quel cousin ?
Maryse	Celui dont elle nous parle tout le temps. Tu sais bien, celui qui est danseur à Paris.

INVITATION

au monde francophone

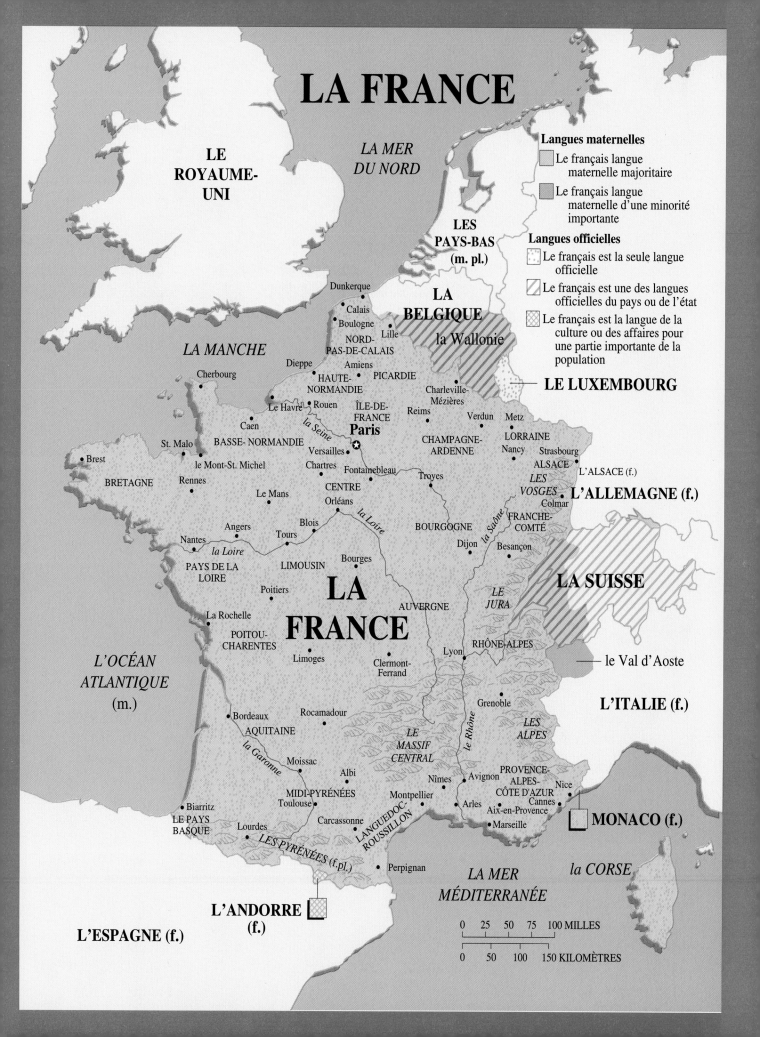

LA FRANCE

LE ROYAUME-UNI

LA MER DU NORD

LES PAYS-BAS (m. pl.)

LA BELGIQUE
la Wallonie

LE LUXEMBOURG

LA MANCHE

Dunkerque
Calais
Boulogne
Lille
NORD-PAS-DE-CALAIS
Amiens
PICARDIE
Charleville-Mézières
Dieppe
Cherbourg
HAUTE-NORMANDIE
Verdun
Metz
Le Havre
Rouen
Reims
la Seine
ÎLE-DE-FRANCE
LORRAINE
Caen
Paris
CHAMPAGNE-ARDENNE
Nancy
Strasbourg
St. Malo
Versailles
ALSACE
Brest
le Mont-St. Michel
Chartres
Fontainebleau
Troyes
LES VOSGES
L'ALSACE (f.)
BRETAGNE
Rennes
Le Mans
CENTRE
Colmar
L'ALLEMAGNE (f.)
Angers
Orléans
la Loire
FRANCHE-COMTÉ
Nantes
Tours
Blois
BOURGOGNE
la Saône
la Loire
Dijon
Besançon
PAYS DE LA LOIRE
LIMOUSIN
Bourges
LA SUISSE
Poitiers
LE JURA
La Rochelle
LA FRANCE
AUVERGNE
POITOU-CHARENTES
RHÔNE-ALPES
L'OCÉAN ATLANTIQUE (m.)
Limoges
Clermont-Ferrand
Lyon
le Val d'Aoste
Grenoble
Bordeaux
Rocamadour
LES ALPES
L'ITALIE (f.)
AQUITAINE
LE MASSIF CENTRAL
le Rhône
la Garonne
Moissac
Albi
Nîmes
Avignon
PROVENCE-ALPES-CÔTE D'AZUR
Nice
Biarritz
MIDI-PYRÉNÉES
Toulouse
Montpellier
Arles
Cannes
Aix-en-Provence
MONACO (f.)
LE PAYS BASQUE
Lourdes
Carcassonne
LANGUEDOC-ROUSSILLON
Marseille
LES PYRÉNÉES (f.pl.)
Perpignan
la CORSE
LA MER MÉDITERRANÉE
L'ANDORRE (f.)
L'ESPAGNE (f.)

0   25   50   75   100 MILLES
0   50   100   150 KILOMÈTRES

LE MONDE

0   500   1,000 1,500 2,000 MILLES

0   1,000   2,000   3,000 KILOMÈTRES

135°   120°   105°

L'OCÉAN ARCTIQUE (m.)

LE GROENLAND

LA FÉDÉRATION RUSSE

l'Alaska (m.)
(LES ÉTATS-UNIS)

les Territoires
du Nord-Ouest
(m. pl.)

le Nunavut

le Yukon

LE CANADA

l'Alberta
(m.)

le
Manitoba

la
Saskatchewan

l'Ontario
(m.)

le Québec

Saint-Pierre-et-Miquelon
(LA FRANCE)

Terre-
Neuve (f.)

**L'AMÉRIQUE
DU NORD (f.)**

la Colombie
Britannique

le Maine

le New Hampshire

le Nouveau-
Brunswick

45°

**LES
ÉTATS-UNIS
(m. pl.)**

le Vermont

la Nouvelle-Écosse

le Massachusetts

le Rhode Island

la Louisiane

le Connecticut

30°

Les Îles Hawaii (m. pl.)
(LES ÉTATS-UNIS)

*L'OCÉAN
ATLANTIQUE* (m.)

**L'AMÉRIQUE
CENTRALE (f.)**

LE
MEXIQUE

LE BELIZE

LES CARAÏBES (m. pl.)

la GUYANE FRANÇAISE
(LA FRANCE)

15°

VANUATU (m.)

LE GUATEMALA
LE SALVADOR
LE HONDURAS
LE NICARAGUA
LE PANAMA

LE COSTA
RICA

LE VENEZUELA

LA
COLOMBIE

LA GUYANA

LE SURINAM

Wallis-et-Futuna
(LA FRANCE)

0°

TUVALU

KIRIBATI

(LA RÉPUBLIQUE DE)
L'ÉQUATEUR
(m.)

**L'AMÉRIQUE
DU SUD (f.)**

LES SAMOA
(f.pl.)

LA POLYNÉSIE
FRANÇAISE

LE PÉROU

15°

FIDJI
(m.)

TONGA
(m.)

LA
BOLIVIE

LE BRÉSIL

LE PARAGUAY

30°

la Nouvelle-Calédonie
(LA FRANCE)

LE CHILI

L'ARGENTINE (f.)

L'URUGUAY (m.)

*L'OCÉAN
PACIFIQUE* (m.)

45°

LA NOUVELLE-ZÉLANDE

195°   180°   165°   150°   135°   120°   105°   90°   60°   45°   30°

Langues maternelles

☐ Le français langue maternelle majoritaire

☐ Le français et un créole français langues maternelles

☐ Créole français langue maternelle majoritaire

☐ Le français langue maternelle d'une minorité importante

Langues officielles

☐ Le français est la seule langue officielle

☐ Le français est une des langues officielles du pays ou de l'état

☐ Le français sert de langue administrative ou dans l'enseignement

☐ Le français est la langue de culture ou des affaires pour une partie importante de la population

L'EUROPE

Langues maternelles

- Le français langue maternelle majoritaire
- Le français langue maternelle d'une minorité importante

Langues officielles

- Le français est la seule langue officielle
- Le français est une des langues officielles du pays ou de l'état
- Le français est la langue de culture ou des affaires pour une partie importante de la population

LA NORVÈGE

LA SUÈDE

LA FINLANDE

LA FÉDÉRATION RUSSE

LA MER BALTIQUE

L'ESTONIE (f.)

LA LETTONIE

LA LITUANIE

LA FÉDÉRATION RUSSE

LA BIÉLORUSSIE

LE DANEMARK

LA MER DU NORD

LES PAYS-BAS (m. pl.)

LA POLOGNE

L'UKRAINE (f.)

LE ROYAUME-UNI

L'ALLEMAGNE (f.)

LA MOLDAVIE

Bruxelles — LA BELGIQUE
— la Wallonie

LA RÉPUBLIQUE TCHÈQUE

LA SLOVAQUIE

Paris

LE LUXEMBOURG

L'AUTRICHE (f.)

LA HONGRIE

LA ROUMANIE

Bern — LA SUISSE
Genève

LA FRANCE

LA SLOVÉNIE
LA CROATIE

L'OCÉAN ATLANTIQUE (m.)

— le Val d'Aoste

LA BOSNIE-HERZÉGOVINE

LA SERBIE

LA BULGARIE

Monté Carlo

MONACO (f.)

L'ITALIE (f.)

LE MONTÉNÉGRO

LA MACÉDOINE

LA TURQUIE

L'ANDORRE (f.)

la CORSE

L'ALBANIE (f.)

LA GRÈCE

L'ESPAGNE (f.)

la SARDAIGNE

LA MER MÉDITERRANÉE

CHYPRE (f.)

| 0 | 25 | 50 | 75 | 100 MILLES |

| 0 | 50 | 100 | 150 KILOMÈTRES |

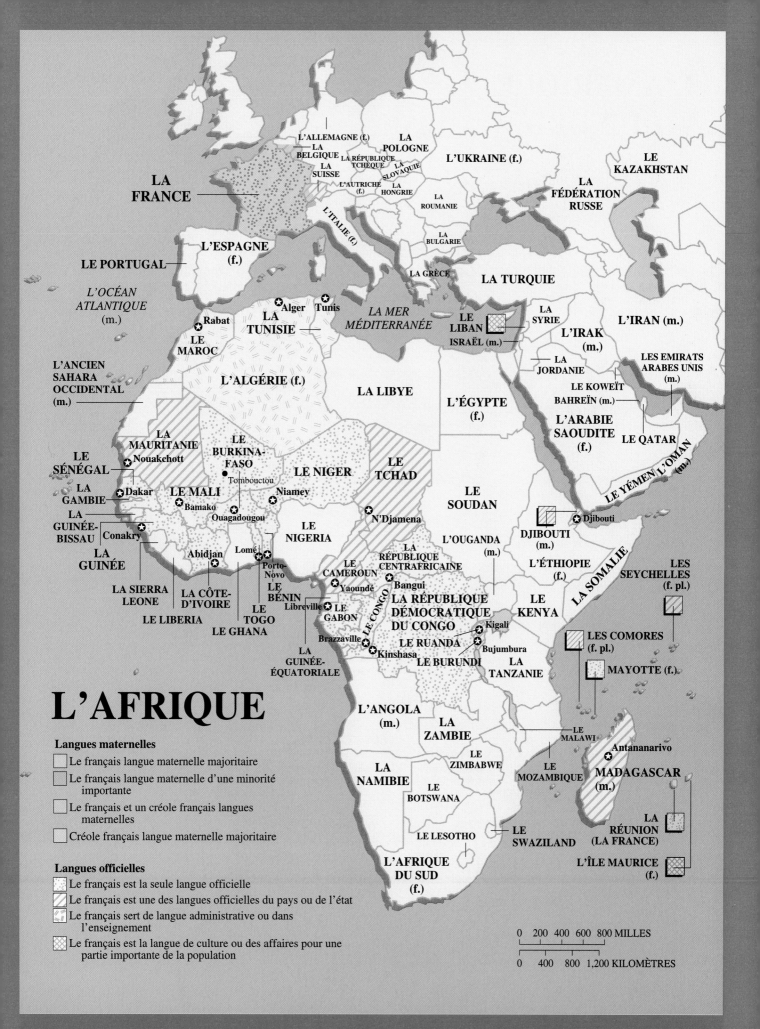

L'AFRIQUE

L'ALLEMAGNE (f.)
LA BELGIQUE
LA SUISSE
LA RÉPUBLIQUE TCHÈQUE
L'AUTRICHE (f.)
LA SLOVAQUIE
LA HONGRIE
LA POLOGNE
L'UKRAINE (f.)
LA ROUMANIE
LA BULGARIE
LA GRÈCE
LE KAZAKHSTAN
LA FÉDÉRATION RUSSE
LA TURQUIE

LA FRANCE
L'ITALIE (f.)

LE PORTUGAL
L'ESPAGNE (f.)

L'OCÉAN ATLANTIQUE (m.)

LA MER MÉDITERRANÉE

LA SYRIE
LE LIBAN
ISRAËL (m.)
L'IRAK (m.)
L'IRAN (m.)
LA JORDANIE
LES EMIRATS ARABES UNIS (m.)
LE KOWEÏT
BAHREÏN (m.)
LE QATAR
L'ARABIE SAOUDITE (f.)

Alger
Tunis
Rabat
LE MAROC
LA TUNISIE

L'ANCIEN SAHARA OCCIDENTAL (m.)

L'ALGÉRIE (f.)
LA LIBYE
L'ÉGYPTE (f.)

LE YÉMEN
L'OMAN (m.)

LA MAURITANIE
Nouakchott
LE BURKINA-FASO
Tombouctou
LE NIGER
LE TCHAD
LE SOUDAN

Djibouti
DJIBOUTI (m.)

LE SÉNÉGAL
Dakar
LA GAMBIE
LA GUINÉE-BISSAU
Conakry
LA GUINÉE
Bamako
LE MALI
Niamey
Ouagadougou
N'Djamena
L'OUGANDA (m.)
L'ÉTHIOPIE (f.)
LA SOMALIE
LES SEYCHELLES (f. pl.)

LE NIGERIA
Abidjan
Lomé
Porto-Novo
LE CAMEROUN
LA RÉPUBLIQUE CENTRAFRICAINE
Bangui
LES COMORES (f. pl.)

LA SIERRA LEONE
LA CÔTE-D'IVOIRE
LE LIBERIA
LE GHANA
LE TOGO
LE BÉNIN
Yaoundé
Libreville
LE GABON
LA RÉPUBLIQUE DÉMOCRATIQUE DU CONGO
Kigali
LE RUANDA
Bujumbura
LE BURUNDI
LE KENYA
LA TANZANIE
MAYOTTE (f.)

LA GUINÉE-ÉQUATORIALE
Brazzaville
Kinshasa
LE CONGO

L'ANGOLA (m.)
LA ZAMBIE
LE MALAWI
Antananarivo
MADAGASCAR (m.)

LA NAMIBIE
LE ZIMBABWE
LE BOTSWANA
LE MOZAMBIQUE
LA RÉUNION (LA FRANCE)

LE LESOTHO
LE SWAZILAND
L'ÎLE MAURICE (f.)

L'AFRIQUE DU SUD (f.)

Langues maternelles

- Le français langue maternelle majoritaire
- Le français langue maternelle d'une minorité importante
- Le français et un créole français langues maternelles
- Créole français langue maternelle majoritaire

Langues officielles

- Le français est la seule langue officielle
- Le français est une des langues officielles du pays ou de l'état
- Le français sert de langue administrative ou dans l'enseignement
- Le français est la langue de culture ou des affaires pour une partie importante de la population

0 200 400 600 800 MILLES

0 400 800 1,200 KILOMÈTRES

L'AMÉRIQUE DU NORD

L'OCÉAN ARCTIQUE (m.)

LE GROENLAND

l'Alaska (m.) (LES ÉTATS-UNIS)

le Yukon

les Territoires du Nord-Ouest (m. pl.)

le Nunavut

Saint-Pierre-et-Miquelon (LA FRANCE)

L'AMÉRIQUE DU NORD (f.)

LE CANADA

la Colombie Britannique

l'Alberta (m.)

la Saskatchewan

le Manitoba

l'Ontario (m.)

le Québec

le Maine

Terre-Neuve (f.)

Langues maternelles

Le français langue maternelle majoritaire

Le français et un créole français langues maternelles

Créole français langue maternelle majoritaire

Le français langue maternelle d'une minorité importante

Langues officielles

Le français est la seule langue officielle

Le français est une des langues officielles du pays ou de l'état

Le français sert de langue administrative ou dans l'enseignement

Québec
Montréal
Ottawa

le New Hampshire

le Vermont

l'Île du Prince-Edouard (f.)

la Nouvelle-Écosse

le Nouveau-Brunswick

le Massachusetts

le Rhode Island

le Connecticut

LES ÉTATS-UNIS (m. pl.)

la Louisiane

Les Îles Hawaii (m. pl.) (LES ÉTATS-UNIS)

L'OCÉAN ATLANTIQUE (m.)

LE MEXIQUE

GOLFE DU MEXIQUE

LE BELIZE

CUBA (m.)

LA JAMAÏQUE

LES CARAÏBES (m. pl.)

HAÏTI (m.)

LA GUYANE FRANÇAISE (LA FRANCE)

L'AMÉRIQUE CENTRALE (f.)

LE GUATEMALA

LE SALVADOR

LE HONDURAS

LE NICARAGUA

LE COSTA RICA

LE VENEZUELA

LES CARAÏBES

CUBA (m.)

LA RÉPUBLIQUE DOMINICAINE

la Guadeloupe (LA FRANCE)

PUERTO RICO (m.)

Port-au-Prince

HAÏTI (m.)

LA MER DES CARAÏBES

Pointe-à-Pitre

DOMINIQUE (f.)

Fort-de-France

la Martinique (LA FRANCE)

SAINTE LUCIE (f.)

MILLES
0   300

0   450
KILOMÈTRES

LE PANAMA

(LA RÉPUBLIQUE DE) L'ÉQUATEUR (m.)

L'OCÉAN PACIFIQUE (m.)

LA COLOMBIE

Cayenne

LA GUYANA

LE SURINAM

LE PÉROU

LE BRÉSIL

LA BOLIVIE

L'AMÉRIQUE DU SUD (f.)

À 45°
LATITUDE

0   200   400   600   800 MILLES

0   400   800   1,200 KILOMÈTRES

INVITATION

au monde francophone

INVITATION

au monde francophone

Gilbert A. Jarvis
The Ohio State University

Thérèse M. Bonin
The Ohio State University

Diane W. Birckbichler
The Ohio State University

In collaboration with Philippe Dubois
Bucknell University

HOLT, RINEHART AND WINSTON
A Division of Harcourt College Publishers

Fort Worth   Philadelphia   San Diego   New York   Orlando   Austin   San Antonio
Toronto   Montreal   London   Sydney   Tokyo

Publisher	**Phyllis Dobbins**
Acquisitions Editor	**Jeff Gilbreath**
Market Strategist	**Kenneth S. Kasee**
Project Editor	**Laura Therese Miley**
Art Director	**Garry Harman**
Production Manager	**James McDonald**

Cover credit: Pat Sloan

ISBN: 0-03-026033-7
Library of Congress Catalog Card Number: 99-61317

Address for Domestic Orders
Harcourt College Publishers, 6277 Sea Harbor Drive, Orlando, FL 32887-6777
800-782-4479

Address for International Orders
International Customer Service
Harcourt, Inc., 6277 Sea Harbor Drive, Orlando, FL 32887-6777
407-345-3800
(fax) 407-345-4060
(e-mail) hbintl@harcourt.com

Address for Editorial Correspondence
Harcourt College Publishers, 301 Commerce Street, Suite 3700, Fort Worth, TX 76102

Web Site Address
http://www.hartcourtcollege.com

Printed in the United States of America

9 0 1 2 3 4 5 6 7 8 048   9 8 7 6 5 4 3 2 1

Holt, Rinehart and Winston
Harcourt College Publishers

To the Student

Preface

Invitation au monde francophone is a beginning French text that presents essential language for developing communicative proficiency and cross-cultural understanding. You are given insights into French-speaking cultures via authentic documents, or realia, photographs, and explicit information. A **Chez nous** section in each chapter invites you to explore a different French-speaking area of the world. In multiple ways this text invites you to examine and appreciate differences and similarities among individuals and cultures in an interconnected world.

Invitation au monde francophone presents French vocabulary and patterns that yield the greatest communicative and functional potential. Pedagogical efficiency has been deliberately maintained by a careful sequence of structural patterns in French, each of which is related to an important functional use of the pattern. Vocabulary is presented in contemporary contexts that are enriched by abundant use of graphics, realia, and photographs. Communicative and interactive activities and role-play situations provide opportunities for immediate practice. Strategies for improving listening and reading skills and suggestions for enhancing written work are provided throughout the book.

Invitation au monde francophone has been designed with you prominently in mind. Material is presented in a streamlined but accessible manner. To maximize student confidence, activities are sequenced from more structured to less structured. To accommodate different learning preferences, material is presented both verbally and visually. Research skills are enhanced by Internet activities included in every chapter.

Instead of promising you that someday you will be able to communicate in French, *Invitation au monde francophone* creates opportunities for immediate communication; it invites success.

Organization of *Invitation au monde francophone*

POINT DE DÉPART
This section uses illustrations to introduce new vocabulary centered on a topic that is related to the chapter theme.

Communication et Vie Pratique
These varied communication activities involve you in the active use of the newly presented vocabulary.

INFO-CULTURE

The two **Info-culture** sections in each chapter provide up-to-date information about important aspects of everyday life. Each **Info-culture** section contains an **Et vous ?** activity that asks you to interpret a *document authentique* or to discuss cultural differences and similarities.

EXPLORATIONS

This section forms a logical progression from understanding a particular grammar topic to practicing it in meaningful contexts, and most importantly, to using these forms in communicative situations. Three grammar points are introduced in each chapter.

Situation

The **Situation** conversation which follows each presentation of a structural topic is designed to demonstrate how the grammar structure can be used in a real-life setting.

Avez-vous compris ?

This comprehension check evaluates your understanding of the conversation.

Communication et vie pratique

The varied formats in this section give you the opportunity to communicate about a wide variety of topics. In addition to the personal communication of some formats, you are also given different types of survival and role-play situations that enable you to see how well you would get along in a French-speaking country.

INTÉGRATION ET PERSPECTIVES

The reading in this section recombines and integrates the grammar and vocabulary used in the chapter and provides additional cultural and/or human-interest perspectives. The **Pour mieux lire** section, which precedes each reading, provides you with a strategy for understanding what you read.

Avez-vous compris ?

This comprehension check evaluates your understanding of what you have read.

Communication et vie pratique

This section, which follows the second **Info-culture** segment, presents communication and survival situations that require you to further integrate and use the language you have already learned in new contexts.

One of these activities is designed to further develop listening comprehension skills. You will listen to short conversations, narratives, and radio announcements and then demonstrate comprehension by answering open-ended questions. A listening strategy, **Pour mieux comprendre,** is given for each passage. This section also includes a writing activity. A writing strategy, **Pour mieux écrire,** accompanies each of these activities.

CHEZ NOUS

Highlighting a different francophone area in each chapter, these colorful segments offer some general information on each locale, as well as a brief first-person account that will give you some insight into daily life there.

BIEN PRONONCER

The most significant features of spoken French (and their written counter-parts) are described in the first ten chapters. Practice of both individual sounds and short conversations containing critical sounds is included.

VOCABULAIRE

Each chapter is followed by a list of vocabulary words intended for active use in that chapter and in subsequent chapters.

APPENDIXES

The appendixes consist of a key to the phonetic alphabet, a glossary of grammar terminology, verb charts for regular, irregular, and spelling-changing verbs, vocabularies (French–English and English–French), and a grammar index. The glossary of grammar terms may be particularly helpful if you are unfamiliar with such terminology.

Visual Icons

 This icon indicates an activity which requires you to listen to a passage on the audio CD which accompanies this textbook.

 This icon indicates material which is included on the CD-ROM.

 This icon indicates an activity which requires information gained from the Internet.

 This icon indicates pair or group activities.

This icon indicates activities in which one student has information that another student must obtain by asking questions.

Student Program Components

Student Textbook with Free Audio CD

The textbook has a preliminary chapter, fifteen regular chapters, and appendixes. *Invitation au monde francophone* comes packaged with an audio CD which contains the recorded passages for listening comprehension exercises.

Student Activities Manual

The combined workbook and laboratory manual contains written and oral activities for each chapter. The first half of each chapter contains writing activities; the second half contains oral exercises. A quick self-test, **Êtes-vous prets ?,** is provided before each group of grammar activities to help you decide whether or not you need additional review of the grammar explanations in the textbook before you attempt those exercises.

The tape program and laboratory section of the manual have been designed to provide you with the opportunity to practice your oral skills outside class. Each chapter of the main text has accompanying exercises in the tape program. Page references are given for those exercises and pronunciation sections that are taken from *Invitation au monde francophone*. These exercises are marked with an asterisk.

Student Video Manual

This manual provides activities that are correlated to the *Invitation au monde francophone* video. It may be purchased alone or along with a copy of the video.

Lab Cassettes or CDs

These CDs are available for students who do not have access to language laboratory facilities or who would like additional audio practice while using *Invitation au monde francophone*. They correlate to the **partie orale** of the Student Activities Manual.

CD-ROM

This text-specific, dual-platform interactive multimedia CD-ROM follows a four-skills plus culture model.

- **Writing**—You can collect your work from all CD-ROM activities in an electronic notebook to create a writing portfolio.
- **Speaking**—You can record your voice and compare it to those of native speakers. Your voice is tracked graphically alongside that of a native speaker in order to see the differences.
- **Listening**—For all recorded portions, you may choose between two rates of speech: a native rate and a learning rate. Recordings are broken into manageable portions.
- **Reading**—You may access a marginal glossary while working through extended readings.
- **Culture**—This section will have links to the World Wide Web, as well as activities for listening, speaking, reading, and writing.
- **Games**—Each chapter contains a highly interactive game used to reinforce vocabulary and grammar.
- The CD-ROM can be **networked in labs.**
- Your answers to all quantifiable questions will flow into an **electronic gradebook.** The instructor can access a spreadsheet that contains the scores for a class.

Student Web Site

A text-specific Web site to accompany *Invitation au monde francophone* is made available to adopters of this introductory French program. All activities are consistent with the main text both thematically and linguistically. You may print out your work to hand in or send it directly to your instructor by e-mail.

This site includes three main sections.

- **Online quizzing activities** that offer you practice with the grammar and culture of each chapter.
- **Online audio activities** that test aural comprehension.
- **Task-based cultural Internet activities** that invite you to visit Web sites in the French-speaking world and return to the *Invitation au monde francophone* site to complete activities based on their online journeys.

PC and Macintosh Tutorial Software
Available in Windows and Macintosh formats, this program features error analysis and is particularly suitable for extra practice of specific problem structures, reviewing before a test, or learning a concept if you have been absent due to illness.

Acknowledgments

Special thanks are owed to the students, instructors, and teaching assistants at The Ohio State University who have used the first four editions of *Invitation*. We have benefited greatly from their feedback and appreciate particularly the help that our colleague Associate Dean Linda Harlow provided when she was director of the OSU French Language Program. Their reactions, comments, and suggestions have been very helpful in the preparation of *Invitation au monde francophone*. We are particularly grateful to Melissa Gruzs for her outstanding proofreading and copyediting skills and for her continued inspiration in the preparation of the Student Activities Manual. We owe a debt of gratitude to Micheline Besnard and Anne Lair who served as ever-patient consultants on linguistic and cultural questions. Special thanks are also due to Anne Lair and Jennifer Hall for their excellent work on the testing manual and the Instructor's Resource Manual. The enthusiasm, support, and expertise of Laura Miley, project editor; Garry Harman, art director; James McDonald, production manager; and Shirley Webster, art and literary rights editor, are also very much appreciated. We are most grateful, however, to Laura Miley who saw us through the many phases of the book's production and did so with grace, diplomacy, and unfailing good cheer!

Reviewers for this edition:

Brigitte Sys
Seton Hall University

Dominick A. De Filippis
Wheeling Jesuit University

Doug Mrazek
Clark College

Erica Abeel
John Jay College of Criminal Justice

Gisele Feal
Buffalo State College

Ken Gordon
Central Missouri State University

Marie T. Gardner
Plymouth State College

Contents

Chapitre préliminaire......... **Premiers contacts**

Bonjour tout le monde !   4
Dans la salle de classe   5
Quelques expressions utiles   6
Quel jour c'est ?   8
Les nombres de 0 à 31   8

Bien Prononcer :
L'alphabet   7

Chapitre un........................... **La vie à l'université**

Vocabulaire
Point de départ :
Faisons connaissance   14

Mots à retenir :
Situations I , II , III   20, 25, 29
Intégration et perspectives   32

Vocabulaire   37

Culture
Info-culture : Passe d'abord ton bac !   18

Info-culture : Et après le bac ?   32

CHEZ EN SUISSE
NOUS 36

Formes et fonctions
Exploration I : Les noms et les articles   19

Exploration II : Les verbes du premier groupe   23

Exploration III : La forme interrogative et la forme négative   28

Communication
Parler : Activités   17, 20, 25, 29, 34
Explorations I , II , III   19, 23, 28
Intégration et perspectives   32
Lire : Mosaïque   31
Écouter : Réponse   34
Écrire : Au téléphone   35

Prononciation
Bien prononcer :

La Liaison   35

Chapitre deux...................   Identité

Vocabulaire
Point de départ :
Qui est-ce ?   40

Mots à retenir :
Situations I , II , III   47, 51, 54
Intégration et perspectives   56

Vocabulaire   63

Culture
Info-culture : Français, qui êtes-vous ?   42

Info-culture : Images du Québec   57

CHEZ NOUS AU LUXEM-BOURG   61

Formes et fonctions
Exploration I : Le verb *être* et quelques adjectifs   45

Exploration II : Les adjectifs qualificatifs   49

Exploration III : Les nombres de 30 à 99   52

Communication
Parler: Activités   44, 47, 51, 53, 59

Explorations I , II , III   45, 49, 52

Intégration et perspectives   55

Lire : Vos papiers, s'il vous plaît...   55

Écouter : Cours pour étrangers   59

Écrire : Un programme d'échange   60

Prononciation
Bien prononcer :

Le masculin et le féminin des adjectifs   62

Chapitre trois...................   La famille et le logement

Vocabulaire
Point de départ :
La maison   66

Mots à retenir :
Situations I , II , III   72, 75, 77
Intégration et perspectives   80

Vocabulaire   87

Culture
Info-culture : Maison individu-elle ou appartement ?   67

Info-culture : La famille française   81

CHEZ NOUS DANS LA RÉPUBLIQUE DÉMOCRATIQUE DU CONGO   86

Formes et fonctions
Exploration I : Le verbe *avoir* et les membres de la famille   71

Exploration II : La préposition *de* et les adjectifs possessifs   73

Exploration III : Les adjectifs prénominaux   76

Communication
Parler: Activités   69, 72, 75, 77, 82

Explorations I , II , III   71, 73, 76

Intégration et perspectives   79

Lire : C'est la vie !   79

Écouter : Accueil France   84

Écrire : Votre famille   85

Prononciation
Bien prononcer :

Les voyelles nasales   85

Chapitre quatre.................

Bon voyage !

Vocabulaire
Point de départ :
Les voyages   90

Mots à retenir :
Situations I , II , III   95, 98, 101
Intégration et perspectives   109

Vocabulaire   113

Culture
Info-culture : Vive les vacances !   92

Info-culture : Les Antilles   109

CHEZ À TAHITI 112 NOUS

Formes et fonctions
Exploration I : Le verbe *aller*   94

Exploration II : Les prépositions et les noms de lieux   97

Exploration III : Les nombres supérieurs à 100 et les nombres ordinaux   100

Communication
Parler: Activités   92, 95, 99, 102, 110
Explorations I , II , III   94, 97, 100
Intégration et perspectives   107

Lire : Voyage aux Antilles   107

Écouter : À l'agence de voyages   110

Écrire : Au Syndicat d'Initiative   111

Prononciation
Bien prononcer :

La voyelle nasale /ɛ̃/   111

Chapitre cinq......................

Bon appétit !

Vocabulaire
Point de départ :
La nourriture et les magasins d'alimentation   116

Mots à retenir :
Situations I , II , III   122, 125, 130
Intégration et perspectives   133

Vocabulaire   139

Culture
Info-culture : Les repas   119

Info-culture : Bon appétit !   133

CHEZ EN HAÏTI 138 NOUS

Formes et fonctions
Exploration I : Les adjectifs démonstratifs   121

Exploration II : Le partitif   124

Exploration III : Le verbe *prendre* **et le verbe** *boire*   129

Communication
Parler: Activités   118, 122, 125, 130, 134
Explorations I , II , III   121, 124, 129
Intégration et perspectives   132

Lire : Le poulet aux champignons et à la crème   132

Écouter : Vous travaillez dans un restaurant   134

Prononciation
Bien prononcer :

Le "r" français   137

Chapitre six..............................

La cadre de vie

Vocabulaire

Point de départ :
Mon pays, ma ville, mon
quartier   142

Mots à retenir :
Situations I , II , III   148,
152, 155

Intégration et perspectives   159

Vocabulaire   167

Culture

Info-culture : Les moyens de
transport   146

Info-culture : Les villes et la vie
urbaine   160

CHEZ NOUS EN MAURITANIE 166

Formes et fonctions

Exploration I : Les
prépositions   148

Exploration II : Le verbe
faire   **151**

Exploration III : Les mots
interrogatifs et l'inversion   154

Communication

Parler: Activités   144, 149, 152,
155, 160

Explorations I , II , III   148,
151, 154

Intégration et perspectives   158

Lire : Où habiter ?...   158

Écouter : Un nouvel apparte-
ment   160

Écrire : On fait un peu de
publicité   164

Prononciation
Bien prononcer :

Les voyelles /i/, /y/, /u/   164

Chapitre sept..............................

Le temps passe

Vocabulaire

Point de départ :
Sondage d'opinion sur la télévi-
sion et les spectacles   170

Mots à retenir :
Situations I , II , III   175,
179, 182

Intégration et perspectives   184

Vocabulaire   191

Culture

Info-culture : La télévision   172

Info-culture : Le programme
télé   186

CHEZ NOUS À ST. PIERRE-ET-MIQUELON 190

Formes et fonctions

Exploration I : L'heure   173

Exploration II : Le passé
composé   178

Exploration III : *Choisir* **et**
les verbes du deuxième
groupe   182

Communication

Parler: Activités   171, 175, 180,
183, 187

Explorations I , II , III   173,
178, 182

Intégration et perspectives   184

Lire : Qu'est-ce qu'il y a à la
télé ?   184

Écouter : Télévision : Sélections
du soir   187

Écrire : Au programme
ce soir...   188

Prononciation
Bien prononcer :

Le son /s/ et le son /z/   188

Chapitre huit..................

La pluie et le beau temps

Vocabulaire
Point de départ :
Quel temps fait-il ?   194

Mots à retenir :
Situations I , II , III   200, 203, 207
Intégration et perspectives   211

Vocabulaire   219

Culture
Info-culture : La France et son climat   197

Info-culture : Tour d'horizon climatique   211

CHEZ NOUS   AU TOGO   218

Formes et fonctions
Exploration I : Les verbes conjugués comme *partir* et comme *venir*   198

Exploration II : Le passé composé avec l'auxiliaire *être*   202

Exploration III : *Depuis* et autres expressions de temps   206

Communication
Parler: Activités   195, 200, 204, 207, 214
Explorations I , II , III   198, 202, 206
Intégration et perspectives   209

Lire : Une année sous les tropiques   209

Écouter : Île de La Réunion : Bulletin météorologique   214

Écrire : Souvenirs de voyage   214

Prononciation
Bien prononcer :

Les voyelles fermées et les voyelles ouvertes   216

Chapitre neuf..................

Le monde du travail

Vocabulaire
Point de départ :
Professions et métiers   222

Mots à retenir :
Situations I , II , III   228, 231, 236
Intégration et perspectives   239

Vocabulaire   245

Culture
Info-culture : Les Français au travail   226

Info-culture : L'entrée des jeunes dans le monde du travail   240

CHEZ NOUS   AU NIGER   244

Formes et fonctions
Exploration I : Les verbes *vouloir, pouvoir,* et *devoir*   227

Exploration II : Les pronoms compléments d'objet direct   230

Exploration III : Le subjonctif avec *il faut* et *il vaut mieux*   234

Communication
Parler: Activités   224, 228, 231, 236, 241
Explorations I , II , III   227, 230, 234
Intégration et perspectives   238

Lire : Inventez votre emploi   238

Écouter : Demande d'emploi   242

Écrire : Lettre de demande d'emploi   241

Prononciation
Bien prononcer :

Les voyelles /y/, /ø/, /œ/   243

Chapitre dix................

On fait des achats

Vocabulaire
Point de départ :
Les achats   248

Mots à retenir :
Situations I , II , III   256,
260, 264
Intégration et perspectives   269

Vocabulaire   279

Culture
Info-culture : Faire du shopping
en France   253

Info-culture : L'euro, qu'est-ce
que c'est ?   270

CHEZ NOUS AU MAROC 278

Formes et fonctions
Exploration I : Les verbes
comme *vendre*   255

Exploration II :
L'impératif   258

Exploration III : Le comparatif
et le superlatif   262

Communication
Parler: Activités, 252, 256, 260,
264, 272
Explorations I , II , III   255,
258, 262
Intégration et perspectives   267

Lire : Acheter ou ne pas
acheter ?   267

Écouter : Soldes de
printemps   272

Écrire : On fait de la pub !   275

Prononciation
Bien prononcer :

La lettre **e**   276

Chapitre onze................

Être bien dans sa peau

Vocabulaire
Point de départ :
La santé et le sport   282

Mots à retenir :
Situations I , II , III   292,
297, 299
Intégration et perspectives   302

Vocabulaire   307

Culture
Info-culture : Les Français et le
sport   285

CHEZ NOUS AU QUÉBEC 306

Formes et fonctions
Exploration I : L'infinitif
et le présent des verbes
réfléchis   290

Exploration II : Le passé composé des verbes réfléchis   295

Exploration III : L'impératif des
verbes réfléchis   298

Communication
Parler: Activités   288, 292, 297,
299, 303
Explorations I , II , III   290,
295, 298
Intégration et perspectives   301

Lire : Être et rester en
forme   301

Écouter : Quoi ?! Tu n'es pas
encore prête ?   303

Écrire : Journal d'un étudiant
fatigué   303

Chapitre douze......................

Des goûts et des couleurs

Vocabulaire

Point de départ :
Être et paraître   310

Mots à retenir :
Situations I , II , III   316,
319, 322

Intégration et perspectives   326

Vocabulaire   331

Culture

Info-culture : Les nouveaux visages de la mode   313

Info-culture : Les gestes parlent   327

CHEZ NOUS   EN GUINÉE   330

Formes et fonctions

Exploration I : Les compléments d'objet indirect   315

Exploration II : Les verbes conjugués comme *mettre*   318

Exploration III : La négation   320

Communication

Parler: Activités   312, 316, 319, 322, 328

Explorations I , II , III   315, 318, 320

Intégration et perspectives   324

Lire : L'ABC des bonnes manières   324

Écouter : Portraits   328

Écrire : Aux Galeries Lafayette   328

Chapitre treize......................

Le passé et les souvenirs

Vocabulaire

Point de départ :
La vie et les sentiments   334

Mots à retenir :
Situations I , II , III   342,
347, 350

Intégration et perspectives   354

Vocabulaire   361

Culture

Info-culture : Rites et coutumes 338

Info-culture : Le Jour « J »   355

CHEZ NOUS   À MADAGASCAR   360

Formes et fonctions

Exploration I : L'imparfait et le passé composé   339

Exploration II : Les pronoms *y* et *en*   345

Exploration III : Le subjonctif avec les verbes de volition, d'émotion et de doute   349

Communication

Parler: Activités   336, 342, 347, 350, 356

Explorations I , II , III   339, 345, 349

Intégration et perspectives   352

Lire : « Barbara »   352

Écouter : « Familiale »   357

Écrire : Les étapes de la vie   357

Chapitre quatorze...............

Le monde d'aujourd'hui et de demain

Vocabulaire

Point de départ :
À la une des journaux 364

Mots à retenir :
Situations I , II , III 370,
373, 376

Intégration et perspectives 380

Vocabulaire 385

Culture

Info-culture : « Liberté, égalité,
fraternité » 367

Info-culture : Le mouvement
écologique 380

CHEZ AU CAMEROUN
NOUS 384

Formes et fonctions

**Exploration I : Le futur et le
futur antérieur 367**

**Exploration II :
Le conditionnel et la phrase
conditionnelle 371**

**Exploration III : Les pronoms
relatifs 374**

Communication

**Parler: Activités 365, 370, 373,
376, 381**

Explorations I , II , III 367,
371, 374

Intégration et perspectives 378

Lire : Soyez acteurs de
l'environnement 378

Écouter : « Les Verts » 383

Chapitre quinze....................

Les arts et la vie

Vocabulaire

Point de départ :
Sondage d'opinion sur les arts
et les loisirs 388

Mots à retenir :
Situations I , II , III 393,
396, 399

Intégration et perspectives 403

Vocabulaire 409

Culture

Info-culture : La vie
culturelle 391

Info-culture : Le musée
d'Orsay 403

CHEZ AU SÉNÉGAL
NOUS 408

Formes et fonctions

**Exploration I : Les pronoms
démonstratifs 392**

**Exploration II : Le plus-que-
parfait et le conditionnel
passé 394**

**Exploration III : Le participe
présent et l'infinitif 397**

Communication

**Parler: Activités 389, 393, 396,
399, 404**

Explorations I , II , III 392,
394, 397

Intégration et perspectives 401

Lire : Van Gogh et Millet enfin
réunis 401

Écouter : On va au cinéma ? 407

Écrire : Critiques de films 407

HOLT RINEHART WINSTON

soon to become

Harcourt College Publishers

A Harcourt Higher Learning Company

Soon you will find Holt, Rinehart & Winston's distinguished innovation, leadership, and support under a different name . . . a new brand that continues our unsurpassed quality, service, and commitment to education.

We are combining the strengths of our college imprints into one worldwide brand: **Harcourt** Our mission is to make learning accessible to anyone, anywhere, anytime—reinforcing our commitment to lifelong learning.

We'll soon be Harcourt College Publishers. Ask for us by name.

One Company
"Where Learning Comes to Life."

INVITATION

au monde francophone

Premiers
Contacts

Apprendre le français, c'est important

Un   Approximately 500,000,000 people around the world speak French.

Deux   French is spoken by two and one-half million people in the United States.

Trois   French is the second most important language on the Internet because of the number of Web pages and the amount of communication in French.

Quatre   France has considerable influence in the world because it provides more foreign aid than any other country except Japan.

Cinq   French is among the principal languages of diplomacy and of international organizations.

Six   French is an official language of Belgium, Switzerland, Luxembourg, Canada, the United Nations, the European Union, and several African countries such as Senegal, Algeria, and Mauritania.

Sept   France has the fourth largest economy in the world after the United States, Japan, and Germany.

Huit   The United States has been the largest direct investor in France, and France has been one of the three largest investors in the United States.

Neuf   France is the second largest exporter of agricultural products in the world after the United States.

Dix   More tourists visit France than any other country in the world.

Have students name the French-speaking countries they know and ask them to locate these countries on the world map in the front of the book. Give them French names for these and other francophone countries.

Ask students what the major French-speaking areas in the United States are and whether there were any French-speaking settlers in their area.

Find out whether students have studied French in high school, whether they have family members from French-speaking countries, and whether they have visited French-speaking countries.

Bonjour, tout le monde !

Salut

JULIE   Salut, je m'appelle Julie. Et toi ?
NICOLAS   Je m'appelle Nicolas.

Greet and introduce yourself to other students in your class.

Point out that the French shake hands when they greet each other or, if they are friends, they kiss each other on the cheek.

Comment ça va ?

JULIE   Comment ça va ?
NICOLAS   Ça va bien, merci. Et toi ?
JULIE   Pas mal. Et toi, Gérard, ça va ?
GÉRARD   Oui, assez bien.

Get together with several students and ask each other how you are doing.

Au revoir

NICOLAS   Au revoir. À plus tard.
GÉRARD   Au revoir.

Say good-bye to other students and say that you will see them later.

Bonjour, madame

MME DURAND	Bonjour, monsieur. Comment vous appelez-vous ?
NICOLAS	Bonjour, madame. Je m'appelle Nicolas Legrand.
MME DURAND	Et vous, mademoiselle ? Comment vous appelez-vous ?
JULIE	Je m'appelle Julie Dubourg.

Greet your instructor and introduce yourself.

Comment allez-vous ?

JULIE	Bonjour, madame. Comment allez-vous ?
MME DURAND	Très bien, merci. Et vous ?
JULIE	Ça va très bien.

Greet your instructor and ask how he or she is. Then say good-bye and that you will see him or her later.

Have students note the abbreviations for **Madame (Mme)**, **Mademoiselle (Mlle)**, and **Monsieur (M.)**.

Point out that the greetings and introductions in the Bonjour, Madame section are more formal than in the previous sections and are used with adults or people they do not know well. Point out also that one greets Madame Durand by saying Bonjour, Madame without using her last name as we do in English.

Dans la salle de classe

Qu'est-ce que c'est ?

Learn to identify the things and people that you find in a classroom. Practice repeating these words with your instructor.

un tableau • une affiche • une fenêtre • un ordinateur • une porte • une carte de France • un livre • une disquette • un morceau de craie • un professeur • un étudiant • un téléphone • un dictionnaire français-anglais • un stylo • une étudiante • un examen • un magnétoscope • une table • un cahier • un crayon • une chaise

Make copies of this illustration with labels omitted and have students write in the names of the items.

Qu'est-ce que c'est ?... Name the items that your instructor or another student points out in your classroom.

Dans la classe, il y a... Draw a rough sketch of a classroom and put six or more items in your drawing. Without seeing the picture, another student will try to guess what you have included; you will answer **oui** or **non**.

EXEMPLE   **Est-ce qu'il y a une chaise ?**
Oui.
Est-ce qu'il y a une affiche ?
Non.

Quelques expressions utiles

En français, s'il vous plaît

The following expressions will be useful to you in the classroom and in other situations.

Est-ce que vous comprenez ?	*Do you understand?*
Oui, je comprends.	*Yes, I understand.*
Non, je ne comprends pas.	*No, I don't understand.*
Je ne sais pas.	*I don't know.*
Répétez, s'il vous plaît.	*Please repeat that.*
Qu'est-ce que ça veut dire ?	*What does that mean?*
Comment dit-on... en français ?	*How do you say . . . in French?*

Expressions de politesse

Use the following expressions to thank someone or to excuse yourself.

Merci (beaucoup).	*Thank you (very much).*
De rien.	*You're welcome.*
Pardon.	*Pardon me.*
Excusez-moi.	*Excuse me.*

Écoutez bien

Learn to recognize the following expressions that your instructor will use in class.

Allez au tableau.	*Go to the board.*
Écoutez bien.	*Listen carefully.*
Regardez bien.	*Watch carefully.*
Passez-moi vos devoirs.	*Give me your homework.*
Ouvrez votre livre.	*Open your book.*
Fermez votre livre.	*Close your book.*

Have students give the commands in this section to other students, who will act them out.

Dites-le en français... What would you say in French in the following situations?

You don't understand what your instructor has said.
You want to ask how to say "Internet" in French.
You don't know the answer to a question.
You want to ask what something means.
You want to thank another student.

Écoutez bien... Your instructor or another student is going to ask you to perform one of the following actions. Do it to show that you understand.

Passez-moi un stylo, s'il vous plaît.
Allez au tableau.
Ouvrez la porte.
Répétez, s'il vous plaît.
Fermez la fenêtre.
Ouvrez votre livre.

Bien prononcer, c'est important !

Practice saying the alphabet in French.

a	[a]	Anatole	n	[ɛn]	Nicolas
b	[be]	Béatrice	o	[o]	Olivier
c	[se]	Cécile	p	[pe]	Paulette
d	[de]	Diane	q	[ky]	Quentin
e	[œ]	Eugène	r	[ɛr]	Renée
f	[ɛf]	Francine	s	[ɛs]	Serge
g	[ʒe]	Gérard	t	[te]	Thérèse
h	[aʃ]	Henri	u	[y]	Ursule
i	[i]	Irène	v	[ve]	Véronique
j	[ʒi]	Julien	w	[dubləve]	William
k	[ka]	Karim	x	[iks]	Xavier
l	[ɛl]	Luc	y	[igrɛk]	Yvette
m	[ɛm]	Monique	z	[zɛd]	Zoé

The following accents are part of the spelling of French words and tell you how to pronounce certain letters.

l'accent aigu	é	Sénégal
l'accent grave	è	Michèle, où, à Paris
l'accent circonflexe	ê, â, û, î, ô	la forêt, le château, Jérôme, brûler, île
la cédille	ç	François
le tréma	ë	les Caraïbes, Noël

Tell students that accents are an integral part of the spelling of a word; show them how to say the accent when spelling a word (e.g., **e accent grave**).

Prénoms... The following names are among the most common first names in France. Pronounce and spell each of them.

Filles	Garçons
Janine	Daniel
Jacqueline	René
Nathalie	Bernard
Catherine	Jacques
Sylvie	Alain
Françoise	Philippe
Jeanne	André
Isabelle	Pierre
Monique	Jean
Marie	Michel

Give and spell the names of famous people from French-speaking countries and have students write them down and tell who they are. Give students the names of francophone cities that they will spell for other students.

Et vous ?... Imagine that you are registering for a course in France and have been asked to spell your full name. Another student will play the role of the school administrator and will write it down. The administrator will spell your name back to make sure the spelling is correct.

Les pays francophones... With your instructor, repeat and spell the names of French-speaking countries around the world, using the maps in the front of your book.

Quel jour c'est ?

Les jours de la semaine

With your instructor, practice saying the days of the week shown on the calendar.

Dimanche	Lundi	Mardi	Mercredi	Jeudi	Vendredi	Samedi
Les Archives de la Ville de Québec					**1** Confédération, fête du Canada	**2**
3 1608 Fondation de Québec, 386e anniversaire	**4** Fête nationale des Américains	5	6	**7** Du 7 au 17: Festival d'été de Québec	NL 8	9
10	11	12	13	**14** Fête nationale des Français	O PQ 15	16
17	18	19	20	**21** Fête nationale des Belges	O PL 22	23
24 /31	25	**26** Sainte Anne, patronne du Canada	27	28	29 O DQ	30

Les nombres de 0 à 31

0	zéro	8	huit	16	seize	24	vingt-quatre
1	un	9	neuf	17	dix-sept	25	vingt-cinq
2	deux	10	dix	18	dix-huit	26	vingt-six
3	trois	11	onze	19	dix-neuf	27	vingt-sept
4	quatre	12	douze	20	vingt	28	vingt-huit
5	cinq	13	treize	21	vingt et un	29	vingt-neuf
6	six	14	quatorze	22	vingt-deux	30	trente
7	sept	15	quinze	23	vingt-trois	31	trente et un

C'est quel jour ?... Use the French-Canadian calendar to tell the dates of the following holidays and events.

> EXEMPLE   la fête des Belges
> **C'est le 21 juillet**.

1. la fondation du Québec
2. la fête nationale des Américains
3. la fête du Canada
4. le festival d'été
5. la fête nationale des Français
6. la fête de la Sainte-Anne

Internet... Use the Internet to find out how many national holidays there are in France each year. How are they different from holidays that you are accustomed to? Use a search engine to find a site that will give you the information, or try **http://www.france.net.au**. Remember that Web site addresses change frequently and that a particular server may no longer be operational.

Les notes... In France, students are graded on a 0–20 scale. Tell how each of the following students did on their end-of-year exams.

> EXEMPLE   Lamartine, Julien   13/20
> **treize sur vingt**

1. Verdurin, Mathieu   8/20
2. Maréchal, Nicole   11/20
3. Démonet, Patrick   15/ 20
4. Verron, Annick   16/20
5. Roche, Caroline   9/20
6. Chesneau, Luc   18/20
7. Perron, Céline   12/20
8. Marcel, Jacques   5/20

Codes postaux... Read aloud the following postal codes for **Québec**.

1. M3C 2T8   6. H3A 1Y2
2. V5A 1S6   7. H3A 2J4
3. G1G 1P2   8. J3L 2M1
4. G1R 3Z3   9. M1P 2J7
5. H4T 1E3   10. L4C 3G5

Apprendre le français, c'est facile !

What you know about English can help you as you begin to study French. A good example of the head start you have in learning French is the large number of *cognates*—words that are spelled the same (**sports, international, tennis**) or similarly (**qualité, technologie**) in French and in English. In the items from the *Journal de Genève* on page 10, see how many cognates you can find. Compare your list of words with lists that other students have made.

See if you can guess the meanings of the words in the following headlines.

Item #1:   vacances
Item #2   pièces
Item #3   apprécié

1. **Pour leurs vacances de Noël, les Genevois redécouvrent l'Egypte**

3. **Le chocolat est toujours apprécié à l'étranger**

2.
PUPLINGE - à vendre

Appartements de 3 à 5 pièces
avec beaucoup de cachet.

Prix de vente:
dès Fr. 315'000.-

Renseignements
Tél. 319 98 98

REGIE

ROCH   IMMOBILIER SA

3, place du Molard   Fax 022 / 319 97 00
CH-1211 Genève 3   Tél. 022 / 319 97 97

Sometimes you can guess the meaning of an unfamiliar word from the context in which it appears. In the following ad for a home, you can probably guess that **terrain** in this context doesn't refer to "terrain" but rather to the "land" included with the house. You may also guess that the meaning of **vendre** is "to sell" because of the context.

Now skim the table of contents for the *Journal de Genève* and answer the questions that follow.

3 Genève
Un nouveau service est créé afin de répondre aux problèmes des couples binationaux

7 International
Dans le sud de la Chine, une explosion provoque la mort d'au moins 115 personnes

9 Sports
Avec les victoires de Luc Alphand et de Katja Seizinger, les pronostics sont respectés en ski alpin

Services
26 Cultes, 27 Cinémas, 28 Carnet, Mots croisés, 29 Décès, 30 et 31 Télévision, 32 Météo, «24 heures»

1. What group is being helped by a new service recently created in Geneva?
2. What event took place in China, and how many people were killed?
3. What sport is featured today?
4. Where would you find information about movies? About television?
5. On what page would you find the crossword puzzle? The weather report?

Ask students to read the Preface to the book. Then review with them the different features of the book: overview of content and objectives at the beginning of each chapter; the organization of each chapter, and chapter vocabulary lists containing active vocabulary. Review with them also the different features at the end of the book: International phonetic alphabet, glossary of grammatical terms, verb charts, and end vocabulary.

Chapitre un

La vie à l'université

Fonctions

Dans ce chapitre, vous allez apprendre à
- *parler de vos préférences*
- *identifier et nommer*
- *poser des questions*

Remind students to review the chapter overview to find out the chapter content and objectives.

Vocabulaire et structures

Point de départ : Faisons connaissance
Exploration 1 : Les noms et les articles
Exploration 2 : Les verbes du premier groupe
Exploration 3 : La forme interrogative et la forme
négative

Point de départ : Faisons connaissance

Suggestions for teaching the **Point de départ** are found in the introduction to the Instructor's Edition. As you progress through this section, you can ask students whether or not the statements made by the French students are applicable to their lives. At this point, they can respond simply **oui** or **non.**

Je m'appelle Catherine. J'habite à Lyon. J'étudie…

les maths *(f)* et

les sciences *(f)* (la biologie,
la physique et la chimie).

J'aime beaucoup les sciences. Je trouve ça passionnant *(exciting).*

En général, j'aime bien…

l'université *(f),*

le campus,

les cours *(m)* et les profs
(les professeurs) *(m).*

mais je n'aime pas beaucoup…

le resto (le restaurant
universitaire)

et la bibliothèque.

J'aime mieux…

manger à la maison

et étudier avec des amis *(m)*.

Après les cours, je travaille dans un bureau.

Pendant le week-end, j'aime…

écouter la radio,

regarder la télé (la télévision)

ou inviter des amis.

J'aime beaucoup marcher. Je trouve ça reposant.

Moi, je m'appelle Laurent. J'habite à Québec. J'étudie…

la littérature,

la linguistique et les langues *(f)* étrangères.

Point out that **les vacances** (like **les sciences** and **les maths**) is a plural noun in French.

J'aime bien les cours, mais j'aime mieux…

le sport

et les vacances *(f)*.

Je n'aime pas beaucoup étudier

et je déteste les examens *(m)* !

Pendant le week-end, je travaille dans un magasin.

Après les cours et le travail, j'aime…

naviguer l'Internet,

nager

et manger avec des amis. Je trouve ça sympa.

Autres matières :

J'étudie… le commerce
les sciences politiques
la philosophie

l'histoire *(f)*
le français
l'anglais *(m)*
le chinois
l'informatique *(f)*
    (computer science)

Autres opinions :

Je trouve ça… facile / difficile
utile / inutile
intéressant / ennuyeux
    (boring)
agréable / désagréable
reposant / fatigant

Communication et vie pratique

A. **Les cours.** Tell another student which of the following courses you are taking and ask whether he or she has the same classes.

> EXEMPLE J'étudie les maths, la chimie et le français. Et toi ?

les maths	le commerce	l'histoire	le français
la biologie	l'informatique	les sciences politiques	l'anglais
la physique	la littérature	la philosophie	la linguistique
la chimie			

B. **Préférences.** Do you like or dislike the following activities? Give your preferences, and then ask another student what he or she likes to do. He or she will react to the items on your list (**Je trouve ça… facile / difficile, agréable / désagréable, utile / inutile, intéressant / ennuyeux**).

> EXEMPLE marcher
> **J'aime marcher. Et toi ?**
> **Moi aussi. Je trouve ça reposant.**
> *ou:* **Pas moi. Je trouve ça ennuyeux.**

oui	non		oui	non	
❏	❏	regarder la télé	❏	❏	étudier les sciences
❏	❏	naviguer l'Internet	❏	❏	écouter la radio
❏	❏	parler français	❏	❏	danser
❏	❏	marcher	❏	❏	étudier la littérature
❏	❏	nager			

C. **Présentations.** Introduce yourself to another student in your class using the following as a guide. Keep track of what he or she says and fill in the grid.

Have students work in groups of three. After one student introduces himself or herself, the other two can fill out the grid and then compare their answers to make sure they have accurate information. If preferred, you can ask students to introduce themselves to the class.

1. Je m'appelle…
2. J'habite à…
3. J'étudie…
4. Après les cours, j'aime / je n'aime pas…
5. Pendant le week-end, j'aime / je n'aime pas…

Il / Elle s'appelle	
Il / Elle habite à	
Il / Elle étudie	
Après les cours, il / elle	
Pendant le week-end, il / elle	

Info-culture : Passe d'abord ton bac !

Although French universities have traditionally been located in the center of town, many have also built campuses on the outskirts of town to accommodate increasing numbers of students. Point out also that certain French **départements d'outre-mer** also have universities (for example, **l'Université du Pacifique** in French Polynesia, **l'Université des Antilles et de la Guyane**, **l'Université de la Réunion.**)

In order to enter the university, French students must pass the **baccalauréat d'enseignement général (le bac),** a demanding examination taken at the end of the French **lycée** (high school).

- At the **lycée,** students choose to emphasize literary, scientific, or economic studies in preparation for the **bac.** Students take required subjects (**les matières obligatoires**) and elective subjects (**les matières facultatives**).

- There are many study guides available to help students prepare for the **bac. Les corrigés du bac** are booklets containing sample test items and responses.

- Every spring, students across the country take the same examination in their area of specialization. Depending on their course of study, they can choose:
  le bac L (literary studies)
  le bac S (scientific studies)
  le bac ES (economics and social science studies)
  les bacs techniques (science and technology)
  le bac professionnel (for students learning a trade).

- Examinations are graded on a 0 to 20 scale by panels of **examinateurs.** In order to pass the exam, a student must get at least 10 out of 20. If a student gets only 8/20, he or she is allowed to take **l'oral de rattrapage,** an oral exam administered the following week by a panel of professors who are unfamiliar with the student. Below 8/20, a student must repeat the class (**redoubler**) and retake the exam the next year.

- The results of the **baccalauréat** are published in the newspaper and on the Minitel computer network.

Et vous ?

The following questions are typical of those found on the **baccalauréat.** They are from the **philosophie** and **économie** sections of the examination. Are they similar to questions that American students encounter on exams? How would you answer these questions?

À quoi reconnaît-on une théorie scientifique ? (*How do you recognize a scientific theory?*)
Les hommes peuvent-ils avoir des droits sans avoir des devoirs ? (*Can people have rights without having obligations?*)
L'art est-il un luxe ? (*Is art a luxury?*)
Qu'est-ce que c'est qu'une œuvre d'art ? (*What is a work of art?*)
Le pouvoir de l'État s'oppose-t-il à la liberté individuelle ? (*Is there a conflict between the power of the government and individual freedom?*)
Dans quelle mesure une réduction du temps de travail peut-elle réduire le chômage ? (*To what extent can a reduced workweek help reduce unemployment?*)

Exploration 1

Identifier et nommer : Les noms et les articles

You have already learned to identify things using indefinite articles (**un livre, une chaise, des amis**). In the tables that follow, you can see that all nouns in French have gender—they are either masculine or feminine. These nouns form their plurals by adding an **s.** Indefinite articles convey a meaning similar to *a* or *an* and *some.*

Les articles indéfinis		
	Singulier	**Pluriel**
Masculin	**un** ͜ étudiant	**des** ͜ étudiants[1]
Féminin	**une** étudiante	**des** ͜ étudiantes

— Qu'est-ce que c'est ?
— C'est **un** dictionnaire. Et ça, c'est **un** ordinateur.

The plural indefinite article **des** is not omitted in French as it often is in English.

Je parle avec des amis.   *I'm speaking with friends.*

You have also learned to name things you like or subjects you study; here you used the definite article. (**J'étudie les sciences; j'aime la chimie.**)

Les articles définis		
	Singulier	**Pluriel**
Masculin	**le** livre	**les** livres
Féminin	**la** radio	**les** radios
Masculin ou féminin devant une voyelle	**l'**étudiant **l'**étudiante	**les** ͜ étudiants **les** ͜ étudiantes

A. The definite article can be used much like *the* in English.

Je regarde **le** livre.   *I'm looking at the book.*
J'aime écouter **la** radio.   *I like to listen to the radio.*

It also precedes abstract nouns and nouns used in a general sense.

J'aime **le** sport.   *I like sports.*
J'étudie **la** chimie.   *I'm studying chemistry.*

Point out that certain endings are usually feminine: **-té**—**la liberté; -ion**—**l'opinion, la division, la nation; -ée**—**la dictée; -ie**—**la partie; -ure**—**la voiture, la culture; -ue**—**la langue.** Others are usually masculine; **-ment**—**le monument; -age**—**le village; -eau**—**le tableau; -isme**—**le classicisme.** Students will need to learn the exceptions to these rules when they encounter them (e.g., **la plage, l'eau, l'avion, le lycée,** et **le musée**).

[1]When a masculine or feminine noun begins with a vowel or a mute *h* as in **histoire,** the *s* in **des** is linked to the next word with a **z** sound: **des** ͜ **amis.** The *n* sound is also linked: **un** ͜ **ami.** In this chapter, **liaison** will be marked with ͜ to remind you of it.

B. **Le** is also used with days of the week to indicate that something happens every week on that day. Compare:

Le dimanche, je ne travaille pas.   *On Sundays, I don't work.*
Dimanche, je ne travaille pas.   *(This) Sunday, I'm not working.*

Situation : Visite du campus

Monique is showing a friend around her campus and is telling her what some of the buildings are.

MONIQUE	Regarde. Voici la résidence où j'habite.
ANNE	Et ça, qu'est-ce que c'est ?
MONIQUE	C'est le bâtiment des sciences et la bibliothèque.
ANNE	Et ça ?
MONIQUE	C'est un complexe sportif.
ANNE	Et ici ?
MONIQUE	C'est un centre multimédia très moderne.

> **Mots à retenir :**
> **voici** *here is,* **la résidence** *dormitory,* **où** *where,* **le bâtiment** *building,* **la bibliothèque** *library,* **un complexe sportif** *a sports center,* **ici** *here*

Avez-vous compris ?

Qu'est-ce qu'il y a sur le campus ?
    Sur le campus, il y a…

Communication et vie pratique

A. **Petits boulots.** Several of your friends have part-time jobs. Ask where they are working. Another student will respond.

> EXEMPLE   Armand / centre sportif
> **Où est-ce qu'Armand travaille ?**
> **Dans un centre sportif.**

1. Antoine / centre multimédia
2. Isabelle / bibliothèque
3. Sébastien / complexe sportif
4. Françoise / résidence
5. Alexandre / restaurant

B. **Dans le centre multimédia.** Describe to another student one of the rooms in the new multimedia center on the campus where you are studying.

EXAMPLE **Il y a des livres, etc.**

C. Les études universitaires. Several French students are preparing for the end-of-year exams. Ask what courses each of the following is taking; another student will respond. Role-play the situation.

EXEMPLE Sophie : biologie, chimie
Qu'est-ce que Sophie étudie ?
La biologie et la chimie.

1. Danielle : histoire, sciences politiques
2. Marc : langues étrangères, linguistique
3. Véronique : physique, chimie
4. Jean-Claude : maths, sciences
5. Édouard : littérature, philosophie
6. Mireille : informatique, commerce

D. Et toi ? Tell what courses you are taking and use the scale that follows to tell how much you enjoy them. Then, find out what courses other students are taking and their impressions of them.

EXEMPLE **J'étudie le français, l'anglais et la biologie.**
J'aime le français et la biologie, mais je n'aime pas
beaucoup le cours d'anglais.

Je déteste   Je n'aime pas   J'aime   J'aime beaucoup

E. Internet. Compare your college or university to a Belgian university. Use a search engine to identify a Belgian institution, or visit the **Université Libre de Bruxelles** at http://www.ulb.ac.be/. See how many differences you can identify. Use your guessing skills to help you "navigate" this all-French Web site. Compare the differences you find to those that other students have found.

F. **Après les cours.** Several students are talking about what they generally like to do after class and on weekends. What does each say? Then tell what you generally do.

> EXEMPLE   mardi / travailler à la bibliothèque
> **Le mardi, j'aime travailler à la bibliothèque.**

1. samedi / inviter des amis
2. lundi et mardi / nager
3. mercredi et jeudi / travailler
4. dimanche / regarder la télé
5. samedi et dimanche / naviguer l'Internet

Review the definite articles for the buildings on the campus map (using the map in the book or a copy that you have placed on an overhead). Ask students to identify a building (**Qu'est-ce que c'est ?**). Students will respond using the appropriate definite article (e.g., **C'est le centre sportif.**). Maps of your own campus or maps of other French universities downloaded from the Internet also can be used in this activity.

C'est votre tour

Imagine that you are studying in France and are showing a friend around campus. Answer your friend's questions about the different buildings that you see. Use the **Situation** and the map below as a guide.

Exploration 2

Parler de vos activités : Les verbes du premier groupe

To tell what we do, we use verbs like the following (many of which you have already encountered):

chercher *(to look for)*	nager
danser	parler
écouter	téléphoner
habiter	travailler
inviter	trouver
manger	voyager *(to travel)*
marcher	

They can be modified with adverbs to express . . .

● How frequently we do something:

J'étudie rarement. *(rarely)*
      souvent. *(often)*
      quelquefois. *(sometimes)*
      tout le temps. *(all the time)*

● When we do something:

J'étudie le lundi.
      pendant la semaine.
      tous les jours. *(every day)*

● How well we do something:

Je danse bien.
      très bien.
      assez bien. *(fairly well)*
      mal. *(badly)*
      très mal. *(very badly)*

French verb endings change according to the subject of the verb. The **-er** verb chart also shows subject pronouns.[2]

Point out that the singular forms and the plural forms have the same pronunciation (i.e., the endings are not pronounced).

travailler			
Singulier		**Pluriel**	
I	**je** travaille	*we*	**nous** travaill**ons**[3]
you	**tu** travaille**s**	*you*	**vous** travaill**ez**
he/she/it/one	**il / elle / on** travaille	*they*	**ils / elles** travaill**ent**

[2]**Voyager, manger,** and other verbs ending in **-ger** add an **e** in the **nous** form: **Nous mangeons beaucoup; nous voyageons souvent.**

[3]The present tense in French can express several meanings: I work; I am working; I do work.

A. **Tu** is used to address a close friend, relative, child, or pet; **vous** is used in more formal situations and always when addressing more than one person.

Tu danses bien, Pierre !
Paul et Nicole, vous habitez à Paris ?
Vous parlez très bien anglais, madame.

B. **On** is an impersonal pronoun that means *one, it, they, we,* or *people.* In conversational French, **on** is often used in place of **nous.**

On parle français en Belgique.
On aime mieux écouter la radio.

C. **Il** and **ils** replace masculine nouns; **elle** and **elles,** feminine nouns. A mixed group of masculine and feminine nouns is replaced by **ils.**

Alain et Patrick regardent la télé.	**Ils** regardent la télé.
Monique et Catherine parlent anglais.	**Elles** parlent anglais.
Henri et Julie étudient les maths.	**Ils** étudient les maths.

Situation : On mange ensemble ?

Alain calls Michèle to see if she can go out for dinner.

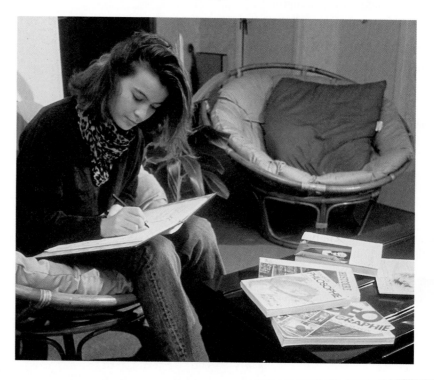

ALAIN	Allô, Michèle ?
MICHÈLE	Ah, bonsoir, Alain.
ALAIN	Dis, on mange ensemble ce soir ?
MICHÈLE	Impossible. Je travaille.
ALAIN	Et Denis, il travaille aussi ?
MICHÈLE	Je pense que oui.

ALAIN	Et demain ?
MICHÈLE	On reste à la maison pour étudier.
ALAIN	Alors, une autre fois peut-être.

> **Mots à retenir :**
> **allô** *hello (used on phone)*, **bonsoir** *good evening*, **ensemble** *together*, **ce** *this*, **le soir** *evening*, **aussi** *also*, **je pense que oui** *I think so*, **demain** *tomorrow*, **rester** *to stay*, **la maison** *house, home*, **alors** *well then*, **autre** *other*, **une fois** *one time*, **peut-être** *perhaps*

Avez-vous compris ?

Qu'est-ce que Michèle fait ce soir ? et demain ? Et Denis, qu'est-ce qu'il fait ce soir ? et demain ?

Communication et vie pratique

A. **Soirée disco.** You are trying to get a group of friends together to go out dancing Friday night. They do not all dance well. What do they say?

> EXEMPLE Marc / bien
> **Marc danse bien.**

1. Michel / très bien
2. je / mal
3. nous / assez bien
4. Hervé / très mal
5. tu / très très mal
6. vous / bien

B. **Après les cours.** Several friends are asking about what they and others are doing tonight. Tell what they do. Then tell other students in your class what you are planning to do.

> EXEMPLE Paul et Luc / regarder la télé
> **Ils regardent la télé.**

1. Nathalie et Georges / manger avec des amis
2. je / travailler à la bibliothèque
3. nous / écouter la radio
4. vous / parler avec des amis
5. tu / rester à la maison
6. Suzanne / regarder la télé

C. **Rarement ou souvent ?** Ask other students how often they do the following activities. Answer using words like **rarement, souvent,** and **quelquefois.**

> EXEMPLE parler souvent français
> **Tu parles souvent français ?**
> **Non, je parle rarement français.**

1. étudier pendant le week-end
2. regarder souvent la télé
3. écouter quelquefois la radio

IAE Drills: Have students conjugate the following verbs: **travailler, étudier, manger.** Substitution: 1. **Je regarde la télévision. vous / tu / nous / Delphine / Gérard et Robert;** 2. **On parle français. je / Marc / vous / tu / nous / les étudiants;** 3. **Alain et Michel aiment voyager. nous / tu / Sylvie et Anne / vous / je.**

Use as a small-group activity and have students record their partner's answers, reporting back to the class orally or in writing (e.g., **Richard regarde souvent la télévision, mais il écoute rarement la radio.**).

4. travailler tout le temps
5. parler quelquefois français
6. étudier souvent à la bibliothèque
7. manger quelquefois avec des amis
8. voyager souvent

You may find it useful to give each student two copies of the schedule form: one for their own schedule and one for recording their partner's schedule.

D. **Emploi du temps.** Tell when Sébastien is doing the following activities based on his weekly calendar. As you tell what he is doing, use the days of the week and expressions like **le lundi, le mardi,** etc., **pendant le week-end,** and **tous les jours.** Then jot down activities for your own calendar for the week and describe them to another student. He or she will fill out a schedule form according to what you say.

L'Emploi du temps de Sébastien

lundi — étudier à la bibliothèque / parler anglais avec Jim

mardi — étudier à la bibliothèque

mercredi — nager / étudier à la bibliothèque / parler avec le prof d'histoire

jeudi — étudier à la bibliothèque

vendredi — nager / étudier à la bibliothèque

samedi — manger avec des amis / manger à McDo avec Anne

dimanche — nager / téléphoner à maman / manger au restaurant

L'Emploi du temps de ...

lundi _____

mardi _____

mercredi _____

jeudi _____

vendredi _____

samedi _____

dimanche _____

Option: Have students bring photos of their friends, dorm rooms, and so forth to class and have them create captions for the photos. You might want to consider creating a class Web page on which these photos could be placed.

E. **Me voici à l'université !** Jean-Luc has sent a series of pictures to some friends back home to show them a little about his life at the university. Using vocabulary you know, create captions that he might put under each picture. You might also want to use pictures of your own and create captions for them.

EXEMPLE   **Ici, je téléphone à des amis.**

1.

2.

3.

4.

5.

6.

7.

8.

C'est votre tour

Have students work in pairs to rework the **Situation** using the **scénarios** provided. After practicing their conversations, they can role-play them for other small groups or for the class. Students might also want to create their own **scénario**.

Imagine that you are calling French friends, played by other students, to invite them to dinner. Use the **Situation** and the scenarios that follow as a guide.

Scénario 1... Vous téléphonez à Anne et Monique, mais elles travaillent ce soir. Demain, elles restent à la maison pour étudier.

Scénario 2... Vous téléphonez à Sophie. Elle écoute la radio. Demain, elle étudie à la bibliothèque.

Scénario 3... Vous téléphonez à Bernard et à Robert. Bernard étudie et Robert parle avec des amis. Demain, ils mangent avec des amis.

Exploration 3

Poser des questions : La forme interrogative et la forme négative

Questions are used to get information, to clarify meaning, or to indicate that we do not understand. If we do not understand, we can also respond with expressions like these:

> Répétez, s'il vous plaît.
> Pardon ?
> Excusez-moi, mais…

Have students note that **est-ce que** becomes **est-ce qu'** before a vowel sound: **Est-ce qu' Anne parle anglais ?**

As you have learned, yes-or-no questions can be asked simply by raising your voice at the end of the question or by placing **est-ce que** in front of a statement.

> Vous parlez anglais ?
> **Est-ce que** vous parlez anglais ?

A. To ask someone else to ask a question, use **Demandez à... si...**
   — Demandez à Michèle si elle parle anglais.
   — Michèle, est-ce que vous parlez anglais ?

B. To ask for or to give elaboration or clarification, use:
Pourquoi ?	*Why?*
Pourquoi pas ?	*Why not?*
Parce que…	*Because . . .*

C. To answer a question negatively, **ne... pas** is used; to indicate *never,* use **ne... jamais.**

> — Est-ce que vous parlez anglais ?
> — Non, madame, je **ne** parle **pas** anglais.

> — Elle travaille tout le temps ?
> — Non, elle **ne** travaille **jamais.**

Note that when an infinitive follows a conjugated verb, the negative structure surrounds the conjugated verb.

> Nous **n'**aimons **pas** voyager.

D. The following expressions are useful in indicating agreement or disagreement.

Moi aussi,…	*Me, too, . . .*	Pas moi,...	*Not me, . . .*
Je pense que oui.	*I think so.*	Je pense que non.	*I don't think so.*
Je suis d'accord.	*I agree.*	Je ne suis pas d'accord.	*I don't agree.*
C'est vrai.	*That's true.*	Ce n'est pas vrai.	*That's not true.*

Situation : Anglais ou français ?

Antoine has just found out that Nathalie has an American roommate and is asking questions about her.

ANTOINE	Est-ce qu'elle parle bien français ?
NATHALIE	Non, pas très bien, mais elle essaie.
ANTOINE	Elle aime la vie ici, n'est-ce pas ?
NATHALIE	Je pense que oui.
ANTOINE	Vous parlez souvent anglais ensemble ?
NATHALIE	Non, presque jamais.
ANTOINE	Qu'est-ce qu'elle étudie ici ?
NATHALIE	Le français et l'histoire.

> **Mots à retenir :**
> **essayer** *to try,* **n'est-ce pas** *doesn't she, isn't that so,* **presque** *almost,* **qu'est-ce que** *what*

Avez-vous compris ?

Mention several things that you found out about Nathalie's American roommate.

Communication et vie pratique

A. **Qu'est-ce que tu étudies ?** Make a list of the courses that you are taking and then tell another student what you are studying. Ask if he or she has the same courses.

> EXEMPLE **Moi, j'étudie le commerce. Et toi ?**
> **Non, je n'étudie pas le commerce.**

B. **Absolument pas !** Monique and Bernard are talking about their interests. Monique is positive about things; Bernard is somewhat negative and contradicts everything that Monique says. What does Bernard say?

> EXEMPLE Moi, j'aime bien le prof d'anglais.
> **Moi, je n'aime pas le prof d'anglais.**

1. Je trouve les cours intéressants.
2. J'aime beaucoup les profs ici.
3. Moi, j'aime parler anglais.
4. Les étudiants travaillent beaucoup.
5. Nous regardons souvent la télévision.
6. Nous aimons voyager.
7. J'aime travailler à la bibliothèque.
8. Nous aimons nager.

Scramble the sentences in the **Situation** and have students work in small groups to put them in order.

IAE Drills: Have students change the following sentences to questions using **est-ce que :** 1. **Chantal étudie beaucoup.** 2. **Vous habitez la résidence universitaire.** 3. **Georges et Jean voyagent souvent.** 4. **Monique parle espagnol.** 5. **Tu aimes les sciences.** 6. **Il habite à Paris.** 7. **Michel nage bien.** Then have students change these sentences to the negative: **Chantal étudie beaucoup.** → **Chantal n'étudie pas beaucoup.** Have students conjugate the following in the negative: 1. **Je ne travaille pas beaucoup.** 2. **Je n'aime pas danser.** 3. **Je ne nage pas bien.** 4. **Je ne regarde jamais la télé.**

Model the appropriate responses and then have students role-play the situations in **Absolument pas !** and **Pas vraiment.** You might want to consider having students work in groups of three: two students to role-play the exercise; the third student is given a copy of the correct responses that you have prepared and gives feedback to the other students.

Have students make a list of the courses they are taking. Collect the lists and redistribute them. Then ask students to find the owner of the list by asking questions (**Est-ce que tu étudies les sciences politiques ?**).

C. **Pas vraiment.** Claire is asking Pierre how well he likes university life. Unfortunately, things are not going well. What does he say?

EXEMPLE CLAIRE aimer l'université
PIERRE non… pas beaucoup

CLAIRE **Est-ce que tu aimes l'université ?**
PIERRE **Non, je n'aime pas beaucoup l'université.**

CLAIRE aimer les professeurs
PIERRE non…
CLAIRE trouver le cours d'anglais intéressant
PIERRE non…
CLAIRE parler bien anglais
PIERRE non… pas bien
CLAIRE étudier souvent
PIERRE non… pas souvent
CLAIRE regarder quelquefois la télé
PIERRE non… jamais
CLAIRE travailler beaucoup
PIERRE non… pas beaucoup

Students can tally class responses in **Activités et loisirs** and present the results in the class. For example, **Quinze étudiants écoutent souvent la radio.** You might want to ask students to come up with additional questions using vocabulary they know.

D. **Activités et loisirs.** Ask questions to find out which students in your class like to do the following activities in their free time.

EXEMPLE nager souvent
Est-ce que tu nages souvent ?
Oui, je nage assez souvent.

1. nager tous les jours
2. regarder souvent la télé
3. parler avec des amis
4. aimer voyager
5. écouter la radio
6. marcher tous les jours
7. aimer danser
8. inviter des amis

C'est votre tour

It might help students to make up questions to fit in different categories: **cours, professeurs, activités, ville et région** and so forth.

A group of French students is spending a semester on your campus. Make up a list of questions that you might ask them about how they like life here, what they are studying, what they like to do, and so on. Then role-play a conversation with the visitors (played by other students in your class).

Intégration et perspectives : Mosaïque

Pour mieux lire : When you don't know the meaning of a word that you encounter in a text or in conversation, remember that you can often guess the meaning of the word from the context in which it appears. Try to guess the meanings of some of the words you don't know in the following descriptions of students in a French café.

Several students from different French-speaking countries are getting acquainted in a neighborhood café in Paris.

Amadou Dadié (*Dakar, Sénégal*)

Je m'appelle Amadou. J'étudie la médecine. C'est assez difficile, mais je trouve ça passionnant. J'aime bien le campus et la ville. Je déteste le climat ici. Je partage un appartement avec deux camarades du Cameroun. Le soir, nous mangeons au restaurant universitaire et après ça, nous aimons bien regarder la télévision ou parler ensemble.

Patrick et Fabienne Boutin (*Trois-Rivières, Canada*)

Patrick étudie le droit international et moi, j'étudie la gestion. Nous travaillons presque tout le temps mais, pendant le week-end, nous aimons inviter des amis ou visiter les musées de la ville. Nous ne mangeons pas souvent au restaurant parce que ça coûte trop cher. En général, nous trouvons la vie ici très agréable.

Gabrielle Martin (*Lausanne, Suisse*)

Je m'appelle Gabrielle Martin. Je travaille pour une compagnie multinationale et j'étudie pour être interprète à l'ONU. J'aime beaucoup la vie ici. J'aime danser, marcher dans les rues, regarder les gens et les magasins. J'adore voyager et rencontrer des gens. Je cherche une camarade de chambre qui parle anglais.

Djenat Youssef (*Rabat, Maroc*)

Je m'appelle Djenat Youssef. J'étudie la sociologie et je donne des cours d'arabe dans un lycée. Je trouve les cours et les profs très intéressants, mais les étudiants ne travaillent pas beaucoup. Je n'aime pas beaucoup le sport; je préfère[3] rester à la maison et regarder des films à la télévision.

The reading, writing, and listening strategies provided in each **Intégration et perspectives** section are designed to be used by individual students or as whole-class or pair activities, depending on the needs and preferences of the class and instructor. For the **Pour mieux lire** section that follows, for example, you might want to give students some guided practice in guessing the meaning of words they don't know. For example, Patrick and Fabienne say they enjoy **les musées.** Have students use their knowledge of cognates to guess the meaning of musée.

Have students locate the countries given here on the map in the front of the book.

---

[3]**Préférer** is a regular **-er** verb except that in the **nous** and **vous** forms, there are different accents: **je préfère, tu préfères, il/elle/on préfère, nous préférons, vous préférez, ils/elles préfèrent.**

> **Mots à retenir / Mots en contexte*:**
> **partager** *to share,* **le droit** *law,* **la gestion** *management, administration,* **mais** *but,* **la ville** *city,* **coûter** *to cost,* **trop** *too, too much, too many,* **cher** *expensive, dear,* **pour** *for, to,* **être** *to be,* **l'ONU** (**l'Organisation des Nations Unies**) *United Nations,* **la rue** *street,* **les gens** *(m pl) people,* **rencontrer** *to meet,* **un(e) camarade de chambre** *a roommate,* **donner** *to give,* **un lycée** *a French secondary school*
>
> *Words that you should learn because they will be used again are in bold print; words that simply help you understand the readings will be in regular print.

Avez-vous compris ?

Ask the students to use the information provided in **Avez-vous compris ?** to write a description of one or more of the students in the reading.

For each of the students described in the reading, give the following information.

Nom	Pays d'origine	Études	Activités / préférences

Faisons connaissance... Using the reading as a guide and with vocabulary you know, introduce yourself to the class or to another student in your class. You may also create a portrait of yourself or of another student that you might send to French-speaking students or put on a class Web page.

Internet. Make a list of five facts about Dakar, Amadou's hometown. Compare your list with those of other students. Use a search engine to do your research or check http://www.senegal-online.com/index.htm.

Info-culture : Et après le bac ?

When French students have passed the **baccalauréat,** they are offered several options. There are three major types of postsecondary educational opportunities for French students, each leading to different career opportunities and different diplomas.

- **Instituts universitaires de technologie (I.U.T.)**
  Baccalauréat required
  Areas of study: general and technical studies
  Two-year course of study leading to the **Diplôme universitaire de technologie (D.U.T.)**

- **Universités** (there are 71 universities, 13 in or near Paris)
  Baccalauréat required

Areas of study: law, medicine, arts and sciences

Two-year degree leading to the **Diplôme d'études universitaires générales (D.E.U.G.),** followed by an optional one-to-two-year course of study leading to the **licence** and **maîtrise.**

Further options are also available, with the highest degree being the **doctorat.**

Coûts: Approximate yearly costs: tuition—750 francs; library/medical fees—30–50 francs; health insurance (**sécurité sociale**)—640 francs. Single rooms cost approximately 610 francs per month, and meals are about 15 francs each.

- **Grandes écoles,** still the most prestigious higher-education institutions

  Baccalauréat (preferably with honors) required

  Two years of **classes préparatoires** after the **bac** are also required before taking the highly competitive entrance exams to the **grandes écoles.**

  Areas of study vary but are related to career options: **École nationale d'administration** (government and diplomacy), **École normale supérieure** (education), **Hautes études commerciales** (business), **École polytechnique** (national defense), **École des Beaux-Arts** (arts).

Et vous ?

Use the following graph to tell the different degree options that French students have after they have received the **baccalauréat,** and tell the length of time required for each diploma. How does this information compare with education in the United States?

Communication et vie pratique

A. **Petites annonces.** The following ads were placed on bulletin boards by students looking for roommates. After reading each of them, match them with the descriptions of American students who want to share a room with a French roommate.

Etudiante en informatique cherche camarade de chambre. Préfère étudiante en sciences ou Maths. Aime la musique et le théâtre
46.73.18.14
Françoise Christel.

Etudiante en médecine cherche camarade de chambre sympathique. Aime le silence et la solitude. Ne regarde pas la télé et n'aime pas le sport.
46.12.12.06
Océane

Etudiant en sciences cherche camarade de chambre qui aime les sports surtout le foot et le ski. Aime le camping et la nature
40 46 43 18
Daniel.

Etudiant en droit désire trouver camarade de chambre intelligent. Etudie aussi l'anglais et désire parler anglais.
Bernard   40 61 09 24

Etudiante cherche camarade de chambre qui parle anglais et espagnol Aime voyager et parler.
42 86 13 09
Monique

Etudiant en philo cherche camarade de chambre qui aime parler. Aime les films et les concerts. N'aime pas le sport.   40 02 39 12
Philippe

Les étudiants américains :

Richard aime beaucoup les sports et la nature.
Katie aime beaucoup les voyages et les langues étrangères.
David adore les activités artistiques… cinéma, musique, etc.
Suzanne est très sérieuse; elle étudie beaucoup pour ses examens.
Joseph ne parle pas bien français et il cherche un camarade de chambre qui parle anglais.
Elizabeth étudie les maths. Elle aime les ordinateurs, les films et la musique.

It might be helpful to give students the letter in **Réponse** as homework or to give them time to work on their letters in class.

B. **Réponse.** From the ads in activity B, choose the student you would like to room with and then write a letter in which you introduce yourself to that person. Include information about the interests that you share. Begin your letter with **Chère** (for a woman) or **Cher** (for a man); end the letter with **Cordialement.**

Pour mieux écrire : It helps to organize your writing ahead of time. List the different types of information you want to include in your letter (e.g., name, activities, interests you share) and then jot down the ideas you want to include. Use this brainstorming list to help you compose your letter.

C. **Au téléphone.** Carolyne Menton is looking for a new roommate. She calls Annick Lesage, who has placed an ad on the student bulletin board. Listen to their conversation, and then tell why Carolyne is not happy with her current living arrangements and why Annick and Carolyne are probably compatible as roommates.

Pour mieux comprendre : Sometimes it is useful to be selective in what you focus on while listening. Listen twice to the following conversation, the first time for things that Carolyne doesn't like about her present situation, then for the things that Carolyne and Annick have in common.

D. **On partage un appartement ?** Imagine that you have just arrived in Strasbourg and want to find a roommate. Call possible French roommates (played by other students in your class). Introduce yourself and ask questions to find out if you would like to room with this person. Talk with at least three students before making your choice; the French students will also decide which caller seems the most promising. Compare the results.

As preparation, it might be useful to brainstorm possible questions to ask a potential roommate.

Bien prononcer

Liaison refers to a consonant sound that is added to link one word to another. In French a **liaison** may occur when a word that normally ends in a silent consonant (**s, f, x,** or **n**) is followed by a word that begins with a vowel sound. For a **liaison** to occur, the first word must in some way modify or qualify the second.

Articles

les‿articles   un‿Américain   les‿examens

Subject pronouns

vous‿étudiez   ils‿habitent   on‿aime

Adverbs or adjectives

très‿intéressant   bien‿agréable
C'est‿intéressant.   C'est‿assez facile.

Numbers

deux‿hommes   trois‿Anglais   six‿enfants

Petite conversation... Practice repeating the following conversation.

— Vous‿aimez Grenoble ?
— Oui, c'est‿une ville très‿agréable.
— Vous‿habitez dans un‿appartement ?
— Oui, avec deux‿amis.

In general, very few new words are glossed in the **Chez nous** sections in order to give students the opportunity to focus on the message contained in these sections and to read material that is somewhat more challenging. Encourage them to try to guess the meanings of these words in the **Chez nous** sections.

Remind students that the chapter vocabulary contains words that they are responsible for and that will be used in subsequent chapters. In some cases, students are referred to sections of the chapter that present a group of related vocabulary words (e.g., **La vie universitaire**). Remind them that there are two vocabulary sections at the end of the book: **vocabulaire français-anglais** and **vocabulaire anglais-français**.

CHEZ NOUS

EN SUISSE

Superficie : 41 293 km^2

Population : 7,000,000 h

Capitale : Berne

Langues : français, allemand, italien, et romanche

Institutions : république, état fédéral

D'abord, permettez-moi de me présenter : Je m'appelle Christophe. J'habite dans une petite ville en Suisse allemande, avec ma femme et mes deux enfants.

Ma langue maternelle est l'allemand. Mais, ici, en Suisse, pratiquement tout le monde parle français, allemand et italien. Et dans certaines régions, on parle aussi le romanche. C'est parce que la Suisse est une confédération de vingt-trois cantons indépendants. Dans l'ouest du pays, dans la partie qui touche la France, on parle français; au sud, dans la partie qui touche l'Italie, on parle italien; et ici, dans la partie qui touche l'Allemagne et

l'Autriche, on parle allemand. Alors, pour nous, les Suisses, c'est normal de parler plusieurs langues.

La Suisse est le siège de nombreuses organisations internationales et il y a toujours beaucoup de visiteurs étrangers. Alors, nous étudions aussi l'anglais—ou une autre langue étrangère—au lycée. C'est sans doute aussi pour cette raison qu'il y a un si grand nombre d'interprètes ici ! Alors, si vous désirez être interprète ou traducteur, venez étudier en Suisse. Il y a de nombreuses écoles spécialisées dans ce genre d'études et dans tous les aspects de l'industrie touristique. ≫

Vocabulaire

La vie universitaire (Voir pp. 14–16)
Les verbes du premier groupe (Voir pp. 23–24)
Les adverbes (Voir p. 23)

Noms

ami(e) *(m, f) friend*
arabe *(m) Arabic*
bâtiment *(m) building*
camarade *(m, f)* **de chambre** *roommate*
compagnie *(f) company*
droit *(m) law*
film *(m) film*
fois *(f) time, instance*
gens *(m pl) people*
gestion *(f) management*
interprète *(m, f) interpreter*
magasin *(m) store*
maison *(f) house, home*
médecine *(f) medicine (profession)*
musée *(m) museum*
résidence *(f) dormitory*
restaurant (resto) *(m) restaurant*
rue *(f) street*
soir *(m) evening*
télévision (télé) *(f) television*
université *(f) university*
vacances *(f pl) vacation*
vie *(f) life*
ville *(f) city*
week-end *(m) weekend*

Verbes

adorer *to adore*
aimer bien *to like*
aimer mieux *to prefer, like better*
coûter *to cost*
danser *to dance*
détester *to hate*
donner *to give*
écouter *to listen*
essayer *to try*
étudier *to study*
habiter *to live (in, at)*
manger *to eat*
marcher *to walk*
partager *to share*
penser *to think*
préférer *to prefer*
rencontrer *to meet, run into*
répéter *to repeat*
rester *to stay*
téléphoner *to telephone*
travailler *to work*
trouver *to find*
voyager *to travel*

Adjectifs

agréable *pleasant*
cher / ère *dear; expensive*
désagréable *unpleasant*
difficile *difficult*
ennuyeux / euse *boring*
étranger / ère *foreign*
facile *easy*
fatigant *tiring*
impossible *impossible*
intéressant *interesting*
inutile *useless*
moderne *modern*
passionnant *fascinating, exciting*
politique *political*
reposant *relaxing*
sportif / ive *athletic*
sympathique (sympa) *nice, likeable*
utile *useful*
vrai *true*

Divers

à *to, in, at*
allô *hello (on the telephone)*
alors *then, so*
après *after*
aussi *also*
avec *with*
bonsoir *good evening*
ce *this, that*
dans *in*
demain *tomorrow*
en général *in general*
ensemble *together*
être d'accord *to agree*
ici *here*
mais *but*
naviguer l'Internet *to surf the Internet*
ne... jamais *never*
ne... pas *not*
n'est-ce pas ? *right?*
ou *or*
où *where*
parce que *because*
pendant *during*
penser que oui (non) *to think so (not)*
peut-être *perhaps*
pour *for*
pourquoi *why*
presque *almost*
quelquefois *sometimes*
qu'est-ce que *what*
s'il vous plaît *please*
tous les jours *every day*
trop *too much*
voici *here is*

Chapitre deux Identité

Fonctions

Dans ce chapitre, vous allez apprendre à
- *identifier les nationalités et les professions*
- *identifier les gens et les choses*
- *décrire les gens et les choses*
- *compter*

Vocabulaire et structures

Point de départ : Qui est-ce ?
*Exploration 1 : Le verbe **être** et quelques adjectifs*
Exploration 2 : Les adjectifs qualicatifs
Exploration 3 : Les nombres de 30 à 99

Point de départ : Qui est-ce ?

Give a nationality and have students tell whether you have described a woman (**C'est une femme.**) or a man (**C'est un homme.**) Have students ask each other the nationalities of well-known figures: **Quelle est la nationalité de Gérard Depardieu ? Il est français,** and so on.

Je vous présente Stéphane Simon.
Il est suisse.
Il habite maintenant (*now*) à Genève, mais il est de Lausanne.
Il est dentiste.
Il est marié.

Je vous présente Danielle Petit.
Elle est française. Elle est de Toulouse.
Elle est étudiante. Elle étudie la biologie.
Elle désire être vétérinaire.
Elle n'est pas mariée. Elle est célibataire.

Quelques autres nationalités

Il est...		Elle est...	Il est...		Elle est...
allemand (*German*)		allemande	belge		belge
américain		américaine	canadien		canadienne
anglais		anglaise	chinois		chinoise

Il est...	Elle est...	Il est...	Elle est...
espagnol	espagnole	japonais	japonaise
italien	italienne		

Have students tell whether or not they would like to be in these professions: **Je désire être médecin. Je trouve ça intéressant. Je ne désire pas être médecin. Je n'aime pas les sciences.**

Quelques autres professions

Il est...	Elle est...	Il est...	Elle est...

assistant social	assistante sociale	avocat	avocate
commerçant	commerçante	comptable	comptable
informaticien	informaticienne	ingénieur	ingénieur

journaliste   journaliste   médecin   médecin

psychologue   psychologue   technicien   technicienne

Info-Culture : Français, qui êtes-vous ?

Les origines

Because of its position at the western edge of the continent, France has often been referred to as the "melting pot" of Europe. Its population descended from the intermingling of Gauls, Celts, Romans, Franks, and Vikings. During the twentieth century, this mix has been further enriched by the arrival of immigrants from diverse regions of Europe (Poland, Italy, Spain, Portugal), from Indochina, and from Africa, especially from the Arab countries of North Africa (**le Maghreb**). Although France is one of the founding members of the European Union, the delicate balance between the ideal of a unified Europe and the desire for each country to retain its independence and uniqueness is very much at the center of French political debate.

Les valeurs

A recent survey found that when asked what they valued most, French people chose the following:

la famille	93 %	la patrie *(country)*	67 %
les études	86 %	l'avenir *(future)*	67 %
le progrès	82 %	la religion	51 %
le travail	79 %	l'idéal politique	31 %
le mariage	76 %		

When asked which of the three concepts that form the motto "**Liberté, égalité, fraternité**" they value most, 65% chose freedom, 21% equality, and 12% solidarity.

Les papiers d'identité

Une carte d'identité : Used for all major identification purposes and for travel within the **Union européenne (UE).**

Un passeport : Needed for travel to countries outside the UE.

Une carte d'électeur : Acquired at age nineteen and required in order to vote.

Un permis de conduire : Obtained at age eighteen after taking special courses at an **auto-école** and passing a written and driving test.

Une carte d'assuré social : Allows for coverage in a variety of areas such as medical and dental insurance, maternity leave, disability insurance, and accident insurance.

Une carte d'étudiant : Required for university identification purposes and used for discounts in museums, movies, trains, and so on.

Et vous ?

How do you think Americans might rank the list of values previously listed? Compare your ideas with those of other students in the class. Then compare the **papiers d'identité** with American identification papers.

Communication et vie pratique

A. **Présentations.** You have been asked to introduce students to each other at an international student conference. Based on the information on the name tags, what would you say?

Make up additional name tags so that each student has one. Then have students imagine that they are attending this conference and are in charge of introducing several other attendees.

EXEMPLE **Je vous présente Pierre Ledoux. Il est français. Il est de Lyon.**
Je vous présente Renate Schmidt. Elle est suisse. Elle est de Zurich.

1. Philippe Dartoux
Paris
Congrès International d'Étudiants

2. Chantal Renaud
Marseille
Congrès International d'Étudiants

3. Inga Schmidt
Berlin
Congrès International d'Étudiants

4. Dieter Walter
Dakar
Congrès International d'Étudiants

5. Sarah Townsend
Londres
Congrès International d'Étudiants

6. Jean-Paul Lenior
Genève
Congrès International d'Étudiants

7. Monique Perramond
Montréal
Congrès International d'Étudiants

8. Paul Bernard
Rabat
Congrès International d'Étudiants

B. **Les cartes de visite.** The **cartes de visite** of various people are shown here. Describe each of them by giving the information requested in the **renseignements à donner.**

Renseignements à donner :

nom et prénom	Il / Elle s'appelle...
adresse	Il / Elle habite...
profession	Il / Elle est...
ville d'origine	Il / Elle est de...

Have students make up their own business card in French (either imaginary or reflecting the profession they have chosen). They could also make one up for a French person they know or whom they create. Encourage them to find or design a logo to put on the card. Then have them pass out their cards to other students who will in turn introduce them to a group of students: **Je vous présente Richard Smith. Il habite à Chicago. Il est médecin,** and so on.

Anne-Marie Joureau Ingénieur 44, rue de la Poste 33018 Bordeaux	Denis Journeau Comptable 44, rue de la Poste 33018 Bordeaux	JEAN-CLAUDE ANDRÉ MÉDECIN 25 AVENUE JEAN-JAURÈS 29421 BREST	CLAUDINE BASTIEN DENTISTE, 3, QUAI SAINT-HUBERT 45001 ORLÉANS
Armand Simon Avocat 18, cours Franklin-Roosevelt 44005 Nantes	Sabine Mercier Psychologue 39, promenade des Anglais 06002 Nice	André Seguin Commerçant 79, rue du Mont-Blanc 74061 Annecy	Jacqueline Bertrand Journaliste 68, rue du Port 13001 Marseille

C. **Internet.** How many hours of behind-the-wheel instruction are provided at a French **auto-école**? How much does it cost? You may want to use a search engine or check a Web site such as **http://www.finest.tm.fr/fr/bordeaux/cap_conduite/.**

Exploration 1

Identifier les gens et les choses : Le verbe *être* et quelques adjectifs

To tell who or where you are, where you are from, or what you are like, you can use the verb **être** *(to be).*

— Est-ce que vous **êtes** étudiant ?
— Non, je **suis** professeur.

— Vous **êtes** de Genève ?
— Non, je **suis** de Lausanne.

— Ils **sont** à la bibliothèque ?
— Non, ils ne **sont** pas à la bibliothèque.

être	
je **suis**	nous **sommes**
tu **es**	vous **êtes**
il / elle / on **est**	ils / elles **sont**

To identify people or things, the phrase **c'est** *(it is, that is)* can be used. It can be followed by a name (**C'est Monique),** by a noun (**C'est le professeur**), or a stress pronoun. The stress (or disjunctive) pronouns are:

C'est **moi.**	C'est **nous.**
toi.	**vous.**
lui. *(he, him)*	**eux.** *(they, them)*
elle.	**elles.**

A. Adjectives are often used with **être.** They agree in number and gender with the nouns they modify. Some adjectives have identical masculine and feminine forms and simply add **s** for the plural.

Il est optimiste.	Ils sont optimistes.
Elle est optimiste.	Elles sont optimistes.

Have students note **sympa** is invariable in the plural.

Some useful adjectives of this type are

agréable / désagréable *(pleasant / unpleasant)*	pauvre / riche
célèbre *(famous)*	possible / impossible
formidable *(great)*	pratique
honnête	sévère *(strict)*
juste / injuste *(fair/unfair)*	sympathique (sympa)
moderne	timide
modeste	triste *(sad)*
optimiste / pessimiste	

B. Adjectives can also be modified by adverbs.

pas assez	assez	très	trop
not enough	*rather*	*very*	*too (much)*

Il est **assez** timide.
Les professeurs sont **trop** sévères.

C. C'est vs. Il / Elle est. **C'est** + article + noun (either modified or not modified by an adjective) is used primarily to identify. **Il / Elle est** + adjective (or nouns used as adjectives expressing nationality, religion, or profession) is used primarily to describe. Compare:

C'est...	Il / Elle est...
C'est une Française.	Elle est française.
C'est une journaliste.	Elle est journaliste.
C'est une journaliste célèbre.	Elle est célèbre.

Note that **c'est...** can also be used with an adjective when making a general comment: **C'est injuste** *(It's unfair)* versus **elle est injuste** *(she is unfair).*

Situation : À l'aéroport

Have students imagine that they are greeting exchange students at the airport. Have them role-play the situation, with some students playing the role of the French visitors (French names can be assigned if desired) and others introducing them.

Florence Martin and her friends Claude and Suzanne are waiting for the arrival of Dennis Johnson, an American student, who is going to spend a semester at the **École de Commerce de Nantes.**

FLORENCE	Excusez-moi... Dennis Johnson, c'est vous ?
DENNIS	Oui, c'est moi.

FLORENCE	Bonjour, Dennis. Bienvenue à Nantes.
DENNIS	Merci. Je suis content d'être ici.
FLORENCE	Dennis, je vous présente Claude et Suzanne. Ils sont de Nantes aussi.
DENNIS	Enchanté. Bonjour, Claude. Bonjour, Suzanne.

Mots à retenir :
la bienvenue *welcome*, **content** *happy*, **enchanté** *pleased to meet you*

Avez-vous compris ?

Qui est à l'aéroport et dans quelle ville ? Quelle est la nationalité de chaque personne ? Quelle est la réaction de Dennis ?

Communication et vie pratique

A. **De quelle ville est-ce que tu es ?** Students at Laval University in Quebec are telling where they are from. Use the following map to formulate their statements.

> EXEMPLE   De quelle ville est Geneviève ?
> **Elle est de Trois-Rivières.**

Have students note that **bienvenue** is a common short form of **Je vous souhaite la bienvenue.** You might want to also point out that in Quebec **bienvenue** is often used in response to merci.

IAE Drills: Substitution: 1. **Il est sympathique. nous / Monique / vous / Monsieur Junot / tu / les étudiants.** 2. **Je ne suis pas de Montréal. Danielle et Anne / Céline / vous / tu / Sébastien.** 3. **Est-ce que vous êtes belges ? Madame Legrand / Denis / tu / les Dubé / vous.**

Point out that the **Université Laval** is the first French-speaking university in North America and that its origins go back as far as 1663 when Monseigneur Laval founded **le Séminaire de Québec.** Today, more than 35,000 students attend Laval each year and can choose from among more than 300 programs and majors. Additional information is available on their Web site: http://www.ulaval.ca

B. **Et toi ?** Ask questions to find out where students in your class are from. See if you can find people from the same town.

> EXEMPLE   **De quelle ville est-ce que tu es ?**
> **Je suis de Détroit. Et toi ?**

C. **Commentaires.** André is describing himself and people he knows. What does he say?

> EXEMPLE   Paul / assez timide
> **Paul est assez timide.**

1. je / trop pessimiste
2. Maryse / très sympathique
3. nous / pas assez riches
4. tu / pas timide
5. Richard et Jean / pas sympathiques
6. vous / assez optimistes
7. Mme Lagrange / trop sévère
8. Robert / très honnête

D. **Opinions.** Use the cues provided to ask other students their opinions about different aspects of campus life. Use adverbs such as **assez**, **très**, and **trop** in your answers.

> EXEMPLE   Les professeurs ? (justes ? sympathiques ? sévères ? etc.)
> **Comment sont les profs ?**
> **Ils sont assez sympathiques, mais ils sont quelquefois trop sévères.**

1. Le français ? (difficile ? facile ? utile ?)
2. Les étudiants ? (formidables ? pauvres ? timides ? sympa ?)
3. Les cours ? (difficiles ? faciles ? intéressants ? agréables ?)
4. Les professeurs ? (justes ? sévères ? intéressants ? sympa ?)
5. Le campus ? (agréable ? moderne ? formidable ?)
6. Le climat ? (agréable ? désagréable ?)
7. Les résidences universitaires ? (modernes ? agréables ?)

C'est votre tour

In their conversations, have students talk about topics such as where they're from, their likes and dislikes, and campus life.

You are going to an international dinner and have prepared a name tag with your name, nationality, profession, and hometown. You may use your own identity or create a French identity. Once you get to the party, you sit with a group of four or five students. The host and hostess will ask someone at each table to make the appropriate introductions. Then continue the conversation in your groups.

Exploration 2

Décrire les gens et les choses : Les adjectifs qualificatifs

Adjectives are used to describe people and things.

Il est amusant.	Elle est amusante.
indépendant.	indépendante.
content.	contente.
intelligent.	intelligente.
embêtant. *(annoying)*	embêtante.
intéressant.	intéressante.
excellent.	excellente.
parfait.	parfaite.
fort. *(strong)*	forte.
passionnant.	passionnante.
impatient.	impatiente.
patient.	patiente.
fatigué.	fatiguée.
doué. *(talented)*	douée.
compliqué. *(difficult)*	compliquée.

French adjectives agree in number (an **s** is added in the plural) and in gender (an **e** is usually added in the feminine form) with the people or things they describe.

	Singulier	**Pluriel**
Masculin	Il est patient.	Ils sont patient**s**.
Féminin	Elle est patient**e**.	Elles sont patient**es**.

A. Many adjectives end in a consonant that is not pronounced in the masculine form but is pronounced in the feminine form when an **e** is added.

Marc est patient, mais Monique n'est pas patien**te**.

If the masculine singular form ends in **s,** no additional **s** is added in the plural.

Il est français. ↔ Ils sont français.

An adjective that describes a combination of masculine and feminine nouns is always masculine plural.

Alain et Yvonne sont intelligent**s**.

B. Some adjectives follow slightly different patterns.

	Singulier	**Pluriel**
Masculin	sportif	sportifs
Féminin	sportive	sportives

actif, active
impulsif, impulsive
naïf, naïve

	Singulier	**Pluriel**
Masculin	sérieux	sérieux
Féminin	sérieuse	sérieuses

ambitieux, ambitieuse
courageux, courageuse
heureux, heureuse *(happy)*
paresseux, paresseuse *(lazy)*

	Singulier	**Pluriel**
Masculin	canadien	canadiens
Féminin	canadienne	canadiennes

italien, italienne
parisien, parisienne
tunisien, tunisienne

Situation : Possibilité de promotion

Have students imagine that they have evaluated three additional employees and have listed their **qualités** and **défauts** in a grid similar to the one in the **Avez-vous compris ?** section. Then have them role-play the **Situation** using this new information.

Several employees are up for a promotion. Mme Mermet, the personnel director, asks her assistant, Gilbert Lacoste, his opinion of the candidates.

MME MERMET	Que pensez-vous de Gérard Sylvestre ?
GILBERT	À mon avis, c'est un type assez compétent, mais sans plus.
MME MERMET	Et Élisabeth Morisot ?
GILBERT	C'est une personne exceptionnelle. Elle est intelligente... Elle est ambitieuse... Elle est gentille... Elle est...
MME MERMET	Et Alain Dampierre ?
GILBERT	C'est un homme fascinant. Il a toujours des idées intéressantes, mais il n'est pas très réaliste.

> **Mots à retenir :**
> **à mon avis** *in my opinion,* **sans plus** *nothing more,* **gentil(le)** *nice,* **une idée** *an idea*

Have students note that **gentil / gentille** is a false cognate. Several other examples are **sensible** *(sensitive)*, **compréhensif** *(understanding)*, **lecture** *(reading)*, **étiquette** *(label)*, **crier** *(to cry out)*, **assister** *(to attend)*, and **sympathique** *(nice)*.

Avez-vous compris ?

Qu'est-ce que Gilbert pense des employés mentionnés par Mme Mermet ?

Nom	Qualités	Défauts
Gérard Sylvestre		
Élisabeth Morisot		
Alain Dampierre		

Communication et vie pratique

A. **Et les femmes alors ?** You overhear a conversation between Hubert, who thinks that men are superior to women, and Suzanne, who doesn't agree at all. What do they say?

> EXEMPLE   ambitieux
> **Hubert : Les hommes sont ambitieux.**
> **Suzanne : Les femmes aussi sont ambitieuses.**

1. sérieux
2. sportif
3. intelligent
4. courageux
5. fort
6. indépendant
7. amusant
8. parfait

B. **C'est mon avis et je le partage.** Decide what general characteristics you think men and women have. Then find out if other students agree or disagree with you and tell which opinions are the same and which are different.

> EXEMPLE   **À mon avis, les hommes ne sont pas assez patients.**
> **Je ne suis pas d'accord; ils sont très patients.**

C. **Qualités et défauts.** Madame Besnard and her associate are evaluating different part-time employees at Quick Snack. What do they say about each one?

> EXEMPLE   Francine ?   assez gentil / pas assez sérieux
> **Francine est assez gentille, mais elle n'est pas assez sérieuse.**

1. Claire ?   très intelligent / pas assez poli
2. Martine ?   assez sympa / trop impulsif
3. Valérie ?   très compétent / pas assez ambitieux
4. Christian ?   assez gentil / embêtant

IAE Drills: Have students write from 1–10 on a piece of paper with two columns: **f = féminin** and **m = masculin.** As you read the following list, students mark the appropriate column: **sérieux, amusante, patiente, ambitieuse, italien, intéressant, excellente, content, anglaise, indépendant.** Have students give the masculine form of the following adjectives: **contente, parfaite, française, ambitieuse, sérieuse, impulsive, canadienne, paresseuse.** Then have students give the feminine form of the following adjectives: **actif, heureux, sportif, intéressant, italien, compréhensif, américain, amusant.**

C'est mon avis et je le partage = *I'm unanimous in that.*

5. Carine ?   très poli / pas très compétent
6. Anne ?   très indépendant / assez paresseux
7. Sylvie ?   assez intelligent / pas très courageux
8. Luc ?   assez fort / pas très actif

D. Et toi ? Imagine that you are applying for a job at Quick Snack and have to make a list of your strengths and weaknesses. What would you say?

> EXEMPLE   **En général, je suis assez sérieux / euse. Je suis intelligent(e) et très poli(e).**
> **Quelquefois, je ne suis pas assez patient(e).**

C'est votre tour

You work for a French computer company, and your boss needs to divide her employees into teams of three to four people to work on special projects. Make a list of your qualities and your faults. Then attend a large company meeting where you will circulate among other employees (played by other students) to find several people with whom you would work well. Your boss will ask the groups to justify their choices.

Exploration 3

Some numbers are different in Switzerland and Belgium: sep-tante = 70 (Switzerland and Belgium); huitante = 80 (Switzerland); octante = 80 (Belgium); nonante = 90 (Switzerland and Belgium).

Compter : Les nombres de 30 à 99

You have already learned the numbers up to 31 so that you could indicate any date. The remaining numbers up to 99 are

30 **trente**	40 **quarante**	50 **cinquante**	60 **soixante**	80 **quatre-vingts**
31 **trente et un**	41 **quarante et un**	51 **cinquante et un**	61 **soixante et un**	81 **quatre-vingt-un**
32 **trente-deux**	42 **quarante-deux**	52 **cinquante-deux**	62 **soixante-deux**	82 **quatre-vingt-deux**
33 **trente-trois**	43 **quarante-trois**	53 **cinquante-trois**	63 **soixante-trois**	83 **quatre-vingt-trois**
34 **trente-quatre**	44 **quarante-quatre**	54 **cinquante-quatre**	64 **soixante-quatre**	84 **quatre-vingt-quatre**
35 **trente-cinq**	45 **quarante-cinq**	55 **cinquante-cinq**	65 **soixante-cinq**	85 **quatre-vingt-cinq**
36 **trente-six**	46 **quarante-six**	56 **cinquante-six**	66 **soixante-six**	86 **quatre-vingt-six**
37 **trente-sept**	47 **quarante-sept**	57 **cinquante-sept**	67 **soixante-sept**	87 **quatre-vingt-sept**
38 **trente-huit**	48 **quarante-huit**	58 **cinquante-huit**	68 **soixante-huit**	88 **quatre-vingt-huit**
39 **trente-neuf**	49 **quarante-neuf**	59 **cinquante-neuf**	69 **soixante-neuf**	89 **quatre-vingt-neuf**
			70 **soixante-dix**	90 **quatre-vingt-dix**
			71 **soixante et onze**	91 **quatre-vingt-onze**
			72 **soixante-douze**	92 **quatre-vingt-douze**
			73 **soixante-treize**	93 **quatre-vingt-treize**
			74 **soixante-quatorze**	94 **quatre-vingt-quatorze**
			75 **soixante-quinze**	95 **quatre-vingt-quinze**
			76 **soixante-seize**	96 **quatre-vingt-seize**
			77 **soixante-dix-sept**	97 **quatre-vingt-dix-sept**
			78 **soixante-dix-huit**	98 **quatre-vingt-dix-huit**
			79 **soixante-dix-neuf**	99 **quatre-vingt-dix-neuf**

A. To ask how much something costs, use the question **Combien est-ce que ça coûte ?** or the more conversational **Combien est-ce que ça fait ?** (*How much does that make?*), **Ça fait combien ?** or **C'est combien ?**

— Combien est-ce que ça coûte ?
— Ça coûte cinquante-huit francs.

— Ça fait combien ?
— Ça fait quatre-vingt-dix francs.

B. For basic mathematical operations, **plus** is used for *plus*, **moins** for *minus*, **fois** for *times*, and **divisé par** for *divided by*. **Ça fait** can be used to express the result.

— Cinquante-neuf **moins** trente-deux ? Combien est-ce que **ça fait** ?
— **Ça fait** vingt-sept.

Situation : Demande d'emploi

Mireille Rivière is applying for a job. The interviewer is asking her questions to fill out the personnel form.

L'Employeur	Quelle est votre adresse ?
Mireille	75, rue Voltaire.
L'Employeur	Code postal ?
Mireille	69006.
L'Employeur	Numéro de téléphone ?
Mireille	C'est le 04 78 22 44 62.
L'Employeur	Nom et adresse de votre employeur précédent ?
Mireille	Agence Publicis, 63, rue de la République. Téléphone : 04 78 91 35 33.

Avez-vous compris ?

Est-ce que les renseignements suivants sont vrais ou faux ?

Mireille Rivière habite 95 rue Voltaire. Le code postal est 79006. Le numéro de téléphone de Mireille est le 04 18 22 44 72. Le nom et l'adresse de son employeur précédent sont Agence Publicis, 73, rue de la République.

Communication et vie pratique

A. **Distances.** Your friends are telling how far they have to commute each day to the **Université de Caen**. What do they tell you?

EXEMPLE   35
J'habite à trente-cinq kilomètres de l'université.
1. 99
2. 55
3. 70
4. 77
5. 61
6. 86
7. 42
8. 93
9. 91
10. 69

IAE Drills: 1. Have students count from twenty to sixty. 2. Write numbers on the board and have students read them aloud. 3. Call out a number and have students write it down. 4. Have students write down a series of numbers (for example, from thirty to fifty). Then read aloud in random order all except one; students cross out the numbers they hear and identify the remaining number. 5. Repeat steps 1–4 with numbers sixty to ninety-nine.

B. **Services publics et sociaux.** An employee of the **Syndicat d'Initiative** in **Chatillon sur Chalaronne** is giving out phone numbers for special services. One student will play the role of the caller and will ask for the number of a service. The employee, played by another student, will give the number, using the guide that follows as a reference. Vocabulary is provided to help you understand the emergency services.

CANTON DE CHATILLON SUR CHALARONNE

CHATILLON SUR CHALARONNE
SERVICES PUBLICS ET SOCIAUX

MAIRIE -
Services Administratifs - Place de la Mairie — Tél : 04 74 55 04 33
Services Techniques - Place de l'Hôtel de Ville — Tél : 04 74 55 01 90
Services Techniques de Voirie - 65 rue Bergerat — Tél : 04 74 55 23 13
LA POSTE : Avenue de la Poste
Renseignements — Tél : 04 74 55 02 56
Receveur — Tél : 04 74 55 02 32
POMPIERS — Tél : 18
GENDARMERIE — Tél : 17
URGENCES MEDICALES — Tél : 15
SAMU Bourg — Tél : 04 74 23 15 15
G.D.F. Dépannage Sécurité — Tél : 04 74 04 92 23
E.D.F. Dépannage Sécurité — Tél : 04 74 04 04 50
ECLAIRAGE PUBLIC — N° Vert (appel gratuit) : 0800 28 77 93
ASSISTANTE SOCIALE — Tél : 04 74 55 01 15

Mots en contexte :
Services techniques de voirie *garbage collection;* **la poste** *post office;* **renseignements** *information;* **receveur** *postmaster;* **pompiers** *fire department;* **gendarmerie** *police station;* **SAMU (Service d'aide médicale urgente)** *emergency squad;* **E.D.F. / G.D.F.** = **Électricité / Gaz de France;** **éclairage public** *street lights*

EXEMPLE   **La mairie. Les services administratifs, s'il vous plaît ?**
C'est le zéro quatre, soixante-quatorze, cinquante-cinq, zéro quatre, trente-trois.

1. La mairie. Les services techniques ?
2. La poste. Les renseignements ?
3. Les pompiers ?
4. La gendarmerie ?
5. Les urgences médicales ?
6. Le SAMU ?
7. L'E.D.F. ?
8. L'Assistante sociale ?

C. **Renseignements.** Imagine that you are working for ESIG, a company that helps students find internships. Prospective interns are calling to obtain phone numbers, addresses, and so forth of your offices in various cities. Answer their questions based on the information that follows.

EXEMPLE   **Pour Orléans, quelle est l'adresse ?**
2, rue Girodet. Téléphone: 02 38 62 10 45.

ANGERS : ESTM-LEBRETON - 4, St Maurille, 49100. Tél. 02 41 25 35 15 • **AMIENS** : 3, rue Vincent Auriol, 80000. Tél. 03 22 71 71 00 • **BORDEAUX** • 122-124, rue du Docteur A. Barraud, 33000. Tél. 05 56 81 43 16 • **GRENOBLE** : 14 bld, Gambetta, 38000. Tél. 04 76 86 60 30 • **LILLE** : 70, rue de Bouvines, 59000. Tél. 03 20 19 13 13 • **LYON** : 11 bis, bld Vivier-Merle 69003. Tél. 04 72 68 78 30 • **NANTES** : 1, allée Baco, 44000. Tél. 02 40 35 38 38 • **NICE** : 37, bd Carabacel, 06000. Tél. 04 93 13 15 90 • **ORLEANS** : 2,rue Girodet, 45000. Tél. 02 38 62 10 45 • **PARIS** : 15, rue Soufflot, 75005. Tél. 01 44 41 82 82 • **RENNES** : 39, rue du Capitaine Maignan, 35000. Tél. 02 99 67 60 29 • **ROUEN** : 16, Place Saint Marc, 76000. Tél. 02 35 70 00 50. • **STRASBOURG** : 24, rue du 22 Novembre, 67000. Tél. 03 88 23 01 67 • **TOULOUSE** : 1, rue Caraman, 31000. Tél. 05 62 73 67 89.

C'est votre tour

You are applying for a summer internship at a French firm. The employer (played by another student) will ask questions similar to those in the **Situation.** Answer the questions based on your own experience.

Intégration et perspectives : Vos papiers, s'il vous plaît...

Pour mieux lire : Knowing what you might expect to read or hear in a particular context helps increase your comprehension. For each of the three situations given in the **Intégration et perspectives** reading, imagine the questions that would be asked for each of the forms: a discount card for students, a work permit, and a traveler's visa. Then compare your ideas with the questions asked in the conversation.

Dans la vie quotidienne, il est souvent nécessaire de montrer des papiers d'identité ou de donner des renseignements pour prouver qui on est.

Dans un bureau de la SNCF[1]

Béatrice Lacombe, qui est étudiante, désire obtenir une carte de réduction sur les chemins de fer.

L'EMPLOYÉ	Quel est votre nom ?
BÉATRICE	Je m'appelle Béatrice Lacombe.
L'EMPLOYÉ	Quelle est votre date de naissance ?
BÉATRICE	Je suis née à Chambéry, le 9 mai 1980.

[1]Société nationale des chemins de fer français

L'EMPLOYÉ	Vous êtes mariée ou célibataire ?
BÉATRICE	Je suis célibataire.
L'EMPLOYÉ	Vous êtes étudiante ?
BÉATRICE	Oui, je suis étudiante en médecine.
L'EMPLOYÉ	Et quelle est votre adresse ?
BÉATRICE	97 avenue des Alpes, Grenoble 38002.

Each **département** has a **préfecture** where all regional offices are located.

Dans un bureau de la préfecture

Nabil Abdellah, un réfugié politique algérien, désire obtenir un permis de travail en France.

L'EMPLOYÉ	Comment vous appelez-vous ?
NABIL	Je m'appelle Nabil Abdellah.
L'EMPLOYÉ	Quelle est votre nationalité ?
NABIL	Je suis algérien.
L'EMPLOYÉ	Quelle est votre date de naissance ?
NABIL	Je suis né le 18 avril 1965.
L'EMPLOYÉ	Et où êtes-vous né ?
NABIL	Je suis né à Oran.
L'EMPLOYÉ	Quelle est votre formation ?
NABIL	Je suis ingénieur.
L'EMPLOYÉ	Quelle est votre adresse actuelle ?
NABIL	Je suis chez des amis. Ils habitent ici, à Lille.
L'EMPLOYÉ	À quelle adresse, s'il vous plaît ?
NABIL	48, rue de la Poste, appartement 54B.

Au consulat japonais à Toronto

Georges Arsenault, un canadien français, désire obtenir un visa pour un voyage d'affaires à Tokyo.

L'EMPLOYÉE	Nom et prénom, s'il vous plaît ?
GEORGES	Je m'appelle Georges Arsenault.
L'EMPLOYÉE	Nationalité ?
GEORGES	Je suis québécois.
L'EMPLOYÉE	Date et lieu de naissance ?
GEORGES	Je suis né le 20 juin 1966 à Rivière du Loup.
L'EMPLOYÉE	Domicile ?
GEORGES	J'habite maintenant à Montréal, 75 rue de la République.
L'EMPLOYÉE	Profession ?
GEORGES	Architecte. Je travaille dans une entreprise de travaux publics.
L'EMPLOYÉE	But du voyage ?
GEORGES	C'est un voyage d'affaires.

*Mots à retenir / Mots en contexte :
montrer to show, **les renseignements** (m) information, **qui** who, la carte de réduction discount card, **la date de naissance** date of birth, **le lieu** place, **je suis né(e)** I was born, **le permis** permit, license, **la formation** training, background, **chez** at the house of, place of, **le voyage d'affaires** business trip, **le domicile** residence, address, **l'entreprise** (f) business, company, **le but** purpose, goal

*Words that you should learn because they will be used again are in bold print; words that simply help you understand the readings will be in regular print.

Avez-vous compris ?

Donnez les renseignements suivants sur chaque personne.

Nom et prénom	Date / Lieu de naissance	État civil	Profession	Domicile actuel	But de la conversation

Info-culture : Images du Québec

The following song was written by Claude Gauthier, a French-Canadian singer. Its words evoke, with simplicity, what it is like to be a French Canadian. It also reveals that many French Canadians want to find their own identity and cultural heritage apart from the rest of Canada.

> *Je suis de lacs et de rivières.*
> *Je suis de gibier et de poissons.*
> *Je ne suis pas de grandes moissons.*
> *Je suis de sucre et d'eau d'érable,*
> *   de pater noster, de credo.*
> *Je suis de dix enfants à table.*
> *Je suis de janvier sous zéro.*
> *Je suis d'Amérique et de France.*
> *Je suis de chômage et d'exil.*
> *Je suis d'octobre et d'espérance.*
> *Je suis l'énergie qui s'empile d'Ungava à Manicouagan.*
> *Je suis Québec mort ou vivant.*

You might want to point out the following, which are cued to the lines of the poem: 1. There are many lakes and rivers in Quebec. 2. There is much hunting in Quebec because of its numerous waterways and untamed land. 3. Large amounts of wheat are produced on the plains of Alberta and Saskatchewan but not in Quebec. 4. Maple sap is collected in late winter, when the sap runs. 5. The main religion in Quebec is Catholicism. 6. Many French Canadians had large families because of Catholic traditions. 7. This line refers to the very cold and snowy winters that are typical of Quebec. 8. The **Québécois** have kept their French traditions but have also been influenced by North American traditions and history. 9. In the early 18th century, the **Acadiens** were exiled from Canada when Acadia was ceded to the British in the Treaty of Utrecht (1713). 10. The many waterways of Quebec provide natural resources for the production of electricity. 11. This line refers to the loyalty that the citizens of Quebec feel toward their province.

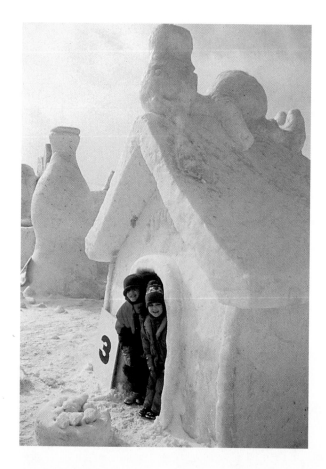

Mots en contexte :
le gibier *wild game,* **le poisson** *fish,* **la moisson** *harvest,* **le sucre** *sugar,* **l'eau d'érable** *(f) maple sap,* **le pater noster, le credo** *Roman Catholic prayers,* **sous** *below,* **le chômage** *unemployment,* **l'espérance** *(f) hope,* **s'empiler** *to pile up,* **mort** *dead,* **vivant** *alive*

Et vous ?

Tell whether the following statements reflect the image of Quebec created in the poem. What are your own impressions of Quebec?

1. Quebec is a land of many lakes and rivers.
2. There are large grain harvests in Quebec.
3. Making maple sugar is a traditional activity in Quebec.
4. Quebec is noted for its mild winters.
5. Most French Canadians are Catholic.
6. Quebec is a blend of French and North American cultures.
7. The production of electricity is an important part of Quebec's economy.
8. French Canadians feel a sense of pride and loyalty for their heritage.

Internet... What advice about visiting **Québec** can you find on the Internet (e.g., at http://city.net/countries/canada/quebec/?page=factsheet)?

Communication et vie pratique

A. **Cours pour étrangers.** David, an American student, is registering for courses in the **cours pour étrangers** of the **Université de Nice.** Élise Martel is helping him fill out the forms. Listen to their conversation and give the following information.

> *Pour mieux comprendre :* As you did with the **Intégration et perspectives** reading, review the form to be filled in and anticipate the questions that Élise will ask David to get the information for each of the categories. This strategy will increase your comprehension.

You might want to ask students to role-play a situation where a university employee (played by another student) is helping them fill out the **fiche d'inscription.**

Nom : _____

Prénom : _____

Nationalité : _____

Adresse :
Rue : _____

Ville : _____

Pays : _____

B. **Fiche d'inscription.** Imagine that you are planning to study in France. Another student will play the role of the university employee who will ask you questions to obtain the information needed for the "fiche d'inscription."

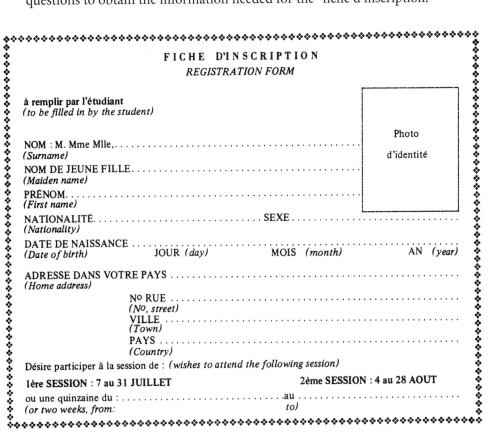

FICHE D'INSCRIPTION
REGISTRATION FORM

à remplir par l'étudiant
(to be filled in by the student)

Photo
d'identité

NOM : M. Mme Mlle,. . . . .
(Surname)
NOM DE JEUNE FILLE. . . . .
(Maiden name)
PRÉNOM. . . . .
(First name)
NATIONALITÉ. . . . . SEXE. . . . .
(Nationality)
DATE DE NAISSANCE . . . .
(Date of birth)   JOUR *(day)*   MOIS   *(month)*   AN   *(year)*
ADRESSE DANS VOTRE PAYS . . . .
(Home address)
                    N° RUE . . . .
                    (N°, street)
                    VILLE . . . .
                    (Town)
                    PAYS . . . .
                    (Country)
Désire participer à la session de : *(wishes to attend the following session)*

1ère SESSION : 7 au 31 JUILLET   **2ème SESSION : 4 au 28 AOUT**

ou une quinzaine du :. . . . . .au
(or two weeks, from: *to)*

C. **Un programme d'échange.** You have just found out that your university offers several internships in France where you can teach English to French students and at the same time take courses in French at a French university. You decide to apply for the internship and need to write a letter of introduction. Show that you are a good candidate for the internship by explaining who you are, where you live, what you are like, and what your interests are.

Pour mieux écrire : Because people often have a hard time editing and revising their own work, having another person look over a piece of writing to make sure that it reads well and covers important information can be useful. Try this strategy with a draft of your letter of application for the internship. Another student can tell whether or not you have included important information, whether you convince the reader that you are a good candidate, whether the letter is well-organized, whether there are grammar or vocabulary errors, and so on. Incorporate his or her suggestions in your final version.

Role-play the interview by having several students play the roles of the representatives who interview the student candidates. The rest of the class listens and helps select who will be given the internships.

D. **Interview.** Representatives of the French organization that sponsors the internships (played by other students in your class) are interviewing candidates for these positions. The interviewers will ask you questions based on your letter of introduction. Speak with at least two interviewers.

CHEZ NOUS

AU LUXEMBOURG

Superficie : 2,586 km^2

Population : 380 000 h

Capitale : Luxembourg

Langues : luxembourgeois, allemand, français

Institutions : monarchie constitutionnelle

« Moi, je suis du Luxembourg, ce petit pays situé entre la France, la Belgique et l'Allemagne. Ici aussi, on parle au moins deux langues maternelles et on étudie une ou deux autre langues étrangères au lycée. C'est pratique quand on aime voyager comme c'est mon cas ! Et puis, c'est plus facile d'apprendre une autre langue quand on a déjà l'habitude de passer d'une langue à l'autre.

Je m'appelle Romi et je suis assistante sociale. Ça veut dire que je suis souvent en contact avec des gens défavorisés. C'est triste, surtout quand ce sont des enfants. J'essaie de combiner ma passion des voyages et mon désir de faire quelque chose pour aider les autres. Par exemple, j'ai passé trois mois en Afrique dans un camp international de travail. Notre groupe était chargé d'aider à la construction d'une route. Ce n'est pas un travail particulièrement intéressant, mais c'est utile.

Et puis, après un long séjour à l'étranger, on est toujours content de retrouver sa maison et ses habitudes. Et bien sûr, la famille et les amis ! »

Bien prononcer

Masculine and feminine adjectives differ in sound as well as in spelling. The spoken form of the feminine adjective ends in a pronounced consonant; the consonant sound is dropped in the masculine.

Féminin	**Masculin**
/ãt/	/ã/
amusante	amusant
intelligente	intelligent
/øz/	/ø/
sérieuse	sérieux
courageuse	courageux
/ɛn/	/ɛ̃/
canadienne	canadien
italienne	italien

Petite conversation. Repeat the following conversation.

— C'est une fille intéressante ?
— Oui, elle est très intéressante, mais elle n'est pas très amusante.
— Les gens trop sérieux, je trouve ça fatigant !

Vocabulaire

Les nationalités (Voir pp. 40–41)
Les professions (Voir pp. 41–42)
Les adjectifs (Voir pp. 49–50)
Les nombres de 30 à 99 (Voir p. 52)

Noms

adresse *(f) address*
bienvenue *(f) welcome*
but *(m) goal, purpose*
date *(f) date*
domicile *(m) address, residence*
entreprise *(f) business, company*
formation *(f) training, background*
homme *(m) man*
idée *(f) idea*
lieu *(m) place*
naissance *(f) birth*
nationalité *(f) nationality*
nom *(m) name*
numéro *(m) number*
prénom *(m) first name*
travail *(m) work*
type *(m) character, guy*
voyage *(m)* **d'affaires** *business trip*

Adjectifs

actuel(le) *current*
célibataire *unmarried, single*
content *happy*
enchanté *pleased (to meet you)*
fascinant *fascinating*
gentil(le) *nice*
marié *married*
quel(le) *what*

Divers

à mon avis *in my opinion*
chez *at the place of, at the house of*
maintenant *now*
montrer *to show*
sans plus *nothing more*
toujours *always*

La famille
et le logement

Fonctions

Dans ce chapitre, vous allez apprendre à
- *parler de votre maison*
- *parler de votre famille et de vos possessions*
- *expliquer les rapports entre les gens et les choses*
- *décrire votre maison et votre famille*

Vocabulaire et structures

Point de départ : La maison
Exploration 1 : Le verbe **avoir** *et les membres de la famille*
Exploration 2 : La préposition de *et les adjectifs possessifs*
Exploration 3 : Les adjectifs prénominaux

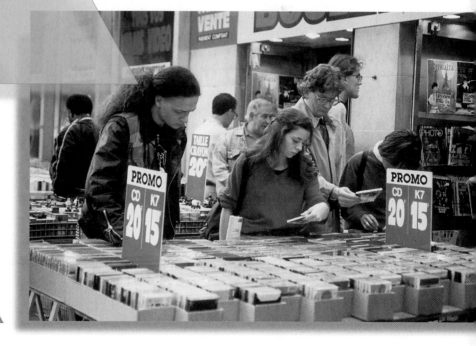

Point de départ : La maison

Le logement : Les options
> Louer *(rent)* ou être propriétaire *(owner)*
> Habiter dans une maison ou dans un appartement

La maison :
Voici l'extérieur et le plan général de la maison des Maréchal. C'est une maison de six pièces.

You may wish to note the common ways of asking for the restroom: **Où sont les W. C., s'il vous plaît ? Où sont les toilettes, s'il vous plaît ?**

une voiture

un vélo

la terrasse

le jardin

le garage

la cuisine

les W.-C.

la salle à manger

la salle de séjour

la chambre

la salle de bains

Les meubles :
Voici l'intérieur de la maison des Dubois.

UNE CHAMBRE   LA SALLE DE BAIN   UNE CHAMBRE

un téléphone cellulaire   une chaîne stéréo
une commode   un lavabo   un lecteur de disques compacts
des disques compacts
les W.-C   une baignoire
un lit   une lampe   une douche   une commode
un lit

des cassettes

un magnétoscope

une cuisinière   une table   un buffet   un canapé   un téléviseur
un réfrigérateur   un four à micro-ondes   un fauteuil   des vidéos
des chaises

LA CUISINE   LA SALLE À MANGER   LA SALLE DE SÉJOUR

Info-culture : Maison individuelle ou appartement ?

L'appartement

A large percentage of city dwellers live in apartments. Apartment living in France and in the United States is different, however, in several ways.

- Most buildings (except in the suburbs) combine businesses on the street level and apartments on the upper floors.
- Many apartments are owned by residents.
- A **concierge** usually lives on the ground floor and takes care of the safety and upkeep of the building.

- Apartment buildings range from the **immeuble de grand standing** to the low-cost, government-sponsored **HLM (habitation à loyer modéré).**

La maison individuelle

- Single-family homes are usually found in the suburbs or in small towns or villages.
- They are usually surrounded by a hedge or a wall to ensure privacy.
- Traditional building materials are stone, stucco, and brick. Wood houses are limited to chalets in the mountains and very old wood frame houses found in historic parts of some cities.
- The climate and agriculture of a region traditionally have influenced the shape of the home, its roof line, and home-building materials. In wine-growing regions, for example, the living quarters are usually on the second floor above the cellars.
- Country homes that may be several centuries old (but with considerable inside remodeling) are still lived in by local residents or are purchased by city people, who use them as **résidences secondaires** (weekend or summer homes).

Et vous ?

The following photos of homes depict houses from several French-speaking parts of the world. What similarities and differences do you notice among them? Are they like any types of homes in the United States?

En France

Au Québec

Au Maroc

Au Sénégal

Communication et vie pratique

A. Agence immobilière. You are working for a real estate agency and are describing several floor plans to prospective clients. Use the plans that follow as a guide.

Rez-de-chaussée

15 rue Danesi

Rez-de-chaussée

91 rue du Parc

Rez-de-chaussée

73 rue de la Paix

> EXEMPLE **Dans l'appartement rue Danesi, il y a un salon, une cuisine, etc.**

B. On déménage. You are moving into a new apartment. Make a list of at least ten items that a friend will help you move. Then give this list to your friend, who will ask where each item goes.

> EXEMPLE **Et la table ?**
> **Dans la cuisine, s'il te plaît.**

C. Internet. Use a search engine to find a French-language real-estate Web site. You might search, for example, for **immobilier en France** or **immobilier au Québec.** Briefly describe in French one of the properties listed, and compare your description to those of other students.

In contrast to the United States, most students in French residence halls have single rooms.

D. **Votre chambre.** Tell what you have, do not have, and would like to have in your room.

EXEMPLE **J'ai une chaîne stéréo, mais je n'ai pas de lecteur de disques compacts. Je voudrais avoir un magnétoscope.**

Have students make up classified ads to put on a flyer to be distributed to the class. Students can then call each other to see if they are interested in buying the item advertised.

E. **Petites annonces.** Tell what items are being advertised in the classified ads of this week's edition of **Pub Hebdo Angers.** Although you will not understand every word in these ads, you will be able to understand what people are trying to sell. Then make up one or more ads to put into a class version of these classified ads.

EXEMPLE **Il y a des magnétoscopes, etc.**

Meubles antiquités

■ VENDS canapé 1.300.F. armoire 3 portes 500.F, lit 1 pers. +sommier +matelas 400.F, bon état Tél. 41.87. 00.19 le soir.

■ Affaire intéressante cause déménag, canapé longueur 2 mètres, 1.000.F, Tél. 41.86.15.36.

■ VENDS 2 fauteuils modernes, état neuf, lit enfant en bois. Tél. 41.36.12.46.

■ A VENDRE chambre à coucher, salle à manger chaises bureau noires. Tél.41.87.27.53 le soir après 19h.

■ VENDS lit métal rouge 190x90 +matelas 400.F. Tél. 41.88.07.33.

■ VDS Armoire 3 portes + bureau secrétaire armoire 1.200.F, bureau 300.F Tél 41.54.63.15.

■ Ensemble pin massif, 1 bureau, 1 chaise, 1 glace 1.700.F. Tél. 41.88.07.33.

■ VDS canapé 3 pl. + 2 fauteuils, 500.F. Tél. 41.69.05.46 TRELAZE.

■ VDS table rustique + 3 chaises. Tél. 41.60.53.12.

■ VDS table séjour ronde + 4 chaises, très bon état. 1.700 F. Tél. 41.36.05.56.

■ VENDS salle à manger, 6 chaises, buffet 4 p. 2 t., table rallonges chêne rustique, fauteuil, parfait état. Tél. 41.78.71.01.

Micro- informatique

■ VDS Amstrad PC 1512 DD + imprimante DMP 3160 + logiciels. Tél. av. 9h et ap. 21h au 41.87.83.50.

■ VENDS Apple IIE 128 K + horloge + souris + carte super série du-disk. 5 1/4 + écran monochrome. Tél.41.68.39.62. après 20 h 30.

■ VDS PC15 12 Amstrad couleur D.D. + sourix + nbx logiciels insal. possible, 5.000.F, Tél. 41.91.93.21 dès 18h.

■ VDS ordinateur Amstrad PC1512 SD monochrome + imprimante DMP3160 + 3 logiciels 4.500. F. Appeler le 41.34.55.56.

■ Urgent VD Amstrad CPC 464 + cassettes jeux, 800.F. Tél. 41.68.20.68 après 19h.

■ VENDS Commode 128 D, nombreux jeux (30) + lecteur de k7 + moniteur. 2.500.F. Tél. 41.88.33.43.

■ VDS Atari 520 STF + péritel + joystick + disks. 2.400. F. Tél. 41.86.01.13.

■ VDS ordinateur Amstrad CPC 464. Tél. 41.45.09.50.

Son · hi-fi

■ VDS disques 33 Tours, année 60-70-80. Tél. 41.36.12.46.

Matériel de bureau

■ VDS bureau ministre 1,50x0,75, 6 tiroirs, parfait état. Tél. 41.34.33.80.

■ VDS machine à écrire Olympia Olympiette, 200.F. Tél. 41.34.55.56 ap. 18h.

■ VDS machine à écrire électronique Canon, prix 1.000.F. Tél. 41.79.20.59.

Tv magnétoscopes

■ VDS télé couleur Hitachi stéréo, grand écran, prix 3.000.F. Tél. 41.87.97.56 soir.

■ VDS télé n.-b. 63 cm avec table, 600.F. Tél. 41.78.81.01. le soir.

■ VDS camescope CCDV88 Sony, 2 ans, zoom x6, 495000 Pixels. Tél. 41.60.10.73.

■ VENDS magnétoscope VHS Philips type VR 6461, TBE, 2.500.F. Tél. 41.73.03.60.

Arts ménagers

■ VDS four micro-ondes Philips, garantie 2 ans. Tél. après 18h 41.69.09.30.

■ VENDS congélateur 4001, bon état, 700.F. Tél. 41.69.60.69 après 18h.

■ VENDS sèche-linge Philips électronique sous garantie 2.000.F. Tél. 41.86.03.74.

■ VDS cause déménagement sèche linge garanti 2 mois. Tél. 41.47.39.96.

■ VDS lave-linge état neuf valeur 2.890.F. vendu 1.500.F. Tél. 41.43.82.01 le soir.

■ VENDS frigidaire, lave-vaisselle. Tél. 41.68.22.50.

■ Congélateur 1.000.F. Tél. 41.69.77.42, 12 h à 16 h ou après 21 h.

■ VDS congélateur arm., 3501, année 91, garantie 2 ans. Tél. 41.60.40.29.

Exploration 1

Parler de votre famille et de vos possessions : Le verbe *avoir* et les membres de la famille

We often like to talk about our families. Here are some useful words.

La famille

le père	*father*	la mère	*mother*
le frère	*brother*	la sœur	*sister*
le cousin		la cousine	
l'oncle *(m)*		la tante	*aunt*
le mari	*husband*	la femme	*wife, woman*
le fils	*son*	la fille	*daughter, girl*
les parents *(m)*	*parents, relatives*	les enfants	*children*

Optional vocabulary: **les grands-parents (la grand-mère, le grand-père, l'arrière-grand-père, l'arrière grand-mère), le petit-fils, la petite-fille, la nièce, le neveu, le beau-père** (*stepfather* or *father-in-law*), **la belle-mère** (*stepmother* or *mother-in-law*).

The verb **avoir** can be used to tell how many family members we have.

avoir	
j'**ai**	nous **avons**
tu **as**	vous **avez**
il / elle / on **a**	ils / elles **ont**

Option: Have students check out the verb charts in the back of the book so that they are familiar with what the charts provide.

Est-ce que tu **as** un frère ?
Non, mais j'**ai** trois sœurs.

A. When the verb **avoir** is used in the negative, any indefinite article (**un, une, des**) that follows it becomes **de** or **d'**.

Il a **un** vélo. ↔ Il n'a pas **de** vélo.
J'ai **des** frères. ↔ Je n'ai pas **de** frères.

Point out that the same rule applies to **posséder** and **acheter**, as well as other verbs that indicate possession or acquisition.

B. **Avoir** is also used in several expressions.

● To indicate what *there is* or *there are*.

Il y a vingt étudiants dans la classe.

● To talk about how old you are.

— Quel âge **avez-vous ?**
— J'**ai** vingt-deux ans.

● To indicate that you need something.

J'**ai besoin de** travailler.
Nous **avons besoin d'**un ordinateur.

- To indicate that you feel like doing or having something.

Je n'**ai** pas **envie de** travailler.
Elle **a envie d'**une moto.

Situation : Étudiante au pair

Diane, a young American, is an **au pair** student in a French family. She is speaking with Claire.

CLAIRE   Tu as des frères et sœurs ?
DIANE   Non, je suis fille unique. Et toi ?
CLAIRE   J'ai un grand frère et une petite sœur.
DIANE   Quel âge est-ce qu'ils ont ?
CLAIRE   Mon frère a 24 ans et ma sœur a 16 ans. Elle est encore au lycée.
DIANE   Tu as de la chance. Moi, j'aimerais bien avoir un frère ou une sœur.

> **Mots à retenir :**
> **unique** *only, sole,* **encore** *still, yet,* **avoir de la chance** *to be lucky*

Avez-vous compris ?

Combien d'enfants est-ce qu'il y a dans la famille de Diane ? Combien de frères et de sœurs est-ce qu'il y a dans la famille de Claire, et quel âge est-ce qu'ils ont ?

Communication et vie pratique

A. **Arbre généalogique.** Working in pairs, ask and answer questions about Pierre's family tree. One student will ask who various family members are; the other will give the relationship between Pierre and that person.

> EXEMPLE   Qui est Monique Lefèvre ?
> **C'est la tante de Pierre.**

Have students vary the role-play in the following way. Diane has two brothers, one is 10. Her older brother is 20 and is a university student. She doesn't have any sisters. Claire has an older sister (22) and a younger brother (12). She also has an older brother who is married and lives in Nice. If desired, you can make up additional variations or have the students prepare them.

IAE Drills: Substitution: 1. **J'ai une voiture. (nous / Serge / tu / mon frère / ses cousins / vous);** 2. **Il n'a pas de chance (nous / je / tu / ma soeur / mes amis);** 3. **Est-ce que tu as un stylo ? (Marie-Claire / le professeur / Marc / vous).** Have students put the following sentences in the negative: **J'ai un téléviseur. Tu as une chaîne-stéréo. Il a un magnétoscope. Nous avons un lecteur de disques compacts.**

Have students create a real or imaginary family tree. They can work in pairs and ask each other questions about the different members of the family.

B. **Dans quelle ville ?** Some friends are telling where members of their families live. What do they say?

> EXEMPLE   Philippe / tante / à Lille
> **Philippe a une tante à Lille.**

1. nous / cousins / à Strasbourg
2. je / oncle / à Lyon
3. vous / cousins / à Paris
4. tu / frère / à Nice
5. Anne / sœur / à Tours
6. Marc et Caroline / frères / à Grenoble

C. **Et toi ?** Tell another student in which cities you have friends and relatives. Find out if he or she has friends or relatives in the same places.

> EXEMPLE   **J'ai une cousine à New York et des amis à Chicago. Et toi ?**

D. **Sondage.** Some Belgian friends have asked you about the types of electronic equipment owned by American students. Based on an informal poll you take in your class, what will you tell them?

> EXEMPLE   téléviseur
> **Est-ce que tu as un téléviseur ?**
> **Oui, j'ai un téléviseur.**
> **Résultats : Quinze étudiants sur vingt ont un téléviseur.**

1. magnétoscope
2. ordinateur
3. chaîne stéréo
4. téléphone cellulaire
5. radio
6. lecteur de disques compacts
7. disques compacts
8. téléviseur

Have students work in small groups with a group leader assigned to take down answers. The group leaders make a summary of all the responses and present them orally or in writing to the class. Students might find it interesting to visit FNAC's Web site: **http://www.fnac.fr** to see the types of CD-ROMs, videos, CDs, and so on, available.

Point out to students that **au pair** positions have traditionally been a way for students to live and work abroad in a family situation. The length of stay varies from several months to a year. The **au pair** is required to watch the family's children and in some cases do light housework; in return, the individual receives pocket money and room and board. Students might find it interesting to look at the Web sites of some **au pair** agencies.

C'est votre tour

Imagine that you are working as an **au pair** in a French family, and a new friend asks about your family (brothers, sisters, parents). Using the **Situation** as a guide, role-play the situation with another student. Then switch roles.

Exploration 2

Expliquer les rapports entre les gens et les choses : La préposition *de* et les adjectifs possessifs

Possession and relationships among people and things are expressed by the preposition **de**.

> C'est le frère **de** Paul.
> Quelle est l'adresse **de** la résidence universitaire ?

A. **De** combines with the definite article in the following ways:

de + **le** becomes **du**	C'est la porte **du** bureau.
de + **les** becomes **des**	Voici la chambre **des** enfants.
de + **la** remains **de la**	C'est une amie **de la** mère de Monique.
de + **l'** remains **de l'**	Où est la voiture **de l'**oncle Jean ?

B. Ownership or relationship is often indicated with a possessive adjective (like *my, your, their,* etc. in English). A possessive adjective in French agrees in gender and number with the noun it modifies. Note that the same forms are used for *his, her, its,* and *one's* in French.

Les adjectifs possessifs			
	Singulier		**Pluriel**
	Masculin	**Féminin**	**Masculin et féminin**
my	**mon** frère	**ma** sœur	**mes** parents
your	**ton** frère	**ta** sœur	**tes** parents
his/her/its/one's	**son** frère	**sa** sœur	**ses** parents
our	**notre** frère	**notre** sœur	**nos** parents
your	**votre** frère	**votre** sœur	**vos** parents
their	**leur** frère	**leur** sœur	**leurs** parents

Mon, ton, and **son** are used with all masculine singular nouns and with feminine singular nouns that begin with a vowel sound.

Est-ce que tu aimes **mon** affiche ?
Ton amie Françoise est très sympathique.
Son appartement est très moderne.

C. Ownership can also be expressed by **être à** followed by a noun or a stress pronoun.

Le chien **est à** Denise.
Les chats **sont à** moi.

Situation : Qui-est-ce ?

Jacques is showing his mother some photos of his new friend, Catherine Dupré, and her family.

Sa Mère	Tu as des photos de sa famille ?
Jacques	Oui, regarde. Voici ses parents. Sa mère est prof d'anglais.
Sa Mère	Et son père ?
Jacques	Il travaille avec ses deux frères. Ils ont un magasin de vêtements.
Sa Mère	Et ici, c'est la maison des Dupré ?
Jacques	Non, c'est la maison de leurs cousins. Ils habitent dans le même quartier.

IAE Drills: Have students tell to whom the following objects belong: **livre / Pierre→C'est le livre de Pierre. voiture / Marianne; cahier / Roger; amie / Suzanne; vélo / mon frère; père / Martin; cousin / Patrick; soeur / Monique; tante / Mme Dubois.** Then point out objects in the class and have students tell to whom they belong: **C'est le livre de Michel; c'est le cahier de Laurence, and so on.** Substitution: Have students give each noun with the appropriate possessive adjective: 1. (**mon, ma, mes**) le livre, la voiture, le chien, les disques compacts, le soeurs; 2. (**ton, ta, tes**) la voiture, les amis, la maison, les frères, le stylo; 3. (**son, sa, ses**) les cassettes, la chaîne stéréo, l'affiche, l'ordinateur, les cousins; 4. (**notre, nos**) les parents, le frère, les livres, la chambre, la tante; 5. (**votre, vos**) le magnétoscope, la maison, la voiture, le vélo, les cousins; 6. (**leur, leurs**) les examens, les parents, la maison, l'appartement, la voiture

Have students bring in photos of their own families to describe to the class.

Mots à retenir :
les vêtements *(m) clothes,* **le quartier** *neighborhood,* **même** *same*

Avez-vous compris ?

Décrivez la famille de Catherine.

Communication et vie pratique

A. **Trousseau de clés.** You have a set of seven keys (**les clés**), each of which is numbered. Your friend, who is going to house-sit for you, asks what each key is for. What do you say?

EXEMPLE   Le numéro l, c'est quelle clé ?
C'est la clé de la voiture.

Numéro 4 (garage)
Numéro 2 (maison)
Numéro 1 (voiture)
Numéro 3 (chambre)
Numéro 6 (porte du jardin)
Numéro 5 (bureau)
Numéro 7 (armoire)

B. **Photo de famille.** You have a picture of a friend and his family with notes to remind you who each person is. As your French friends (played by other students) point to different people, tell them who they are.

EXEMPLE   **Qui est-ce ?**
C'est la sœur de mon ami.

C'est sa grand-mère ?
Non, c'est sa tante.

Key... 1. his father; 2. his cousin; 3. his mother; 4. his sister's son; 5. his sister; 6. his sister's husband; 7. his sister; 8. his sister's friend.

C. **Famille et amis.** Describe your family or friends to another student, including information about what they do and what they are like.

EXEMPLE   **J'ai un frère et deux sœurs. Mon père est avocat et ma mère est médecin.**

C'est votre tour

Imagine that a friend (played by another student) is visiting you and your roommate for the first time and is asking about your possessions and photos. Based on the following picture, decide which items belong to you and which belong to your roommate Robert. Answer your friend's questions (e.g., **Est-ce que c'est ton vélo ? Non, ce n'est pas mon vélo, c'est le vélo de Robert**).

Exploration 3

Décrire votre maison et votre famille : Les adjectifs prénominaux

Several adjectives that are often used to describe people and things are usually placed before the noun.

*Point out that the liaison sound for **grand** is **t,** and that **bon** before a vowel sound is pronounced **bonne.***

Les adjectifs prénominaux		
Masculin	**Féminin**	
un **petit** quartier	une **petite** maison	*small*
un **grand** quartier	une **grande** maison	*large, tall*
un **joli** quartier	une **jolie** maison	*pretty*
un **bon** quartier	une **bonne** maison	*good*
un **mauvais** quartier	une **mauvaise** maison	*bad*

Other prenominal adjectives have different masculine singular forms before consonants and vowels.

Masculin devant une consonne	Masculin devant une voyelle	Féminin	
un **beau** quartier	un **bel** appartement	une **belle** maison	*beautiful*
un **nouveau** quartier	un **nouvel** appartement	une **nouvelle** maison	*new*
un **vieux** quartier	un **vieil** appartement	une **vieille** maison	*old*

In formal French, when one of these adjectives precedes a plural noun, the indefinite article **des** becomes **de** (**de bons quartiers, de vieilles maisons**). In most other cases, however, **des** can be used. Note that **beau** and **nouveau** form their plural by adding an **x** (**de beaux quartiers**).

Remind students that the adjectives they learned in chapter two followed the noun: for example, **un appartement moderne** versus **un nouvel appartement.**

Situation : Tiens, Nicolas !

Laurent and Nicolas have just run into one another and are catching up on each other's news.

LAURENT	Bonjour, Nicolas ! Qu'est-ce que tu fais ici ?
NICOLAS	Je cherche un nouvel appartement.
LAURENT	Meublé ou non meublé ?
NICOLAS	Meublé de préférence.
LAURENT	Il y a un petit studio à louer dans mon immeuble.
NICOLAS	Est-ce que le gaz et l'électricité sont compris ?
LAURENT	Je ne sais pas. Parle au propriétaire. C'est un vieil ami de mes parents.
NICOLAS	C'est une bonne idée.
LAURENT	Alors, bonne chance.

Give students a list of apartment ads from a French paper and see if they can find something that fits the needs of Nicolas.

Mots à retenir :
faire *to do, to make,* **meublé** *furnished,* **de préférence** *preferably,* **louer** *to rent,* **l'immeuble** (*m*) *apartment building,* **compris** *included*

Avez-vous compris ?

Quelle sorte d'appartement est-ce que Nicolas cherche ? Est-ce qu'il y a un appartement à louer dans l'immeuble de Laurent ? Comment est cet appartement ?

Communication et vie pratique

A. **Agent immobilier.** A real estate agent is showing some clients through a home and comments on the different rooms in the house. The clients agree with what he says.

> EXEMPLE   La cuisine est très grande.
> **Oui, c'est une très grande cuisine.**

1. La salle de séjour est très grande.
2. Le bureau est assez petit.
3. La salle à manger est belle.

IAE Drills: Substitution: 1. **C'est un bon ami. (appartement / restaurant / film / disque);** 2. **Ils ont une grande cuisine. (garage / salle à manger / bureau / salle de séjour);**

3. **C'est un vieux monsieur. (homme / musée / maison / appartement / magasin);** 4. **C'est une ville moderne. (belle / petite / agréable / fascinante);** 5. **C'est un bon garçon. (intelligent / petit / sportif / sympa / grand / paresseux).**

4. Le jardin est joli.
5. Les chambres sont assez grandes.
6. La maison est assez vieille.
7. Le garage est nouveau.
8 La terrasse est belle.

B. **Description.** You are helping some French friends who will be on your campus for a year find a place to live. Using ads from your campus or local paper, tell them what is available in the area, including descriptions of rooms in residence halls. Answer your friends' questions.

C. **Conversation.** You meet an old friend, Armand, and ask him how things are going. Armand (played by another student) responds using the cues given. Then redo the activity asking another student these same questions; he or she will answer based on his or her own experience.

| EXEMPLE | **Vous** | Est-ce que tu as un appartement ? |
| | **Armand** (petit) | **Oui, j'ai un petit appartement.** |

Vous	Est-ce que tu as un appartement ?
Armand	(très joli)
Vous	Tu as des camarades de chambre ?
Armand	(très sympa)
Vous	Tu as un travail ?
Armand	(bon)
Vous	Tu as des profs sympa ?
Armand	(très sympa)
Vous	Tu as une voiture ?
Armand	(vieux)
Vous	Tu as un ordinateur ?
Armand	(nouveau)
Vous	Tu as des amis américains ?
Armand	(anglais)

D. **Compliments.** Imagine that you are with a French friend and want to compliment him or her about the following. Use the examples as a guide.

EXEMPLES appartement
Tu as un très joli appartement.
Ton appartement est très joli.

1. parents
2. sœur
3. frère
4. maison
5. amis
6. grands-parents
7. chambre

C'est votre tour

You are going to spend several weeks on the **Côte d'Azur** and want to find an apartment. You've called the landlord of an apartment building (played by another student) and are asking questions about the apartment he or she has available. The landlord bases his or her answers on the ads on the following page.

EXEMPLE   Est-ce qu'il y a une salle à manger ? Est-ce qu'elle est
assez grande ?

2 pièces

Port parc Vigier, 2 pièces, cuisine se-mi-équipée, calme, verdure, 1.850 + charges. RIVE GAUCHE IMMOBILIE-RE, 56.35.17, Nice.

Avec 43 000 comptant plus un loyer, devenez propriétaire, Nice-Ouest, deux pièces neuf, luxe, vue mer. PA-NORAMA PROMOTION. Tél. (93) 81.74.79 Nice.

Mont-Boron : magnifique 2 pièces ré-cent, 1er étage, grand standing, terras-se 20 m², vue mer, piscine, 2.650 + charges. Cabinet Martin, 96.78.14, Nice.

Avenue Borriglione, 2 pièces remis à neuf, tout confort, 4e étage, 1.600 mensuel plus charges 250. 88.57.01 le matin. MIDI-ILE-DE-FRANCE, Nice.

2 pièces, cuisine, bain, immeuble an-cien, République, 2.200 plus petites charges. Garayt, administrateur de biens, 15, rue Alberti, 62.08.20, Nice.

Châteauneuf, 2 pièces, confort, 2°,1.750 plus charges. UNIVERSELLE, 6, Georges-Clemenceau, Nice 88.44.98.

Lanterne, bon état, calme, très clair, 1.800 + charges. BENEJAM, 88.47.34, Nice.

Centre Juan-les-Pins, 2 pièces con-fort, 2.000 F + charges. France-Loca-tions, 61.61.50.

3 pièces

Fabron, 3 pièces, 2e, terrasse, vue mer, tout confort, 2.300 + 800. CABI-NET MONIQUE MUAUX, 80.38.08, Nice.

Cros-de-Cagnes, luxueuse villa ; Nice Étoile, confortable appartement, dis-ponibles, actuellement plusieurs mois. 31.25.76.

Cagnes-sur-Mer, quartier hippodrome, meublés, courtes et longues durées. OFREP, 20.80.81, Cagnes.

Studios, appartements, villas à louer, semaine, quinzaine, mois. AGIM im-mobilier, 44, bd Foch, tél. 74.04.00.

Lanterne, villa quatre pièces, jardin, parking, longue durée, 4.500. SUD-IMMOBILIER, Nice, 81.39.81.

199, promenade Fabron, beau studio, 4e étage, 1.700 francs. Téléphone 96.32.62, Nice.

Studio port, confort, 2.300 F charges comprises. Libre avril-mai, Nice. Tél 56.57.37.

Abbaye de Roseland, deux pièces, luxe, longue durée : 3 800 (plus char-ges). A Votre Service. 37.24.22 Nice.

A louer appartement Cannes, 4-6 per-sonnes, Juin, août, septembre. Tél. 64.24.11, heures repas, Vallauris.

Cagnes-sur-Mer, hippodrome mer et environs, studios, appartements, vil-las, quinzaine, mois. G.I.F.A. 20.17.09.

Disposons luxueuses villas avec pisci-ne, tous secteurs, été 83. MEYER-BEER, 88.08.12, Nice.

2 pièces, Cassini, pour 6 mois, 1.500 par mois. Sud Agence, 89.42.08, Nice.

4 pièces et plus

Andreoli-Bottero, 4 pièces grand stan-ding : 4.500 + charges. CABINET AU-GUSTE GAL. 88.99.05 Nice.

Particulier loue 4 pièces, refait neuf, balcons, confort. Tél. 84.94.05 Nice (repas).

Cherche à louer 4 pièces, préférence Vieux-Nice, 71.48.30, Nice.

Intégration et perspectives : C'est la vie !

Pour mieux lire : Louis Duvivier describes his family. You know, therefore, that you will be finding out information about the members of his family. To help you effi-ciently construct a portrait of the Duvivier family, first skim the reading and list the names of the members of his family. Then read the passage again to find out one or two pieces of information about each of these individuals. You might want to com-pare what you find with what other students find.

Ma vie ? Eh bien, c'est le début d'un nouveau chapitre : je suis maintenant grand-père ! Un jeune grand-père, c'est vrai, mais un grand-père quand même ! Mon fils Michel et sa femme Nicole ont une adorable petite fille. Elle s'appelle Sandrine et elle a presque un an et demi. Elle dit déjà « papa » et « maman ». Nous, les grands-parents, c'est « pépé Lou » et « mémé Syvie » !

Michel et Nicole sont un peu jeunes pour être mariés et avoir un bébé, mais ils ont l'air d'être heureux, c'est l'essentiel. Le problème, c'est que Michel n'a toujours pas de travail. Sa femme a un petit travail à temps partiel, mais bien sûr, ça ne suffit pas. Alors, pour le moment, ils habitent chez nous. Et puis, heureusement, il y a les allocations familiales et les allocations de chômage.

À part ça, la vie continue comme d'habitude. Je travaille toujours chez Renault. Je gagne bien ma vie et nous avons maintenant la semaine de 35 heures.

Je passe mon temps libre avec ma famille; et avec la petite Sandrine, ce n'est jamais ennuyeux, je vous assure ! Heureusement qu'elle est là, parce que les enfants ne sont pas souvent à la maison. Eh oui, ils sont grands maintenant et ils ont leur propre vie !

Notre fille Anne-Marie prépare le concours d'entrée à H.E.C. Elle est très douée pour les maths, alors elle a peut-être une chance. Paulette aussi travaille assez bien à l'école. Mais elle est surtout douée pour le sport. Sa passion, c'est le foot. À mon avis, ce n'est pas un sport pour une fille. Mais elle est comme sa mère, elle n'écoute pas souvent mes conseils ! Je plaisante, bien sûr. J'adore ma femme et je suis très fier de mes filles !

Sylviane, ma femme, travaille comme aide pédagogique dans un jardin d'enfants. Elle aime beaucoup son travail. C'est dans son caractère : elle est heureuse seulement quand elle est avec des enfants ! C'est une bonne chose parce que nous sommes souvent obligés de garder la petite Sandrine quand ses parents sont occupés !

Voilà notre vie. Elle n'est pas parfaite, mais nous avons la chance d'avoir des enfants qui sont gentils. Nous ne sommes pas riches mais nous ne sommes pas pauvres non plus. Nous avons un appartement qui est modeste mais confortable. Nous habitons dans un quartier agréable où nous avons de très bons voisins. Nous avons une nouvelle voiture, une jolie petite Renault, bien sûr.

Et enfin, dernière surprise, nous avons maintenant notre petite maison à la campagne ! Il y a même un grand jardin avec des arbres et des fleurs ! Et c'est là que nous passons une grande partie de nos week-ends et de nos vacances.

Mots à retenir / Mots en contexte :
le début *beginning,* **quand même** *anyway,* **demi** *half,* **déjà** *already,* **un peu** *a little,* **le bébé** *baby,* **avoir l'air** *to seem, appear,* **heureux** *happy,* **à temps partiel** *part-time* **ça ne suffit pas** *it's not enough,* **bien sûr** *of course,* **puis** *then,* **heureusement** *fortunately,* **le chômage** *unemployment,* **à part ça** *apart from that,* **comme** *as, like,* **d'habitude,** *usually,* **gagner** *to earn, to win,* **le temps** *time,* **libre** *free,* **assurer** *to assure,* **là** *there,* H.E.C. (Hautes études commerciales) *one of the **grandes écoles**,* **surtout** *especially,* **les conseils** *(m) advice,* **plaisanter** *to joke,* **fier** *proud,* **le jardin d'enfants** *kindergarten,* **quand** *when,* **voilà** *there is,* **non plus** *neither, either,* **enfin** *finally,* **dernier** *last,* **la campagne** *country,* **même** *even,* **le jardin** *garden,* **l'arbre** *(m) tree,* **la fleur** *flower*

Avez-vous compris ?

1. Pourquoi est-ce que Louis Duvivier pense que c'est le début d'un nouveau chapitre dans sa vie ?
2. Pourquoi est-ce que la situation de Michel et Nicole est assez difficile en ce moment ?
3. Où est-ce que Louis Duvivier travaille ?
4. Est-ce qu'il est heureux d'avoir la petite Sandrine dans sa vie ? Pourquoi ?
5. Qu'est-ce qu'il pense de la passion de Paulette pour le football ?
6. Est-ce que sa femme aime son travail ? Pourquoi ?
7. Est-ce que Louis est content de sa vie ? Pourquoi ?
8. Où est-ce que les Duvivier passent maintenant leurs week-ends ?

As an alternative, have students take the roles of the different members of Louis Duvivier's family. Other students will ask them questions.

Internet... Louis Duvivier works at the Renault factory. By using a search engine or by visiting the Renault Web site, http://www.renault.com/fr/index_produits_vp.html, check out the latest models. Which would you buy if you were buying a Renault, and why?

Info-culture : La famille française

The structure and definition of the French family are changing:

- Couples are having fewer children (1.8 per family, on the average).
- Couples are getting married later in life (the average age is over twenty-five).
- Unmarried couples (**l'union libre**) and single-parent families (**la famille monoparentale**) are more common.
- Divorces have become more frequent (30 percent).

Parent-child relations are also changing:

- The emotional role of the family as a place for sharing and belonging remains very important for both parents and children.
- Despite the pulls of modern life, mealtimes continue to play an important role in bringing the family members together on a daily basis and for special occasions.
- Shared recreational activities often provide another opportunity to enjoy or strengthen family ties.
- Most teenagers report good relationships with their parents, though one third think their parents are not strict enough.
- Young people tend to share their parents' views on topics such as politics, religion, and sex.
- Factors such as a high rate of unemployment among young people, cost of living, and a desire on the part of both parents and children to cling

to the family nest cause more and more young people between the ages of twenty and thirty to continue to live with their parents.

This last trend is illustrated in the following table:

Chez leurs parents : jusqu'à quel âge ?
Actifs ou chômeurs âgés de 21 à 29 ans vivant au domicile familial (en %)

	Ayant un emploi	Au chômage
21-23 ans	51,5	55,5
24-26 ans	26	35
27-29 ans	13	21,5

Source : Insee, enquête emploi 1992

The role of the state:

- The French government has a long-established tradition of actively supporting the family.

- Special monetary "allocations" are given to families. The main ones are **allocations familiales** (the amount varies depending on the number of children and the family income), and the **complément familial,** an additional subsidy given to families with more than three children or with a very young child.

- Government-subsidized and controlled day-care centers (**les crèches**) and preschools (**les écoles maternelles**) are readily available for working parents.

Et vous ?

How is the American family changing? Are the changes similar to those in France?

Communication et vie pratique

A. **Plan d'une maison.** Imagine that French friends who are planning to work in the United States have asked you to help them find a home. Using the floor plan that follows, describe the house that you have identified for them. You can also bring in other ads or floor plans from your local paper.

PATIO

DINING
14 x 17

fp

KIT.
10 x 17

PORCH
11 x 17

wd.
stove

ST.

w. h.

fr.

L

chute

w

d

L

P

d

beams

wd.

fp

BATH

GARAGE
22 x 22

BEDROOM
12 x 16

ENT.

LIVING
19 x 23

u

FIRST FLOOR 1725 sq. ft.

PORCH

skylt.

L

ST.

B

ST.

PLAYROOM
15 x 22

chute

L

L

d

BATH

ST.

ST.

BEDROOM
12 x 14

BEDROOM
13 x 16

SECOND FLOOR 1415 sq. ft.

ST.

B. Louez un appartement. Look at the following ads for rooms and apartments taken from a French newspaper and decide which apartment or room you would like to rent and why. Then imagine that you are talking with the landlord about renting the room or apartment you have selected. With another student, role-play the situation, using the questions that follow as a guide. The question marks below invite you to add your own questions.

Californie, Bas Fabron, studio récent, cuisinette équipée, bains, 1.500 + 200. GERANCE IMMOBILIERE, CNAB, 38, rue de France, 93.87.78.74, Nice.

Frédéric-Mistral, studio impeccable, 32 m2, séjour et vraie cuisine sur terrasse ensoleillée, vue mer, cave, 1.800 + charges. MICHAUGERANCE, Nice, 93.87.10.88.

Hauts Vaugrenier : superbe 60 m2, jardin, vue, situation privilégiée, 4.400 charges comprises. SAINT-PIERRE, 93.07.40.20.

Promenade : beau 2 pièces 68 m2, excellent état, grands balcons, bains, dressing, cave, garage, 3.000 plus charges.   LOCASSISTANCE, 93.82.01.02, Nice.

Haut Cessole, studio avec cuisinette, balcon, 1er étage, 1.350 + charges. BARTOLOTTA, 93.84.08.74, Nice.

Victor-Hugo Alphonse-Karr : bel appartement, 2e, sud, balcon, 2.600 + charges. URBANICE, 93.44.76.47, Nice.

Parc Chambrun Saint-Maurice : beau 2 pièces, garage, cave, 2.500 F + charges. Tél. 93.84.90.72, Nice.

Questions du client	Questions du propriétaire
Est-ce que l'appartement est meublé ?	C'est pour combien de personnes ?
Combien de pièces est-ce qu'il y a ?	Où est-ce que vous travaillez ?
Est-ce que les pièces sont grandes ?	Est-ce que vous êtes étudiant(e) ?
Est-ce qu'il y a un garage ?	Est-ce que vous avez un chien ou un chat ?
Est-ce que c'est dans un quartier agréable ?	Est-ce que vous avez besoin d'un garage ?
Est-ce que le gaz et l'électricité sont compris ?	?
?	

C. Accueil France. An employee of **Accueil France Famille,** an organization that finds host families for foreign students, is taking a call from Mme Lenormand. Listen for information regarding the kind of accommodations Mme Lenormand has to offer. Then answer the questions listed here.

Pour mieux comprendre : Knowing ahead of time the topics spoken about in a conversation can help your comprehension. Make a list of the information that Mme Lenormand might be asked in this situation (e.g., number of children), and then listen to see which of the items you listed are included.

Pourquoi est-ce que l'employée d'Accueil France est contente de parler avec Mme Lenormand ?
Combien d'enfants a Mme Lenormand et quel âge ont-ils ?
Qui parle anglais dans la famille ?
Quelle est la profession de Mme Lenormand ?
Quel type de logement a la famille Lenormand ?
Pourquoi est-ce que Mme Lenormand a maintenant une chambre libre ?

D. **Votre famille.** You are submitting an application to **Accueil France Famille** to spend some time with a French family. They have asked you to prepare a description of yourself (what you are like, your interests, etc.), your family, and your home so that they can find a good placement for you.

> *Pour mieux écrire :* One of the ways in which readers judge the effectiveness of what we write is by the amount and variety of words we use. To help enrich your descriptions, make a list of as many adjectives as you can think of (maybe looking back to **chapitre deux**). Use the list to describe yourself and your family.

Bien prononcer

A. There are three basic nasal vowel sounds in French: /ɔ̃/ as in **mon**, /ɛ̃/ as in **magasin**, and /ã/ as in **étudiant**. Practice repeating words containing the sound /ɔ̃/.

mon	maison	mon livre	mon‿ami
ton	leçon	ton lit	ton‿oncle
son	concert	son chien	mon‿affiche

B. Note the difference between the pronunciation of **bon** /bɔ̃/ with a nasal sound and **bonne** /bɔn/. Note also that bon /bɔ̃/ becomes /bɔn/ (the same pronunciation as the feminine form **bonne**) when it is followed by a vowel sound.

/ɔ̃/	/ɔn/	/ɔn/
un bon prof	un bon‿élève	une bonne classe
un bon camarade	un bon‿hôtel	une bonne amie
un bon travail	un bon‿emploi	une bonne idée

Petite conversation... Practice repeating the following conversation.

— Thérèse est contente de son appartement ?
— Non, pas vraiment. Elle a de bons voisins, mais leurs enfants sont embêtants.

Reminder: The pronunciation section can be used in several ways: before beginning a chapter, spread out while doing a chapter, or in its entirety at the end of a chapter.

CHEZ NOUS

DANS LA RÉPUBLIQUE DÉMOCRATIQUE DU CONGO

Superficie : 2, 345, 000 km^2

Population : 42, 000, 000 h

Capitale : Kinshasa

Langues : tchilouba au centre et au sud est, kikongo à l'ouest, lingala au nord-ouest, souaheli à l'est, et français

Institutions : république indépendante depuis 1960 (ancienne colonie belge)

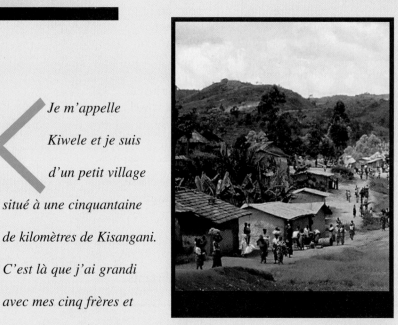

« Je m'appelle Kiwele et je suis d'un petit village situé à une cinquantaine de kilomètres de Kisangani. C'est là que j'ai grandi avec mes cinq frères et mes trois sœurs, et bien sûr, des multitudes de cousins ! Chez nous, on ne vit (live) pas en familles séparées comme vous en Europe ou en Amérique. Oncles, tantes, cousin et cousines forment une grande famille groupée sous l'autorité du patriarche. Dans notre cas, le patriarche, c'est mon grand-père qui est aussi le chef du village et de notre tribu. Tout le monde travaille, même les enfants, mais les hommes et les femmes ont chacun leur domaine séparé. Les femmes cultivent les champs (fields) qui sont près du village, et elles préparent les repas. Les champs plus éloignés et les animaux sont le domaine des hommes. Et les enfants sont la responsabilité de tout le monde ! »

Vocabulaire

La maison (Voir pp. 66-67)
La famille (Voir p. 71)
Les adjectifs possessifs (Voir pp. 73-74)
Les adjectifs prénominaux (Voir pp. 76-77)

Noms

arbre (m) tree
bébé (m) baby
chance (f) luck, chance
chat(te) (m, f) cat
chien(ne) (m, f) dog
chômage (m) unemployment
conseil (m) advice
début (m) beginning
essentiel (m) essential
fleur (f) flower
foot (football) (m) soccer
gaz (m) gas
immeuble (m) apartment building
jardin (m) garden
logement (m) housing
partie (f) part
plan (m) diagram, map
propriétaire (m, f) landlord, owner
quartier (m) neighborhood
sport (m) sports
studio (m) studio apartment
surprise (f) surprise
temps (m) time; weather
vêtements (m pl) clothes, clothing

Verbes

avoir to have
avoir besoin de to need
avoir de la chance to be lucky
avoir envie de to feel like (doing something)
avoir l'air to appear, to seem
continuer to continue
gagner to earn; to win
garder to keep; to take care of
louer to rent
passer to spend (time)
préparer to prepare

Adjectifs

adorable adorable
compris included
confortable comfortable
dernier / ière last
libre free
même same, even
meublé furnished
parfait perfect

Divers

bien sûr of course
ça ne suffit pas it's not enough
comme like, as
de préférence preferably
déjà already
d'habitude usually
encore yet, still, again
enfin finally
heureusement fortunately
il y a there is, there are
là there
non plus either, not either
parce que because
peu little
puis then
quand when
surtout especially
voilà there is, here is

Chapitre quatre

Bon voyage !

Fonctions

Dans ce chapitre, vous allez apprendre à
- *parler de vos voyages*
- *indiquer votre destination et vos intentions*
- *dire où vous allez*
- *indiquer le prix et la date*

Vocabulaire et structures

Point de départ : Les voyages
Exploration 1 : Le verbe **aller**
Exploration 2 : Les prépositions et les noms de lieux
Exploration 3 : Les nombres supérieurs à 100 et les nombres ordinaux

Point de départ : Les voyages

Les moyens de transport : Comment est-ce que vous préférez voyager ?

You might find it useful to have students read the **Info-culture** section before beginning the chapter.

Point out that the SNCF offers a variety of reduced train fares (children, students, senior citizens) and combination packages (e.g., car and train, bicycle and train). Students might find it interesting to check out the SNCF Web site at **http://www.sncf.fr.**

en voiture   en autocar   en avion

en train   en bateau   à pied   à vélo

Point out that students should use **prendre** only in the infinitive until it is formally introduced in the next chapter.

La saison : En quelle saison est-ce que vous préférez prendre vos vacances ?

en automne   en hiver   au printemps   en été

Point out that preferred vacations for the French, in order of preference, are: **la plage, la campagne, la ville, la montagne, le lac.**

L'endroit : Où est-ce que vous préférez passer vos vacances ?

à la montagne   à la campagne   à la plage

en ville

dans votre pays

à l'étranger

Les activités : Quand vous voyagez, quelles sont vos activités préférées ?

faire des excursions
dans la région

acheter[1]
des souvenirs

visiter des musées
et des monuments

manger les spécialités
de la région

aller au concert, au
cinéma et au théâtre

rencontrer des gens

prendre des photos

Le logement : Où est-ce que vous préférez rester ?

dans un hôtel

chez des amis ou
chez des parents

dans un camping

dans une auberge
de jeunesse

dans une pension

[1]**Acheter** (*to buy*) is a regular **-er** verb except that an **accent grave** is added in all but the **nous** and **vous** forms: **j'achète, tu achètes, il/elle/on achète, nous achetons, vous achetez, ils/elles achètent.**

Have students note that words are often related. Because they are familiar with **langues étrangères,** they should be able to guess the meaning of à l'étranger.

In general, the French tend to travel abroad less often than other Europeans. The most popular destination in Europe for those who travel outside of France is Spain. Outside of Europe, the French often go to North Africa and North America with a growing attraction for East Asian and Southeast Asian countries.

Tell students that most French towns and cities have a **Syndicat d'Initiative** or an **Office du Tourisme** where visitors can get information about hotels, restaurants, tourist attractions, and so on.

Surveys show that for French travelers the quality of the restaurants in which they eat is generally more important than the quality of their hotels.

Students might be interested in finding out more about youth hostels at Web sites such as Fédération Unie des auberges de jeunesse at http://www.fuaj.org or Hostelling International at **http://www.iyhf.org**

Teach students expressions such as **bon voyage**, **bon séjour**, **bonne fin de séjour**, **bon retour**, and **bonne rentrée** for those going back to school.

Have students imagine that they are working for their local tourist bureau. They tell French visitors (played by other students) about the accommodations, activities, and transportation available in their town or region.

Communication et vie pratique

A. **Bon voyage !** Ask another student about his or her vacations. He or she will also ask what your vacation preferences are.

1. Où est-ce que tu préfères passer tes vacances ?
2. En quelle saison est-ce que tu préfères voyager ?
3. Comment est-ce que tu préfères voyager ?
4. Avec qui est-ce que tu aimes voyager ?
5. Où est-ce que tu préfères rester ?
6. Quand tu voyages, quelles sont tes activités préférées ?

B. **Petit sondage.** Some French friends have asked you about the vacation preferences of Americans. To answer them, do an informal survey of the vacation patterns of students in your class. Use activity A or the **Point de départ** to form your questions.

1. La ville ou l'état où les étudiants de votre classe préfèrent passer leurs vacances.
2. Leur saison préférée pour les vacances.
3. Leur moyen de transport préféré.
4. Le type de logement qu'ils préfèrent.
5. Leurs activités préférées.

Info-Culture : Vive les vacances !

Vacations are very important in France, where every employee is guaranteed a minimum of five weeks of paid vacation. In contrast to Americans, who often take shorter vacations (or who may not take any), the French value their vacations very highly. The majority of people take their vacation during the summer (**les grandes vacances**), which causes massive traffic jams on French highways and freeways and greatly increases the number of train travelers. French media alert the public to major areas of congestion, suggesting alternate routes, where possible, or alternate departure days. Recently, people have begun to take shorter, more frequent vacations, especially during the winter for **les vacances de neige**. Among the more popular types of vacations are:

- vacations on the **Côte d'Azur** or elsewhere in the south of France
- sports or leisure-time vacations where people enjoy or learn a sport or activity such as sailing, hiking, horseback riding, or bicycling in the French countryside
- vacations in country homes, called **gîtes ruraux** or **fermes d'hôtes**, where people experience country life in a variety of settings
- camping in the countryside, in the mountains, or at the beach
- travel outside of France or stays in vacation clubs such as the **Club Méditerranée**

During the summer, young adults can participate in a variety of activities:

- summer camps, called **colonies de vacances**, which are sponsored and subsidized by cities, religious groups, or the government

- participation in summer programs (often sponsored by the **Ministère de la Jeunesse et des Sports**) to learn sailing, scuba diving, mountain climbing, theater, arts and crafts, and so forth.
- foreign language exchange programs and study tours (**les vacances linguistiques**)

Although less often than in the United States, French students also have summer jobs, often in resort areas or in summer camps.

Et vous ?

The following are a selection of internet links to travel agencies in France that do business on the World Wide Web. What does this list tell you about vacations that the French like to take? Are there any agencies that offer tours that would interest you? Which ones and why? Are the types of vacations offered by these travel agencies similar to those that Americans generally like to take?

- <u>Ariane Tours</u> - Spécialiste du voyage en Asie : vols réguliers et circuits organisés.
- <u>Boarderline</u> - Agence de voyage pour riders : snowboard, surf et évènements.
- <u>Cap Monde</u> - Séjours linguistiques et centres de vacances et classes de découverte pour enfants et adolescents.
- <u>Caribou Club</u> - Agence de voyage spécialisée dans les séjours au Canada
- <u>Club Aventure Voyages</u> - Parcours au coeur du monde en petits groupes pour des découvertes ethnographiques et culturelles.
- <u>Francetours</u> - Carte de France et circuits à thèmes pour votre carnet de route.
- <u>I.D.E.A.L Voyages</u> - Voyages sur mesure pour le compte de sociétés ou de particuliers. États-Unis, Canada et Irlande.
- <u>Maison de l'Indochine (La)</u> - Voyages au Cambodge, au Laos, en Birmanie, en Thaïlande et au Vietnam.
- <u>Non-Stop USA</u> - Agence de voyages spécialisée dans les voyages à destination des États-Unis : affaires, séjours, croisières, circuits touristiques et offres spéciales.
- <u>Objectif nature</u> - Voyage animalier et de nature à travers le monde.
- <u>PlaNET-Terre</u> - Circuits sur les cinq continents : trek au Népal, VTT en Bolivie, 4X4, cheval en Mongolie.
- <u>TamTam voyages</u> - Informations et conseils pour préparer son voyage en Martinique et en Guadeloupe.
- <u>Tourisme Océan</u> - Locations été et hiver en France et réservation aux spectacles du Puy-du-Fou.
- <u>Voyages Sinbad (Les)</u> - Aventures et découvertes en Orient.
- <u>Voyageurs au Japon</u> - Agence tenue par une équipe de Japonais vivant en France et de Français ayant vécu au Japon.

Have students note that in PlaNET-Terre, VTT refers to **vélo tout terraine** (mountain bike).

Internet... Search the Internet for vacations in a French-speaking country. Choose a location that appeals to you and write a paragraph in French about why it does. Compare your choice with those of other students.

Exploration 1

Indiquer votre destination et vos intentions : Le verbe *aller*

To indicate movement or travel and to express future plans, the verb **aller** *(to go)* can be used.

aller	
je **vais**	nous **allons**
tu **vas**	vous **allez**
il / elle / on **va**	ils / elles **vont**

— Vous **allez** à Genève ?
— Non, nous **allons** à Lausanne.

A. **Aller** is often used with the preposition **à**. Note how **à** combines with the definite article.

à + **le** becomes **au**	Je vais **au** concert.
à + **les** becomes **aux**	Il parle **aux** enfants.
à + **la** remains **à la**	Nous restons **à la** maison.
à + **l'** remains **à l'**	Ils sont **à l'**hôtel.

B. To express future plans or intentions, the conjugated form of **aller** is followed by an infinitive.

Nous **allons voyager** en train.
Elle **va étudier** à Montpellier.

You might want to point out that in French **huit jours** refers to one week and **quinze jours** to two weeks.

Some useful expressions for talking about future plans are:

aujourd'hui *(today)*	la semaine prochaine *(next week)*
demain	l'année prochaine *(next year)*
le week-end prochain	pendant les vacances *(during vacation)*

We also often talk about the month (**le mois**) in which something is going to happen.

janvier	avril	juillet	octobre
février	mai	août	novembre
mars	juin	septembre	décembre

Je vais visiter Paris en mai.
En juillet, nous allons passer nos vacances à la plage.

To indicate a particular date, use **le + la date + le mois**. The only exception is the first day of the month: **le premier janvier, le premier avril**.

Je vais visiter Notre-Dame le 15 avril.

Situation : Fermeture annuelle

It is the last week of July, and a customer is wondering when Madame Dubourg's pharmacy will close for the family's annual vacation.

Mme Pasquier	Vous n'allez pas fermer cette année ?
Mme Dubourg	Si, on va fermer la semaine prochaine.
Mme Pasquier	Vous avez des projets pour vos vacances ?
Mme Dubourg	D'habitude, nous allons sur la Côte, mais cette année, je voudrais passer quinze jours à la montagne.
Mme Pasquier	Et vos enfants ?
Mme Dubourg	Ma fille va aller aux États-Unis avec un groupe d'étudiants. Les garçons vont faire du camping avec des copains.

Mots à retenir :
fermer *to close,* **si** *yes (in response to a negative question),* **les projets** *(m) plans,* **je voudrais** *I would like,* **le garçon** *boy,* **le copain** *pal, buddy*

Avez-vous compris ?

Quels sont les projets des différents membres de la famille Dubourg ?

Communication et vie pratique

A. **Projets.** Danielle and her friends have plans for this weekend. Using the cues provided, tell where they are going. Then tell what your plans are for the weekend.

> EXEMPLE Catherine / concert
> **Catherine va au concert.**

1. Rémi / plage
2. Bernard / restaurant
3. Christiane / bibliothèque
4. Frédéric / cinéma
5. Julie / théâtre
6. Martine / musée
7. Robert / montagne
8. Serge / campagne

B. **La fête du travail.** Several students are talking about their plans for the Labor Day Holiday (May 1). Tell what they are going to do.

> EXEMPLE Jean-Claude / prendre des photos
> **Jean-Claude va prendre des photos.**

1. nous / faire du camping
2. Claudine / aller à la plage
3. mes amis / aller au théâtre
4. vous / visiter des musées
5. je / rester à la maison
6. tu / aller chez tes parents
7. mon frère / aller à la montagne
8. ma sœur / faire une excursion

Point out to students that French factories and many businesses close for a month (usually in July or August) for what is called **la fermeture annuelle.**

You might want to teach students **la copine** also.

IAE Drills: Substitution: 1. **Je vais à la plage. nous / Mathieu / mes parents / son frère / tu** 2. **Monsieur Durand va visiter le Portugal. tu / votre ami / vous / tes cousins / Anne-Marie** 3. **Nous n'allons pas au concert. je / mes amis / vous / Roger / tu** 4. **Je vais à la bibliothèque. campagne / montagne / théâtre, café / cinéma / musée**

This activity can be repeated using different pronouns for each item: for example, **je / concert, nous / plage,** and so on.

Put these place names on a note card and give one to each student. He or she will circulate among the other students asking if they often go there: for example, **Est-ce que tu vas souvent au concert ? Oui, je vais souvent au concert,** and so on. Students can report back the results of their survey.

Point out the major holidays in France: **Le 1er janvier = le Jour de l'An; Pâques et le lundi de Pâques; le 1er mai = la Fête du Travail; le 8 mai = la fin de la 2e Guerre mondiale; l'Ascension (40 jours après Pâques); la Pentecôte (le 7e dimanche après Pâques); le 14 juillet = la Fête Nationale; le 15 août = l'Assomption; le 1er novembre = la Toussaint; le 11 novembre = l'Armistice; le 25 décembre = Noël.** Point out that on April 1st, the French say **poisson d'avril** for "April fool."

C. **Le week-end prochain.** Ask other students if they plan to do these things next weekend. Keep track of their answers so that you can report back what they plan to do.

> EXEMPLE   aller à la bibliothèque
> **Est-ce que tu vas aller à la bibliothèque ?**
> **Oui, je vais peut-être aller à la bibliothèque.**

	oui	non	peut-être
1. aller au concert			
2. manger dans un bon restaurant			
3. aller à la campagne			
4. aller chez des amis			
5. aller au cinéma			
6. étudier pour un examen			
7. regarder la télé			
8. rester à la maison			
9. ?			

D. **Suggestions.** Imagine that you and some friends are making plans for the weekend. Ask them if they would like to do the following things. They will indicate whether or not they like the idea.

> EXEMPLE   **On va à la montagne ?**
> **Oui, c'est une bonne idée.**
> *ou:*   **Non, je préfère rester ici.**

1.   2.   3.   4.

5.   6.   7.   8.

As preparation, have students playing the roles of the families plan their vacation, while reporters come up with questions to ask the travelers (e.g., **Où est-ce vous allez passer vos vacances cette année ?**, **Qu'est-ce vous allez faire ?**

INFO GAP

C'est votre tour

You are a reporter interviewing French families about their vacation plans. Ask the families (played by other students) where they are going, where they are going to stay, and what they are going to do while on vacation. The families can use one of the **fiche-vacances** that follow or make up one of their own to answer the questions.

Les Delaleu

Destination :   Genève
Logement :   chez des cousins
Activités :   visiter la ville, faire des excursions dans les Alpes, faire du ski
Dates :   du 1ᵉʳ février au 15 février

Jean-Luc Villon et Maryse Dupont

Destination :   Avignon
Logement :   Hôtel de la Tour
Activités :   théâtre, cinéma, musées, visites de la ville
Dates :   du 20 juillet au 20 août

Angélique et Sylvie Perron

Destination :   Nice
Logement :   Auberge de jeunesse
Activités :   plage, visite de la vieille ville, promenades à pied dans la région
Dates :   du 4 juillet au 31 juillet

Exploration 2

Dire où vous allez : Les prépositions et les noms de lieux

In an interconnected world, knowledge of country names is important. The French names of some countries follow:

l'Allemagne	la Hollande (les Pays-Bas, *m*)	le Brésil
l'Angleterre	l'Inde	le Canada
l'Australie	l'Irlande	le Danemark
l'Autriche	l'Italie	les États-Unis
la Belgique	la Norvège	le Japon
la Chine	la Pologne	le Maroc
l'Égypte	la Russie	le Mexique
l'Espagne	la Suisse	le Portugal
la France	la Tunisie	le Sénégal
la Grèce		le Viêt-Nam

You may want to point out the following. **En** is used with feminine provinces (**en Alsace**) and with feminine states (**en Californie**). **Dans** is used with masculine provinces (**dans le Périgord**) and with masculine states (**dans le Colorado**). Tell students that they can say **J'habite dans l'état de Maine** if they don't know the gender of a state. **Israël** is masculine but does not use an article: **Je vais visiter Israël** but **Je vais en Israël.**

Note that the countries in the first two columns are feminine (as are all countries ending in **e**, except **le Mexique**), and the countries in the third are masculine. Several countries do not take an article at all (e.g., **Israël, Haïti**).

A. The preposition used with place names depends on the kind of place:

à + city	**à** Paris
	à Chicago
en + feminine country	**en** France
	en Belgique
au or **aux** + masculine country	**au** Canada
	aux États-Unis
chez + person's name	**chez** Madame Ménard
+ person	**chez** des amis
+ stress pronoun	**chez** moi
+ person's profession	**chez** le dentiste

B. All continents are feminine: **l'Afrique, l'Amérique du Nord, l'Amérique du Sud, l'Antarctique, l'Asie, l'Australie, l'Europe.**

Situation : Les grands départs

Paris, July 31. A reporter is interviewing vacationers who are caught in a traffic jam on their way out of the city.

Point out to students that French freeways and highways, especially those going to the south of France, often have major traffic jams during the summer when large numbers of French families leave on vacation. The media alert people to traffic problems and indicate days and hours that are especially difficult. A color-coded system helps travelers make their plans: green means that you can travel freely; orange is in-between, and red indicates that traffic is very bad.

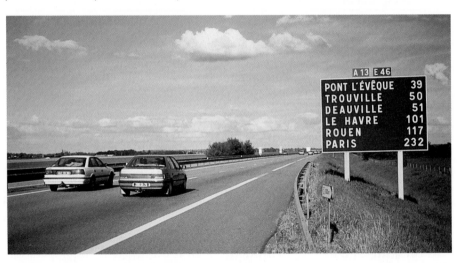

LE REPORTER	Alors, c'est le grand départ ?
M. ARLAND	Non, pas aujourd'hui. Nous allons chez des amis à la campagne.
LE REPORTER	Allez-vous passer vos vacances en France ou à l'étranger ?
MME ARLAND	À l'étranger. Cette année, nous allons en Espagne et au Portugal. Et l'année prochaine, nous avons l'intention de visiter le Sénégal et la Côte-d'Ivoire.
LE REPORTER	Alors, bon voyage !

Have students note that one says **aller** *au* Sénégal but **visiter** *le* Sénégal.

Avez-vous compris ?

Où va la famille Arland ce week-end ? et cette année ? et l'année prochaine ?

Communication et vie pratique

A. **À l'auberge de jeunesse.** Some students have met in **une auberge de jeunesse.** Tell how each introduces himself or herself.

> EXEMPLE Brigitte / Nice / France
> **Je m'appelle Brigitte. J'habite à Nice en France.**

1. Pablo / Séville / Espagne
2. Maria / Lisbonne / Portugal
3. Juanita / Acapulco / Mexique
4. Karl / Vienne / Autriche
5. Théo / Athènes / Grèce
6. Erik / Oslo / Norvège
7. Djenat / Alexandrie / Égypte
8. Bob / Philadelphie / États-Unis
9. Hiro / Tokyo / Japon
10. Amadou / Dakar / Sénégal

B. **Projets de voyage.** Where are the following people going this summer? Use the cues provided to tell what they say.

> EXEMPLE Henri / Espagne et Portugal
> **Henri va en Espagne et au Portugal.**

1. mes amis / Sénégal et Côte-d'Ivoire
2. Monsieur Robert / Suisse et Italie
3. je / Tunisie et Maroc
4. nous / Canada et États-Unis
5. vous / Pologne et Russie
6. tu / Angleterre et Irlande
7. ma sœur / Japon et Chine
8. Régis / Belgique et Pays-Bas

C. **Et toi ?** Decide which countries you would like to visit. Then find out if another student would like to visit those countries also. You may want to consult the maps at the beginning of the book.

> EXEMPLE **Je voudrais aller au Brésil. Et toi ?**
> **Pas moi. Je voudrais aller en Irlande et en Norvège.**

D. **Bonnes vacances !** What would be a good vacation spot abroad for the following people?

> EXEMPLE Pour ma camarade de chambre, des vacances...
> **Pour ma camarade de chambre, des vacances en Italie.**

1. Pour mon prof de français, un voyage...
2. Pour les étudiants de notre classe, des vacances...
3. Pour mes amis, trois semaines...
4. Pour ma famille, quinze jours...
5. Pour moi, des vacances...

E. **Villes et pays.** Tell where the following cities are located. Then give the names of other cities and see if other students can give the name of the country where each is located.

IAE Drills: Substitution: 1. **Nous allons à Paris. Madrid / Montréal / Dakar / New York.** 2. **Ils habitent en France. Allemagne / Chine / Suisse / Australie / Belgique.** 3. **Je voudrais aller au Portugal. Sénégal / Danemark / Japon / Maroc.** 4. **Alain va voyager au Canada. Angleterre / États-Unis / Portugal / Suisse / Mexique / Autriche.**

Option: Give students cards with this or similar information and have them introduce themselves to other students.

Have students note that the preposition is repeated even if both countries are feminine: **Nous allons en Allemagne et en Autriche.**

Have students take a survey to find the countries that the most students want to visit.

Have students work in small groups to answer one or several of the categories; then have the entire class decide the most appropriate vacation spot for each.

Divide students into teams and have them play against each other to find out which team has the best knowledge of geography.

EXEMPLE   Dakar
Où est Dakar ?
C'est au Sénégal.

1. Bruxelles	6. Montréal
2. Genève	7. Tunis
3. Londres	8. Strasbourg
4. Berlin	9. Rome
5. Moscou	10. Lisbonne

As preparation, have students imagine their "jet-set" travel itineraries, including many sites around the world. Remind them that when talking about where they usually go, they can use words such as **d'habitude, en été, chaque hiver.** When talking about plans for the summer, they can use **cet été or l'été prochain.**

C'est votre tour

Imagine you are an experienced world traveler with much leisure time to visit many different countries and cities. You are talking with other jet-set travelers and are comparing where you usually go and where you stay as well as where you plan to go this summer.

Exploration 3

Indiquer le prix et la date : Les nombres supérieurs à 100 et les nombres ordinaux

Numbers above 100 (**cent**) are expressed in the following way:

101	**cent un**
102	**cent deux**
159	**cent cinquante-neuf**
200	**deux cents**
264	**deux cent soixante-quatre**
1 000	**mille**
2 000	**deux mille**
19 300	**dix-neuf mille trois cents**
541 000	**cinq cent quarante et un mille**
2 000 000	**deux millions**

A. Periods (**un point**) and commas (**une virgule**) have opposite functions in French and English. Thus, commas are used to express decimals. For large numbers, a period or a space can be used.

76,5%	soixante-seize **virgule** cinq pour cent
5,8%	cinq **virgule** huit pour cent
317.530	trois cent dix-sept mille cinq cent trente

B. Years up to the year 2000 can be expressed in two ways.

1999	mille neuf cent quatre-vingt-dix-neuf
	dix-neuf cent quatre-vingt-dix-neuf
2020	deux mille vingt

C. To indicate the order or rank of things or events, ordinal numbers (*first, second, third,* etc.) are used. Just as we often use the suffix *th* in ordinal numbers in English (fifth, ninth), French uses the suffix **ième** for all ordinal numbers except **premier** and **première**.

You might want to point out that except for **premier / première,** ordinal numbers are not used with kings, queens, or other rulers (e.g., Louis XIV or Napoléon III).

premier/première (1^{er/re})	douzième*
deuxième (2e)	treizième*
troisième	quatorzième*
quatrième*	quinzième*
cinquième*	seizième*
sixième	dix-septième
septième	dix-huitième
huitième	dix-neuvième*
neuvième*	vingtième
dixième	vingt et unième
onzième*	etc.

Note the spelling changes in the items marked with an asterisk (e.g., **neuf →
neuvième, quatre → quatrième**).

> Est-ce que le vingt et unième siècle commence en 2000 ou en 2001 ?
> Victor Hugo est un auteur célèbre du 19e siècle.

Situation : Réservation d'une chambre d'hôtel

Laurence Rivière is calling to reserve a room at the **Hôtel du Mont Blanc** for a business trip to Geneva.

L'Employé	Allô. Ici l'Hôtel du Mont Blanc.
Laurence	Bonjour, monsieur. Je voudrais réserver une chambre pour le trente juin.
L'Employé	C'est pour combien de personnes ?
Laurence	Pour une personne.
L'Employé	Et pour combien de nuits ?
Laurence	Une nuit seulement.
L'Employé	Voyons... Oui, nous avons encore une chambre libre.
Laurence	Quel est le prix ?
L'Employé	Cinq cent dix francs.
Laurence	Le petit déjeuner est compris ?
L'Employé	Oui, madame, tout est compris.

> **Mots à retenir :**
> **combien de** *how many,* **la nuit** *night,* **le prix** *price,* **le petit déjeuner** *breakfast,*
> **compris** *included,* **tout** *everything*

Avez-vous compris ?

Qu'est-ce que l'employé va noter dans le registre de l'hôtel ?

Nom du client :
Nombre de personnes :
Nombre de nuits :
Prix de la chambre :

As a variation on the **Situation,** make up registration slips with different names, numbers of travelers, nights, and cost of the room. Have students use this information to redo the **Situation.**

Put the following on the board (or on a transparency) and have students read them: A. 100; 200; 500; 700; 1 000; 10 000; 1 000 000; 3 500; 15 000; 55 000; 175 000; 700 000; 1 200; 9 100; 460; 791; 69 821; 138 402; 248 669 120. B. Put the following dates on the board or on a transparency and have students read them: 1291; 1412; 1566; 1670; 1789; 1822; 1900; 1943; 1998; 2000; 2004; 2020. 25%; 33%; 45%; 50%; 78%; 95%; 100%.

Have students give their own (or imaginary) phone numbers to each other, verifying that the other student has written the number correctly.

Have students note that under **prix normal** in the train schedule, the numbers 1, 2, and 3 refer to specific days and times of travel.

Communication et vie pratique

A. **Au téléphone.** You are working as an international operator, and French customers (played by other students) have called to ask you the area codes for different American cities. Role-play the situation.

EXEMPLE   **Quel est l'indicatif de Détroit ?**
C'est le trois cent treize.

ETATS-UNIS GMT - 5h à - 11h
UNITED STATES OF AMERICA (USA)

19 ▶   **1 ▶**   Indicatif de la ville
Area code   Numéro du correspondant
Correspondent's number

Atlanta (Geo)	404	Detroit	313	Oklahoma City	405
Baltimore	410	Houston	713	Philadelphie	215
Birmingham	205	Indianapolis	317	Pittsburgh	412
Boston	617	Jackson (Ms)	601	Portland	503
Charlotte	704	Kansas City (Mo)	816	Providence	401
Chicago	312	Los Angeles	213	Sacramento	916
Cincinnati	513	Miami	305	Saint Louis	314
Cleveland (Ohio)	216	Milwaukee	414	Salt Lake City	801
Columbia (Sc)	803	New Haven	203	San Francisco	415
Dallas	214	Nouvelle Orleans	504	Seattle	206
Denver	303	New York	212	Washington	202

PCV   CC   PAYS DIRECT   19 00 11 (ATT)
19 00 19 (MCI)
19 00 87 (US SPRINT)

France ▶ Etranger
France ▶ Foreign countries

B. **Quel est le prix ?** You need to know the cost of train travel between different French cities and Paris. Ask an employee of the **SNCF** (played by another student). The employee uses the chart that follows to answer your questions, each time giving you the **prix normal en niveau 1.**

EXEMPLE   **Antibes / Paris (2ᵉ)**
Quel est le prix d'un billet de deuxième classe Antibes–Paris ?
Ca fait quatre cent trente francs.

Les prix en 2ᵉ classe au 28 septembre

EXEMPLES DE PRIX

RELATIONS AU DEPART OU A DESTINATION DE PARIS	Prix Normal			Prix TGV vert	Carte 12-25 (25%) Découverte à deux Découverte 12-25 Vermeil 20 Congrès, Groupes			Carte 12-25 (50%) Vermeil 50 Kiwi Groupes de Jeunes			Découverte	
	1	2	3	1	1	2	3	1	2	3	J30	J8
ANTIBES	430	493	522	366	310	315	390	181	242	269	220	320
AVIGNON	349	410	417	297	260	260	312	157	210	225	180	270
BEZIERS	387	451	456		291	338	342	168	225	236	190	305
CANNES	430	493	522	366	310	315	390	181	242	269	220	320
HYERES	390	455	467		290	341	350	170	225	245	190	295
MARSEILLE	360	420	438	306	270	270	328	160	210	235	180	270
MONTELIMAR	336	400	407	286	245	245	299	156	210	225	180	270
MONTPELLIER	360	420	430	306	270	270	322	160	210	225	180	270
NICE	430	493	522	366	310	315	390	181	242	269	220	320
NIMES	353	414	423	301	260	260	319	157	210	225	180	270
PERPIGNAN	418	478	484		314	314	363	185	235	249	230	330
SAINT-RAPHAEL	430	493	522	366	310	315	390	181	242	269	220	320
TOULON	385	448	462	328	290	290	346	168	220	243	190	290
VALENCE	323	393	400	275	240	240	289	156	210	217	180	270

RELATIONS AU DEPART OU A DESTINATION DE MARNE LA VALLEE CHESSY

C. **Quelle est la distance ?** You are planning several itineraries and need to find out the distances between various French cities. You call the **Syndicat d'Initiative**, where the employee (played by another student) answers your questions. The tourists can use the map of **la France routière** to decide where they want to go; the employees of the **Syndicat** can use the mileage chart that follows to answer the tourists' questions.

FRANCE ROUTIÈRE

DISTANCES KILOMÉTRIQUES

EN FRANCE	ANGERS	BIARRITZ	BORDEAUX	CHERBOURG	DIJON	GRENOBLE	LE HAVRE	LILLE	LYON	MARSEILLE	NANCY	NANTES	PARIS	PERPIGNAN	REIMS	RENNES	ROUEN	STRASBOURG	TOULOUSE	VICHY
ANGERS		525	343	297	470	634	323	490	527	832	595	89	290	739	461	122	268	703	541	380
BIARRITZ	525		182	822	918	822	841	974	719	705	1000	520	738	444	895	627	781	1136	285	570
BORDEAUX	343	182		640	619	675	659	792	842	555	818	338	546	447	713	445	599	907	250	428
CHERBOURG	297	822	640		640	866	269	459	759	1078	659	337	336	1036	496	198	243	799	838	633
DIJON	470	918	619	640		279	510	466	197	523	192	586	300	703	276	562	425	304	679	244
GRENOBLE	634	822	675	866	279		774	771	109	280	480	741	586	459	555	747	698	506	558	233
LE HAVRE	323	841	659	269	510	774		284	667	974	520	398	201	1053	318	320	84	650	844	541
LILLE	490	974	792	459	466	771	284		664	1005	375	584	215	1083	192	506	216	498	926	571
LYON	527	719	842	759	197	109	667	664		326	398	598	462	512	473	640	591	434	506	125
MARSEILLE	832	705	555	1078	523	280	974	1005	326		724	909	772	332	799	958	896	760	407	433
NANCY	595	1000	618	659	192	480	520	375	398	724		687	299	904	190	667	435	140	883	451
NANTES	89	520	338	337	586	741	398	584	598	909	687		379	743	549	106	357	795	545	483
PARIS	290	738	546	336	300	586	201	215	462	772	299	379		848	147	331	117	442	678	342
PERPIGNAN	739	444	447	1036	703	459	1053	1083	512	332	904	743	848		939	850	977	945	195	512
REIMS	461	895	713	496	276	555	318	'92	473	799	190	549	147	939		498	233	330	824	427
RENNES	122	627	445	198	562	747	320	506	640	958	667	106	331	850	498		290	771	652	523
ROUEN	268	781	599	243	425	698	84	216	591	898	435	357	117	977	233	290		566	768	485
STRASBOURG	103	1136	907	799	304	506	650	498	434	760	140	795	442	945	330	771	566		940	574
TOULOUSE	541	265	250	838	679	558	844	926	506	407	883	545	678	195	824	652	768	940		432
VICHY	380	570	428	633	244	233	541	571	125	433	451	483	342	512	427	523	485	574	432	

D. **Arrondissements.** You are working at the **Office du Tourisme** in Paris where tourists are asking about the location of certain monuments. Tell them in what **arrondissements** (administrative districts) the places are located.

EXEMPLE   le Quartier latin (6e)
Où est le Quartier latin ?
Dans le sixième.

1. la Sorbonne
2. la tour Eiffel
3. la Gare de Lyon
4. le Centre Pompidou

5. le Sacré-Cœur
6. le Louvre
7. la Gare de l'Est
8. le Bois de Boulogne

E. **Agence de voyages.** You are working at **Voyages Courriers des Dombes** and are answering customers' questions about the prices of different trips. Using the information that follows, how would you respond to your customers' questions? Role-play the situation.

> EXEMPLE Maroc : Découverte d'un Royaume (8 450 F)
> **Combien coûte le voyage au Maroc ?**
> **Huit mille quatre cent cinquante francs.**

1. Le Viêt-nam (15 950 F)
2. Découverte de la Chine (17 400 F)
3. L'Ouest Canadien (16 300 F)
4. Afrique du Sud (14 800 F)
5. L'Égypte (6 290 F)
6. L'Europe Centrale (7 195 F)
7. L'Allemagne romantique (6 100 F)
8. La Hollande: Au Royaume des fleurs (3 850 F)
9. Madrid / Tolède (3 650 F)
10. La Suisse: Le Train Glacier Express (2 500 F)
11. Tunisie: Le Grand Sud (5 550 F)
12. Les Fjords Norvégiens (9 450 F)

F. **Populations.** Working with a partner, ask each other the populations of the following cities around the French-speaking world.

Have students look up the population of other francophone cities to use in this activity.

> EXEMPLE Montréal 3 300 000
> **Quelle est la population de Montréal ?**
> **La population de Montréal est de trois millions trois cent mille habitants.**

1. Dakar   1 900 000
2. Québec   490 271
3. Rabat   1 457 000
4. Bruxelles   960 324
5. Tunis   650 000
6. Pointe-à-Pitre   26 029
7. Fort-de-France   110 000
8. Genève   433 692

Put the following on the board or on a transparency and have students give the dates of the reigns of the following rulers of France: Charlemagne (768–814); Charles VIII (1483–1498); François 1er (1515–1547); Henri IV (1589–1610); Louis XIV (1661–1715); Louis XVI (1774–1792); Napoléon 1er (1804–1815); Napoléon III (1852–1870).

C'est votre tour

You are working for **Frantour** in Biarritz and are trying to help customers (played by other students) find hotel rooms in the city. Based on their needs, find accommodations for each of your customers. Your customers will decide how many will be in their party, what kinds of rooms they need, and how long they plan to stay.

Have travelers decide their travel plans (e.g., number of people in their party, prefered accommodations, length of stay); the travel agents need to familiarize themselves with the brochures on the next page.

Biarritz

La douceur du climat plaisait déjà à l'Impératrice Eugénie de Montijo en 1854. Elle serait surprise aujourd'hui de voir les surfeurs s'amuser sur l'océan même si le casino, les villas et les restaurants pour gourmets ont conservé à la ville son image d'élégance.

20

① HÔTEL VAL FLORÈS ★★

F49E01

Hôtel à l'ambiance décontractée à 3 km de la gare, à 700 m de la mer et du centre-ville. Restaurant et terrasse ombragée. Animaux admis. 19 chambres avec douche et wc, téléphone, TV câblée avec C+. Petit déjeuner continental.

8ᵉ Nuit gratuite **Offert :** documentation touristique.
(sauf du 1/7 au 31/8).

② HÔTEL ARGI EDER ★★

F49G01

Hôtel tranquille et central à 3 km de la gare. Salon de lecture et télévision. Animaux non admis. 19 chambres avec douche et wc, téléphone. Petit déjeuner continental.

8ᵉ Nuit gratuite (sauf du 1/7 au 31/8).

③ HÔTEL ALBION ★★★

F49H01

Hôtel moderne et confortable à 3 km de la gare. Ascenseur, bar. Animaux admis. 42 chambres climatisées avec bain et wc, TV par satellite, téléphone, minibar. Petit déjeuner continental.
Offert : un verre d'accueil.

7ᵉ Nuit gratuite (du 8/7 au 31/8).

6.7ᵉ Nuit gratuite (du 1/5 au 7/7 et du 1/9 au 2/11).

④ TONIC HÔTEL ★★★

F49K01

Hôtel à l'ambiance tonique situé à 3 km de la gare. Ascenseur, bar, restaurant, salle de réunions. Animaux admis. 63 chambres avec bain (hydromassage ou bains de vapeur) et wc, téléphone, TV câblée, sèche-cheveux. Petit déjeuner buffet.

8ᵉ Nuit gratuite

SÉJOUR THALASSO

THALASSOTHÉRAPIE LOUISON BOBET

En plein cœur de Biarritz, à proximité des principaux hôtels, l'Institut Louison Bobet, vous propose un programme personnalisé de remise en forme : douche sous-marine, bains multi-jets, applications d'algues, massage, gymnastique en piscine....

Prix par personne en F (à ajouter à la réservation hôtel) ATHALA

Découverte 2 jours (4 soins/jour)	1 060 *
Cure 6 jours (4 soins/jour)	3 180 *
Journée supplémentaire	530

*visites médicales obligatoires non incluses

As an option, have students do similar role-plays using information from other guides such as Michelin's *Guide Rouge* or *Le Guide du Routard*.

Intégration et perspectives :
Voyage aux Antilles

Pour mieux lire : You have already seen that many French words are spelled the same as English counterparts. Notice in this reading how many words resemble English words even though they are not identical to them. Guessing the meanings of these words (e.g., **magie, rhum**) will improve your comprehension.

You work for **Voyages Courriers des Dombes** and have been asked to prepare cards listing some of the major features that your company offers. Based on the information in the ad for Martinique and Guadeloupe (on the next page), fill out the card found after the ad.

LES ANTILLES

12 jours

DU LUNDI 24 MARS AU VENDREDI 4 AVRIL
DU LUNDI 10 AU VENDREDI 21 NOVEMBRE

"MARTINIQUE : l'île aux fleurs. GUADELOUPE : l'île d'émeraude. Les Saintes. Laissez-vous séduire par la magie des Caraïbes : plages de sable blanc, végétation tropicale, épices, rhum et biguine, un cocktail d'odeurs et de couleurs."

MARS 13400F
NOVEMBRE 12650F

SUPPLEMENT CHAMBRE INDIVIDUELLE :   2300 F
ACOMPTE A L'INSCRIPTION :   4000 F
FORMALITES : Carte nationale d'identité de moins de 10 ans obligatoire

LE PRIX COMPREND :
◆ Le voyage en autocar à l'aéroport de Paris et retour
◆ Le transport aérien
  Paris/Fort de France - Pointe- à-Pitre/Paris
◆ La croisière inter-îles
◆ Le logement en chambre double avec bain ou douche/wc en hôtels***
◆ Les repas du dîner du 1er jour au petit déjeuner du dernier jour (hors boissons)
◆ Excursion au nord de l'île en Martinique
◆ Excursion aux Saintes en Guadeloupe
◆ Les services de notre accompagnatrice
◆ L'assurance Assistance/Rapatriement/Annulation

LE PRIX NE COMPREND PAS :
◆ Les excursions facultatives
  (tarifs donnés à titre indicatif)

1er JOUR : VOTRE LIEU DE DEPART/FORT-DE-FRANCE
Transfert en autocar à l'aéroport de Paris. Vol sur la ligne régulière Air France à destination de Fort-de-France. Arrivée en fin d'après-midi. Cocktail de bienvenue. Installation à l'hôtel, dîner, logement.

DU 2ème AU 5ème JOUR : SEJOUR EN MARTINIQUE
Séjour en pension complète à l'hôtel les "Amandiers***" en bordure de plage, dans un jardin tropical, à proximité de Sainte Luce, pittoresque village de pêcheurs. Chambres climatisées avec salle de bain, téléphone, télévision, terrasse ou loggia.
Visite du Nord de l'île, une journée avec déjeuner (inclus dans le programme). Les jardins de Balata (fleurs et plantes tropicales qui ont fait la renommée de l'île), la forêt tropicale avec ses fougères et ses bambous géants. Déjeuner. Retour à travers les plantations de bananes et d'ananas.

EXCURSIONS FACULTATIVES :
1 JOURNÉE (déjeuner inclus) :
● Sud Caraïbes : 325 F.
● Sur la route de la Trace : 365 F.

6ème JOUR : TRANSFERT MARTINIQUE/GUADELOUPE
Matinée libre et transfert au port. Embarquement à bord d'un bateau croisière. Arrivée à Pointe-à-Pitre. Installation et pension complète à l'hôtel.

DU 7ème AU 11ème JOUR : SEJOUR EN GUADELOUPE
Séjour en pension complète à l'hôtel "Kayela***" situé en bord de mer avec plage privée entre Sainte Anne et Saint François. Chambres climatisées avec loggia ou terrasse. Vous profiterez de la plage et des activités proposées par l'équipe d'animation. Les Saintes en bateau, une journée avec déjeuner (inclus dans le programme). Des plages splendides, une des plus belles baies du monde dans laquelle des bateaux magnifiques jettent l'ancre.

EXCURSIONS FACULTATIVES :
1 JOURNÉE (déjeuner inclus) :
● La Pointe des Châteaux et de la Vigie : 350 F.
● Les Chutes de Carbet et la Soufrière : 340 F.
Le dernier jour, transfert en fin d'après-midi à l'aéroport. Envol à destination de Paris. Dîner et nuit à bord.

12ème JOUR :
POINTE-A-PITRE/VOTRE LIEU DE DEPART
Arrivée en fin de matinée. Retour en autocar à votre lieu de départ.

Avez-vous compris ?

Dates possibles	
Prix et services	
Séjour en Martinique :	
Activités principales	
Autres excursions possibles	
Séjour en Guadeloupe :	
Activités principales	
Autres excursions possibles	

Mots à retenir / Mots en contexte :
l'île *(f) island*, emeraude *emerald*, **laisser** *to let, allow*, séduire *to seduce*, le sable *sand*, les épices *(f) spices*, **le vol** *flight*, **l'après-midi** *(m) afternoon*, **le séjour** *stay*, pension complète *full room and board*, en bordure de *bordering*, le pêcheur *fisherman*, **climatisé** *air-conditioned*, la loggia *balcony*, **le déjeuner** *lunch*, la renommée *renown, fame*, la fougère *fern*, l'ananas *(m) pineapple*, **la journée** *day*, la matinée *morning*, le bateau croisière *cruise ship*, en bord de mer *at the seashore*, **entre** *between*, **l'équipe** *(f) team*, des plus belles *of the most beautiful*, **le monde** *world*, laquelle *which*, jeter *to throw, drop*, acompte à l'inscription *payment when signing up*, le repas *meal*, hors *excluding*, la boisson *drink*

Info-Culture : Les Antilles

Guadeloupe and Martinique are located in the Caribbean, southeast of Cuba and Haiti in a group of islands known as the Lesser Antilles (**les Petites Antilles**). They have been French since 1635. They are part of the **départements d'outre-mer (les DOM)**, territories that used to be a part of the French colonial empire. There are ninety-six **départements** in France and four **DOM**: (1) **la**

Guadeloupe and **la Martinique,** (2) **la Réunion** in the Indian Ocean, (3) **la Guyane** on the northeast coast of South America, and (4) **Saint-Pierre-et-Miquelon,** two small islands off the coast of Newfoundland. There are also three **territoires d'outre-mer (les TOM): la Polynésie-Française, la Nouvelle-Calédonie, Wallis-et-Futuna.**

Warm winds and the sea give Guadeloupe and Martinique a tropical climate. Their volcanic origin accounts for spectacular and varied terrain that attracts many tourists from Europe and North America. **La montagne Pelée** and **la Soufrière** are still active volcanoes.

Martinique has a population of 360,000; its capital is **Fort-de-France.** Guadeloupe is actually two islands separated by the **rivière Salée** and has a population of 387,000. Its administrative capital is **Basse-Terre,** and its business capital is **Pointe-à-Pitre.** The economy of Martinique and Guadeloupe is largely agricultural; the main crops are sugarcane, bananas, pineapples, avocados, citrus fruit, and flowers. Tourism, however, remains the main economic resource.

Et vous ?

Would you like to visit Martinique or Guadeloupe? Why or why not? Are there other **départements d'outre-mer** or **territoires d'outre-mer** that you would like to visit?

Communication et vie pratique

A. **Internet.** Assume that you are going to visit Martinique. Plan what you want to see and do by searching the Internet. Use a search engine, or check sites such as http://caribbeansupersite.com/martinique/getaround.htm.

B. **À l'agence de voyages.** Three friends, Michel, Raymonde, and Mathieu, are consulting a travel agent. Listen to their conversation and then complete the sentences that follow.

> *Pour mieux comprendre :* Sometimes it is useful to listen for specific pieces of information the first time you hear a conversation and then get more details the next time you listen. Listen to the conversation and tell whether Raymonde, Michel, or Mathieu wants to (1) travel abroad, (2) take guided tours, (3) go to North Africa.

1. Les trois amis désirent passer leurs vacances...
2. Ils préfèrent prendre leurs vacances...
3. Pour leurs prochaines vacances, ils pensent que c'est préférable de...
4. Les pays que Michel désire visiter sont situés...
5. Le voyage que l'agent propose est un voyage de...
6. Ils vont être obligés de prendre leurs vacances en septembre parce que...

C. **Vacances d'été.** Jot down ideas about a vacation you would like to take this summer: destination, type of transportation, activities, season or month of travel, preferred type of lodging, cost, and so forth. Then talk with a travel agent (played by another student) and try to find a trip that you would like from among those that the agent offers in the next activity.

D. **Agents de voyages.** You are working in a travel agency and are receiving calls or visits from prospective customers. Try to find a vacation that suits your customers' tastes and pocketbook. You may be able to find information on the World Wide Web to use in your descriptions of places around the French-speaking world.

E. **Au Syndicat d'Initiative.** You are working for your local tourist bureau. Tell French visitors what kinds of accommodations, activities, and transportation are available in your area. Consider putting this information into a brochure or flyer (or on a Web site) to give to French visitors in your town.

It might be helpful to have students work in small groups on this activity.

Pour mieux écrire : Decide whether you are going to prepare a brochure, a flyer, or a possible Web site. Then find samples that will give you ideas about format and presentation (use of graphics, photos, information included, headlines, bulleted lists, etc.) that can be used to make your product more attractive and useful.

Bien prononcer

A. Practice repeating the nasal sound /ɛ̃/ as in **province** and note the different letter combinations associated with this sound.

matin	impossible	américain	chien
médecin	simple	train	bien
intéressant	sympathique	prochain	

B. Note the difference in the pronunciation of the masculine and feminine forms of nouns and adjectives whose masculine forms end in /ɛ̃/. This change occurs whenever **in, ain,** or **ien** is followed by a vowel or by another **n** or **m.**

/ɛ̃/	/ɛn/	/ɛ̃/	/in/
américain	américaine	cousin	cousine
mexicain	mexicaine	voisin	voisine
marocain	marocaine	copain	copine
italien	italienne		
canadien	canadienne		
tunisien	tunisienne		
pharmacien	pharmacienne		

Petite conversation... Practice repeating the following conversation.

— Vous avez des projets intéressants pour l'été prochain ?
— Nous allons en Italie, chez ma cousine.
— Votre cousine est italienne ?
— Oui, nous avons plusieurs cousins italiens.

À TAHITI

La Polynésie-Française, un des territoires français d'outre-mer (TOM) comprend les îles de la Société (avec Tahiti), les Marquises, les Tuamotu, les Gambier et les îles Australes.

Principale ville : Papeete (sur l'île de Tahiti)

Superficie totale : 4 000 km²

Population : 188 850 h

Langues : français et tahitien

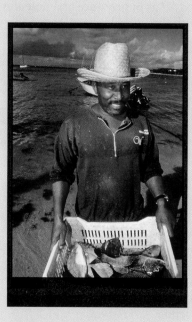

Eh oui, je suis de Tahiti, ce merveilleux petit coin du monde que tout le monde rêve de visiter ! En fait, j'habite sur l'île de Moorea qui est au nord-ouest de Tahiti, à environ trente minutes en bateau. Mais pour vous, le mot magique, c'est Tahiti. C'est un mot qui évoque l'exotisme, la luxuriance de la végétation, l'extraordinaire beauté des paysages et les belles vahinés (femmes tahitiennes) qui dansent sur la plage.

Pour nous, Tahiti, ce n'est pas seulment un paradis tropical, c'est l'endroit où nous essayons de gagner notre vie ! En fait, beaucoup de gens ici travaillent dans l'industrie touristique. Moi, par exemple, je suis le skipper d'un catamaran de dix-huit mètres qui emmène les touristes—et quelquefois les gens d'ici—visiter les différentes îles de la Polynésie. Nous avons des croisières toute l'année. Avec une croisière de huit jours, par exemple, vous allez visiter les îles Marquises, ou Bora Bora et les îles Sous-le-Vent.

Ma femme travaille aussi. Elle donne des cours de danse tahitienne. Elle enseigne dans une des nombreuses écoles de musique et de danse où les enfants apprennent les danses et les chants traditionnels polynésiens. Les filles commencent à l'âge de quatre ans, et pour les garçons, c'est à cinq ans. C'est important pour nous de cultiver notre art et nos traditions. Au mois de juillet, pour les fêtes du Heiva, nous avons un grand festival de danse qui s'appelle le Taupitinui, en tahitien. >>

Vocabulaire

Les voyages (Voir pp. 90–91)
Le verbe *aller* (Voir p. 94)
Les mois de l'année (Voir p. 94)
Les prépositions et les noms de lieux (Voir pp. 97–98)
Les nombres (Voir pp. 100–101)

Noms

année *(f) year*
après-midi *(m) afternoon*
auberge de jeunesse *(f) youth hostel*
automne *(m) autumn*
cinéma *(m) movies, movie theater*
copain / ine *(m, f) friend, pal*
déjeuner *(m) lunch*
départ *(m) departure*
endroit *(m) place*
équipe *(f) team*
garçon *(m) boy; waiter*
gens *(m pl) people*
journée *(f) day, daytime*
mer *(f) sea*
monde *(m) world*
moyen *(m) means*
nuit *(f) night*
petit déjeuner *(m) breakfast*
plage *(f) beach*
projet *(m) plan, project*
promenade *(f) walk, stroll*
retour *(m) return*
séjour *(m) stay*
semaine *(f) week*
souvenir *(m) memory, souvenir*
spécialité *(f) specialty, special feature*
vol *(m) flight*

Verbes

acheter *to buy*
aller *to go*
fermer *to close*
jeter *to throw; to drop (anchor)*
laisser *to let, allow*
prendre *to take*
réserver *to reserve*
je voudrais *I would like*

Adjectifs

climatisé *air-conditioned*
prochain *next*
tout *every, all*

Divers

à l'étranger *abroad*
aujourd'hui *today*
combien de *how much, how many*
entre *between*
laquelle *which*
pendant *during*

Chapitre cinq

Bon appétit !

Fonctions

Dans ce chapitre, vous allez apprendre à
- *parler de ce que vous aimez manger*
- *identifier et préciser*
- *acheter et consommer*
- *commander au restaurant*

Vocabulaire et structures

Point de départ : La nourriture et les magasins
d'alimentation
Exploration 1 : Les adjectifs démonstratifs
Exploration 2 : Le partitif
Exploration 3 : Le verbe **prendre** *et le verbe* **boire**

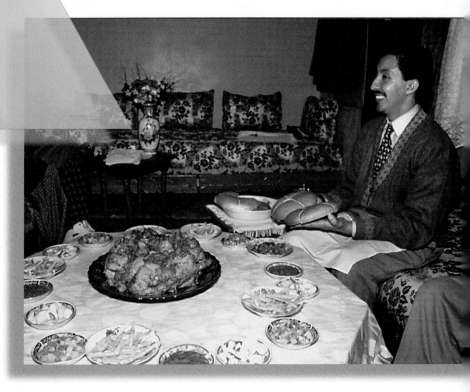

Point de départ : La nourriture et les magasins d'alimentation

En France, beaucoup de gens achètent leurs provisions chaque jour dans les différents magasins de leur quartier. D'autres préfèrent aller au supermarché une fois par semaine.

À la boulangerie-pâtisserie...

Mme Lebrun va chaque jour à la boulangerie pour acheter son pain. Qu'est-ce qu'elle va acheter aujourd'hui ?

Although there are often separate shops for breads and pastries, these shops can also be combined into **une boulangerie-pâtisserie.** The same is true for **une boucherie** (meats) and **une charcuterie** (pork products and prepared foods) in the next section. You might want to point out also that the French are eating less bread and fewer potatoes for health and fitness reasons.

une tarte

une baguette

un croissant

des glaces

des petits gâteaux

un gâteau

À la boucherie-charcuterie...

Quelle sorte de viande est-ce que M. Richard va acheter aujourd'hui ? Voici...

le saucisson
les saucisses
le porc
le jambon
le pâté
LES CHARCUTERIES

le poulet
le veau
le bœuf
le lapin
les plats cuisinés
LA VIANDE

À l'épicerie...

Après son travail, Philippe passe à l'épicerie pour acheter des fruits et des légumes. Voici...

les conserves
les pâtes
les produits surgelés
le beurre
les œufs
le fromage
la crème
le lait
le sucre
le sel
le poivre
le café
le chocolat
le thé
les oranges
les bananes
les pêches
le raisin
les poires
les asperges
les haricots verts
les petits pois
les carottes
les pommes de terre
les artichauts
la laitue
les tomates
les pommes
les fraises
les cerises

Point out that there is no liaison with **les haricots** and contrast the pronunciation of **un œuf** / œnœf / and **des œufs** / dezø /.

Point out that **les raisins secs** are raisins and that lettuce is **la laitue.** You might want to mention also that although **les produits surgelés** are becoming increasingly popular, the French still prefer fresh produce and are likely to buy seasonal fruits and vegetables. Have students note that there are two general types of mineral water: **gazeuse** such as Perrier and Vichy and **non-gazeuse** such as Evian and Vittel. Tap water is **l'eau du robinet.**

Have students make up other shopping lists, including appropriate amounts of each item.

Communication et vie pratique

A. Préférences. First, make a list of the fruits, vegetables, and meats that you like and dislike. Then talk about your food preferences with another student.

je déteste	je n'aime pas	j'aime	j'aime beaucoup	j'adore

EXEMPLE   **Quels fruits et légumes est-ce que tu aimes ?**
J'aime beaucoup les cerises et les pommes, mais je n'aime pas beaucoup les bananes. Et toi ?

B. C'est à quel rayon, s'il vous plaît ? Imagine that you are shopping at **Super Monoprix** and need to find certain items. Ask one of the **Super Monoprix** employees (played by another student) where you can find the items listed on the next page. He or she will consult the map that follows and respond to your questions.

EXEMPLE petits pois
Où sont les petits pois, s'il vous plaît ?
Là-bas, au rayon des légumes.

1. poires
2. vin
3. pommes de terre
4. pêches
5. pain
6. œufs
7. poulet
8. fromages
9. haricots verts
10. petits gâteaux

Read the following and have students indicate if each is **un fruit, un légume,** or **une viande: le jambon, les fraises, les pêches, les pommes de terre, les bananes, les carottes, les côtelettes de porc, le veau.**

C. **Internet.** Compare the foods that you can buy in **épiceries** in two different parts of the francophone world. Use a search engine to find them, or search from a site such as **http://www.i3d.qc.ca/i3dpro/francite.exe/q?name= epicerie.**

D. **Le jeu des familles.** Divide into groups of four and make a list of five food items that fit each of the following categories: **les viandes, les légumes, les fruits, les desserts.** Then place each word on a small note card. Shuffle the cards and deal them all to the four players in your group. The goal of the game is to put together a full category of foods (e.g., five vegetables). The first player asks another player if he or she has a particular item in one of the categories; if the answer is "yes," the player is given the card and continues to ask either the same player or a different player for other items until a negative answer is given. When a "no" is given, it is the next player's turn. The first player to successfully assemble a category wins.

EXEMPLE **Dans la famille des fruits, est-ce que tu as la pomme ?**
Oui, j'ai la pomme (*ou* Non, je n'ai pas la pomme).

You might want to prepare the cards ahead of time to save time. You might also want to have students practice placing food items in the appropriate categories (e.g., **les viandes, les légumes, les fruits, les desserts**). You could also add categories such as **les produits d'épicerie,** and so on.

Info-culture : Les repas

In general, food plays a more important role in France than in the United States. Although eating habits are changing, one can still say that French people are less inclined than Americans to eat at fast-food restaurants and that the quality of food and the wine that often accompanies the meal are very important for the French.

Le petit déjeuner

- Usually consists of **café au lait** served in a bowl, **croissants**, French bread, or **biscottes** (similar to melba toast), butter, and jam.
- Children often drink hot chocolate rather than **café au lait.**
- Cereals are becoming more popular, especially among children.

Point out that fast-food restaurants are generally frequented by young people (age 25 or under), who represent about half of the customers in fast-food restaurants. Nonetheless, fast-food meals represent a small percentage (about 8 percent) of the total meals eaten outside the home in comparison with around 30 percent in the United States. Note also that there is no direct equivalent in French for the concept of junk food.

Le déjeuner

- Usually eaten between noon and 2:00 P.M.
- Students in elementary school through high school are given about an hour and a half to eat their lunch, whether at school or at home.
- Increasingly eaten outside the home.
- Regains its traditional importance on weekends or during vacation.
- Dishes are served in courses rather than all at once.
- A more elaborate **déjeuner** is usually served with wine and is composed of:
  Les hors-d'œuvre (also called **entrées**) such as **le pâté, la salade de tomates,** or **les artichauts.**
  Fish or meat (sometimes both)
  Vegetables
  Salad
  Cheeses (**le plateau de fromages**)
  Dessert (**une pâtisserie, une glace,** or **un fruit**)
  Coffee and perhaps **un digestif** such as brandy or a liqueur

Le goûter

- An afternoon snack, usually pastry or French bread with butter and jam (**une tartine**)

Le dîner

- Traditionally a lighter meal than **le déjeuner** (e.g., soup, an omelette, or a light meat and vegetable dish, bread, and cheese or fruit)

- Increasingly becoming a larger meal as family members cannot come home for the noon meal.
- Usually served between 7:00 and 8:00 P.M.
- An important family get-together time.

Et vous ?

A French friend is coming to the United States and has asked you about American food; tell the friend what to expect.

Exploration 1

Identifier et préciser : Les adjectifs démonstratifs

Sometimes we want to be very specific in identifying things. To do this, demonstrative adjectives *(this, that, these, those)* are used. Like all French adjectives, they agree in gender and number with the nouns they modify.

Les adjectifs démonstratifs		
	Singulier	**Pluriel**
Masculin devant une consonne	**ce** restaurant	**ces** restaurants
Masculin devant une voyelle	**cet** hôtel	**ces** hôtels
Féminin	**cette** maison	**ces** maisons

Ce soir, je vais faire le marché.
Où est **cet** hôtel ?
J'achète toujours mon pain dans **cette** boulangerie.
Ces haricots verts ne sont pas bons.

When you want to distinguish between *this* and *that* or *these* and *those*, the suffixes **-ci** (for *this* and *these*) and **-là** (for *that* and *those*) are added to the noun.

Est-ce que vous préférez ces pêches-ci ou ces pêches-là ?

You now know three ways to identify objects and people.

	Masculin	**Féminin**	**Pluriel**
Articles indéfinis	**un**	**une**	**des**
Articles définis	**le (l')**	**la (l')**	**les**
Adjectifs démonstratifs	**ce (cet)**	**cette**	**ces**

Situation : Au marché

Open-air markets (**les marchés en plein air**), which are often set up several times a week, are still common in both small and large cities. Covered markets (**les halles**) are often found in large cities.

Madame Vallois is shopping at an open-air market and stops at her favorite fruit and vegetable stand.

Le Marchand	Bonjour, madame. Vous désirez... ?
Mme Vallois	Qu'est-ce que vous avez de bon aujourd'hui ?
Le Marchand	Ces fraises sont excellentes.
Mme Vallois	Et ces pêches, combien est-ce qu'elles coûtent ?
Le Marchand	Dix-huit francs le kilo.
Mme Vallois	Vous n'avez pas de cerises ?
Le Marchand	Non, nous n'avons plus de cerises en cette saison.
Mme Vallois	Alors, je vais prendre ces tomates, ce melon et ces fraises.

Have students rewrite and then perform the dialogue substituting different fruits, vegetables, and/or meats.

> **Mots à retenir :**
> **ne... plus** *no more, no longer*

IAE Drills: Have students give the appropriate form of the demonstrative adjectives **le gâteau→ce gâteau): le vin, le fromage, le café, la salade, la pomme, l'eau minérale, les carottes, les pêches, les haricots, les cerises.** Have students give the following words in the singular (**ces gâteaux→ce gâteau): ces fruits, ces légumes, ces hommes, ces examens, ces viandes, ces artichauts.**

Avez-vous compris ?

Indiquez quels produits le marchand a et quels produits il n'a pas. Indiquez aussi ce que Madame Vallois achète.

Communication et vie pratique

A. **Ça coûte combien, s'il vous plaît ?** You are shopping in an outdoor market and ask the price of various items. What do you ask?

EXEMPLE les petits pois
Combien coûtent ces petits pois ?

1. les pommes
2. le saucisson
3. l'eau minérale
4. les bananes
5. le fromage
6. la salade
7. les œufs
8. les tomates

 B. **Au restaurant.** While eating out with friends, you want to comment on how good the food is. What do you say?

EXEMPLE fromage
Ce fromage est excellent.

Mots descriptifs : excellent, parfait, très bon, assez bon, délicieux

1. haricots verts
2. veau
3. fruits
4. poulet
5. fromage
6. tarte
7. gâteau
8. fraises

C. **Compliments et commentaires.** Imagine that you are in the following situations and want to compliment your French-speaking friends about various things. What would you say?

EXEMPLE Vous mangez dans un bon restaurant avec vos amis.
Ce restaurant est excellent !
J'aime bien ce restaurant.

1. Vous visitez leur ville.
2. Vous mangez un bon repas ensemble.
3. Vous regardez un film ensemble.
4. Vous allez à un concert avec vos amis.
5. Vous allez dans une pâtisserie avec des amis.
6. Vous visitez le quartier où ils habitent.

You might want to have students open stands and prepare signs that indicate the produce they have for sale, including the price of the different items. If available, ads from francophone sources can be used. Students can be asked to pay for their items, thus practicing counting and making change. Have students greet the merchant (**Bonjour, monsieur,** and so on) and have them thank the merchant and say good-bye when the transaction is completed (**Merci, madame. Au revoir, madame.**)

C'est votre tour

You are at a market where you comment on the quality of the items and ask the shopkeeper how much each item costs. Another student will play the role of the shopkeeper and will respond to your questions. After you have made your selections, tell the shopkeeper what you have chosen. Use the illustration that follows as a guide.

EXEMPLE **Ces tomates coûtent combien, s'il vous plaît ?**
Huit francs le kilo.
Alors, je vais prendre ces tomates et ces haricots.

Exploration 2

Acheter et consommer : Le partitif

Some things, like coffee, salt, or patience, cannot be counted. In English, we often use the words *some, no,* and *any,* or no article at all with such words. We say, for example, *I would like some coffee; we don't have any time; he has no patience; we have money.* In French, the partitive article conveys these meanings.

Le partitif		
	Affirmatif	**Négatif**
Devant un nom masculin	**du** café	**pas de** café
Devant un nom féminin	**de la** salade	**pas de** salade
Devant une voyelle	**de l'**eau minérale	**pas d'**eau minérale

A. Note that after a negative verb, the partitive article is always **de** or **d'.** The verb **être** does not follow this rule: **Ce n'est pas *du* café.**

Nous ne mangeons jamais **de** viande.
Vous n'avez pas **d'**artichauts ?

B. **De** is also used in other expressions of quantity, weights, measures, and serving or packaging sizes.

- assez de *(enough)*   (un) peu de *([a] little)*
  beaucoup de   trop de

- une boîte de *(a box, can of)*   un paquet de
  une bouteille de   une tasse de *(a cup of)*
  une carafe de   une tranche de *(a slice of)*
  un morceau de *(a piece of)*   un verre de *(a glass of)*

- un kilogramme (kilo, kg) de   une livre (500 grammes) de
  un litre de   *(a pound of)*

C. Note that when food items are counted as separate items *(a loaf of bread, an orange)* or used in the plural *(some green beans, some fruits),* the indefinite article is used.

Je voudrais **une** baguette et **un** gâteau.
Nous allons manger **des** petits pois et **des** carottes.

D. Note also the contrast between partitive and definite articles. The partitive is used to indicate an unspecified amount of a noncountable item. If a verb expresses consumption (**acheter, consommer, manger, avoir),** that is a clue to using the partitive. On the other hand, the definite article is used to refer to general categories, such as when talking about likes and dislikes (using verbs such as **aimer, préférer,** and **détester).**

Je mange **du** fromage.   ↔   J'aime **le** fromage.
Je vais acheter **de la** viande   ↔   J'aime bien **la** viande.
Je voudrais **du** chocolat.   ↔   J'adore **le** chocolat.

Situation : Le goûter

Henri has just come home from school and wants his after-school snack.

HENRI   Maman, est-ce qu'il y a du pain et du chocolat pour mon goûter ?
LA MÈRE   Il y a encore un peu de pain, mais il n'y a plus de chocolat. Je vais aller au supermarché.
HENRI   Qu'est-ce que tu vas acheter ?
LA MÈRE   Quelques tranches de jambon, du poisson, et des petits suisses.
HENRI   Et ma tablette de chocolat, tu n'oublies pas, hein ?
LA MÈRE   Non, bien sûr. Regarde dans le frigo. Est-ce qu'il reste du lait ?
HENRI   Il y a encore un peu de lait mais il n'y a plus de jus de fruit.

> **Mots à retenir :**
> **le goûter** *snack,* **le poisson** *fish,* **des petits suisses** *individually wrapped pieces of soft cheese,* **oublier** *to forget,* **hein ?** *eh? okay?* **le frigo** *refrigerator, fridge,* **il reste du lait ?** *Is there any milk left (remaining)?,* **le jus** *juice*

Avez-vous compris ?

Indiquez ce qu'Henri désire manger pour son goûter, ce que sa mère a l'intention d'acheter et ce qui reste dans le frigo.

Communication et vie pratique

A. **Au restaurant universitaire.** You are asking French friends how often the following foods are served in the **restaurant universitaire**. What do they say?

> EXEMPLE   soupe (quelquefois)
> **Est-ce qu'il y a souvent de la soupe au menu ?**
> **Oui, on mange quelquefois de la soupe.**

1. viande (souvent)
2. poisson (rarement)
3. glace (quelquefois)
4. salade (souvent)
5. pain (toujours)
6. eau minérale (toujours)
7. vin (quelquefois)
8. fromage (souvent)
9. légumes (toujours)
10. fruits (toujours)

B. **Et toi ?** Your French friends have asked what American students generally eat. Base your answer on what is usually served in your dining hall or what you and your friends generally eat. Use the items listed in the preceding activity and add others that fit your situation.

> EXEMPLE   **Nous mangeons souvent de la viande, mais il n'y a jamais de poisson au menu.**

Point out that **le goûter** is used specifically for an after-school snack; **un casse-croûte** refers to a morning snack eaten by a worker. **Un snack-bar** is a cafeteria-style restaurant. Among the more popular after-school snacks are **un morceau de pain avec une barre de chocolat, un petit pain au chocolat, une tartine de confiture, des petits gâteaux secs.**

Have students repeat the following nouns, replacing the definite article with the partitive article: **le pain, le fromage, le vin, le thé, le lait, la viande, la soupe, la salade, l'eau minérale.** Then have students change the following sentences (**J'aime le poisson → Je mange du poisson**): 1. **Nous aimons le pain.** 2. **Ils aiment le poulet.** 3. **Monique aime le chocolat.** 4. **Tu aimes la salade.** 5. **Vous aimez le fromage.** 6. **Mon petit frère aime la confiture.**

Have students make up shopping lists that they dictate to other students who write down what they say.

C. **Au marché.** The French family with whom you are staying has given you a grocery list and has asked you to go shopping for them. What would you ask for and in what amounts in the following stores?

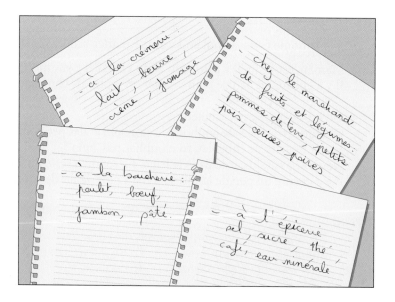

D. **C'est moi le chef !** You are planning to make one or more of the following dishes (or one of your favorite dishes) to serve to some French friends. Tell some of the ingredients you'll need to buy.

> EXEMPLE **Je vais préparer une salade. Pour cela, j'ai besoin d'acheter de la salade, des tomates, des carottes...**

Have students describe the ingredients in their favorite dish, providing supplementary vocabulary as needed.

1. une pizza
2. une salade
3. un sandwich
4. une soupe aux légumes
5. une omelette
6. une salade de fruits

E. **Préférences et habitudes.** Find out if other students in your class like the following foods and how often they eat them. Tell them about your own preferences.

> EXEMPLE **la glace**
> **Je mange souvent de la glace. J'adore la glace au chocolat. Et toi ?**
> **Moi, je préfère la glace à la fraise.**

Have students guess the meanings of the new words in this brochure, encouraging them to use both context and visuals.

1. le poisson
2. le pain français
3. le fromage français
4. la soupe
5. la viande
6. la glace
7. la salade
8. le dessert

F. **Et pour le petit déjeuner ?** The **Comité français d'Éducation pour la Santé** published a pamphlet about the importance of eating a good breakfast. Based on the information in the brochure, describe the meal you would eat on mornings when you're in a hurry (**Pour les matins pressés et sans courage**) and for mornings when you have more time (**Pour les matins où vous avez le temps de vous laisser vivre**).

G. **À l'épicerie.** Following is a shopping list that you have been given by your French family. What would you tell the grocer?

> EXEMPLE   beurre (250 g)
> **Je voudrais deux cent cinquante grammes de beurre.**

1. café (1 livre)
2. pâté de campagne (3 tranches)
3. chocolat (2 tablettes)
4. vin rouge (1 bouteille)
5. petits pois (4 boîtes)
6. petits gâteaux (1 paquet)
7. pêches (2 kg)
8. cerises (500 g)

4 IDEES

POUR LES MATINS PRESSES ET SANS COURAGE

Choisir des menus rapides pour des petits déjeuners complets.

Pain	Pain complet
Beurre	Beurre
Confiture	Yaourt
Café au lait	Le jus d'1/2 pamplemousse
Jus de fruit	

POUR LES MATINS OU VOUS AVEZ LE TEMPS DE VOUS LAISSER VIVRE

Agrémenter d'une tranche de jambon ou d'un œuf pour des petits déjeuners plus raffinés

Céréales	Œuf à la coque
Lait froid	Biscottes
Fromage	Beurre
Pain grillé	Café au lait
Orange pressée	Pomme râpée

C'est votre tour

Imagine that you have stopped to buy some groceries. Unfortunately, the store is almost out of many of the special items advertised this week (see p. 128). The employee (played by another student) knows which items are no longer available but you do not. He or she is determined to sell you the few items that are left. Use the suggestions as you role-play this situation.

Have the student playing the role of the employee decide ahead of time which items are no longer available and also reasons to convince the person shopping to buy the items that are left.

Le client	Le marchand
Je voudrais...	Je regrette, mais nous n'avons plus de...
Est-ce que vous avez...	Oui, nous avons encore...
Je ne mange pas de...	Est-ce que vous aimez...
Je n'aime pas...	Les _____ sont très bon(ne)s en cette saison.
?	?

LE KG
~~69F~~
55F

La fête des petits prix !

BOEUF CHAROLAIS
Macreuse, tranche et gite noix
A griller, à poêler
En caissette
Au rayon boucherie

LE KG
59F

PAVÉ DE SAUMON
Origine : Norvège
Au rayon poissonnerie

LE KG
22F**50**

**POULET FERMIER
DE LOUÉ**
Au rayon libre-service

LE KG
26F**90**

FILET DE LIEU NOIR
Au rayon poissonnerie

LE SACHET
28F**90**

+ 10 % GRATUIT

LABEYRIE
Saumon Fumé Atlantique
ECOSSE
3/4 PERSONNES

SAUMON FUMÉ ÉCOSSAIS LABEYRIE
Sachet traiteur 150 g + 10 % gratuit
Soit le kg : 175,16F
Au rayon libre-service

LE SACHET
~~24F90~~
17F**90**

LANDVIKA
truite fumée
3/4 personnes 5/7 tranches   poids net 150 g

TRUITE FUMÉE LANDVIKA
Sachet traiteur 150 g
Soit le kg : 119,34F
Au rayon libre-service

La fête des petits prix !
LE KG
23F**80**

**PORC LONGE ENTIÈRE
AVEC OS**
Pré découpée

LE LOT DE 3
12F**90**

6
Quenelles
G. Leochard
240g

QUENELLES NATURES
3 sachets
3 x 240 g
Soit le kg : 17,92F
Au rayon libre-service

22F**90**

Lasagnes
viande pur bœuf
Plat Familial
pour 4 personnes

LASAGNES SURGELÉES
Carrefour
1 kg + 20 % gratuit
Soit le kg: 19,08F

+ 20 % GRATUIT
1 kg

Carrefour

13

Exploration 3

Commander au restaurant : Le verbe *prendre* et le verbe *boire*

To talk about eating food or drinking beverages, the verbs **prendre** and **boire** are often used. In a restaurant, for example, you might hear questions such as **Et comme dessert, qu'est-ce que vous prenez ? Qu'est-ce que vous allez boire ?**

A. **Prendre** usually means *to take*, but with food items it is more like *to have*. **Prendre** is an irregular verb.

Prendre	
je **prends**	nous **prenons**
tu **prends**	vous **prenez**
il / elle / on **prend**	ils / elles **prennent**

Qu'est-ce que tu **prends** comme dessert?
Je vais **prendre** un fruit.

Nous **prenons** souvent le train.

Other common verbs conjugated like **prendre** are **comprendre** *(to understand)* and **apprendre** *(to learn)*. Nous **apprenons** le français.

B. **Boire** *(to drink)* is also an irregular verb.

Boire	
je **bois**	nous **buvons**
tu **bois**	vous **buvez**
il / elle / on **boit**	ils / elles **boivent**

Qu'est-ce que vous **buvez** ?
Je **bois** rarement du café.

C. To indicate that you are hungry or thirsty, use **avoir faim** and **avoir soif.**

J'ai faim. Je vais prendre un sandwich.
J'ai soif. Je voudrais un grand verre d'eau.

In a French restaurant, the following names of beverages are useful:

un café crème *(coffee with cream)*
un café noir *(black coffee)*
une tasse de café
un thé *(tea)*
un chocolat chaud *(hot chocolate)*
un citron pressé *(fresh lemonade)*
une eau minérale
un jus de fruit

un verre de vin rouge / blanc *(glass of red/white wine)*
un apéritif *(before-dinner drink)*
un digestif *(after-dinner drink)*
une carafe de vin
une bière
un coca

Students might find it interesting to use a search engine to find and check out sites of French cafés on the Internet.

You might want to point out that **café au lait** is a breakfast beverage, consisting of coffee and heated milk.

Situation : Au restaurant

Have students rewrite (and perform) the **Situation** by changing the menu items ordered by Mathieu and Julie.

Julie and Mathieu are ready to order lunch.

LE SERVEUR	Vous prenez un apéritif ?
MATHIEU	Non, merci. Nous sommes prêts à commander. Nous prenons le menu à 85 francs.
LE SERVEUR	Et comme boisson, qu'est-ce que vous prenez ?
MATHIEU	Moi, je bois toujours du vin rouge. Et toi, qu'est-ce que tu bois ?
JULIE	De l'eau minérale.
LE SERVEUR	Fromage ou dessert ?
JULIE	Pas de fromage pour moi, mais je vais prendre une glace à la vanille.
MATHIEU	Et pour moi, le plateau de fromages, s'il vous plaît.

Mots à retenir :
prêt *ready,* **commander** *to order (food),* **la boisson** *beverage,* **le plateau** *tray*

IAE Drill: Substitution: 1. **Je prends un café. nous / Monique / les autres / tu / Alain et Robert 2. Nous comprenons bien. je / vous / les étudiants / Martine / tu / Richard 3. Je bois de l'eau minérale. tu / mon frère / nous / mes amis / Chantal 4. Mathieu ne boit pas de vin. je / mes parents / Edouard et Michèle / nous / tu**

Avez-vous compris ?

Quel menu est-ce que Mathieu et Julie prennent ? Qu'est-ce qu'ils prennent comme boisson et comme dessert ?

Communication et vie pratique

Have students redo the activity, putting the sentences in the negative (**Michel ne boit pas de vin**).

A. **Préférences.** Several friends are telling you what they generally drink with their dinner. What do they say?

> EXEMPLE   Michel / vin
> **Michel boit du vin.**

1. je / thé
2. Véronique / eau minérale
3. nous / vin rouge
4. les enfants / lait
5. vous / bière
6. Michel / jus d'orange

B. **Et toi, qu'est-ce que tu bois ?** Tell how often you drink various beverages and for what meals. Share the information with other students.

Have students find ads in francophone magazines and newspapers for different beverages and share them with the class. They might try to identify the similarities and differences between these ads and those in this country.

jamais	rarement	souvent	tous les jours

EXEMPLE café

Je ne bois jamais de café.

ou : **Je bois du café tous les jours pour le petit déjeuner.**

Boissons : café, vin, coca, bière, lait, eau, eau minérale, jus d'orange, etc.

C. **Au restaurant.** Monsieur Monot has invited you to a restaurant. He is asking you and his other guests what you are having for the different courses of the meal.

EXEMPLE Marc / hors-d'œuvre

Qu'est-ce que Marc prend comme hors-d'œuvre ?

1. Michèle / apéritif
2. nous / boisson
3. tu / légumes
4. vous / viande
5. les enfants / dessert
6. Marc / digestif

D. **Où est-ce qu'on mange...** Imagine that some French friends have asked you about your eating habits and how they compare with French preferences. First, answer the questions from your own perspective and share your answers with other students in the class to get a more general profile. Then work with your instructor and other students to determine how French students might answer these same questions. See what the differences and similarities are. The information in the **Info-culture** sections in this chapter will help you develop the French profile.

EXEMPLE ce que vous prenez le matin

Qu'est-ce que vous prenez le matin ?

En général, je bois du café au lait et je mange des céréales.

Et toi, qu'est-ce tu prends ?

1. ce que vous mangez le matin
2. ce que vous mangez à midi
3. ce que vous mangez le soir
4. ce que vous aimez manger quand vous avez très faim
5. ce que vous aimez boire quand vous avez soif
6. ce que vous commandez quand vous allez dans un bon restaurant
7. si vous mangez trois repas par jour
8. si bien manger est important pour vous et pour vos amis

E. **Dans un café français.** The waiter (**le serveur**) or the waitress (**la serveuse**) in a French café asks you and your friends what you want to drink. Role-play the situation with another student.

EXEMPLE LE SERVEUR Qu'est-ce que vous prenez aujourd'hui ?

LE CLIENT Je vais boire un café (*ou* Je prends un café).

LE SERVEUR Un café crème ou un café noir ?

LE CLIENT Un café crème, s'il vous plaît.

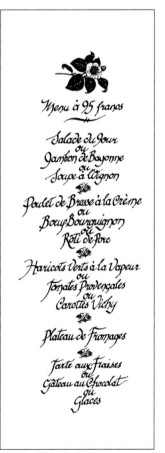

Menu à 95 francs

Salade du Jour
ou
Jambon de Bayonne
ou
Soupe à l'Oignon

Poulet de Bresse à la Crème
ou
Boeuf Bourguignon
ou
Rôti de Porc

Haricots Verts à la Vapeur
ou
Tomates Provençales
ou
Carottes Vichy

Plateau de Fromages

Tarte aux Fraises
ou
Gâteau au Chocolat
ou
Glaces

Have different groups of students role-play the **Situation** in front of the class. The waiter takes the order and reports back to the other students, who verify the accuracy of the order.

C'est votre tour

Imagine that you and several friends are in a small family restaurant and have decided to order the **menu à 95 francs**. The waiter or waitress, played by another student, asks you what you want to order for the different courses: **comme entrée, comme viande, comme légume, comme dessert.**

EXEMPLE La Serveuse **Qu'est-ce que vous prenez comme entrée ?**

Le Client **Je prends la soupe à l'oignon.**

Intégration et perspectives : Le poulet aux champignons et à la crème

Pour mieux lire : As you have seen already, the ability to predict the content of a text improves your comprehension. For this text, make a list of the English words you would expect to find in a recipe for chicken with mushroom sauce; then try to find the equivalent words in the French recipe.

Point out that the infinitive is often used as an imperative in recipes and instruction manuals.

Recette pour quatre personnes.
   Pour cette recette, il faut :

  1 joli poulet de 1 kg ou de 1 kg 500 (poulet de ferme de préférence)
250 grammes de champignons
 60 grammes de beurre
  1 grand verre de crème fraîche
  2 cuillères à soupe de sauce béchamel
    quelques échalotes ou une douzaine de petits oignons blancs
  1 grand verre de vin blanc
  1 petit verre de madère
    du sel et du poivre
    un bouquet garni (thym, laurier et persil)

Couper le poulet en quatre morceaux. Faire fondre le beurre dans une casserole. Quand il est bien chaud, ajouter les morceaux de poulet. Faire dorer le poulet sur toutes ses faces. Quand il est bien doré, mettre le couvercle et laisser mijoter pendant environ trente minutes. Quand le poulet est presque cuit, ajouter les échalotes et le vin blanc. Ensuite, faire sauter les champignons dans un peu de beurre. Quand ils ont rejeté leur eau, placer les champignons autour du poulet et ajouter le verre de madère. Laisser cuire encore quinze minutes. Vérifier la sauce : si elle est trop liquide, ajouter une cuillère à café de fécule délayée dans un peu d'eau froide. Arrêter le gaz et ajouter la crème et la sauce béchamel.

Le poulet est prêt. Servir bien chaud dans un plat entouré de petites tranches de pain grillé frottées avec une gousse d'ail.

> **Mots à retenir /** Mots en contexte :
> **le champignon** *mushroom*, **la recette** *recipe*, **il faut** *it is necessary, you'll need*, **la ferme** *farm*, la cuillère *spoon*, l'échalote *shallot*, le Madère *Madeira wine*, le bouquet garni *fresh herbs*, **couper** *to cut*, fondre *to melt*, **ajouter** *to add*, dorer *to brown*, **mettre** *to put*, laisser mijoter *to let simmer*, cuit *cooked*, **ensuite** *then*, rejeter *to release*, **autour de** *around*, la fécule *cornstarch*, délayé *mixed*, **arrêter** *to turn off, stop*, **entouré** *surrounded*, grillé *toasted*, frotté *rubbed*, la gousse d'ail *garlic clove*

Avez-vous compris ?

La recette du « poulet aux champignons et à la crème » n'a pas été recopiée correctement. Remettez-la dans le bon ordre.

____ **Placer les champignons autour du poulet.**

____ **Ajouter la crème et la sauce béchamel.**

____ **Servir bien chaud.**

____ **Mettre le beurre dans une casserole.**

____ **Couper le poulet en morceaux.**

____ **Laisser mijoter le poulet pendant trente minutes.**

____ **Faire cuire les champignons dans du beurre.**

____ **Vérifier la sauce.**

Info-culture : Bon appétit !

Quel restaurant choisir ?

Choosing a restaurant depends on your finances, your tastes, and the time you have available. Choices range from snack bars or bistros for a quick and inexpensive meal to a high-class restaurant where the meals are prepared by a team of apprentice chefs and sous-chefs under the guidance of a master chef such as Paul Bocuse. Restaurants often serve specialties of their region.

Have students note that it is considered polite to say "Bon appétit" before beginning to eat.

- **La qualité de la table.** Consult one of the restaurant guides published in France, such as the *Guide Michelin,* to find out about the quality and price of the restaurant. The number of stars in the *Guide Michelin* indicates the quality of the restaurant.

    Repas soigné à prix modéré *(Good meal at moderate prices)*
    *****Une très bonne table** *(Very good food)*
    ******La table mérite le détour** *(Food is worth a detour)*
    *******La table vaut le voyage** *(Food is worth a special trip)*

- **La carte, s'il vous plaît.** The menu is generally divided into several categories: **les entrées ou hors-d'œuvre; le plat principal (viande ou poisson accompagné de légumes); les fromages et les desserts.**

- **À la carte ou menu à prix fixe ?** If you want to eat only one or two things, order **à la carte.** On the other hand, if you want a full meal, the **menu à prix fixe** is a better idea. These special menus vary in price and offer choices. A restaurant will often offer a daily special, **le plat du jour.**

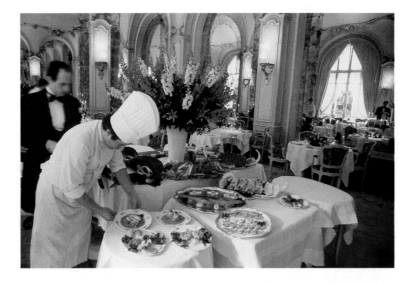

- **Votre bifteck, vous le voulez comment ?** The following will help you order a steak (or other meat or fish) cooked the way you like it.
  bien cuit (*well done*)
  à point (*medium rare,* i.e., *just right*)
  saignant (*rare;* in France, this means *very rare*)
- **Le plateau de fromages.** When you order cheese, the server often brings a cheese tray. Take only a small amount of two or three kinds of cheese and then pass the tray along.
- **L'addition, s'il vous plaît.** When finished, ask the waiter for the check. Although in general the tip (usually 15 percent) is included in the bill, it's a good idea to leave a few extra francs.

Et maintenant, bon appétit !

Et vous ?

Look at the menu on the next page and tell what types of food are available in the following categories: **entrées ou hors-d'œuvre; viandes ou plats chauds; fromages et desserts.** What are the differences between **le menu gourmand** and **le coup de fourchette ?** How is the menu different from or similar to a menu from a comparable American restaurant?

Communication et vie pratique

A. **Vous travaillez dans un restaurant.** Imagine that you are working for the summer as a waiter or waitress in a French restaurant. Listen and write down what Monsieur and Madame Tabet order for lunch.

Pour mieux comprendre : You have been asked to listen to a conversation and then to tell what Monsieur and Madame Tabet order. Think about how you can get organized to listen efficiently. Are the waiter's questions important? Would it help to write down what each person orders? Or would it be more useful to write down each of the courses that you might expect the customers to have (e.g., **hors-d'œuvre, viande**) and then to mark down items ordered in each category? Select a technique and have another student try a different one. Compare your reactions.

Le Menu Gourmand 86,00 F

BUFFET FRAÎCHEUR
Cold buffet - Kaltes Büffet

ou

MESCLIN DE SALADE AUX GÉSIERS CONFITS
Mixed salad with gizzard-Buntersalat mit Geflügelinnereien

ou

TERRINE DE POISSON, SAUCE ROSE
Fish terrine - Fischpastete mit Cocktailsosse

*

FAUX-FILET GRILLÉ
Broiled sirloin steak - Gegrilltes Rinderfilet

ou

PLAT DU JOUR
Daily suggestion - Tagesteller

ou

DARNE DE SAUMON AUX TROIS PURÉES
Slice of salmon - Lachsfilet

*

LE FROMAGE AFFINÉ
Matured cheese - Feiner Käse

*

CHARIOT DE DESSERTS
Desserts from the trolley - Nachspeisen nach Wahl

ou

COUPE GLACÉE
Mixed ice cream - Eisbecher

Le Coup de Fourchette 65,00 F

BUFFET FRAÎCHEUR
Cold buffet - Kaltes Büffet

ou

ENTRÉE DU JOUR
Today's appetizer - Vorspeise des Tages

☆

PLAT DU JOUR
Daily suggestion - Tagesteller

ou

ENTRECOTE GRILLÉE MAÎTRE D'HÔTEL
Broiled sirloin steak - Gegrilltes Entrecôte

-La carafe d'eau est mise gracieusement sur table -
Éxigez votre ticket de caisse - Tous nos prix sont nets

Ask for your ticket - Net prices
Verlangen Sie Ihr Kassenticket - Alle Preise verstehen sich netto

Les Entrées

BUFFET FRAÎCHEUR	35,00F
Cold buffet - Kaltes Büffet	
CRÈME DE LÉGUMES	15,00F
Vegetable soup - Gemüsesuppe	
SALADE PAYSANNE	23,00F
Country salad - Bauernsalat	
TERRINE DE POISSON SAUCE ROSE	25,00F
Fish terrine - Fischpastete mit Cocktailsosse	
JAMBON DE PAYS	31,00F
Raw ham - Geräucherter Schinken	
MESCLIN DE SALADE AUX GÉSIERS CONFITS	29,50F
Mixed salad with gizzard - Buntersalat mit Geflügelinnereien	

Les Plats Chauds

DARNE DE SAUMON AUX TROIS PURÉES	55,00F
Slice of salmon - Lachsfilet	
CÔTES D'AGNEAU GRILLÉES	53,00F
Lambchops- Lammkotelette	
POULET FERMIER À LA PROVENÇALE	51,00F
Grilled Chicken - Gegrilltes Hühnchen	
PAVÉ DE RUMSTEAK AU POIVRE	59,00F
Rumsteak with pepper sauce - Rumsteak Pfeffersosse	
SUPRÊME DE CABILLAUD NIÇOISE	54,00F
Fish filet - Fischfilet	
CONFIT DE CANARD	75,00F
Confit of duck - Ente Confit	

Les Desserts

TARTE TATIN À LA CRÈME FRAÎCHE	25,00F
Apple pie with cream - Apfelkuchen mit Sahn	
CHARIOT DE DESSERTS	25,00 F
Desserts from the trolley - Nachspeisen nach Wahl	
CHOCOLAT OU CAFÉ LIÈGEOIS	20,00 F
Vanilla ice cream wlth chocolate or coffee -Eisschokolade oder Eiskaffee	
GLACE OU SORBET	18,00F
Ice cream or sorbet - Eisbecher	
CRÈME CARAMEL	13,00F
Caramel cream - Karamelcreme	
FROMAGE BLANC À LA CRÈME	12,50F
Cottage cheese with fresh cream - Quark mit Sahn	
LE FROMAGE AFFINÉ	22,00F
Matured cheese- Feiner Käse	

Paiement Carte Bleue: Minimum ~80 F.

B. **Bon appétit.** Some French friends want you to prepare a typical American meal for them and have offered to buy the groceries. Decide what dishes you want to prepare; then tell your friends what items they need to buy and how much of each is needed.

Ce que vous allez servir comme...	Ce qu'il faut acheter comme...
entrée	viande
viande ou plat principal	légumes
légumes	fruits
fromage, dessert ou fruits	produits d'épicerie
boissons	boissons

C. **Internet.** Imagine that you are vacationing in the **Chaudière-Appalaches** region on the south bank of the **Saint-Laurent** in **Québec.** You have to pick a restaurant in the area for dinner tonight. Use a search engine, or check a site such as **http://www.chaudapp.qc.ca/res2_frm.htm,** which lists the types of food available at each restaurant.

D. **Au restaurant.** Imagine that you are ordering from the menu on page 135. Decide whether you are going to order one of the set menus or **à la carte.** One student can play the role of the waiter/waitress and ask other students what they want to order.

E. **Le *Guide du Routard*.** The *Guide du Routard* recommends hotels and restaurants, especially for young people. They have asked you to rate several restaurants in your area and have provided the following form for your use:

VOTRE OPINION SUR LES ADRESSES DE CE GUIDE

Nom du restaurant ou de l'hôtel _____

Adresse exacte _____

Numéro de téléphone _____

Votre avis sur :

	Très bon	Bon	Moyen	Mauvais
Accueil	❏	❏	❏	❏
Cuisine	❏	❏	❏	❏
Rapport : Qualité / prix	❏	❏	❏	❏
Confort	❏	❏	❏	❏
Service	❏	❏	❏	❏
Calme	❏	❏	❏	❏
Cadre	❏	❏	❏	❏
Ambiance	❏	❏	❏	❏

Remarques et observations personnelles :

_____

_____

_____

Bien prononcer

A. The French /r/ is very different from the *r* sound in English. It is pronounced at the back of the mouth—almost in the throat—and resembles the sound one makes when gargling. It is also similar to the sound produced when saying the name of the German composer **Bach,** pronounced with a guttural **ch.** To learn the pronunciation of the French /r/, you can start (1) with a familiar sound, as in **Bach,** or (2) with words where the sound that precedes or follows the **r** is also pronounced toward the back of the mouth: /a/ as in **garage** or /k/ as in **parc.**

Now practice repeating the following words that end with an /r/ sound.

bar	père	beurre	porc
car	mère	heure	sport

B. Practice repeating the following pairs of words, starting with words where the **r** is in the final position, then moving to words where the **r** is in the middle.

par → parent	sport → sportif
gare → garage	père → personne
car → carotte	mère → merci

C. Practice repeating words where the **r** is preceded by another consonant sound.

agréable	étranger	chambre
géographie	entrer	nombre

Petite conversation... Practice repeating the following conversation.

— Prenez encore du fromage ou des fruits...
— Je préfère reprendre de la crème au caramel !
— Désirez-vous autre chose à boire ?
— Oui, je voudrais un verre d'eau minérale.

CHEZ NOUS

EN HAÏTI

Superficie : 27 750 km²

Population : 6 500 000 h

Capitale : Port-au-Prince

Institutions : république

Langues : créole et français

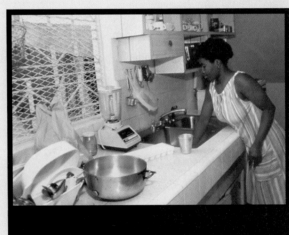

Chez nous, la base de l'alimentation est le riz et les haricots rouges, servis ensemble ou séparément, et acompagnés de légumes frais et d'un peu de viande. Les viandes préférées sont le porc, le bœuf et le poisson. Elles sont généralement préparées dans une sauce épaisse (thick) et très épicée. On utilise beaucoup de piment rouge, d'ail et d'oignons dans la cuisine créole qui est un mélange d'influences française et africaine.

Il y a aussi des plats traditionnels pour les occasion spéciales. Par exemple, le soir du 24 décembre on mange ce qu'on appelle le grillot, c'est-à-dire du porc grillé servi avec des bananes grillées. Le 1ᵉʳ janvier est l'anniversaire de l'indépendance d'Haïti (1ᵉʳ janvier 1804). Pour commémorer cette occasion, on mange de la soupe au potiron (pumpkin) préparée avec des légumes verts, des patates douces et du bœuf. Et comme c'est aussi le Jour de l'An, on sert « la liqueur » aux parents et amis qui viennent souhaiter « la bonne année ». Pour préparer cette « liqueur », on fait bouillir du sucre et ajoute un peu d'alcool et un colorant rouge au sirop ainsi obtenu. ≫

Vocabulaire

La nourriture (Voir pp. 116–117)
Les magasins d'alimentation (Voir pp. 116–117)
Les adjectifs démonstratifs (Voir p. 121)
Le partitif (Voir p. 124)
Les boissons (Voir p. 129)

Noms

alimentation *(f) food*
apéritif *(m) before-dinner drink*
boisson *(f) beverage, drink*
carafe *(f) carafe*
champignon *(m) mushroom*
dessert *(m) dessert*
ferme *(f) farm*
frigo *(m) refrigerator, fridge*
goûter *(m) snack*
gramme *(m) gram*
livre *(f) pound*
recette *(f) recipe*
repas *(m) meal*
sorte *(f) kind, type, sort*
tasse *(f) cup*
verre *(m) glass*

Verbes

ajouter *to add*
arrêter *to stop, turn off*
avoir faim *to be hungry*
avoir soif *to be thirsty*
boire *to drink*
commander *to order (food)*
couper *to cut*
mettre *to put*
oublier *to forget*
prendre *to take, to have*
servir *to serve*

Adjectifs

blanc(he) *white*
chaque *each*
chaud *hot, warm*
prêt *ready*
rouge *red*

Divers

assez de *enough*
autour de *around*
beaucoup de *much, many, a great deal*
ensuite *next, then*
entouré *surrounded*
environ *about, approximately*
hein *eh, okay*
il faut *it is necessary, you'll need*
il reste *there remains*
là-bas *over there*
peu de *few, little*
trop de *too much, too many*

Chapitre six

Le cadre de vie

Fonctions

Dans ce chapitre, vous allez apprendre à
- *parler de votre pays et de votre ville*
- *trouver votre chemin*
- *parler de votre vie quotidienne*
- *poser des questions et demander des renseignements*

Vocabulaire et structures

Point de départ : Mon pays, ma ville, mon quartier
Exploration 1 : Les prépositions
Exploration 2 : Le verbe **faire**
Exploration 3 : Les mots interrogatifs et l'inversion

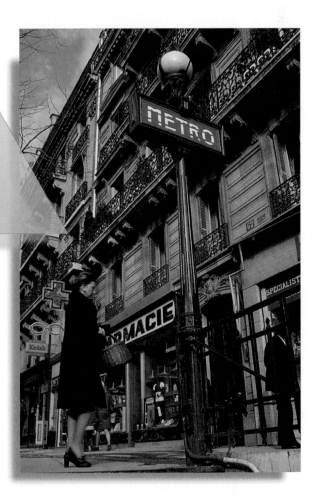

Point de départ :
Mon pays, ma ville, mon quartier

An increasing number of French families live in individual homes (more than 50 percent in recent years). They are a bit older than those who live in apartments, have more children, and are more comfortable financially.

You might want to do **Activité A, quiz géo** in conjunction with this information.

Trois Français sur quatre habitent dans une ville. La plupart louent ou possèdent un appartement dans un grand immeuble; d'autres possèdent une maison individuelle dans une des banlieues *(suburbs)* de la ville. Quand on arrive dans une nouvelle ville, et surtout dans un nouveau pays, il est important de savoir *(to know)* où sont situés les différents points d'intérêt et les services publics.

Première étape : Découverte d'un pays

Voici une carte de France qui indique les principaux fleuves, les montagnes, les plaines et les principales villes.

Deuxième étape : Découverte d'une ville

Voici le plan général d'une grande ville.

Votre vie (Activité B) can be done in conjunction with this section.

LÉGENDE DU PLAN

1. Église de L'Abbé de L'Epée
2. Musée des Beaux-Arts
3. Musée St-Pierre d'Art Contemporain
4. Pont Morand
5. Pont Pizay
6. Pont Gasparin
7. Stade G. Rambaud
8. Square Losserand Suisse
9. Mairie Daumesnil
10. Gare de Perrache
11. Mosquée du Monde Arabe
12. Ancy-le-Franc
13. Recette principale
14. Pont Pasteur
15. L'Autoroute A6

- ✈ un aéroport
- ✉ une poste
- 𝐢 un syndicat d'initiative
- ⌇ une piscine
- 🌳 un parc
- 🔴 une rivière
- 🔴 le centre-ville

- 🚆 la gare SNCF
- ✚ un hôpital
- ✡ une synagogue
- ✝ un cimetière
- ◢◢◢ une banlieue
- ⚒⚒ une ligne de chemin de fer
- ╲╲ une autoroute

Point out that French streets are often named after literary, historical, and scientific figures or after their descriptive landmarks (**rue de la Gare, avenue de Lyon**).

Point out that Paris, Lille, and Lyon have subways and that France has an excellent railway system (**la SNCF**).

Troisième étape : Découverte d'un quartier

Voici un plan détaillé du centre-ville.

Have students decide where they are (e.g., **à la poste, au supermarché**); other students will guess their location.

Dernière étape : Les avantages et les inconvénients de la vie dans une grande ville

Les avantages

Ask students if they can think of other **avantages** or **inconvénients** to living in a large city; then have them tell whether or not they like city life.

Il y a toujours quelque chose d'intéressant à faire ou à voir *(to see)*.
On n'a pas besoin d'avoir une voiture.
Les transports publics sont pratiques et bon marché.
Tout est à proximité.

Les inconvénients

Le bruit *(noise)*
La pollution
Les problèmes de circulation *(traffic)* et de stationnement *(parking)* si on
   possède une voiture
Le manque d'espaces verts

Communication et vie pratique

Remind students that there is a map of the francophone world in the front of the book.

A. Quiz géo. Using the map of France on page 142, tell whether the following statements about French cities are true (**vrai**) or false (**faux**). Then make up additional statements about French or francophone cities to test other students' knowledge of geography.

1. Strasbourg est situé dans l'ouest de la France.
2. Lyon est situé sur la Loire.
3. Toulouse est situé dans le sud-ouest de la France.
4. Grenoble est situé dans les Alpes.
5. Bordeaux est situé sur la Garonne, dans le sud-ouest de la France.
6. Nantes est une ville de l'ouest de la France.
7. Lille est situé dans les Pyrénées.
8. ?

B. **Votre ville.** Ask another student about his or her hometown. You can also talk about your hometown.

1. Comment est ta ville ? Dans quelle partie des États-Unis est-ce qu'elle est située ? Est-ce que c'est une grande ville ou une petite ville ?
2. Est-ce que ta ville est située sur une rivière ? si oui, quel est le nom de cette rivière ?
3. Est-ce qu'il y a un aéroport ? si oui, où est-ce qu'il est situé ?
4. Est-ce qu'il y a un métro dans ta ville ? Est-ce qu'il y a un bon service d'autobus ?
5. Est-ce que tu habites dans le centre de la ville, en banlieue ou à la campagne ?
6. Quelles sortes de magasins est-ce qu'il y a dans ton quartier ?
7. Dans ton quartier, est-ce qu'il y a une église ? un lycée ? une bibliothèque ? une piscine ? un jardin public ? d'autres points d'intérêt ?

After students have answered the questions below, ask them to describe the advantages and disadvantages of their hometown.

C. **Scènes de la vie.** Using vocabulary from the **Point de départ,** tell as much as you can about these photos of French-speaking cities around the world.

If available, other photos of francophone countries can be used here.

Port-au-Prince   Québec

Dakar

Casablanca

Info-culture : Les moyens de transport

France possesses a modern and sophisticated transportation system. Because of its traditional central role, Paris remains the hub of the three major transportation networks.

Les routes

- France has a modern system of freeways called **autoroutes** that link all major cities.
- Most highways are toll roads (**autoroutes à péage**).
- The best known is **autoroute A6** (also called the **Autoroute du soleil**), which links Paris to the **Côte d'Azur.**

- French drivers tend to drive faster and more aggressively than Americans. French cars remain smaller than in the United States because gasoline prices are much higher and parking is at a premium.
- The speed limit on the **autoroutes** is 130 km/h (kilomètres à l'heure).

Pays	Limite de vitesse (km/h)
Belgique	120
Luxembourg	120
Suisse	100-120
Monaco	60
Maroc	100
Québec	100

Le train

- The **Société nationale des chemins de fer français (SNCF)** runs France's nationalized railway system.
- Train travel provides a convenient means of transportation in France, especially the **TGV** (**train à grande vitesse**), which can travel at more than 300 kilometers an hour. The **TGV**s run between the major cities of France, providing a modern, efficient, and rapid means of transportation for the tourist or business traveler.
- Trains are competitive with France's domestic airlines, but fare less well against competition from travel by car.
- New **TGV** lines link Paris to other European capitals, including London by way of the **tunnel sous la Manche (le Chunnel).**

L'avion

- Air France handles international travel and is the fifth largest airline company in the world.
- Air Inter is the domestic airline which provides transportation to all major French cities.
- The two major Paris airports are Roissy-Charles de Gaulle for international travel and Orly for both international and domestic travel.

Et vous ?

Prepare a description of the transportation system in your country (**les routes, le train, l'avion,** etc.), pointing out the similarities and differences between your country and France.

Exploration 1

Comment trouver votre chemin : Les prépositions

To find your way, you often have to ask about locations and understand the directions you are given. The following expressions are useful in understanding and giving directions.

Traversez la rue.	*Cross the street.*
Allez jusqu'à la pâtisserie.	*Go as far as the pastry shop.*
Allez tout droit.	*Go straight ahead.*
Tournez à gauche.	*Turn (to the) left.*
Tournez à droite.	*Turn (to the) right.*
Prenez l'autobus numéro sept.	*Take bus number seven.*
Descendez Place Carnot.	*Get off at Carnot Square.*

When we talk about locations, we often use prepositions such as these:

à côté de *(beside, next to)*	La boulangerie est **à côté du** cinéma.
au coin de *(at the corner of)*	Il y a un café **au coin de** la rue.
au milieu de *(in the middle of)*	L'université est **au milieu de** la ville.
derrière *(behind)*	La pharmacie est **derrière** la poste.
devant *(in front of)*	L'arrêt d'autobus est **devant** l'épicerie.
en face de *(across from, facing)*	La librairie est **en face de** vous.
entre *(between)*	Trois-Rivières est **entre** Montréal et Québec.
loin de *(far from)*	La banque est **loin de** l'hôtel.
près de *(near)*	Richard est **près de** sa voiture.
sous *(under)*	Est-ce qu'il y a une station de métro **sous** la place de l'Opéra ?

Situation : Excusez-moi, monsieur l'agent

Alain Rollet is asking a police officer for directions.

ALAIN Excusez-moi, monsieur l'agent... Je cherche l'Hôtel Beauséjour. C'est loin d'ici ?

L'AGENT Non, c'est à trois ou quatre rues d'ici, à côté de l'église Saint-Vincent.

ALAIN C'est dans quelle direction ?

L'AGENT Sur votre gauche. Vous prenez la rue Sully, là-bas, en face de vous. Vous continuez jusqu'à la place Kléber, vous traversez la place, vous passez derrière l'église, et vous tournez à droite. L'hôtel est entre l'église et le cinéma Rex.

Avez-vous compris ?

Faites un plan pour montrer comment aller jusqu'à l'Hôtel Beauséjour.

Have students note how the police officer is addressed. Point out that the word "block" does not have a direct equivalent in French and have them note how the officer expresses this idea.

Have students role-play the situation giving directions to different places on campus or in town.

Communication et vie pratique

A. **Où est-ce qu'ils habitent ?** Manu is explaining where his friends live. Tell whether or not his statements are true. The numbers on the map indicate the approximate location of his friends' apartments.

IAE Drills: Substitution: 1. **La pharmacie est derrière la bibliothèque. cinèma / épicerie / banque / théâtre** 2. **Ils habitent à côté de la gare. le bureau de poste / le restaurant / l'épicerie / la pâtisserie / la librairie** 3. **Nous sommes en face de la bibliothèque. à côté de / près de / derrière / devant / loin de.**

Have students tell where they and their friends live: **J'habite assez loin du campus. Mon ami Richard a un appartement près d'ici.**

EXEMPLE   François (#7) habite près de la piscine.
Non, il n'habite pas près de la piscine.

1. Jean-Luc (#3) habitre entre la poste et le musée.
2. Nadine habite (#5) assez loin de la gare.
3. Julien habite (#4) derrière l'église.
4. Véronique (#6) habite rue de la Poste.
5. Solange (#1) habite en face de l'école.
6. Catherine (#2) habite à côté de l'hôtel de la Gare.

B. **Excusez-moi...** While you are at the railroad station, travelers (played by other students) ask you how to get to various places in town. Using the map above, tell how you would respond.

C. **Internet.** On the Internet, find a map of a major city's subway system (e.g., **Montréal** at **http://www.tourisme-montreal.org/metromap.gif**). Explain to another student how to get from one subway stop to another that is distant from the first (e.g., in **Montréal** from **Côte-Vertu** to **Longueuil**).

D. **Votre quartier.** Describe the neighborhood where you live, including as much information as you can about the locations of what is found in your area. If you live in a residence hall, describe where your dorm is located and what buildings surround it.

EXEMPLE   **J'habite un petit appartement assez près du campus. En face de chez moi, il y a une épicerie et une pharmacie...**

Have students decide where they are (**près de la gare, en face de la poste**); other students will try to guess their location.

Students could also draw a simple line map of their neighborhood. They then describe it to another student who listens and redraws the map (without seeing the original) based on the student's description. Students could also give directions on how to get to where they live or different locations on campus and in town.

C'est votre tour

Imagine that you are at the railroad station in Dakar, and you want to find out where various landmarks are located: **la mosquée, le Marché Sandaga, la cathédrale, le musée et le palais présidentiel.** You ask a resident (played by another student) who gives you directions. Consult the map below.

1. Grande Mosquée
2. Gare
3. Marché Sandaga
4. Cathédrale
5. Musée Ifan
6. Palais Présidentiel

Exploration 2

Parler de votre vie quotidienne : Le verbe *faire*

Many of our daily activities are expressed with the verb **faire** *(to do; to make)*.

Loisirs

faire du sport	*to participate in sports*
faire du ski	*to go skiing*
faire du camping	*to go camping*
faire un voyage	*to take a trip*
faire une promenade	*to go for a walk*

Travail

faire le ménage	*to do housework*
faire son lit	*to make one's bed*
faire la vaisselle	*to do the dishes*
faire des courses / faire des achats	*to run errands / to go shopping*
faire ses devoirs	*to do one's homework*
faire la cuisine	*to cook, do the cooking*

Faire is an irregular verb.

faire	
je **fais**	nous **faisons**
tu **fais**	vous **faites**
il / elle / on **fait**	ils / elles **font**

Qu'est-ce que vous **faites** samedi?
Nous **faisons** des achats et après ça, nous allons faire une petite promenade.

Situation : Qui fait quoi à la maison ?

Madeleine and Nathalie are talking during their lunch hour. Madeleine is asking Nathalie how she manages to get everything done at home.

MADELEINE	Comment est-ce que tu arrives à tout faire ?
NATHALIE	Mon mari fait la vaisselle et moi, je fais la cuisine, ou vice versa.
MADELEINE	Qui fait le ménage ?
NATHALIE	Nous faisons le ménage ensemble. Les enfants rangent leurs affaires et nettoient leur chambre. Mon mari passe l'aspirateur et vide les poubelles. Moi, je fais le reste.
MADELEINE	Vous faites aussi les courses ensemble ?
NATHALIE	Oui, la plupart du temps.

Introduce each of these expressions and then ask students if they like to do the activity (e.g., **Est-ce que tu aimes faire du sport ? Est-ce que tu aimes faire la cuisine ?**)

Point out that the singular forms of **faire** all have the same pronunciation; the **nous** form, however, is pronounced / fazō /.

Point out that approximately two-thirds of French women work outside the home.

Have students rewrite (and perform) the dialogue, basing it on their own family, roommates, or an imaginary group of people.

> **Mots à retenir :**
> **ranger** *to put away,* **les affaires** *(f) things,* **nettoyer** *to clean,* **vider** *to empty,* **la poubelle** *trash can,* **l'aspirateur** *(m) vacuum cleaner,* **la plupart** *majority*

IAE Drills: Substitution: **Nous faisons souvent du ski. je / Marc / mes amis / tu / vous. 2. Je ne fais pas de sport. tu / mon mari / nous / vous / M. et Mme Dupont.**

Have students use the cues in this activity to find out what other students plan to do at these times (**Qu'est-ce que tu fais ce soir ?**)

Avez-vous compris ?

Quelles sont les responsabilités de chaque membre de la famille ?

Communication et vie pratique

A. **Qu'est-ce que tu fais ?** You and a friend are making plans for the weekend and need to figure out what everyone is doing. What questions do you ask?

> EXEMPLE   **Fabien / samedi**
> **Qu'est-ce que Fabien fait samedi ?**

1. tu / maintenant
2. Jacques / ce soir
3. Serge et Mireille / ce week-end
4. vous / dimanche après-midi
5. nous / demain soir
6. Michèle / samedi soir

B. **Tout le monde est occupé.** Your friends are letting you know what their plans are for the weekend. What do they say?

> EXEMPLE   **Philippe / faire ses devoirs**
> **Philippe fait ses devoirs.**

1. je / faire mes devoirs aussi
2. Jacques / faire du camping
3. Corinne et Tristan / faire du ski
4. vous / faire des courses
5. Véronique / faire le ménage
6. tu / faire du sport
7. nous / regarder un peu la télé
8. Monique et Simon / aller au cinéma
9. je / ranger ma chambre
10. vous / faire une promenade à la campagne

As preparation (and review), have the class make a list of possible weekend activities.

C. **Interview.** Make a schedule of activities that you plan to do for the next week or so. Then find out what another student is doing and whether you have similar plans.

> EXEMPLE   **Qu'est-ce que tu fais samedi ?**
> **Je fais le ménage et après ça, je vais aller au cinéma.**
> **Moi, je vais faire du ski avec des amis.**

D. **Qui fait quoi ?** A survey printed in *Francoscopie* compared the percentages of time that wives reported that their husbands completed certain house-

Qui fait quoi ?

	D'après les conjointes						D'après eux-mêmes					
	Marché achats	Vais-selle	Véhicu-ler les enfants	Habiller les enfants	Cuisine	Ménage	Marché achats	Vais-selle	Véhicu-ler les enfants	Habiller les enfants	Cuisine	Ménage
- Ex RFA	70	46	30	21	22	34	72	50	28	24	23	33
- Belgique	49	55	35	26	29	29	45	58	37	24	34	33
- Danemark	39	55	23	32	36	26	42	53	26	32	26	26
- Espagne	48	25	42	57	30	29	*	*	*	*	*	*
- FRANCE	48	48	49	38	37	35	54	44	49	31	27	24
- Grande-Bretagne	51	72	26	37	48	42	*	*	*	*	*	*
- Grèce	91	16	16	22	20	13	88	13	23	25	17	12
- Irlande	16	18	72	14	10	7	*	*	*	*	*	*
- Italie	69	5	39	30	23	12	58	10	45	19	17	11
- Pays-Bas	53	66	6	28	28	34	59	65	8	22	31	38
- Portugal	75	37	36	55	39	26	*	*	*	*	*	*
Moyenne	**59**	**42**	**35**	**31**	**30**	**29**	**61**	**41**	**37**	**26**	**25**	**25**

Eurobaromètre, 1990

hold tasks (**selon les femmes**) and the percentages reported by their husbands (**selon les hommes**). Based on the information in the chart above, tell the percentages of time that men devote to these tasks according to both the wives and the husbands. You might also want to look at the statistics reported from other countries.

EXEMPLE   faire le marché
Selon les hommes, ils font le marché 54 % du temps. Et selon les femmes, 48 % du temps.

1. faire les achats
2. faire la vaisselle
3. véhiculer les enfants
4. habiller (*dress*) les enfants
5. faire la cuisine
6. faire le ménage

E. Et les Américains ? Imagine that some French friends are asking about typical activities of Americans. How would you answer?

1. Où est-ce que les Américains font leur marché, en général ?
2. Dans les familles américaines, est-ce que ce sont les femmes, les hommes ou les enfants qui font la vaisselle ? et le ménage ? et le marché ?
3. Qui vide les poubelles et qui passe l'aspirateur ?
4. Est-ce que les enfants américains ont des devoirs à faire chaque soir ? Est-ce qu'ils ont assez de devoirs ?
5. Est-ce que les Américains aiment faire des promenades à pied pendant le week-end ?
6. Est-ce que les Américains font souvent du camping ?
7. Est-ce que les Américains font beaucoup de sport ?
8. Est-ce que les Américains aiment faire des promenades en voiture le dimanche après-midi ?

Ask students to answer these same questions about American students. Useful for written homework.

If desired, other household tasks can be introduced: **balayer, remplir / vider le lave-vaisselle, repasser, tondre la pelouse, vider les ordures.** As preparation, have students jot down their reactions to each task and their reasons for wanting or not wanting to do the task (e.g., **Je préfère ne pas faire la cuisine le soir parce que j'ai un cours jusqu'à sept heures.**)

C'est votre tour

You are sharing an apartment with several French students. Decide which of you is going to do each of the following household tasks. Use the suggestions provided to help you negotiate.

Suggestions : j'accepte de...; je refuse de...; je regrette, mais...; je n'aime pas...; je préfère...; d'accord, je...

EXEMPLE **Si tu fais la vaisselle, j'accepte de vider les poubelles.**

1. faire le ménage
2. faire la vaisselle
3. ranger ses affaires
4. faire les lits
5. faire le marché
6. faire des courses
7. vider les poubelles
8. passer l'aspirateur
9. faire la cuisine
10. nettoyer la salle de bains

Exploration 3

Poser des questions et demander des renseignements : Les mots interrogatifs et l'inversion

The following words are frequently used to ask questions:

combien	*how much, how many*	**Combien** est-ce que ça coûte ?
comment	*how*	**Comment** est-ce que vous allez voyager ?
où	*where*	**Où** est-ce que tu vas ?
pourquoi	*why*	**Pourquoi** est-ce que tu es triste ?
quand	*when*	**Quand** est-ce que vous faites vos devoirs ?
que	*what*	**Qu'**est-ce que vous faites lundi soir ?
qui	*who*	Avec **qui** est-ce que vous travaillez ?

A. Since the first chapter, you have known how to ask *yes/no* questions using **est-ce que** or by intonation. Another way, which you will encounter especially in written French, is by inversion (reversing the subject pronoun and the verb and adding a hyphen). Inversion is normally not used with **je.**

Vous allez au cinéma ce soir.	**Allez-vous** au cinéma ce soir ?
Ils prennent le métro.	**Prennent-ils** le métro ?
C'est près d'ici.	**Est-ce** près d'ici ?

B. In the third-person singular, **-t-** is added when the verb does not end in a **t** or **d.**

Il habite à Paris.	**Habite-t-il** à Paris ?
Il y a une banque près d'ici.	**Y a-t-il** une banque près d'ici ?

C. When the subject is a noun, it is usually not inverted, but its corresponding pronoun is added.

Pierre **va-t-il** faire un voyage ?
Quand ses parents **arrivent-ils ?**

Situation : Travail et résidence

A journalist is doing research on working conditions in Paris. He is speaking with Madame Simon.

Le Journaliste	Dans quel arrondissement habitez-vous ?
Mme Simon	Dans le 19ᵉ, à côté de la Porte des Lilas.
Le Journaliste	Et où travaillez-vous ?
Mme Simon	Dans le centre, près des Invalides.
Le Journaliste	Comment allez-vous à votre travail ?
Mme Simon	Je prends le métro.
Le Journaliste	C'est direct ?
Mme Simon	Non, il faut changer plusieurs fois.

> **Mots à retenir :**
> **l'arrondissement** *(m) administrative district*, **plusieurs** *several*

Have students check these locations on the metro map in the **Intégation et perspectives section.** They can use the map to rewrite (and perform) the **Situation** using different locations.

Avez-vous compris ?

Qu'est-ce que le journaliste va noter dans le tableau suivant ?

Résidence	
Travail	
Moyen de transport utilisé	
Simplicité ou difficulté du trajet	

IAE Drills: Have students put these sentences in the interrogative using inversion. 1. **Il y a une banque près d'ici.** 2. **Tu vas à Paris.** 3. **Elle sont contentes d'être ici.** 4. **Vous écoutez souvent la radio.** 5. **Elle va faire du camping ce week-end.** 6. **Ils font souvent la cuisine.** Then have them put these sentences in the interrogative using the cues provided (first with **est-ce que** and then with inversion). **Ils vont en vacances. (quand)**
2. **Elle aime faire du ski. (où)**
3. **Mon frère va partir demain. (pourquoi)**
4. **Tu vas faire une promenade. (avec qui)**

Communication et vie pratique

A. **À l'agence immobilière.** Bernard is looking for a new apartment. Using the real estate agent's answers as a guide, give the questions that Bernard asks about the apartment.

> EXEMPLE   <u>Un vieux monsieur</u> habite maintenant dans l'appartement.
> **Qui habite maintenant dans l'appartement ?**

1. Il va quitter l'appartement <u>la semaine prochaine.</u>
2. Il partage l'appartement <u>avec un étudiant étranger.</u>
3. Il y a <u>huit pièces</u> dans cet appartement.
4. Les chambres sont <u>très spacieuses.</u>
5. La salle de bains est <u>entre les deux chambres.</u>
6. Les gens du quartier vont en ville <u>en bus.</u>
7. L'arrêt d'autobus est <u>en face de l'appartement.</u>
8. Les voisins aiment <u>promener leur chien</u> dans le parc pendant le week-end.

B. **Famille d'accueil.** Suzanne is planning to spend a year in **Montréal** and has prepared a list of specific questions to include in her letter to her host family. She wants to know the following.

> EXEMPLE si c'est une ville agréable
> **Est-ce une ville agréable ?**

1. si c'est une grande ville
2. si les habitants de Montréal sont sympathiques
3. s'il est possible de faire du ski pendant le week-end
4. si les gens de Montréal vont souvent faire du ski
5. s'il y a des musées intéressants à visiter
6. si les étudiants habitent dans le centre-ville
7. si les résidences universitaires sont loin du centre-ville
8. s'il faut prendre le métro pour aller en ville

C. **Comment est votre ville ?** You have been put in contact with a French family with whom you will live during a stay in France. You are writing a letter to find out about them and about the town where they live. What questions might you include in your letter?

> EXEMPLE **Combien d'enfants y a-t-il dans votre famille ?**
> **Habitez-vous près de l'université ?**

This activity can be expanded by assigning a French-speaking city to groups of three or four students; their task as employees of the **Office du tourisme** is to find out information about the town. Tourists (played by other students) are asked to make up questions to ask at the different **Offices du tourisme.**

D. **À l'Office du tourisme.** You are working at the **Office du tourisme** in Cannes. Tourists (played by other students) ask you questions about the town. Use the information on the map below to answer their questions.

> EXEMPLE combien de casinos il y a à Cannes
> **Combien de casinos y a-t-il à Cannes ?**
> **Il y a trois casinos.**

1. s'il est possible de visiter les îles de Lérins
2. si le vieux port est intéressant à visiter

3. où est situé le Palais des festivals
4. si les casinos sont près de la Croisette
5. si la gare maritime est loin de la gare SNCF
6. si les plages sont près du centre-ville

C'est votre tour

You want to enroll in the **Cours pour étrangers** at the **Alliance française** in Lyon. You call the **Alliance** to get information about the items listed here. The staff member (played by another student) answers your questions using the information in the brochure.

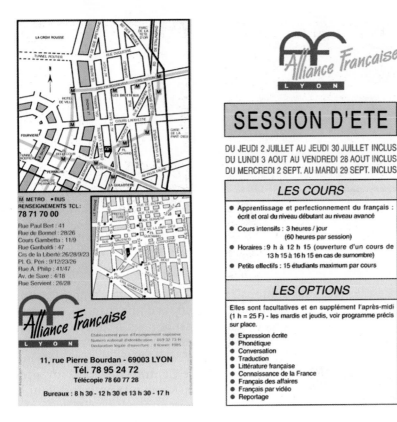

Vous désirez savoir :

- les dates des différentes sessions
- le nombre d'heures de cours par jour
- l'adresse de l'Alliance
- les différentes options
- les activités possibles
- les possibilités d'hébergement

Intégration et perspectives : Où habiter ? à Paris ou en province ? dans le centre-ville ou en banlieue ?

> *Pour mieux lire :* Titles and headings often tell us a great deal about what we are going to read. This title has three parts, and each is a question. What do you think the content of the passage is going to be?

« Cette fois, c'est décidé, nous quittons Paris ! » Pour un professionnel de l'immobilier, cette phrase est aussi familière que le refrain d'une chanson. « Ils sont avides de grand air, de grandes maisons... et d'économies. Mais cinq ans plus tard, ils sont encore là », explique un agent parisien.

Selon le dernier recensement, les principales destinations des Parisiens qui décident vraiment de quitter la capitale sont le Centre, la région Provence-Alpes-Côte d'Azur, la Picardie, la région Rhône-Alpes et la Bretagne. Pour le choix de leur nouvelle implantation, ils sont très attentifs à la qualité des écoles et des équipements publics, aux facilités offertes par les transports publics et à la proximité des commerces, expliquent les professionnels.

Paris

« Cette ville est infiniment plus désirable que tout autre lieu en France... Paris cumule la familiarité d'un village avec l'immensité d'une grande métropole; elle a tout le charme des régions françaises plus une dimension planétaire », explique Monsieur Bruchner.

Pour Dominique, il n'y a pas d'hésitation : « J'aime mille fois mieux vivre dans une grande ville ! Et dans le centre de préférence ! » s'exclame-t-elle. « Tout est à proximité, donc pas besoin de voiture; ça simplifie la vie ! Il suffit de faire quelques pas pour trouver tout ce qu'on veut. Chaque jour, je fais mes provisions chez les commerçants du quartier. Et j'en profite pour regarder les vitrines des magasins ! Ou les gens aux terrasses des cafés ! Ou les affiches dans les kiosques ! Il y a toujours quelque chose d'intéressant à faire ou à voir ! Une ville, c'est animé, ça bouge ! Et si, de temps en temps, j'ai envie de prendre l'air, je suis à deux pas d'un jardin public. »

La banlieue

« Quand on dit « banlieue », on pense tout de suite aux cités HLM. Mais on oublie que certaines villes de banlieue sont pleines de charme », explique un professionnel. « La banlieue, c'est tous les avantages de la ville, moins le stress. »

« J'ai un cerisier et un pommier dans mon jardin. Je suis réveillée par les oiseaux. Et je suis à vingt minutes en train de la gare de l'Est », observe Geneviève. « J'ai un cinéma à trois minutes à pied et une salle de spectacle au bout de la rue. »

« J'habite une petite oasis de paix, verte et tranquille, à 7 kilomètres de la Porte de Bercy », ajoute Pascal.

« Notre maison est à Saint Prix, un village ravissant près de la forêt de Montmorency. La forêt commence au bout du jardin, les écoles sont de bon niveau et le matin, nous avons des trains tous les quarts d'heure. Ça prend quarante minutes pour aller de chez moi au centre de Paris », observe Catherine.

La province

« À l'époque des téléphones mobiles, du fax et de l'Internet, pourquoi ne pas s'installer en province, à Bordeaux par exemple, à trois heures de Paris par le TGV Atlantique. On trouve ici de beaux volumes pour pas cher. Et en plus, on a l'Atlantique à trois quarts d'heure et les Pyrénées à deux heures et demie ! » explique un agent immobilier de Bordeaux.

« Nous avons une jolie maison à vingt kilomètres du Vieux Port de Marseille. On respire le parfum des fleurs et des herbes de Provence. Et le soir, ce sont les cigales qui nous font le concert ! » s'exclame Pierre.

« Nous sommes ravis. Nous avons une grande maison dans un vieux village près de Lille. Nous avons un grand jardin et des fleurs partout », explique Céline. « En moins d'une demi-heure, j'emmène mes trois enfants à l'école. Excepté que quelquefois ça prend un peu plus quand je bavarde avec les commerçants du village! » ajoute son mari.

TEXTE BASÉ SUR DES ARTICLES DE *L'EXPRESS* DU 16-22 OCTOBRE 1997
ET SUR DES CONVERSATIONS AVEC LES PERSONNES MENTIONNÉES.

Mots à retenir / Mots en contexte :
quitter *to leave,* l'immobilier *(m) real estate,* **aussi... que** *as . . . as,* **la chanson** *song,* **plus tard** *later,* **expliquer** *to explain,* **selon** *according to,* **le recensement** *census,* **vraiment** *truly,* **le lieu** *place,* **vivre** *to live,* **donc** *therefore,* **veut (vouloir)** *to want,* **profiter de** *to take advantage of, enjoy,* la vitrine *shop window,* **animé** *lively, busy,* bouger *to move,* **penser** *to think,* **tout de suite** *right away,* **plein** *full,* le cerisier *cherry tree,* le pommier *apple tree,* réveillée *awakened,* **par** *by,* l'oiseau *(m) bird,* **le bout** *end,* **la paix** *peace,* **ravissant** *lovely, delightful,* le niveau *level,* l'époque *(f) age, era,* s'installer *to settle,* **en plus** *moreover, in addition,* respirer *to breathe,* la cigale *cicada, locust,* **ravi** *delighted,* **partout** *everywhere,* **emmener** *to take,* bavarder *to chat*

Avez-vous compris ?

As an alternative comprehension activity, have students imagine that they live in Paris, the suburbs, or **en province** as described in the text on p. 159 and tell what they like and don't like about living there.

According to the passage, what are the advantages of living in a large city, in the suburbs, and in the country? Compare your list to those of other students, and discuss these advantages as well as your own preferences.

à Paris ou dans une grande ville	
en banlieue	
en province	

Info-culture : Les villes et la vie urbaine

Les grandes surfaces have become increasingly popular in France in recent years to the detriment of small, individually owned stores. French shoppers appreciate the time and money they save, though **les grandes surfaces,** usually located in the suburbs, have been criticized because they have taken away from shopping in downtown areas.

- Although most French people own cars, they prefer to use the excellent system of public transporation available in most French cities. A ride on the **autobus** is safe, efficient, and inexpensive. Buses run frequently and provide access to most parts of a city.
- The suburbs, in constant expansion since World War II, mix single-family dwellings with government-built, low-cost, high-rise buildings (**HLM**s), which are often criticized for their unattractiveness and their sterility.
- Shopping centers (**centres commerciaux**) are increasingly common, especially on the outskirts of cities. They house department stores, supermarkets, and small retailers.
- Rural communities located near urban centers now attract many people who prefer to avoid the stress of city life. Nearly 10 percent of the population lives in such communities and commutes to work in the cities.

Et vous ?

How would a description of cities and urban life in the United States compare to the one just given?

Communication et vie pratique

A. **Un nouvel appartement.** You are looking for a new apartment and are talking to a real estate agent who describes three apartments to you. Listen to him describe the three apartments; then check the appropriate box to indicate if the following statements refer to the first, second, or third apartment described.

> *Pour mieux comprendre :* You may find it helpful to listen for information in a particular category and then move on to another category. For each successive listening, you can add information about each apartment until you can reconstruct an accurate description of the three apartments: price, number of rooms, location, and other amenities.

	nº 1	nº 2	nº 3
1. Il y a seulement une chambre dans cet appartement.	❑	❑	❑
2. Le loyer est de 2 800 francs par mois.	❑	❑	❑
3. C'est dans le centre.	❑	❑	❑
4. C'est en banlieue.	❑	❑	❑
5. C'est près d'un parc.	❑	❑	❑
6. Cet appartement est à quarante-cinq minutes du centre.	❑	❑	❑

B. **Connaissez-vous Paris ?** Indicate whether the following statements based on the map of Paris are true or false. If a statement is false, reword it to make it true. You can also make up statements of your own to give to other students.

1. Les Tuileries sont à côté de la tour Eiffel.
2. Le Grand Palais est à côté du Petit Palais.
3. La cité universitaire est près de la Sorbonne.
4. La Bibliothèque nationale est sur le boulevard Saint-Germain.
5. La gare de l'Est est près de la gare du Nord.
6. La gare Montparnasse est à l'ouest de Paris.
7. L'église de la Madeleine est derrière le Sacré-Cœur.
8. Le musée d'Orsay est dans l'île de la Cité.

C. **Excusez-moi, monsieur l'agent...** Imagine you are a tourist in Paris who wants to get to the following places. Another student will play the role of the **agent de police** and will tell you where each is located. Refer to the map on page 161 to locate each landmark.

Où est l'Opéra ? le Sénat ? la gare du Nord ? le musée du Louvre ?
la tour Eiffel ? le jardin du Luxembourg ? le Sacré-Cœur ?
le Centre Pompidou ? la place de la Bastille ? Notre-Dame ?

D. Plan du métro. You are staying with a group of students in a hotel located on the Left Bank near the subway station Mont Saint-Michel. Other students ask you how to go to different places. Using the **plan du métro** below, give them the following information.

1. quelle ligne il faut prendre...

EXEMPLE **Pour aller à la gare du Nord, il faut prendre la ligne Porte d'Orléans — Porte de Clignancourt, direction Porte de Clignancourt.**

You might want to check out Web sites such as the following for supplementary material for this activity: **http://www.paris. org./Metro/gifs/metro.map.jpg** or **http://www.smartweb.fr/fr/ guide/transports/index.html.**

Note that subway lines are generally identified by their two end points, framed in black on the map. The **métro** lines can also be referred to by their number. Once you have found the **métro** line, you need to make sure you are headed in the right direction.

2. si c'est direct or non...

EXEMPLE **Pour aller au Louvre, il faut changer au Châtelet.**

3. où il faut descendre...

EXEMPLE **Pour l'Arc de Triomphe, il faut descendre à l'Étoile.**

E. **Internet.** Find a campus map on the Internet (e.g., McGill University at **http://www.is.McGill.Ca/phyres/camp_d2.htm**), and describe to another student where the stadium or other athletic facilities are located.

F. **On fait un peu de publicité.** You are working for a travel agency and have been asked to write promotional material on a city of your choice in the French-speaking world. The descriptions should be no longer than 75–100 words and should include basic information such as population, location, major industries, and major tourist attractions. Describe photos or illustrations that could accompany your description.

> *Pour mieux écrire :* Writing promotional material implies the use of positive, upbeat words and appealing photos. After you have collected the information for your description, brainstorm with other students ways in which you can make your material appealing to your readers.

Bien prononcer

A. Some vowels, like /i/ in **ici,** are pronounced with the lips spread; others, like /y/ in **tu**, are pronounced with the lips tightly rounded. Both of these sounds are pronounced in the front of the mouth. Thus, /i/ and /y/ differ only by the shape of the lips. In fact, if you have difficulty pronouncing the French /y/, try saying /i/ with your lips rounded. Compare and repeat:

si	su	mais si	c'est sûr
di	du	dis	c'est dur
vi	vu	la vie	la vue
ni	nu	ni	numéro
ti	tu	petit	habitude
ri	ru	le riz	la rue

B. Practice repeating words and phrases containing the sound /y/. Remember to have your lips tightly pursed and reaching forward as if you were going to whistle or give a kiss.

Salut !	le bureau
la voiture	le sucre
la musique	l'usine
impulsif	naturel
l'avenue	la rue

C. Note the difference between the sound /y/ as in **tu** and the sound /u/ as in **tout,** which is also pronounced with the lips rounded, but with the tongue more toward the back of the mouth. Compare and repeat:

su	sou	sur	sous
tu	tou	tu	tout
bu	bou	nu	nous
mu	mou	vu	vous
lu	lou	la rue	la roue

D. The following section summarizes the differences in the way /i/, /y/, and /u/ are produced. Practice contrasting these sounds, and then repeat the words and sounds that follow.

Position of the tongue: Shape of the lips:	Front Spread /i/	Front Rounded /y/	Back Rounded /u/
	si	su	sou
	ti	tu	tou
	vi	vu	vou
	li	lu	lou

Petite conversation...   Practice repeating the following conversation.

—L'épicerie est située dans quelle rue ?
—La rue Sully ; c'est tout près d'ici.
—Tu es sûr ?
—Absolument sûr.

CHEZ NOUS

EN MAURITANIE

Superficie : 1 031 000 km^2

Population : 2 100 000 h

Capitale : Nouakchott

Institutions : république indépendante depuis 1960

Langues : français, arabe et langues locales

≪ *La majorité des mauritaniens sont des Maures, c'est-à-dire des musulmans d'origine arabe ou berbère; mais moi, je suis du sud de la Mauritanie et j'appartiens à un groupe ethnique de race noire, appelé les Peuls. J'habite maintenant à Nouakchott, dans la capitale, mais ma famille vient d'un village peul assez typique. Chez nous, on ne vit pas vraiment dans des maisons mais plutôt dans des concessions familiales. Chaque famille a sa concession. Elle est entourée d'une haie (hedge), mais on communique très facilement d'une concession à l'autre et les portes ne sont jamais fermées.*

À l'intérieur de chaque concession, il y a un bâtiment avec une salle principale, quelques chambres et une véranda. Mais on reste à l'intérieur seulement pendant la saison des pluies. Généralement on vit dehors : on fait la cuisine dehors ou sous un hangar (lean-to), on mange dehors et on dort dehors.

Le soir, on mange et on parle, assis sur des nattes. Il y a un coin pour les adultes et un coin pour les enfants. Les enfants peuvent écouter les conversations des adultes, mais ils ne peuvent pas participer à ces conversations. Il faut attendre l'âge de 14 or 15 ans pour être considéré comme un adulte ! ≫

Vocabulaire

Le cadre de vie (Voir pp. 142–144)
Les prépositions (Voir p. 148)
Le verbe *faire* (Voir p. 151)
Les mots interrogatifs (Voir p. 154)

Noms

affaires *(f pl) things, business*
agent *(m)* **de police** *police officer*
air *(m) air, atmosphere*
arrondissement *(m) administrative district*
auto-école *(f) driving school*
avantage *(m) advantage*
bout *(m) end*
cadre *(m) setting*
capitale *(f) capital*
chanson *(f) song*
charme *(m) charm*
choix *(m) choice*
circulation *(f) traffic*
commerçant(e) *(m, f) businessperson, shopkeeper*
direction *(f) direction*
étape *(f) stage*
fax *(m) fax*
hébergement *(m) lodging*
herbe *(f) grass, herbs*
inconvénient *(m) disadvantage*
intérêt *(m) interest*
librairie *(f) bookstore*
lieu *(m) place*
oiseau *(m) bird*
paix *(f) peace*
parfum *(m) scent, perfume*
pas *(m) step*
phrase *(f) sentence, phrase*
plupart *(f) majority*
poubelle *(f) trash can*

professionnel(le) *(m, f) professional person*
provisions *(f pl) food, supplies*
qualité *(f) quality*
région *(f) region*
reste *(m) rest, remainder*
service *(m) service*

Verbes

arriver *to arrive, happen*
changer *to change*
descendre *to go down, get off*
emmener *to take along (someone)*
expliquer *to explain*
indiquer *to indicate*
louer *to rent*
nettoyer *to clean*
penser *to think*
posséder *to own*
profiter de *to take advantage of, enjoy*
quitter *to leave (a place or person)*
savoir *to know*
simplifier *to simplify*
tourner *to turn*
se trouver *to be located*
traverser *to cross*
vider *to empty*
vivre *to live*
voir *to see*

Adjectifs

animé *lively, busy*
attentif / ive *attentive*
certain *certain*
direct *direct*
familier / ière *familiar*
individuel(le) *individual*
plein *full*
plusieurs *several*
pratique *practical*
ravissant *delightful*
ravi *delighted*
tranquille *peaceful*
vert *green*

Divers

aussi... que *as . . . as*
bon marché *cheap*
chacun(e) *each one*
donc *therefore*
en plus *in addition, moreover*
excepté *except*
excusez-moi *excuse me*
infiniment *infinitely*
partout *everywhere*
plus *more*
plus tard *later*
quand *when*
que *that, what*
selon *according to*
tout de suite *right away*
vraiment *truly*

Chapitre sept

Le temps passe

Fonctions

Dans ce chapitre, vous allez apprendre à
- *parler de ce que vous aimez regarder à la télé*
- *demander et indiquer l'heure*
- *parler du passé*
- *parler des décisions et des événements importants dans votre vie*

Vocabulaire et structures

Point de départ : Sondage d'opinion sur la télévision et les spectacles
Exploration 1 : L'heure
Exploration 2 : Le passé composé
*Exploration 3 : **Choisir** et les verbes du deuxième groupe*

At this point, all French television stations and radio stations have Web sites that students can explore. They can easily be accessed through a search engine by typing in the name of the channel or station.

According to recent statistics, the French watch television or listen to the radio approximately six hours a day; this doesn't include listening to records and CDs or playing video games. In 1977, only 7,000 homes has VCRs; today more than two thirds of all households have one.

Give the name of a program and have students place it in the appropriate category: **Roue de la Fortune ? C'est un jeu télévisé.** If available in print or online, have students peruse French schedules (or the ones provided in this chapter) to find examples of the different programs below. They might also want to compare and contrast American and French programming or programming from different francophone countries.

Point de départ : Sondage d'opinion sur la télévision et les spectacles

À la maison

Quand vous êtes chez vous, combien de temps par jour passez-vous à regarder la télé ou des vidéos ? et combien de temps passez-vous à écouter la radio ? Quelles stations écoutez-vous, et quel type de musique préférez-vous ?

- ❏ la musique classique ou le rock ? ❏
- ❏ la musique pop ou la musique disco ? ❏
- ❏ le rap ou le jazz ? ❏

Quelles chaînes de télévision et quel type d'émissions aimez-vous regarder ?

❏ les informations *(f)*

❏ les causeries *(f)*

❏ les émissions *(f)* scientifiques ou culturelles

❏ les pièces *(f)* de théâtre

❏ les vidéoclips *(m)*

❏ les publicités/les pubs *(f)*

❏ la météo

❏ les reportages *(m)* sportifs et les matchs *(m)* télévisés

❏ les documentaires *(m)*

❏ les films *(m)* et les téléfilms *(m)*

❏ les feuilletons *(m)* et les séries *(f)*

❏ les spectacles *(m)* de variété

❏ les jeux *(m)* télévisés

❏ les dessins *(m)* animés

Les sorties et les spectacles

Combien de fois par mois allez-vous... ?

	jamais	une ou deux fois	trois à cinq fois	plus de cinq fois
au cinéma				
au théâtre				
à un concert				
à une exposition *(exhibit)*				
à une conférence *(lecture)*				
dans un café				
dans une boîte *(nightclub)*				

Les vedettes et le monde du spectacle

Quels sont...

- vos chanteurs, vos chanteuses, ou vos groupes préférés ? Quelles sont vos chansons préférées ?
- vos acteurs ou vos actrices préférés ? Dans quels films jouent-ils ?
- vos films préférés ? Qu'est-ce que vous aimez dans ces films ?
  - le sujet ?
  - les acteurs ?
  - la musique ?
  - la photographie ?
  - l'histoire ?
  - les personnages ?

Communication et vie pratique

A. **Vos émissions préférées.** Tell how well you like the various types of television programs listed in the **Point de départ.** Take a survey of the preferences of students in your class.

Put different types of programs on separate note cards and have students go around the room asking others for their opinion. Results can be shared with the class: **Dix étudiants aiment beaucoup les feuilletons; sept détestent les feuilletons.**

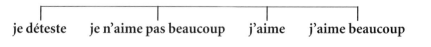

je déteste   je n'aime pas beaucoup   j'aime   j'aime beaucoup

EXEMPLE   **J'aime beaucoup les documentaires, mais je déteste les jeux télévisés.**

B. **Les vedettes du cinéma et de la télévision.** Describe a television/movie star or a show/movie to other students in your class. Start with one sentence that gives minimal information. If no one guesses correctly, give another clue that adds a bit more information. Continue until someone guesses the right answer.

> EXEMPLE **C'est une série.**
> **Il y a beaucoup d'action.**
> **Les personnages principaux sont des médecins.**
> **En français, cette émission s'appelle *Urgences.***

C. **Sondage.** Imagine that you have received a telephone call from a service that rates television programs. The company representative (played by another student) wants to know what you generally watch on different days of the week and what you think of the programs. The company suggests that you rate the programs using the scale that follows. Role-play the situation.

***À ne pas manquer** (miss).*
****À regarder si vous êtes chez vous.**
***C'est un navet** (a loser).*

> EXEMPLE **Le jeudi, je regarde toujours *Urgences.* C'est une émission à ne pas manquer. L'histoire est toujours intéressante et les acteurs sont excellents.**

D. **Internet.** Go to a Web site such as **http://tvhebdo.infinit.net/** and compare the currently most popular anglophone and francophone films in Quebec. Are any of them the same?

Info-culture : La télévision

Recent statistics indicate that 7 percent of French households subscribe to cable broadcasting; 6 percent have satellite reception, an area that is growing faster than cable.

French television viewers have a choice of several channels. **France 2** and **France 3** are public channels; **TF1, ARTE,** and **Canal+** (a pay channel) are privately owned. Luxembourg, Belgium, Switzerland, and Monte Carlo also have independent stations that can be seen in parts of France.

Eurovision, a new form of television programming, broadcasts special programs simultaneously via satellite in multiple countries, each with its own soundtrack in the appropriate language. Cable television is becoming popular in France and offers a variety of channels to subscribers, including several foreign language channels.

The government-controlled **RTF (Radio-Télévision France)** is financed by special taxes paid by owners of radios and television sets (the tax for a television set is approximately $100 annually). Consequently, **RTF** enjoys financial autonomy and is relatively free of commercials. (Advertising does not interrupt programs, but occurs between them.) French television can thus offer a greater variety of programs and appeal to a wider range of interests than American commercial stations. The top officials of **RTF** are, however, appointed by the **Conseil des Ministres,** which is similar to the American president's cabinet.

These close ties with the government have occasionally led to charges of biased programming and turnover in management.

Et vous ?

Based on the information in the **Info-culture,** tell how French television is different from American television.

Exploration 1

Comment demander ou indiquer l'heure : L'heure

To ask what time it is, say: **Quelle heure est-il ?** (or **Est-ce que vous avez l'heure, s'il vous plaît ?**) or, less formally, **Il est quelle heure ?** To answer these questions, use the following patterns.

A. On the hour:

Il est une heure.   Il est quatre heures.   Il est midi.   Il est minuit.

B. On the half or quarter hour:

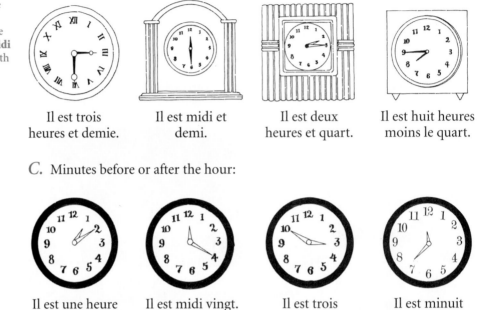

| Il est trois heures et demie. | Il est midi et demi. | Il est deux heures et quart. | Il est huit heures moins le quart. |

C. Minutes before or after the hour:

| Il est une heure dix. | Il est midi vingt. | Il est trois heures moins dix. | Il est minuit moins vingt-cinq. |

To indicate *A.M.,* use **du matin;** use **de l'après-midi** for the afternoon and **du soir** for the evening to indicate *P.M.*

Je quitte la maison à sept heures du matin.
À trois heures de l'après-midi, je vais à la bibliothèque.
Chez nous, on mange à huit heures du soir.

D. These expressions are useful in talking about time.

être à l'heure	*to be on time*
être en avance	*to be early*
être en retard	*to be late*
Il est tôt.	*It's early.*
Il est tard.	*It's late.*

E. In official time schedules (e.g., for planes, trains, buses, TV or radio programs) the 24-hour system is used in France.

official time	conventional time
zéro heure trente (0 h 30)	minuit et demi
trois heures cinq (3 h 05)	trois heures cinq
douze heures (12 h)	midi
quinze heures quinze (15 h 15)	trois heures et quart
vingt-trois heures cinquante-cinq (23 h 55)	minuit moins cinq

Situation : Au bureau de renseignements

Monsieur Josserand téléphone au bureau de renseignements de la gare de Perrache à Lyon pour savoir à quelle heure est le prochain train pour Paris.

M. Josserand	Allô, je voudrais savoir à quelle heure il y a un train pour Paris.
L'Employée	Le prochain train est à onze heures trente-cinq.
M. Josserand	Ça va être trop juste... À quelle heure est le suivant ?
L'Employée	À midi dix, mais ce n'est pas un TGV. Je suis désolée.
M. Josserand	Et le prochain TGV, il est à quelle heure ?
L'Employée	À treize heures trente.

> **Mots à retenir :**
> **juste** *close, tight,* **le suivant** *the next one,* **TGV (train à grande vitesse)** *high-speed train,* **désolée** *sorry*

Avez-vous compris ?

Quels sont les trois choix possibles ? Quels sont leurs avantages ou leurs inconvénients ?

Communication et vie pratique

A. **Quelle heure est-il ?** Radio announcers give the time at various intervals. Use the clocks that follow to tell what they say.

1.   2.   3.   4.   5.

6.   7.   8.   9.   10.

IAE Drills: 1. Begin at 1 o'clock and have students give the time at one-hour intervals until they reach noon. 2. Begin at 3 o'clock and have students give the time at fifteen-minute intervals until they reach 5 o'clock. 3. Begin at 6 o'clock and have students give the time at five-minute intervals until they reach 7 o'clock.

Give additional practice by putting times on the board or by using a clock.

B. **À l'aéroport.** You are at **l'aéroport Charles de Gaulle** in Paris and you see a monitor announcing international flights. Tell a friend when these flights leave, using the 12-hour clock.

    EXEMPLE   Montréal / 13 h 10
                 Il y a un avion pour Montréal à une heure dix.

1. Rome / 18 h 30
2. Chicago / 12 h 35
3. New York / 16 h 20
4. Genève / 8 h 45
5. Bruxelles / 11 h 30
6. Dakar / 17 h 35
7. Londres / 6 h 15
8. Tokyo / 9 h 15

Have students write down their class schedules, using a code name. Then pass out the schedules to other students who will have to match the schedule with the appropriate person.

C. **Emploi du temps.** Use the following chart to give Philippe's class schedule. Then tell other students when you have your classes.

EMPLOI DU TEMPS 6ème B

	LUNDI	MARDI	MERCREDI	JEUDI	VENDREDI	SAMEDI
08h00	DESSIN			SCIENCES	EDUCATION	HISTOIRE
08h30	*M. Dupas*			PHYSIQUES	PHYSIQUE	GEOGRAPHIE
09h00	FRANCAIS	ALLEMAND			SPORT	EDUCATION
09h30	*Mme Fredici*			*M. Zouillé*		PHYSIQUE
10h00				Permanence	*Mme Lecuyer*	SPORT *Mlle Kopagesdi*
10h30	ALLEMAND	MATHS			ALLEMAND	MATHS
11h00	*Mme Fau*			FRANCAIS		
11h30	MATHS	FRANCAIS			FRANCAIS OU HISTOIRE-GEO	MUSIQUE
12h00	*Mme Sourbies*					
13h30						
14h00	HISTOIRE GEOGRAPHIE	TECHNOLOGIE			BIOLOGIE	
14h30	*Mme Morin*	*Mme Bertrant*			*M. Pean*	
15h00	FRANCAIS			ALLEMAND	Permanence	
15h30						
16h00	EDUCATION PHYSIQUE SPORT			MATHS	EDUCATION CIVIQUE	
16h30	*Mme Lecuyer*					
17h00					chorale	
17h30						

EXEMPLE   **Il a son cours de français le lundi à neuf heures.**

D. **Tu es libre ?** Some French students will be on campus, and your class has been asked to accompany them throughout the day and evening. Ask questions to find out when people will be free to accompany them.

EXEMPLE   **Est-ce que tu es libre à neuf heures du matin ?**
Non, mais je suis libre entre midi et deux heures.

E. **Qu'est-ce qu'il y a à la télé ?** On the following page is an evening television schedule of programs in Montreal taken from **TVHebdo.** Answer the questions that follow based on the information in the schedule.

1. Combien de chaînes en langue française y a-t-il ?
2. Est-ce qu'il y a un feuilleton ? à quelle heure ?
3. À quelle heure sont les informations sur les différentes chaînes ?
4. Combien de films est-ce qu'il y a à la télé ce soir ? sur quelles chaînes et à quelle heure ?
5. Est-ce qu'il y a des jeux télévisés ? à quelle heure ?
6. Est-ce qu'il y a des reportages spéciaux ? sur quelles chaînes et à quelle heure ?
7. Est-ce qu'il y a une émission pour les enfants ?

VOTRE SOIRÉE DE TÉLÉVISION

CANAUX	18 h 00	18 h 30	19 h 00	19 h 30	20 h 00	20 h 30	21 h 00	21 h 30	22 h 00	22 h 30	23 h 00	23 h 30	CF	VD
SRC 2 9 13	Ce soir	(9)(13) Plein Emploi (18:30)	Virginie	Les Aventures de Tintin	4 et demi...		Omertà - La Loi du silence		Le Téléjournal/Le Point		Sport / Pol. féd. (23:20)	De bouche à oreille (23:29)	4	4
TVA 4 8t 7 10	Le TVA	Piment fort / Marcel Leboeuf	Chasse aux trésors	Ailes de la mode / Serge Postigo	Beverly Hills, 90210		Salle d'urgence		Le TVA	Le Poing J / Nicole Garcia	Sports / Loteries (23:52)		7	7
TQC 15 17 24 45	Macaroni tout garni	Improvissimo	Les Choix de Sophie	Gros Plan sur...	Cinéma / J.A. MARTIN PHOTOGRAPHE (3) avec Marcel Sabourin, Monique Mercure				Pignon sur rue	Les Choix de Sophie	Série, je t'aime		8	8
TQS 16 30 35	La fin du monde est à 7 heures	Flash l'avant-match	Hockey / Coyotes - Canadiens						Le Grand Journal	La fin du monde est à 7 heures	110%		5	5
CTV 12	Pulse		Acc. Hollywood	Loves Raymond	Suddenly Susan	Conrad Bloom	Ally McBeal		L.A. Doctors		CTV News	Pulse / Sports	11	11
8	News		Wheel of...	Jeopardy	Melrose Place							News	45	58
CBC 6	Newswatch		King Wenceslas	Madeline Xmas	Cinéma / GONE WITH THE WIND (3) avec V. Leigh, C. Gable (1/2)				National / CBC News		National Update		13	13
ABC 22	M*A*S*H	ABC News	M*A*S*H	Frasier	NFL Football / Lions - 49ers							News/Access H.	22	22
CBS 3	News		CBS News	E.T.	Cosby	King of Queens	Loves Raymond	Becker	L.A. Doctors		News	Late Sh. (23:35)	21	21
NBC 5	News	NBC News	Jeopardy	Wheel of...	Suddenly Susan	Caroline... City	Mad About you	Conrad Bloom	Dateline NBC			Tonight... (23:35)	23	23
33	Newshour		Nightly Business	Free Delivery	In Search of the Oregon Trail						Battlefield/Battle of the Rhine (6/6)		20	20
57	BBC News	Nightly Business	Newshour		Best of the Mediterranean with Rick Steves		Everest (21:15)	Celtic Harpestry (22:05)			World News	Charlie Rose	24	24
A & E	Northern Exposure		Law and Order		Biography / Montgomery Clift		Investigative Reports / Inside Scientology				Law and Order		38	47
BRAVO	William Dixon - Mtl Jazz Festival		Bravo! Videos	Foot Notes	See & Hear the World: Arts of Tibet		Cinéma / ROAD TO RIO (5) avec Bing Crosby, Bob Hope (21:10)				NYPD Blue		34	48
CÂBLE 9 V.	Au royaume du père Noël				Entour'âge / Spécial Noël		De fil... / Trucs	Déco-Loisirs...	Le dessin...	Express...	À la une			9
CANAL D	Contact Animal		Histoires de la mer / Morro Castle		Carnets de vol/Orbis, hôpital volant		Biographies / Norman Rockwell		Hawaï 5-0		Cinéma / LAWRENCE D'ARABIE		31	31
CNN	CNN WorldView	Moneyline News Hour, Lou Dobbs	Crossfire		The World Today		Larry King Live		NewsStand / Time		Sports Tonight	Moneyline	36	39
DISC.	Power Hour: Forbidden Places		@discovery.ca		Wild Discovery: Behaving...		Champions of...	Great Cdn Parks	Discover Magazine		@discovery.ca		37	37
FAMILY CH.	Little Lulu Show	Nilus, Sandman	Cinéma / WILD HEARTS CAN'T BE BROKEN (4)		Blossom		Dinosaurs		Cinéma / RETURN TO SNOWY RIVER (5) avec T. Burlinson, S. Thornton		Spellbinder		68	
FOX	Home Improv.	Cheers	Home Improv.	NewsRadio	Melrose Place		Ally McBeal		Real TV	Cops	NewsRadio	Hard Copy	46	36
GLOBAL	Global News	First Nat. News	Diresta	E.T.	Cosby	Caroline... City	Mad About you	Two Guys, a Girl	Global Special: Tribute to Norman Jewison		PSI Factor		3	3
HISTORY	Way We Were	The Rat Patrol	True Action...	It Seems Like...	Vintage	Spice of Life	History Presents / The Death Train			It Seems Like...	The Canadians		47	49
LIFE	Pet Project	Pet Friends	Weird Homes	Trendspotting	Animal Adv.	Nat. Geographic	Martha Stewart Living		Dish It Out	...for Dinner?	Animal Adv.	Foodessence	29	50
MM	Classic...	Pop-up Video	Spotlight	RapCity	VideoFlow		Aerosmith Live N' Direct		VideoFlow	MuchMegaHits	Pop-up Video	Spotlight	35	
MP	Interfax		Platine		Clip		Smash Hits Poll Winners '97		Hot d'Or XXX	La Courbe	Interfax	Pop up Vidéo	30	30
MMAX	MusiMax Collection (14:00)		Mouvements classiques/Road Movie du mélomane, Chopin, Preisner				MusiMax Collection				Mouvements... / Road Movie...		48	32
NW	World News	Business News	Newsworld Reports		Sports Journal	CounterSpin...	The National		Pamela Wallin		...Tonight	A. Petrie (23:15)	25	25
RDI	Euronews	Capital Actions	Le Monde ce soir		Les Armes secrètes de Saddam		Le Journal RDI	Maisonneuve à l'écoute	Le Canada aujourd'hui				19	19
RDS	Ouch!!!	Sports 30 Mag	Stampede de Calgary						Sports 30 Mag		Supercross Moto - Genève		33	33
SHOWCASE	Party of Five		Forever Knight		Street Justice		Due South		Cinéma / CARRINGTON (4) avec Emma Thompson, Jonathan Pryce				40	40
TÉLÉTOON	Crypte Show	Les Zinzins...	Sacrés Dragons	La femme qui...	Nanook	Blake, Mortimer	Les Simpson	Cléo et Chico	Le Diable...	Highlander	Les Simpson	Splat!		34
TLC	Bob Vila's Home Again		Code 3 / Trapped		Armageddon		On the Brink - Doomsday				Armageddon		27	27
TSN	Off the Record	Sportsdesk	Hockey / Canadiens - Coyotes						WWF Raw is War		Sportsdesk		28	28
TV5	Voilà Paris	La 50e Avenue	Journal FR2	D'un monde à l'autre			Les Pieds (21:05)	Strip-tease		Journal belge	L'Écran témoin		15	15
VIE	Un enfant...	Copines d'abord	Des histoires... / Faut-il un père...		Ecce Homo / Les Châtiments		Grandeur Nature	Devenir médecin	Lignes de vies	Allô docteur / Le Bonheur	Copines d'abord		44	35
YTV	The Flintstones	Charlie Brown	Nick & Noël	Rugrats	Bump in Night	Goosebumps	Addams Family	Breaker High	Student Bodies	The Odyssey	Ocean Girl	Are You Afraid	18	18
CANAUX	18 h 00	18 h 30	19 h 00	19 h 30	20 h 00	20 h 30	21 h 00	21 h 30	22 h 00	22 h 30	23 h 00	23 h 30	CF	VD

CÂBLE: A & E = ARTS AND ENTERTAINMENT - CÂBLE 9 V. = CÂBLE 9 VIDÉOTRON - CNN = NOUVELLES - DISC. = DISCOVERY - MM = MUCH MUSIC - MP = MUSIQUE PLUS - MMAX = MUSIMAX
NW = NEWSWORLD - RDI = RÉSEAU DE L'INFORMATION RDS = RÉSEAU DES SPORTS - TLC = THE LEARNING CHANNEL - TSN = THE SPORT NETWORK - TV5 = TÉLÉVISION INTERNATIONALE - YTV = YOUTH TV

C'est votre tour

Vous travaillez au bureau de renseignements de la gare de Macon. Des clients (joués par d'autres étudiants de la classe) téléphonent pour savoir l'heure de départ de différents trains et l'heure d'arrivée à leur destination. Donnez les renseignements demandés.

Client 1 : désire aller à Annecy et préfère partir le matin
Client 2 : désire aller à Genève mais préfère partir entre deux et cinq heures
Client 3 : désire aller à Aix-les-Bains et préfère arriver pendant l'après-midi

First model the conversation with a student; then have students role-play the situation in groups of two or three. If you have a U.S. airline or train schedule, have students role-play a situation where a French tourist needs information about schedules.

		TGV 931	TGV 973 967 (1)	TGV 975	TGV 935 (2)	TGV 913
PARIS-LYON		7.09	10.28	14.42	17.15	19.23
MACON TGV	A	8.48	12.08	16.22	18.57	21.07
	D	8.50	12.10	16.24	18.59	21.09
BOURG-EN-BRESSE		9.08	-	-	19.17	
CULOZ		-	-	-	-	
AIX-LES-BAINS		10.10	-	-	20.17	
ANNECY		10.47	-	-	20.54	GRENOBLE (22.31)
CHAMBERY		-	-	-	-	
BELLEGARDE		-	13.31	17.44	-	
GENEVE		-	14.01	18.14	-	

T.G.V.

desservant MACON-LOCHÉ

PARIS → GENEVE / CHAMBÉRY / ANNECY

(1) Rame 973 : dessert BELLEGARDE - GENEVE : tous les jours.

Rame 967 : dessert BELLEGARDE - ANNEMASSE (14.15)

THONON-LES-BAINS (14.40) - EVIAN (14.53) : les samedis,

dimanches et fêtes du 26/06 au 19/08.

(2) Circule tous les jours sauf samedis et sauf 30/05.

Exploration 2

Parler du passé : Le passé composé

We often speak about what has already happened. Here are some frequently used words that indicate we are talking about the past.

hier *(yesterday)*	samedi dernier, samedi passé
hier matin	la semaine dernière, la semaine passée
hier soir	l'année dernière, l'année passée
déjà *(already)*	pas encore *(not yet)*

To indicate that an action has been completed, the **passé composé** is used. It expresses a meaning similar to three different English constructions: *I traveled, I have traveled, I did travel.*

A. The **passé composé** of most verbs is formed by using the present tense of **avoir** and a past participle. Past participles of -**er** verbs replace the -**er** ending of the infinitive with **é.**

Passé composé de voyager	
j'**ai** voyagé	nous **avons** voyagé
tu **as** voyagé	vous **avez** voyagé
il / elle / on **a** voyagé	ils / elles **ont** voyagé

Elle **a travaillé** pendant le week-end.
Nous **avons regardé** un match télévisé.

B. **Avoir, être, prendre, boire, faire,** and **voir** have irregular past participles.

avoir → eu   être → été   prendre → pris
boire → bu   faire → fait   voir → vu

Vous **avez été** contentes de vos résultats ?
Oui, nous **avons eu** une bonne note.

C. In a negative sentence, **ne** precedes and **pas** (or **jamais**) follows the form of **avoir.**

Elle **n'a pas aimé** cette émission.
Ils **n'ont jamais visité** la Martinique.

Note that short adverbs are placed between the form of **avoir** and the past participle.

Est-ce que **tu as déjà fait** tes devoirs ?
Non, je **n'ai pas encore eu** le temps.

Situation : Vous avez été sages ?

M. et Mme Lemoine ont passé la soirée chez des amis. Ils demandent à leurs enfants s'ils ont été sages pendant leur absence.

Mme Lemoine	Vous avez été sages ?
Didier	Bien sûr, maman.
Mme Lemoine	Vous avez fait vos devoirs ?
Isabelle	Oui, mais je n'ai pas eu le temps de finir mes maths.
Mme Leoine	Et toi, Didier, tu as appris ta table de multiplication ?
Didier	Non, maman.
Mme Lemoine	Pourquoi pas ?
Didier	Parce que j'ai oublié mes affaires à l'école.

Mots à retenir :
demander *to ask,* **sage** *good, well-behaved,* **finir** *to finish*

Avez-vous compris ?

Indiquez ce que chaque enfant a fait, ce qu'il n'a pas fait et pourquoi.

Point out that French children often have more homework than their American counterparts.

IAE Drills: 1. **J'ai fait une promenade. Roger / tu / nous / mes parents / vous** 2. **Il a déjà visité l'Italie. nous / ses amis / Monique / tu / je / vous** 3. **Nous n'avons pas encore voyagé au Mexique. nos amis / Lucien / vous / je / tu / Chanel.** Have students put the following sentences in the past tense (**Je fais une promenade. → J'ai fait une promenade.**) 1. **Monique parle avec ses parents.** 2. **Nous invitons des amis à dîner.** 3. **Il a le temps d'étudier.** 4. **Tu fais le ménage.** 5. **Mes amis passent l'après-midi à la bibliothèque.** 6. **Je trouve ce programme intéressant.**

As preparation, have students practice the times given in this activity. Have them repeat with **elle** and/or **nous**.

Communication et vie pratique

A. **Activités et occupations.** Sylviane is telling you what she did on her day off. Use the cues provided to tell what she says.

EXEMPLE   8 h 30 / téléphoner à Suzanne
À huit heures et demie, j'ai téléphoné à Suzanne.

1. 9 h / prendre mon petit déjeuner
2. 9 h 30 / écouter des CDs
3. 12 h 15 / quitter la maison pour aller en ville
4. 1 h 3 / prendre un café avec des amis
5. 3 h / faire des courses
6. 4 h 45 / avoir la visite d'une amie
7. 5 h 15 / acheter les provisions pour le dîner
8. 7 h 45 / regarder les informations

Encourage students to make up as many sentences as they can describing their activities. Then have them tell on what day they did a particular activity or at what time. Then have students ask each other about their activities. **Lundi après-midi, j'ai étudié pour un examen et le soir, j'ai invité des amis à dîner. Et toi, qu'est-ce que tu as fait lundi ?**

B. **Qui a fait quoi ?** Create sentences expressing what you and your friends did during the past week by combining one element from each column.

EXEMPLE   **Hier, j'ai invité des amis à dîner.**

		dîner chez des amis
		manger au restaurant
		avoir un examen difficile
		étudier mon français
lundi		inviter des amis à dîner
mardi		regarder un film à la télé
mercredi	je	écouter de la musique
jeudi	mes amis	préparer un bon dîner
vendredi	mes amis et	avoir la visite d'un(e) ami(e)
samedi	moi, nous	être en retard pour mon cours
dimanche	mon ami(e)	de français
hier		faire une promenade
la semaine		faire le ménage
dernière		passer l'après-midi à la bibliothèque
		faire des courses
		prendre un café avec des amis
		voir un film intéressant

Have students tell what television programs they watched last week (day, time, program): **Dimanche à quatre heures, j'ai regardé un match de football.**

C. **Petite conversation.** Use the following questions to talk with another student about what he or she did yesterday. These questions contain both a main question and suggested related questions to help you gain skill in sustaining a conversation in French. Work with another student and come up with additional follow-up questions to ask.

1. Est-ce que tu as regardé la télé hier soir ?
   a. Est-ce que tu as regardé les informations ?
   b. Est-ce que tu regardes les informations tous les jours ?
   c. Est-ce que tu as regardé un film ?
   d. Est-ce que tu as écouté la météo ?
   e. ?

2. Est-ce que tu as écouté des CDs hier soir ?
   a. Est-ce que tu as écouté de la musique classique ?
   b. Quels CDs est-ce que tu as écoutés ?
   c. Quels sont tes chanteurs et tes chanteuses préférés ?
   d. Est-ce que tu as acheté leur dernier CD ?
   e. ?
3. Est-ce que tu as mangé à la maison hier soir ?
   a. Qui a fait la cuisine ?
   b. Qu'est-ce que tu as mangé ?
   c. Est-ce que tu as invité des amis ?
   d. À quelle heure est-ce que tu as mangé ?
   e. ?
4. Est-ce que tu as vu tes amis ou tes parents cette semaine ?
   a. Combien de temps avez-vous passé ensemble ?
   b. Qu'est-ce que vous avez fait ?
   c. Est-ce que tu as été content(e) de passer un peu de temps avec eux ?
   d. ?

C'est votre tour

Imaginez que votre professeur de français (joué par un(e) autre étudiant(e)) n'est pas très content de vous pour différentes raisons. Vous présentez vos excuses à votre professeur.

> EXEMPLE **Je suis désolé, madame. Je n'ai pas fait mes devoirs parce que mes camarades de chambre ont invité des amis à dîner.**

As preparation, have students come up with possible excuses that they might use in each of these problem situations. Encourage them to be polite and contrite: **Excusez-moi, monsiuer (madame, mademoiselle). Je suis vraiment désolé(e), mais...**

Problèmes possibles

Vous n'avez pas fait vos devoirs.
Vous avez laissé vos devoirs à la maison.
Vous avez été souvent absent(e).
Vous avez été absent(e) le jour de l'examen.
Vous avez été très souvent en retard.
?

Phrases utiles

Je regrette, mais...
Je suis désolé madame (mademoiselle, monsieur), mais...
Excusez-moi, mais...

Excuses possibles

Vous avez été trop occupé(e).
Vous n'avez pas eu le temps d'étudier.
Vous n'avez pas eu le temps de faire vos devoirs.
Vous avez quitté la maison très tôt et vous avez oublié votre livre.
Vous n'avez pas compris les explications.
?

Exploration 3

Parler des décisions et des événements importants dans votre vie : *Choisir* et les verbes du deuxième groupe

The following verbs are often used in talking about significant events in our lives.

grandir *(to grow up)*	J'ai grandi dans le nord de la France.
finir *(to finish)*	J'ai fini mes études en 1998.
réussir *(to succeed)*	En général, j'ai bien réussi dans mes études, mais je n'ai pas réussi à tous mes examens.
choisir *(to choose)*	Je n'ai pas encore choisi ma future profession.
accomplir	J'ai encore beaucoup de choses à accomplir.

These verbs belong to a pattern of verbs whose infinitives end in **-ir,** formed as follows:

choisir	
je choisi**s**	nous choisi**ssons**
tu choisi**s**	vous choisi**ssez**
il / elle / on choisi**t**	ils / elles choisi**ssent**
Passé composé : j'**ai** choisi	

Have students note the difference in pronunciation between the "s" [z] and the "ss" [s] in, for example, **nous choisissons.**

Situation : On va au ciné ?

The number of moviegoers has decreased in recent years, particularly because of the easy access of films on television; nonetheless, moviegoing remains one of the most popular leisure-time activities in France, especially among young people.

Valérie invite ses amis Christine et Pierre à aller au cinéma ce soir.

VALÉRIE	Vous finissez à quelle heure ce soir ?
CHRISTINE	Moi, je finis à six heures, mais Pierre ne rentre pas avant huit heures.
VALÉRIE	Ça ne fait rien. La deuxième séance commence à neuf heures.
CHRISTINE	Oui, mais qui va garder les enfants ?
VALÉRIE	Maman est libre ce soir. Alors, c'est d'accord ? Vous choisissez le film et moi, je passe un coup de fil à maman.
CHRISTINE	Alors, d'accord !

Mots à retenir :
rentrer *to return home*, **ça ne fait rien** *it doesn't matter*, **la séance** *showing*, **commencer** *to start*, **d'accord** *okay*, **garder** *to keep*, **un coup de fil** *a phone call*

Avez-vous compris ?

Faites l'inventaire de la situation.

Projet proposé par Valérie :	
Problèmes :	
Solutions :	

Communication et vie pratique

A. **À quelle heure ?** You are planning to go to the movies with several friends and are asking when they are free. They tell you when they finish for the day.

> EXEMPLE   Marc / 6 h
> **Marc finit à six heures.**

1. Monique / 2 h
2. je / 5 h 30
3. nous / 4 h
4. tu / avant 7 h
5. vous / assez tôt
6. les autres / vers 5 h

B. **Souvenirs d'enfance.** A friend from the south of France is telling you where she and other members of her family grew up. What does she say?

> EXEMPLE   ma grand-mère / Nice
> **Ma grand-mère a grandi à Nice.**

1. je / à Nice aussi
2. nous / en Provence
3. Pierre / dans les Alpes
4. ma tante / en Italie
5. mon père / près d'Avignon
6. mes cousins / dans un petit village

C. **Et toi ?** Find out in what cities your classmates grew up. If they moved, find out how long they stayed in each place.

> EXEMPLE   **Où est-ce que tu as grandi ?**
> **J'ai grandi à San Diego où j'ai passé cinq ans. Après ça, nous avons habité à Los Angeles.**

D. **Événements importants.** Use the following questions to ask another student about important events in his or her life.

1. Où est-ce que tu es né(e) ?
2. Où est-ce que tu as grandi ?
3. Quand est-ce que tu as fini tes études au lycée ?
4. Quand est-ce que tu as commencé tes études à l'université ?
5. Est-ce qu'il y a des cours où tu ne réussis pas très bien ?
6. Quand est-ce que tu vas finir tes études ?
7. Est-ce que tu as déjà choisi ta future profession ? si oui, quelle profession as-tu choisie ?

IAE Drills: 1. **Il a déjà visité le Sénégal. nous / nos cousins / Monique / tu / je / vous** 2. **Nous n'avons pas voyagé au Mexique. nos amis / Delphine / vous / je / tu / Jean-Louis** 3. **J'ai fait le ménage ce matin. mes camarades de chambre / son père / nous / tu / vous** 4. **Est-ce que vous avez déjà mangé dans ce restaurant ? tu / les Dubois / Micheline / tes amis / nous**

Have students imagine that they are going to the movies and are telling each other at what time they finish.

Redo using cities in francophone countries.

Have students interview each other in small groups and write in French a summary of the conversation.

C'est votre tour

Vous avez décidé d'aller au cinéma avec vos amis (joués par d'autres étudiants de la classe), mais c'est difficile de trouver une heure où vous êtes tous libres et vous avez des goûts très différents. Les films qu'on joue et l'heure de chaque séance sont indiqués ci-dessous. Avant de commencer, notez à quelle heure vous êtes libre, à quelle heure vous désirez rentrer et quels films vous trouvez intéressants. Après ça, jouez la scène.

Cinéma Carnaval Châteauguay

NOW SHOWING   À L'AFFICHE

Friday August 13th to Thursday August 19th 1999
vendredi 13 août au jeudi 19 août 1999

▼ Cinéma Carnaval Châteauguay ▼

			jours			soir		ven/sam
G	Info	L'affaire Thomas Crown	12:35	2:40	4:40	7:15	9:20	11:25
13 ANS +	Info	Le sixième sens	12:35	2:40	4:45	7:20	9:35	11:45
13 ANS +	Info	The Blair Witch Project	12:20	2:20	4:10	7:05	9:10	11:00
13 ANS +	Info	Terreur sous la mer				7:10	9:15	11:20
G	Info	Inspecteur Gadget	12:15	2:00	4:00	7:10	9:00	11:00
G	Info	Babel v.f.	12:20	2:10	4:00			
G	Info	La mariée est en fuite	12:25	2:35	4:50	7:15	9:30	11:40

Nouvelle Ambiance - Écrans Courbés - Son Dolby Digital Stéréo

---

As was indicated earlier, many TV channels have Web sites where programming is listed.

Intégration et perspectives : Qu'est-ce qu'il y a à la télé ?

It might be useful to have students peruse the listings of one station to look for different types of programming or to look over the offerings of several stations to identify one particular type of programming (e.g., films, series).

Pour mieux lire : No words have been glossed in this authentic and unedited television schedule from *Téléguide,* and there are questions for you to answer about what is being broadcast in **Avez-vous compris ?** To make your task easier, try to rely on the television vocabulary you have already learned, your expectations of what you would find in a television schedule, and your ability to guess the meaning of words and phrases from context. Most importantly, relax and don't be worried if you don't understand everything—you will still be able to answer the questions.

Vendredi

TF1

6.20 **La croisière foll'amour** 7233949 6.45 **TF1 infos** 1819098 7.00 **TF ! jeunesse : salut les toons** 49394158.30 **Télé shopping** 6020659 9.05 **TF ! jeunesse** 9549746

11.10 **Jamais deux sans toi...t**
Série. France.
Loto mobile.
Léo annonce à Valentine, le 1er avril, qu'ils ont gagné à la loterie. 9149982

11.35 **Une famille en or**
Jeu. 13223098

12.10 **Cuisinez comme un grand chef**
Chaque semaine, un grand chef dévoile ses secrets et astuces. Aujourd'hui, Patrick Cardin présente la tarte aux poireaux. 8248630

12.15 **Le juste prix**
Jeu. 7034185

12.50 **A vrai dire**
Les fibres alimentaires. 100543

13.00 **Journal** 56524

13.45 **Les feux de l'amour** ⊘
Feuilleton. Etats-Unis. Inédit.
Les locataires de Rainbow Gardens arrêtent leur grève des loyers pour ne pas perdre leur logement. 756291

14.40 **Arabesque**
Série. Etats-Unis.
Jack et Bill.
Jessica est menacée par une inconnue armée qui veut kidnapper le chien de Bill, un ami de Jessica. 2175104

15.35 **Côte Ouest**
A l'amour, à la mort.
Gary informe les jumeaux que leur mère est morte dans un accident de voiture. 6833825

16.30 **Sunset Beach**
Série. Etats-Unis. Inédit.
Gregory invite Tiffany à passer des vacances en famille. 8832982

17.20 **CD Tubes** 5112017

17.25 **Sydney Police**
Série. Australie.
Désordres publics.
Deux excentriques se jettent du haut d'un immeuble, munis d'un parachute. 108765

18.20 **Touché, gagné !**
Jeu. 808949

19.00 **Le bigdil**
Jeu. 21272

20.00 **Journal** 81678

20.55 *Variétés.* 7162611
Présentation : Nagui.

LA SOIRÉE D'ENFER

Nagui met en exergue les tics et les défauts de nos contemporains. Pour réaliser les séquences, le principe de la caméra cachée a été adapté à chaque situation : caméras de la taille d'un stylo dissimulées dans des objets usuels, participation d'un complice. Les manies relatives à l'hygiène ou à l'éducation ont été un peu négligées au profit d'habitudes dont l'effet comique se révèle à l'image. Ainsi, une femme qui a l'habitude de danser avec son chien lorsqu'elle rentre chez elle déchaîne les rires du public. Un spectateur pourra gagner un voyage. Invités : Marie-Thérèse Porchet, Marianne James, Sophie Moniotte, Sonia Dubois, Patrick Adler, Elisa Tovati. Pour les variétés : Faudel, « Tellement N'Brick » ; Louise, « Let's Go Round Again » ; Stomy Bugsy, « Mon papa à moi est un gangster ».

Faudel

23.10 **Sans aucun doute**

Magazine de société. Présentation : Julien Courbet.
Invité : Khaled. Thème : Doit-on craindre les plombages dentaires ? Angoisses, insomnie, agressivité, migraines à répétitions, dépressions... Et si c'était à cause des plombages dentaires ? Des médecins dénoncent les effets néfastes du mercure contenu dans les plombages. D'autres personnes nient tous les risques. Qui croire ? Faut-il avoir peur des plombages dentaires ? En Suède, par exemple, une grande campagne a déjà commencé pour remplacer gratuitement les plombages. 3507253

1.00 **CD Tubes** 6044334
1.05 **TF1 nuit** Et aussi 2.10. 8527708
1.15 **Très chasse** La chasse du cerf. 9734215
2.20 **Histoires naturelles** Suède : le roi au pays des rennes. 6478499
3.15 **Reportages** ⊘ Les belles du Lido. Un reportage réalisé par Cathelyne Hemery, Jean-Michel Chappes et Frans-Yves Marescot. Comment devenir danseuse dans le célèbre cabaret. 3664296
3.40 **Les aventures du jeune Patrick Pacard** ⊘ 1530586 4.30 **Histoires naturelles** La louveterie. 7660296 4.55 **Musique** 16745895 5.00 **Histoires naturelles** Le sang noir. 23143645

France 2

6.30 **Télématin** 4819456 8.35 **Amoureusement vôtre** 8528659 9.05 **Amour, gloire et beauté** 3315920 9.30 **La planète de Donkey Kong** Au sommaire : Les Maîtres des sortilèges. - Sabrina. - Chair de poule. 5562982 10.55 **Flash infos** 5869901 11.00 **Motus** 5126663 11.40 **Les Z'amours** 2225272

12.10 **Un livre, des livres**
« En Tunisie », de Jellel Gasteli (Eric Koehler). 8246272

12.20 **Pyramide** 7022340

13.00 **Journal** 88123

13.50 **Le Renard**
Série. Allemagne.
La lettre rose.
Monsieur Wächter découvre son épouse Susanne morte dans la baignoire, électrocutée par le sèche-cheveux. La défunte n'a laissé aucune lettre d'adieux. 7608104

14.55 **L'as des privés**
Série. Allemagne. Inédit.
Monnaie de singe.
Alexander Stein (« AS ») est arrêté pour détention de faux billets. Déçu par l'attitude des policiers, il décide de mener sa propre enquête. 9985098

15.55 **La chance aux chansons**
Mémoire d'Eurovision.
Invités : Alain Barrière, Marie Myriam, Vicky Leandros, Guy Mardel, Jacqueline Boyer, Frida Boccara, etc. 7391543

16.45 **Des chiffres et des lettres**
Jeu. 251712

17.20 **Un livre, des livres**
Magazine. 5110659

17.25 **Sauvés par le gong, la nouvelle classe**
Série. Etats-Unis.
Un banquet improvisé.
Les élèves du lycée doivent effectuer un stage en entreprise. Le groupe de Scott est chargé de la gestion d'un restaurant. 5264611

17.50 **Hartley, cœurs à vif**
Série. Australie.
Andrew donne un devoir à ses élèves. Matt est victime d'un accident dont Bolton est indirectement responsable. 5305456

18.45 **Qui est qui ?**
Jeu. 5307494

19.25 **C'est l'heure**
Magazine. 955475

20.00 **Journal** ⊘ 72920

21.00 *Série. France. 1997.* 8983678
Réalisation : Gérard Vergez et Fred Demont.

ENQUÊTES EN SÉRIE ⊘

Bruno Wolkowitch . V. Fournier
Lisa Martino........ Marie Lopez
Nathalie Roussel .... Florence
Jean-Claude Adelin......... Corsi

Inédit.
PJ : « SDF ». Hocine, un SDF, est retrouvé comateux sur un quai du canal. Vincent et Mourad se chargent de retrouver son ancienne compagne. Dans le même temps, le patron de la DPJ annonce à Meurteaux qu'il le suspend pour cause d'alcoolisme. - 21.50 Dossier diparus : « Madeleine ». Convoqués chez Delage, Florence et Corsi apprennent par les Vidampierre que leur fils, Julien a disparu. Tudal, de son côté, enquête sur la disparition d'une vieille femme diabétique, Madeleine Haumont. Florence et Corsi se rendent chez les Vidampierre.

Lisa Martino, Bruno Wolkowitch.

Une première série dynamique et réaliste, une seconde tout en psychologie. Des acteurs convaincants et des scénarios bien ficelés.

22.45 **Un livre, des livres**
Magazine. 5111123

22.50 **Bouillon de culture**

Magazine culturel. Présentation : Bernard Pivot.
Politique et philosophie : à la recherche du bonheur.
Invités : Daniel Cohn-Bendit, pour « Une envie de politique » (La Découverte) et « Cohn-Bendit : un jeune homme à suivre » par Laurent Lemire (Liana Lévi) ; Olivier Duhamel, coauteur avec Daniel Cohn-Bendit du « Petit Dictionnaire de l'Euro » (Seuil) ; André Comte-Sponville et Luc Ferry, pour « La Sagesse des modernes » (Laffont). 358479

0.00 **Journal** 25505

0.25 **Le salon de musique** ★★★
Film. Drame. Inde. 1958. Réalisation : Satyajit Ray. 1 h 35. NB. VO.
Ciné-club : cycle « L'Ecran du monde ».
Avec : Chabbi Biswas, Ganda Pada Basu, Kali Sarkar, Tulsi Lahari.
A l'occasion de l'initiation sacrée du fils de son voisin, Biswamghar, grand propriétaire terrien ruiné, envoie un message à sa famille afin qu'elle revienne. Mais le jour de la fête, Biswamghar apprendra qu'ils ont péri dans une tempête. 4443296

2.00 **C'est l'heure** 4008296 2.25 **Envoyé spécial** ⊘ 4583470 4.25 **Transantarctica** 7188437 4.40 **Cordée canine** 2090654 5.10 **Opéra sauvage : Zimbabwe** 28559760

Ask students to decide which programs they would like to watch on this particular evening. They can use the schedule presented on p. 185 or, if available, check the Web site for a francophone station.

You might want to divide the class into groups and give students responsibility for one channel; the groups can then share the information they found in a large-group discussion.

Avez-vous compris ?

Consultez le programme de télé présenté dans *Téléguide* et faites les sélections indiquées.

Choisissez une ou deux émissions pour les personnes suivantes; indiquez le titre de l'émission, la chaîne et l'heure.

quelqu'un qui a des enfants
quelqu'un qui aime beaucoup la musique
quelqu'un qui aime le sport
quelqu'un qui aime regarder des feuilletons et des séries
quelqu'un qui préfère les documentaires
quelqu'un qui aime les jeux télévisés

Info-culture : Le programme télé

1. **France 2,** one of the two public television stations, offers a wide variety of programming, ranging from French, German, Australian, and American series to cultural magazines such as the popular *Bouillon de Culture.* This program, on which authors and philosophers discuss recent book releases, has been hosted by Bernard Pivot on Friday evenings for many years.

2. The private channel **TF1** features a great number of American series and soap operas as well as films and variety shows.

3. **Canal+** specializes in films that are repeated many times during the month. These films are broadcast in their original languages with French subtitles. Although **Canal+** is a pay channel, some programs can be viewed for free **(en clair),** usually between 6:30 and 8:30 P.M.

4. The three major channels broadcast news three times per day: 1 P.M. and 8 P.M. for **TF1** and **France 2;** the late news is usually between 11 P.M. and 1 A.M. On **France 3,** the other public television channel, the news is on a little earlier and includes more regional and local news. News briefs are broadcast throughout the day. Foreign news is also available; for example, **Canal+** shows the **ABC News** in English with French subtitles.

5. The coverage of popular sports events such as soccer, tennis, and bicycle or horse races is an important part of television programming. Some events, such as soccer's **Championnat de France,** are televised in their entirety.

6. *Des Chiffres et des lettres* is a popular French quiz show; other game shows include French versions of *Wheel of Fortune (La Roue de la fortune), Jeopardy, Family Feud (Une Famille en or),* and *The Price is Right (Le Juste Prix).*

7. Note the large number of magazine shows and documentaries (especially on **France 3**). They treat culture, history, nature, and even society on **magazines** such as *Thalassa* on **France 3** and *Sans aucun doute* on **TF1**. The variety of programming indicates that Friday evenings are more of a "TV night" in France than in the United States.

8. The ratings at the bottom of the page mean:
   *À la rigueur *(If you have nothing better to do)*
   *À voir *(Worth seeing)*
   **À enregistrer *(Worth taping)*
   ***À garder *(Worth keeping)*

   —Malentendants *(Closed captioning)*
   ◯—Accord parental souhaitable *(Parental guidance suggested)*
   △—Interdit—12 ans *(Not for under 12 years of age)*
   □—Interdit—16 ans *(Not for under 16 years of age)*

Et vous ?

Consultez le programme qui précède. Ensuite choisissez les trois ou quatre programmes que vous allez regarder et expliquez votre choix.

Communication et vie pratique

A. **Télévision : Sélections du soir.** The announcer is listing some of the programs that are going to be on television this evening. For each program, indicate in the chart the time, the channel, and the type of program it is.

> *Pour mieux comprendre :* Reactivating vocabulary you know on a particular topic can help your comprehension. Before listening to the **speakerine** announce the evening's programs, make a list of French words for the different types of television programs that you might expect to hear in this context. For example, you probably won't find children's programs on in the evening, but you are likely to have documentaries and movies.

Nom de l'émission	Heure	Chaîne	Type d'émission

Have students videotape their presentation of the evening's programming. Other students can check their comprehension by listing several of the programs described.

B. **Au programme ce soir...** Now, play the role of the announcer, prepare your script, and give the programs for Friday evening on one of the channels. You might even want to find a different TV schedule on the Internet.

EXEMPLE **Au programme ce soir, nous avons...**

Pour mieux écrire : The comprehension grid in the preceding activity can help you organize your script. The only category that you will need to add is **description du programme.**

C. **Des goûts et des couleurs.** Several friends with very different tastes (sports fan, intellectual, music lover, soap opera fan, news lover) are looking at the television schedule in the **Intégration et perspectives** section and are discussing programs that they like. Role-play the conversation with several other students. As preparation, list the programs that the individuals in the different groups would like and explanations of why they like them. Think also of comments you might make to disagree with someone's choices.

EXEMPLE **Je trouve les documentaires intéressants. On apprend beaucoup de choses.**
Moi, je ne suis pas d'accord; en général, je trouve les documentaires ennuyeux.

D. **Les Américains et leur télé.** Describe American television to a French friend **(les différentes chaînes; les émissions qu'on peut regarder, à quelle heure et pendant combien de temps; les préférences des différents groupes de gens, etc.).** You might want to bring in a television guide to use as part of your written or oral description, explaining the types of programs available and when they are offered.

Bien prononcer

The sounds /s/ and /z/

When the letter **s** occurs between two vowels, it is pronounced /z/ as in **poison.** When there are two **s**'s, the sound is always /s/ as in **poisson.** The sound /s/ also corresponds to the following spellings: **ç, c** followed by **i** or **e,** and **t** in the **-tion** ending (**ça, ceci, nation**). An **x** is pronounced /z/ in a **liaison.**

Compare and repeat:

ils ont	↔	ils sont
poison	↔	poisson
désert	↔	dessert
nous avons	↔	nous savons
deux heures	↔	deux sœurs

Petite conversation... Practice repeating the following conversation.

—Et après le poisson, qu'est-ce que vous choisissez ?
—Nous avons envie d'un bon dessert.
—Qu'est-ce que vous avez à nous proposer ?

CHEZ NOUS

À ST. PIERRE- ET MIQUELON

Saint-Pierre-et Miquelon est le plus ancien, et le plus petit, des territoires d'outre-mer français.

Superficie : 242 km^2

Population : 6 277 h

« Comme la plupart des gens ici, je viens d'une longue tradition de marins et de pêcheurs (sailors & fishermen). En fait, la population de Saint-Pierre compte un grand nombre de Bretons venus ici à l'époque de la grande pêche sur les côtes de Terre-Neuve (du 16e au 18e siècles). Il y a aussi des Normands, des Basques et des Acadiens qui représentent la partie la plus ancienne de la population de l'archipel. Moi, personnellement, j'ai des ancêtres bretons et des ancêtres basques.

Nous sommes très attachés à notre héritage culturel. Les basques en particulier ont gardé un lien très fort avec le Pays basque, et les sports et le folklore basques restent très importants ici. Nous essayons aussi de cultiver ces traditions dans notre

musique. Nous avons ici plusieurs groupes musicaux, mais mon chanteur favori est Henri Lafitte. On peut presque sentir la présence de la mer dans ses chansons. Pendant mon temps libre, j'aime jouer de la guitare et composer des chansons. Je suis aussi en train d'apprendre à jouer de la vielle, un vieil instrument breton. Mes copains et moi, nous avons formé un petit groupe musical. Après le travail, nous passons souvent des heures à jouer les morceaux que nous avons composés, ou à improviser! J'espère qu'un de ces jours nous allons enregistrer notre propre CD et peut-être avoir l'occasion de passer à la télévision. »

Vocabulaire

La télévision (Voir pp. 170–171)
L'heure (Voir pp. 173–174)
Les verbes du deuxième groupe (Voir p. 182)

Noms

absence *(f) absence*
conférence *(f) lecture*
coup *(m)* **de fil** *phone call*
explication *(f) explanation*
exposition *(f) exhibit*
groupe *(m) group*
multiplication *(f) multiplication*
photographie *(f) photography*
programme *(m) (TV) listing*
soirée *(f) evening; party*
sujet *(m) subject*
titre *(m) title*

Verbes

commencer *to begin*
demander *to ask*
garder *to keep; to take care of*
rentrer *to return home*

Adjectifs

absent *absent*
classique *classic*
culturel(le) *cultural*
désolé *sorry*
juste *close, tight*
scientifique *scientific*
suivant *following*

Divers

ça ne fait rien *it doesn't matter*
d'accord *okay*
hier *yesterday*
quelqu'un *someone*
tard *late*
tôt *early*

La pluie et le beau temps

Chapitre huit

Fonctions

Dans ce chapitre, vous allez apprendre à
- *parler du temps qu'il fait*
- *parler de vos allées et venues*
- *parler du passé*
- *situer un événement dans le temps*

Vocabulaire et structures

Point de départ : Quel temps fait-il ?
Exploration 1 : Les verbes conjugués comme **partir** *et comme* **venir**
Exploration 2 : Le passé composé avec l'auxiliaire **être**
Exploration 3 : **Depuis** *et autres expressions de temps*

Point de départ : Quel temps fait-il ?

Current weather conditions and forecasts for France and the francophone world are available on the Internet (e.g., **http://www.meteo.fr/** and **http://meteo.yahoo.fr/**). Use a search engine to find other sites if desired.

Chaque jour, la météo annonce le temps qu'il va faire. Voici une carte de France indiquant le temps qu'il fait dans chaque région et les mots *(words)* et expressions associés aux symboles utilisés.

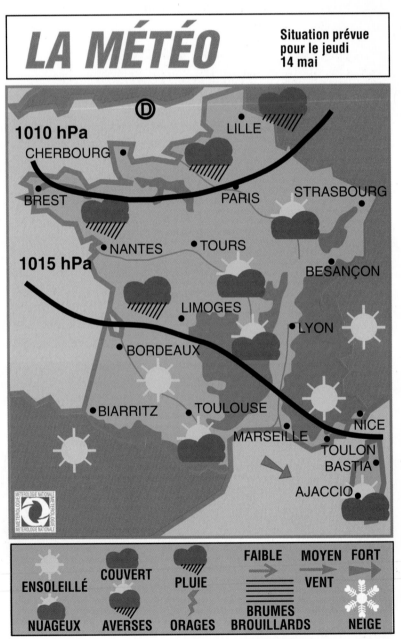

Have students use vocabulary they know and the vocabulary in the legend for the weather report to guess the meaning of the new vocabulary words in this section.

C'est l'été.
Il fait beau.
Il fait du soleil.
Il fait chaud.
Il y a quelquefois des orages.

C'est l'automne.
Il fait frais.
Il fait du vent.
Le ciel est couvert. Il y a des nuages dans le ciel.
Il pleut souvent.
Il a plu hier.
Il va encore pleuvoir demain.

C'est l'hiver.
Il fait froid.
Il gèle. *(It's freezing.)*
Il neige souvent.
Il y a quelquefois des tempêtes de neige.

C'est le printemps.
Le temps change souvent.
Un jour, il fait beau.
Le jour suivant, il fait mauvais.
Le matin, il fait souvent du brouillard.

Le temps qu'il fait	**Réactions**
Il fait chaud. Il fait 37° C. (La température est de 37 degrés [centigrade].)	On a chaud. Quelle chaleur ! Il faut mettre la climatisation. J'ai peur *(I'm afraid)* de prendre un coup de soleil *(sunburn)*.
Il fait froid. Il fait -5° C. (La température est de moins 5 degrés.)	J'ai froid. Je n'ai pas envie de sortir dehors *(outside)*. Il faut mettre le chauffage.
Il fait mauvais.	J'ai peur quand il y a un orage. Il faut faire attention; sinon on risque d'avoir un accident.

Communication et vie pratique

A. **Le temps en France aujourd'hui.** Selon la carte des prévisions météorologiques, quel temps fait-il dans les principales villes françaises ? (Consultez la carte à la page 194.)

> EXEMPLE   Paris
> **Quel temps fait-il à Paris ?**
> **Le ciel est couvert.**

You might want to point out that weather expressions are generally formed with the impersonal **il** and the verb **faire**. **Avoir** is used when talking about emotions and needs: **J'ai soif, j'ai faim, j'ai envie,** and so on.

Point out the expression **faire un bonhomme de neige.**

Optional vocabulary: **Il pleut à verse; il fait lourd; il fait gris; il fait un froid de canard; il fait un temps à ne pas mettre un chien dehors; quel sale temps; quel temps de chien; parler de la pluie et du beau temps.**

The formula for changing temperatures from Celsius to Fahrenheit is (9/5) × (Celsius temperature + 32) and for changing from Fahrenheit to Celsius, the formula is (5/9) × (Fahrenheit temperature) − 32). For the mathematially disinclined, Web sites that do the conversions for the user are available (search under "temperature").

If available, bring in other weather maps and reports from francophone newspapers or Web sites and have students summarize the weather conditions given for a particular day or period of time. Copies of weather reports from U.S. newspapers can also be given to students who can summarize in French what the weather is going to be like.

B. **Quel temps fait-il dans le monde ?** Un journal français annonce les prévisions suivantes. Quel temps fait-il dans les différentes villes mentionnées ?

EXEMPLE   Berlin 10° PV
À Berlin, il fait dix degrés. Il pleut et il fait du vent.

Températures et conditions météorologiques		
N = neige	P = pluie	V = vent
S = soleil	C = couvert	O = orage
Paris 10° VP		Melbourne 25° OV
Madrid 14° S		Oslo 7° S
New York 2° N		Berlin 10° PV
Londres 8° C		Rome 13° SV

C. **La météo.** Selon la carte suivante, quel temps a-t-il fait hier au Canada ? Quel temps va-t-il faire pendant le reste de la semaine à Montréal et à Québec ?

Prévision à long terme pour Montréal

Environnement Canada

Prévision à long terme pour Québec

D. **Internet.** Tombouctou n'est pas seulement un mot, c'est une vraie ville du Mali en Afrique occidentale. Si vous voulez savoir quel temps il va faire à Tombouctou pendant les quatre jours qui viennent, consultez **http://www.usatoday.com/weather/basemaps/nw612230.htm** ou bien un autre site comparable.

Info-culture : La France et son climat

La France est un pays au climat modéré et varié. La variété de son relief contribue aussi à la variété du climat et des paysages naturels. Si vous regardez la carte, vous pouvez distinguer les grandes régions naturelles.

- **Les régions montagneuses :** Les montagnes jeunes (les Alpes et les Pyrénées) et les montagnes anciennes (le Massif central et les Vosges).
- **Les plaines et les plateaux :** Situés surtout dans le nord et l'ouest du pays : le Bassin parisien et le Bassin aquitain.
- **Les principaux fleuves :** la Seine, la Loire, la Garonne, et le Rhône.

On distingue quatre types de climat :

- **Le climat atlantique (à l'ouest) :** Hivers doux et humides et pluies fréquentes en toute saison.
- **Le climat continental (dans le nord) :** Contrastes plus marqués, hivers froids, étés assez chauds.
- **Le climat montagnard (surtout dans les Alpes)** : Hivers longs et très froids et neige abondante.
- **Le climat méditerranéen (en Provence et dans le Languedoc) :** Hivers très doux et étés chauds et secs; climat particulièrement agréable, excepté quand le Mistral souffle. (Le Mistral est un vent violent qui souffle dans la partie sud de la vallée du Rhône.)

Les autres pays francophones européens (Belgique, Monaco, Luxembourg, Suisse) ont aussi un climat modéré, avec des saisons bien marquées. Le climat est affecté par la latitude (climat plus froid et humide en Belgique, plus chaud et ensoleillé dans le sud de la France et à Monaco), par l'influence de la mer et de l'océan (climat plus doux et humide en Bretagne, plus chaud en été et plus froid en hiver au Luxembourg) et par l'altitude. La Suisse et les Alpes françaises ont un climat de montagne avec des hivers rigoureux, des glaciers et des neiges éternelles.

Et vous ?

Faites une petite description orale ou écrite de la géographie de votre région ou de votre pays : montagnes, plaines, fleuves et rivières, climat. Vous pouvez utiliser une carte pour illustrer votre présentation.

Exploration 1

Parler de vos allées et venues : Les verbes conjugués comme *partir* et comme *venir*

The present tense of several **-ir** verbs like **partir** *(to leave)* and **sortir** *(to go out)* does not follow the regular pattern of verbs like **choisir.**

partir	
je **pars**	nous **partons**
tu **pars**	vous **partez**
il / elle / on **part**	ils / elles **partent**

À quelle heure **partez**-vous ?
Ce soir, je **sors** avec des amis.

Venir *(to come)* is also irregular.

v e n i r	
je **viens**	nous **venons**
tu **viens**	vous **venez**
il / elle / on **vient**	ils / elles **viennent**

Est-ce que vous **venez** du Maroc ?
Non, je **viens** de Tunisie.

A. Other verbs that are similar to **venir** are

| **devenir** | *to become* | Le ciel **devient** nuageux. |
| **revenir** | *to come back, return* | Je **reviens** dans un instant. |

B. **Venir de,** when followed by an infinitive, means *to have just done something.*

| Je **viens de trouver** du travail. | *I just found a job.* |
| Nous **venons d'arriver.** | *We (have) just arrived.* |

C. There are three ways, in addition to the present tense, to express actions that relate closely to present time.

- Action about to take place: **aller** + infinitive

Anne va faire du ski.

- Action in the process of taking place: **être en train de** + infinitive

Anne est en train de faire du ski.

- Action that has just taken place: **venir de** + infinitive

Anne vient de faire du ski.

Situation : Qu'est-ce que tu deviens ?

Mathieu rencontre son vieil ami Raymond. Ils échangent des nouvelles. Raymond est très occupé.

MATHIEU	Alors, qu'est-ce que tu deviens, mon vieux ?
RAYMOND	Je voyage beaucoup. Aujourd'hui, je reviens de Milan et demain, je pars pour Londres.
MATHIEU	Si tu es libre, viens dîner chez nous ce soir.
RAYMOND	Impossible, je sors avec Natacha.
MATHIEU	Quoi ? Sophie et toi, vous ne sortez plus ensemble ?
RAYMOND	Non, c'est fini entre nous. Mais vous deux, qu'est-ce que vous devenez ?
MATHIEU	Nous venons d'acheter une maison, et... je vais bientôt être papa !
RAYMOND	Eh bien, félicitations !

> **Mots à retenir :**
> **rencontrer** *to run into, meet,* **les nouvelles** *(f pl)* **news,** **qu'est-ce que tu deviens ?** *what's become of you ?* **alors** *so, well,* **bientôt** *soon,* **félicitations** *(f pl) congratulations*

Avez-vous compris ?

Quels sont les événements importants dans la vie de Raymond et dans la vie de Mathieu ?

Communication et vie pratique

A. **D'où viens-tu ?** Des étudiants de l'Université de Bordeaux parlent de leur pays d'origine. Qu'est-ce qu'ils disent ?

> EXEMPLE   Mounir / Tunisie
> **Mounir vient de Tunisie.**

1. Ibrahim / Maroc
2. je / Canada
3. nous / Allemagne
4. Marco et Teresa / Mexique
5. tu / Angleterre
6. vous / Sénégal

B. **Départs.** La patronne de Nathalie veut savoir quand ses employés vont partir en vacances et quand ils vont revenir. Utilisez les indications suivantes pour lui donner les renseignements demandés.

> EXEMPLE   Marcel : départ 20/6; retour 2/7
> **Marcel part le vingt juin et il revient le deux juillet.**

1. Philippe et Yves : départ 15/5; retour 25/5
2. Régine : départ 10/7; retour 15/7
3. je : départ 29/8; retour 5/9

4. vous : départ 6/6; retour 11/6
5. Daniel et moi, nous : départ 1/10; retour 5/10

C. **Qu'est-ce qu'ils deviennent ?** Un ami vous raconte ce que font les différents copains que vous avez en commun. Qu'est-ce qu'il dit ?

> EXEMPLE Marc / partir en vacances
> **Marc part en vacances.**

1. moi, je / partir aussi en vacances
2. Laura et Pierre / sortir ensemble
3. Josette / partir à Paris demain
4. Paul et moi, nous / sortir ensemble ce soir
5. mes cousins / revenir du Sénégal
6. tu / venir dîner à la maison dimanche

D. **Avant, pendant et après.** Utilisez les illustrations suivantes pour indiquer ce que Robert Lefranc et ses amis vont faire, ce qu'ils sont en train de faire et ce qu'ils viennent de faire.

Illustrations can be copied or placed on an overhead transparency. Have students find magazine pictures that could be used in this activity.

> EXEMPLE **Il va manger.**
> **Il est en train de manger.**
> **Il vient de manger.**

1. 2. 3.

4. 5.

Give students a blank schedule and have them ask other students what they do (are doing, or have just done) at different times of the day.

E. **Habitudes.** Vous mentionnez une heure de la journée et les autres étudiants vont indiquer ce qu'ils font habituellement à cette heure-là, ce qu'ils viennent de faire juste avant et ce qu'ils vont faire peu après.

> EXEMPLE D'habitude, à onze heures, je viens juste de quitter mon cours d'histoire et je suis en train d'étudier à la bibliothèque. Et après, je vais aller déjeuner au restaurant universitaire.

C'est votre tour

Have the students playing the French friends plan how they are going to answer the questions of their friends; have the friends make up several questions to ask to keep the conversation going. Then have them switch roles.

Imaginez que vous rencontrez des amis français (joués par d'autres étudiants) que vous n'avez pas vus depuis longtemps. Vous voulez savoir ce que chacun devient (études, travail, famille et amis). Posez-leur toutes sortes de questions, comme par exemple, « Qu'est-ce que tu deviens ? » « Est-ce que tu as des nouvelles de X ? » « Est-ce que X et Y sortent toujours ensemble ? »

Exploration 2

Parler du passé : Le passé composé avec l'auxiliaire *être*

Students find the acronym Dr. & Mrs. Vandertrampp a useful way to remember verbs conjugated with être (d = descendre; r = rentrer, etc.).

Some French verbs, such as **aller,** use **être** instead of **avoir** as their auxiliary verb in the **passé composé.** The past participles of these verbs agree in number and gender with their subjects.

Passé composé d'aller	
je **suis allé(e)**	nous **sommes allé(e)s**
tu **es allé(e)**	vous **êtes allé(e)(s)**
il / on **est allé**	ils **sont allés**
elle **est allée**	elles **sont allées**

Point out that **revenir** means *to come back to one's starting point,* **retourner** means *to go back again,* and **rentrer** means *to come back home.*

You may want to contrast **partir** and **quitter** : **Je suis parti de la maison à 8 heures** versus **J'ai quitté la maison à 8 heures.** Also, **J'ai passé un mois à Montréal** versus **Je suis passé par Montréal.**

A. Many of the verbs that require **être** indicate actions related to location (coming, going, remaining, leaving, etc.).

entrer / sortir	Elle **est sortie** de l'épicerie et elle **est entrée** dans un autre magasin.
aller / venir	Je **suis allée** chez vous mais vous n'**êtes** jamais **venus** chez moi.
partir / arriver	Ils **sont partis** le 15 août et ils **sont arrivés** le 16.
rester / revenir	Ils **sont restés** deux semaines sur la Côte et ils **sont revenus** le 1er septembre.

monter / descendre	Une personne **est montée** dans l'autobus; deux autres **sont descendues.**
aller / retourner	Robert **est allé** en France cette année. Il espère **retourner** en France l'an prochain.
rentrer	Nous **sommes rentrés** à notre hôtel à minuit.
passer	Nous **sommes passés** devant l'Opéra.

B. Other verbs requiring **être** indicate a change of state.

naître *(to be born)*	Elle **est née** le 12 octobre.
mourir *(to die)*	Ils **sont morts** dans un accident.
tomber *(to fall)*	Je **suis tombé.**
tomber malade *(to become ill)*	Elle **est tombée** malade.

You might want to point out the expressions **tomber amoureux/ euse de quelqu'un** and **tomber en panne.**

Situation : Quel fiasco !

Chaque année, un grand nombre de Français et d'étrangers viennent faire du ski dans les Alpes. Cette année, Antoine et Céline, des Bruxellois, ont décidé d'aller à Mégève. Céline explique à son amie Béatrice pourquoi leur séjour n'a pas été très agréable.

BÉATRICE	Vous n'êtes pas allés faire du ski cette année ?
CÉLINE	Si, mais nous ne sommes pas restés longtemps.
BÉATRICE	Quand êtes-vous partis ?
CÉLINE	Samedi dernier.
BÉATRICE	Et vous êtes déjà rentrés ? Qu'est-ce qui est arrivé ?
CÉLINE	Nous avons eu toutes sortes d'ennuis. La voiture est tombée en panne en route... Nous sommes arrivés à trois heures du matin !
BÉATRICE	J'espère qu'il a fait beau pendant votre séjour ?
CÉLINE	Non, il a fait mauvais tous les jours. Alors, nous sommes revenus à Bruxelles.

> **Mots à retenir :**
> **le séjour** *stay,* **arriver** *to happen,* **un ennui** *(m) a difficulty, problem,* **tomber en panne** *to break down*

Avez-vous compris ?

Quels renseignements avez-vous sur les vacances de Céline et Antoine ?

Destination :	
Départ :	
Voyage :	
Arrivée :	
Séjour :	
Retour :	

After students have completed this comprehension check, have them imagine a trip that they took and ask them to fill in the grid that follows. They can then use this information to transform and perform the **Situation.**

IAE Drills: 1. **Ils sont restés à la maison. Chantal et Martine / nous / je / Robert / vous** 2. **Nous ne sommes pas arrivés à l'heure. je / le professeur / les étudiants / Anne-Marie / vous** 3. **On est rentré tard. je / ses frères / Micheline / tu / nous.** Have students put the following sentences in the **passé composé** using être. (**Je viens à huit heures. → Je suis venu à huit heures.**) 1. **Nous retournons en Europe.** 2. **Il part à six heures.** 3. **Pourquoi est-ce qu'elle ne vient pas ?** 4. **À quelle heure est-ce que Jacques et Marie arrivent ?** 5. **Je descends de l'autobus.** 6. **Elle sort avec Robert.** 7. **Je vais en vacances.** 8. **Tu rentres vers minuit.** Have students put the following sentences in the **passé composé** using **être** or **avoir** as appropriate. 1. **Tu montes dans ta chambre.** 2. **Nous partons en vacances.** 3. **Mes parents mangent au restaurant.** 4. **Il a un examen.** 5. **Ils sortent ensemble.** 6. **Tu finis vers cinq heures, n'est-ce pas ?** 7. **La voiture tombe en panne.** 8. **Nous revenons de Bruxelles.**

As preparation, you might want to review the use of **à** with nouns (e.g., **café / au café**). The exercise can be repeated in the negative (**Michèle n'est pas allée au café**).

Communication et vie pratique

A. **Pendant le week-end.** Des étudiants parlent de ce qu'ils ont fait le week-end dernier. Qu'est-ce qu'ils disent ?

> EXEMPLE   Michèle / café
> **Michèle est allée au café.**

1. tu / restaurant
2. Robert / théâtre
3. Serge et Marie / concert
4. je / cinéma
5. vous / campagne
6. Anne et Sophie / piscine
7. nous / supermarché
8. Viviane et Louise / plage

Point out that Monaco is an independent principality on the Mediterranean to the southeast of France. It has a population of around 30,000 and is one-half square mile in area. Its principal industries are tourism and gambling. Prince Rainier is the head of this country. This exercise can be transformed into a paragraph that can be used for listening comprehension.

B. **Il y a des gens qui travaillent...** Un chauffeur d'autocar qui emmène les touristes visiter Monaco parle de ce qu'il a fait aujourd'hui. Qu'est-ce qu'il dit ?

> EXEMPLE   je / arriver / à l'hôtel à midi
> **Je suis arrivé à l'hôtel à midi.**

1. les touristes / sortir de l'hôtel
2. ils / monter dans l'autocar
3. nous / partir à midi et quart
4. nous / passer devant le casino
5. nous / arriver au Palais à deux heures
6. les touristes / descendre de l'autocar
7. ils / entrer dans le Palais
8. je / revenir à la gare
9. je / rester là pendant deux heures
10. je / retourner chercher les touristes

Remind students that they will need to decide whether to use **avoir** or **être** as appropriate in their answers. This exercise can be repeated with different pronouns to provide additional practice. Students could also be asked to add other activities that Jean-Luc and his brother might have done.

C. **Et d'autres qui voyagent.** Jean-Luc et son frère sont allés visiter le Canada l'été dernier. Qu'est-ce qu'ils disent au sujet de leur voyage ?

> EXEMPLE   partir de Paris le 1ᵉʳ août
> **Nous sommes partis de Paris le 1ᵉʳ août.**

1. aller à l'aéroport Charles de Gaulle
2. arriver à Montréal à midi
3. déjeuner à l'aéroport
4. aller à l'hôtel
5. monter dans notre chambre
6. téléphoner à des amis canadiens
7. sortir pour visiter la ville
8. boire un verre dans un café
9. rentrer à l'hôtel
10. regarder les informations

D. **Expériences communes.** Y a-t-il des étudiants dans votre classe qui ont fait les choses suivantes ? Posez-leur des questions pour le savoir. Après cela, annoncez à la classe les résultats de votre petite enquête.

Trouvez des étudiants...

1. qui sont nés le même jour ou le même mois
2. qui sont nés dans la même ville
3. qui sont allés au même lycée
4. qui sont venus à l'université la même année
5. qui sont déjà allés en France ou dans un pays où on parle français
6. qui n'ont jamais voyagé dans un pays étranger
7. qui sont sortis vendredi soir
8. qui sont rentrés tard samedi soir
9. qui ne sont pas partis en vacances l'été dernier
10. qui ont oublié d'étudier pendant le week-end

> These activities can be put in a grid. Each student has a copy of the grid, asks other students whether or not they have done these activities, and writes down the name of students who respond affirmatively. Answers are shared in a large-group discussion.

E. **Une vie.** Racontez la vie d'une personne réelle ou imaginaire (par exemple, un de vos ancêtres, ou bien un des premiers pionniers, ou bien encore une personne célèbre). Utilisez les suggestions suivantes pour vous guider dans votre récit.

- où et quand il / elle est né(e)
- en quelle année il / elle a quitté son pays
- quand il / elle est venu(e) aux États-Unis
- combien de temps il / elle est resté(e) dans différentes villes ou régions
- s'il ou si elle est retourné(e) dans son pays d'origine
- où il / elle a rencontré son mari (sa femme)
- s'il ou si elle a eu des enfants
- ce que ses enfants sont devenus
- quand il / elle est mort(e)

F. **Qu'est-ce que vous avez fait ?** Racontez ce que vous avez fait l'été passé, l'hiver passé et hier soir. Utilisez les suggestions suivantes et ajoutez vos propres idées. Si vous voulez, vous pouvez aussi parler de ce que vos amis ou vos camarades de chambre ont fait.

> Remind students that this activity uses verbs conjugated with **être** and **avoir.** The suggestions can serve as a point of departure for a writing activity.

> EXEMPLE **Pendant l'été, je suis allé(e) à la plage une ou deux fois et j'ai passé le reste du temps à travailler.**

1. Pendant l'été...

faire un voyage / visiter un pays étranger / aller à la plage / passer un mois à la campagne / passer l'été avec ma famille / travailler dans un restaurant (dans un bureau, dans une usine, etc.)

2. Pendant l'hiver...

aller faire du ski / rester à la maison / prendre des cours de danse / apprendre à faire la cuisine / aller souvent au cinéma

3. Hier soir...

aller au concert / inviter des amis à dîner / faire la cuisine / regarder un bon film à la télé / aller à la bibliothèque / finir mes devoirs

C'est votre tour

Imaginez qu'un de vos voyages a été un fiasco complet. Racontez ce voyage à vos amis français (joués par d'autres étudiants) et répondez à leurs questions. Utilisez les suggestions suivantes pour vous guider dans votre récit.

Le voyage : destination, date et heure de départ, moyen de transport utilisé, difficultés rencontrées pendant le voyage, date et heure d'arrivée, etc.

> It might be useful to have students work in groups of two or three to describe these problematic vacations. They can share their descriptions with other groups.

Le séjour : vos activités, les excursions que vous avez faites et les problèmes que vous avez eus pendant les excursions, etc.

Le retour : date et heure de départ, par quelles villes vous êtes passé(e), ce qui est arrivé pendant le voyage, etc.

Le temps qu'il a fait : pluie, orages, chaleur, etc.

Exploration 3

Comment situer un événement dans le temps : *Depuis* et autres expressions de temps

You might want to present **il y a... que** and **ça fait... que** as alternatives to **depuis**.

To indicate that an action or condition that began in the past is still going on in the present, the present tense is used with the expression **depuis**.

Nous habitons ici **depuis trois mois.**	*We've been living here for three months.*
Il pleut **depuis trois jours.**	*It has been raining for three days.*
J'étudie le français **depuis six mois.**	*I've been studying French for six months.*

A. **Depuis** is also used to indicate when an action started.

Marie est ici **depuis le premier juillet.**	*Marie has been here since July 1st.*
Il neige **depuis minuit.**	*It has been snowing since midnight.*

B. To ask *how long* something has been going on, use **depuis quand** or **depuis combien de temps**. In conversational French, these two expressions are often used interchangeably.

Depuis quand as-tu ton diplôme ?
Depuis le mois de juin.

Depuis combien de temps travailles-tu ici ?
Depuis six mois.

C. To speak of an action that has a specific duration or time span, **pendant** is used with the past tense.

Pendant combien de temps avez-vous habité au Canada ?	*How long did you live in Canada?*
Nous avons habité au Canada **pendant deux ans.**	*We lived in Canada for two years.*

D. Il y a + *amount of time* is the equivalent of *ago* in English. In this case, a past tense is used.

Il a fini ses études **il y a deux ans.**	*He finished school two years ago.*
J'ai visité Québec **il y a trois mois.**	*I visited Quebec three months ago.*

Situation : À la plage

Laurence est en vacances sur la Côte d'Azur. Elle est en train de prendre un bain de soleil sur la plage. Un beau jeune homme bien bronzé essaie de faire sa connaissance.

THIERRY	Bonjour, mademoiselle. Il fait beau, n'est-ce pas ?... Vous êtes à Antibes depuis longtemps ?
LAURENCE	Non, seulement depuis dimanche. Et vous ?...
THIERRY	Je suis ici depuis le début du mois. Mais malheureusement, je repars dans trois jours... Pendant combien de temps allez-vous rester sur la Côte ?
LAURENCE	Pendant quinze jours. Après ça, je vais partir en Corse.
THIERRY	Ah oui ?... J'ai passé quinze jours en Corse il y a deux ans. Il a fait un temps merveilleux pendant tout mon séjour.

> You might want to point out that the **Côte d'Azur** is one of the most popular vacation areas of France. Some optional vocabulary items: **prendre un coup de soleil, une serviette de plage, des lunettes de soleil, de la crème solaire, un écran solaire.** Have students think of other ways that they might try to open a conversation with someone.

Mots à retenir :
bronzé *tanned,* **faire la connaissance** *to meet, get to know,* **la Côte** *coast, shore, and here short for* **la Côte d'Azur,** *the Mediterranean coast*

Avez-vous compris ?

Indiquez depuis quand Laurence et Thierry sont à Antibes, pendant combien de temps ils vont rester sur la Côte et ce qu'ils vont faire après.

Communication et vie pratique

A. **Depuis quand ?** Demandez aux autres étudiants depuis quand ils font les différentes choses mentionnées.

> EXEMPLE habiter dans une résidence universitaire ?
> **Depuis quand habites-tu dans une résidence universitaire ?**
> **J'habite dans une résidence depuis deux ans** *ou*
> **Je n'habite pas dans une résidence.**

1. être étudiant(e) ici ?
2. étudier le français ?
3. habiter dans cette ville ?
4. avoir un emploi ?
5. avoir une voiture ?
6. avoir un chien ou un chat ?

B. **Quand... ?** Vous parlez de votre vie avec un(e) autre étudiant(e). Dites-lui quand les événements suivants ont eu lieu et posez-lui des questions sur sa propre vie.

> *IAE Drills:* Have students change the following sentences according to the models given. **Modèle : Je suis ici depuis deux mois. (trois ans) → Je suis ici depuis trois ans. 1. Ils travaillent ici depuis six semaines. (neuf mois) 2. Il neige depuis deux heures. (trois jours) 3. Nous sommes en classe depuis un quart d'heure. (une heure) 4. Elle a cette voiture depuis trois ans. (dix ans) 5. Ils sont au Canada depuis un an. (longtemps) Modèle : Il a fini ses études il y a un an. (trois ans) → Il a fini ses études il y a trois ans. 1. Je suis allé au Sénégal il y a trois mois. (un an) 2. Elle a visité Toronto il y a deux ans. (dix ans) 3. Ma tante est arrivée chez nous il y a trois jours. (huit jours) 4. Il est parti il y a dix minutes. (une demi-heure) 5. Nous somes allés en Corse il y a trois ans. (un an)**

EXEMPLE   aller en France pour la première fois ?
Je suis allé(e) en France pour la première fois il y a deux ans. Et toi ?
Je ne suis jamais allé(e) en France.

1. être né(e) ?
2. finir tes études au lycée ?
3. commencer à travailler ?
4. commencer à étudier le français ?
5. faire un voyage intéressant ?
6. acheter ta première voiture ?
7. faire du ski pour la première fois ?
8. venir à cette université ?

Have students practice introducing the American representative. Then have them imagine that they are to introduce other students at a meeting. Have them ask each other questions so that they can make the appropriate introductions. Students can begin their presentations by saying: **J'ai le plaisir de vous présenter...**

C. **J'ai le plaisir de vous présenter...** Imaginez que vous faites un stage de formation professionnelle dans une entreprise française. Au cours d'une réunion, on vous a demandé de présenter un représentant américain. Voici les détails qu'on vous a communiqués. Présentez-le à vos collègues français.

EXEMPLE   graduated twenty years ago
Il a fini ses études il y a vingt ans.

•	born forty-five years ago in New York
•	has been living in Seattle since 1985
•	has been working for this company since 1990
•	worked in Toronto for five years
•	worked in France ten years ago
•	has been studying French for several years
•	is going to stay here for six months

D. **Points communs.** Parlez avec les autres étudiants de votre classe pour découvrir qui a fait les choses suivantes. Ensuite, présentez les résultats de votre enquête au reste de la classe.

Trouvez un(e) étudiant(e)...

1. qui est allé(e) au Canada pendant ses vacances
2. qui est marié(e) depuis un an ou plus
3. qui a habité dans la même ville pendant dix ans
4. qui est né(e) il y a vingt ans
5. qui est sorti(e) avec la même personne pendant plusieurs années
6. qui parle une langue étrangère depuis son enfance
7. qui a habité dans un pays étranger pendant un an ou plus
8. qui n'a jamais été absent(e) pendant tout le semestre / trimestre

C'est votre tour

Vous passez vos vacances à la plage et vous rencontrez une personne que vous trouvez particulièrement attrayante. Essayez d'engager la conversation avec cette personne (jouée par un[e] autre étudiant[e]). Vous pouvez, par exemple, commenter sur le temps qu'il fait et lui demander depuis quand elle est ici. (Utilisez la **Situation** comme point de départ.) Avant de jouer la scène, faites une liste des questions que vous pouvez lui poser. L'autre personne va décider si elle a envie ou non de parler avec vous !

Intégration et perspectives :
Une année sous les tropiques

Pour mieux lire : Lire rapidement un paragraphe pour essayer de voir quelle est l'idée ou l'information principale qu'il contient est une technique qui peut vous aider à lire mieux et plus vite. Par exemple, le texte suivant contient une série de messages électroniques qui portent sur différents aspects de la vie de Daniel pendant son séjour à La Réunion. Une pratique commune quand on utilise le courrier électronique est de donner un titre à chaque message pour informer le lecteur de son contenu. À votre avis, quel titre Daniel aurait-il pu donner à chaque message ?

Point out other French-speaking countries in the Indian Ocean with unofficial ties to France: **Madagascar,** the fourth largest island in the world; **l'île Maurice** (east of Madagascar), and **les Seychelles,** a group of islands northeast of Madagascar. Have students locate these countries on the world map at the front of the book.

Sans nouvelles de son neveu Daniel depuis plusieurs mois, Madame Magnien a la surprise d'apprendre qu'il est maintenant à La Réunion où il travaille dans la Coopération. La Réunion, une île située dans l'océan Indien, est un des départements français d'outre-mer. La Coopération est un programme gouvernemental d'aide aux pays en voie de développement. Voici les messages électroniques que Daniel a envoyés à sa tante pendant sa première année à La Réunion.

Le 15 février

Chère tante,
Excuse-moi de ne pas avoir donné de nouvelles depuis l'automne. Comme tu vas voir, il y a eu beaucoup de changements dans ma vie. Ça fait bientôt un mois que je suis à La Réunion où je travaille comme ingénieur agricole. J'ai fini mes études à la fin de l'année, mais j'ai décidé de travailler pendant quelques années dans la Coopération au lieu de commencer immédiatement ma carrière. C'est un bon moyen de mettre en pratique ce que j'ai appris à l'école, de découvrir une nouvelle partie du monde et d'avoir l'impression de faire quelque chose d'utile ! (Tu vois que j'ai bien réfléchi à la question et que je n'ai pas pris cette décision à la légère !...) J'ai eu la chance d'être envoyé à La Réunion et je suis arrivé dans cette île magnifique le 23 janvier, au milieu de « notre » hiver. Adieu la pluie, la neige et le froid ! Bonjour le soleil, la végétation tropicale et la vie a un rythme beaucoup plus relax !

J'espère que tu vas bien et je t'embrasse bien affectueusement.
Daniel

Le 26 avril

Mon travail ici est assez agréable. Je suis conseiller technique dans une coopérative agricole spécialisée dans l'élevage des porcs. Je suis vite devenu ami avec les autres employés et les gens ici sont très accueillants. Je suis souvent invité à dîner chez les uns ou chez les autres. Je suis sûr que mes deux années à La Réunion vont passer très vite ! Trop vite peut-être...

Grosses bises,
Daniel

Le 12 juillet

Est-ce que tu as déjà fait du surfing ? Depuis mon arrivée ici, je suis devenu un passionné de ce sport ! Les vagues sont si hautes et si régulières que c'est un paradis pour les surfistes. Par contre, les belles plages sont assez rares car la côte est très rocheuse et sauvage. L'île est très montagneuse. C'est une succession de pics, de gorges, de forêts et de plantations de vanille. Il y a même plusieurs volcans qui sont encore en activité.

Je pense souvent à toi. Envoie-moi de tes nouvelles !
Daniel

Le 17 octobre

Merci de ta longue lettre. J'ai été heureux d'avoir de tes nouvelles et de savoir que tout va bien à l'autre bout du monde !
Le temps passe très vite. Il y a toujours quelque chose d'intéressant à faire ou à voir ici. Je profite de mon temps libre pour visiter l'île, qui est très petite en comparaison avec la France. En voiture, il est possible de faire le tour en trois heures. Mais en réalité, ça prend bien plus longtemps parce qu'on a envie de s'arrêter partout pour admirer le paysage. J'ai déjà pris des centaines de photos !

Affectueusement,
Daniel

Le 20 décembre

Je viens de recevoir une lettre de mes parents. Ils ont l'intention de venir ici l'an prochain. Quelle surprise ça va être pour eux qui n'ont jamais quitté la France !... Et si un jour, toi aussi, tu as un peu de temps libre pour voyager, n'oublie pas que tu es la bienvenue ici !

Meilleurs vœux de bonheur et de santé pour la nouvelle année.
Daniel

Le 2 février

Des copains de Lyon sont venus passer huit jours ici. Pendant leur séjour, nous avons fait l'ascension d'un des volcans. Nous avons marché et campé dans la nature pendant trois jours. Je crois qu'ils ont été contents de leur voyage... Après ça, ils sont allés visiter l'île Maurice. Ce n'est pas très loin d'ici et ils ont trouvé un voyage organisé qui ne coûte pas trop cher. Moi, c'est Madagascar que je voudrais visiter. C'est un endroit où la faune et la flore sont d'une variété incroyable... Tu n'as pas envie de venir explorer cette île avec moi ?... Allez, laisse-toi tenter...

Affectueuses pensées,
Daniel

> **Mots à retenir / Mots en contexte :**
> **sans** *without*, **en voie de** *in the process of*, **envoyer** *to send*, **la fin** *end*, **au lieu de** *in place of*, **à la légère** *lightly*, **espérer** *to hope*, l'**élevage** *(m) raising*, **vite** *quickly*, **accueillant** *hospitable, friendly*, **sûr** *sure*, **haut** *high*, **par contre** *on the other hand*, **sauvage** *wild*, **profiter de** *to take advantage of*, **s'arrêter** *to stop*, **le paysage** *landscape, scenery*, les **vœux** *(m) wishes*, **croire** *to believe, think*, **incroyable** *unbelievable*, **tenter** *to tempt*

Avez-vous compris ?

Dans chaque message, trouvez (1) une nouvelle ou un renseignement intéressant sur la vie de Daniel et (2) un renseignement intéressant au sujet de La Réunion.

Info-culture : Tour d'horizon climatique

Les départements et les territoires français d'outre-mer (les DOM et les TOM) comme la Réunion et d'autres pays francophones sont situés aux quatre coins du monde. Ils représentent des types de relief, de végétation et de climat très variés. Voici donc un petit tour d'horizon climatique de la francophonie.

Des îles volcaniques au climat tropical chaud et humide. Ces îles sont situées à la fois dans l'hémisphère nord (la Martinique et la Guadeloupe, voir à les pages 107–110) et dans l'hémisphère sud (La Réunion dans l'océan Indien, la Nouvelle-Calédonie et Tahiti dans l'océan Pacifique). Elles ont un relief montagneux. Les flancs des montagnes sont couverts d'une végétation dense et luxuriante. L'humidité du climat est atténuée par l'influence de la mer et des vents mais il y a souvent des cyclones pendant la saison chaude.

Des pays d'Afrique du Nord au climat méditerranéen au nord et désertique au sud. Le Maroc, l'Algérie et la Tunisie forment le Maghreb. La chaîne des montagnes de l'Atlas (avec des sommets de près de 4 000 mètres) divise ces pays en deux parties assez distinctes. Au nord et le long des côtes, on trouve une zone de plaines et de plateaux, au climat méditerranéen chaud et ensoleillé. Au sud de l'Atlas, c'est le domaine du Sahara, immense désert où il ne pleut presque jamais et où la température peut monter jusqu'à 49° C pendant le jour et tomber à 9° C pendant la nuit.

Des pays d'Afrique et d'Amérique du Sud au climat subtropical et équatorial. Les pays francophones africains sont situés en Afrique occidentale et en Afrique centrale (voir carte page 213). Le climat de ces pays va de la savane au nord, avec une ou deux saisons des pluies et des périodes de grande sécheresse *(drought)*, à la dense forêt équatoriale où la chaleur et l'humidité sont constantes. Les villes principales sont situées près de la côte et le long des rivières. La Guyane française en Amérique du Sud a également un climat équatorial.

Des pays nordiques (le Québec, Saint-Pierre-et-Miquelon) et même des terres australes (la terre Adélie dans l'Antarctique) au climat froid et glacial. Même dans la partie sud du Québec où la population est concentrée, les hivers sont longs et froids avec une épaisse couche de neige qui recouvre le sol pendant plusieurs mois. Le nord de la province est le domaine de la forêt. Plus au nord encore, on entre dans le domaine de la toundra avec seulement quelques villages Inuit.

À la Réunion : paysage et produits du sol

Et vous ?

Ask students to make up additional questions using the information on the chart on the next page.

De quels pays s'agit-il ? Basez vos réponses sur les renseignements donnés dans le tableau à la page 213. Ensuite, préparez d'autres descriptions de différents pays francophones. Les autres étudiants vont essayer de deviner de quels pays il s'agit.

1. Ce pays est à environ 15 000 kilomètres de Paris.
2. C'est un pays qui a une population d'environ 500 000 habitants.
3. C'est un des pays qui forment le Maghreb.
4. C'est une île au climat tropical située dans l'hémisphère sud.
5. Le sucre, les bananes et le rhum sont les produits principaux de ce pays.
6. Ce département est situé en Amérique du Sud.
7. La ville principale de ce pays est Nouméa.
8. Ce territoire est situé dans l'océan Pacifique, près de l'Australie.

① Quelques données fondamentales concernant l'Outre-Mer

	Éloignement de Paris (en km)	Superficie (en km²)	Population (1)	Densité moyenne (hab./km²)	Villes principales et nombre d'habitants	Principales productions
D.O.M.						
-Guadeloupe	6792	1780	328400	185	Pointe-à-Pitre (25310) Basse-Terre (12964)	Sucre, bananes, rhum
-Martinique	6858	1100	328566	299	Fort-de-France (97814)	Bananes, rhum, ananas, sucre
-Guyane	7072	91000	73022	0.8	Cayenne (38093)	Bois, pêche
-Réunion	9342	2510	515814	206	Saint-Denis (109068)	Sucre, rhum, essence à parfum
T.O.M.						
-Nouvelle-Calédonie	16745	19103	145368	7.6	Nouméa (60112)	Nickel
-Polynésie	15713	4200	166753	51	Papeete (23496)	Huile de coprah
-Wallis et Futuna	16065	274	12408	49	Mata-Utu (815)	Pêche, coprah
Collectivités territoriales -Terres australes et antarctiques françaises		440000	-	-	-	-
-Mayotte	8000	365	67167 (2)	180	Dzaoudi (5865)	Essence d'Ylang-Ylang, vanille
-St-Pierre-et-Miquelon	4350	242	6041	25	Saint-Pierre (5416)	Pêche

② La France dans le Monde

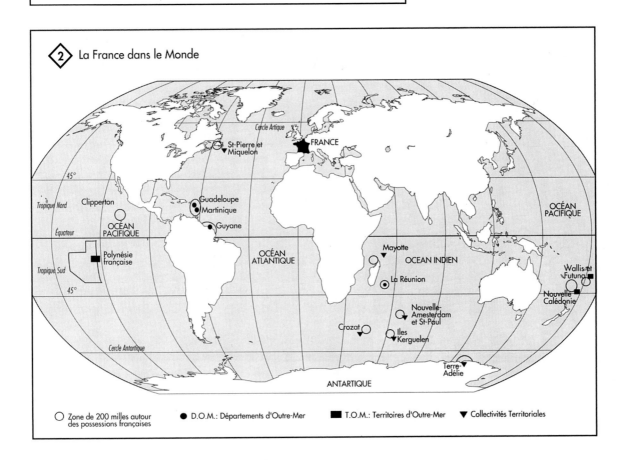

○ Zone de 200 milles autour des possessions françaises   ● D.O.M.: Départements d'Outre-Mer   ■ T.O.M.: Territoires d'Outre-Mer   ▼ Collectivités Territoriales

Communication et vie pratique

A. **Île de La Réunion : Bulletin météorologique du samedi 12 et du dimanche 13 décembre.** Vous êtes à La Réunion avec Daniel et ses amis. Vous écoutez le bulletin météorologique pour le reste de la journée et pour le jour suivant. Notez dans les cases suivantes une ou deux caractéristiques du temps qu'il va faire dans les différentes parties de l'île.

	Samedi soir	Dimanche pendant la journée	Pendant la nuit de dimanche à lundi
Les côtes			
L'intérieur de l'île			
La région de Saint-Denis			
Les montagnes et le volcan			

> *Pour mieux comprendre :* Concentrer votre attention sur une seule chose à la fois est une stratégie qui peut vous aider à mieux comprende, spécialement en ce qui concerne la compréhension orale. Par conséquent, pour mieux comprendre le passage suivant, écoutez-le trois fois. La première fois, concentrez votre attention sur le temps qu'il va faire samedi soir dans les différentes parties de l'île. La deuxième fois concentrez-vous sur la journée de dimanche et la troisième fois sur la nuit de dimanche à lundi. Vous pouvez ré-écouter le passage une quatrième fois pour avoir la satisfaction de bien le comprendre dans sa totalité.

B. **Quelle est la météo aujourd'hui ?** Préparez votre propre bulletin météorologique. N'oubliez pas d'indiquer le temps qu'il a fait hier, le temps qu'il fait aujourd'hui et le temps qu'il va faire demain. Vous pouvez parler du temps dans votre ville ou du temps dans un des pays francophones. Si vous préférez, donnez les prévisions pour un pays où il fait un temps idéal... ou l'opposé !

C. **Internet.** La chambre de commerce de votre ville désire attirer les investisseurs étrangers (les Français, en particulier) et a décidé de faire de la publicité sur l'Internet. C'est dans ce but qu'on vous a demandé de préparer une description en français du climat de votre région. Commencez par faire un brouillon *(rough draft)* et discutez vos idées avec quelques autres étudiants. Aidez-les aussi à corriger leur brouillon. Ensuite préparez votre présentation finale.

D. **Souvenirs de voyage.** Imaginez que vous êtes un(e) des ami(e)s de Daniel et que vous venez de visiter La Réunion et l'île Maurice. Utilisez la brochure publicitaire suivante et les renseignements donnés par Daniel dans sa correspondance avec sa tante pour décrire votre voyage. N'oubliez pas de mentionner les sujets suivants.

date d'arrivée
sites visités
activités et excursions
moyens de transports utilisés
moments passés avec Daniel
temps qu'il a fait
date du retour

ILE DE LA REUNION ILE MAURICE

12 jours

15400ᶠ

SUPPLEMENT CHAMBRE INDIVIDUELLE : 1600 F
ACOMPTE A L'INSCRIPTION : 4600 F
FORMALITES : Passeport en cours de validité
(valable 6 mois après la date de retour).

LE PRIX COMPREND :
◆ Les transferts en autocar "Grand Tourisme" Paris et retour.
◆ Les transferts aériens Paris/La Réunion -
La Réunion/L'Ile Maurice - L'Ile Maurice/Paris/Lyon.
◆ Les transferts en autocar aéroport/hôtel/aéroport.
◆ Le logement en chambre double avec bain ou douche/wc
en hôtels***.
◆ Les repas (hors boissons) du déjeuner du 2ème jour au petit
déjeuner du 11ème jour.
◆ Les excursions prévues à la Réunion.
◆ Les taxes d'aéroport.
◆ Les services de notre accompagnatrice.
◆ L'assurance Assistance/Rapatriement/Annulation.

LE PRIX NE COMPREND PAS :
◆ Les excursions sur l'île Maurice.

DU LUNDI 3 AU VENDREDI 14 MARS
DU LUNDI 24 NOVEMBRE AU VENDREDI 5 DÉCEMBRE

"A la REUNION, tous les verts et tous les bleus du monde se déclinent à l'infini, des hauts sommets à l'horizon marin : c'est l'île la plus photogénique de l'océan indien. L'île Maurice, quant à elle, constitue la perle de l'archipel des Mascareignes avec ses plages immenses de sable éblouissant, ses lagons coralliens et sa végétation luxuriante."

1ᵉʳ JOUR :
VOTRE LIEU DE DEPART/
PARIS/LA REUNION
Transfert en autocar à l'aéroport de Paris, formalités d'enregistrement et envol à destination de la Réunion. Repas et nuit à bord.

2ème JOUR :
LA REUNION
Atterrissage à l'aéroport de Saint Denis, transfert jusqu'à l'hôtel du séjour à Saint Gilles les Bains, installation, déjeuner, après-midi libre, dîner, logement.

DU 3ème AU 7ème JOUR :
SEJOUR A LA REUNION
Séjour en pension complète dans un hôtel*** situé à proximité d'une magnifique plage de sable blond protégée par une barrière de corail. Les chambres sont équipées d'une salle de bains, téléphone et télévision. A votre disposition : piscine, tennis de table, billard, boutiques...

PROGRAMME DES EXCURSIONS :
● Le Piton Maïdo avec vue sur le Cirque de Mafate.
● Le Cirque de Salazie, domaine des cascades et des sources.
● Le Piton de la Fournaise et son volcan au dôme arrondi.
● Le Cirque de Cilaos dominé par le Piton des Neiges.
● Le Sud Sauvage, berceau des épices et des parfums.

8ème JOUR :
LA REUNION/L'ILE MAURICE
Transfert à l'aéroport et envol à destination de l'île Maurice. Installation dans votre hôtel, dîner, logement.

DU 9ème AU 11ème JOUR :
SEJOUR A L'ILE MAURICE
Séjour en pension complète dans un hôtel*** situé à proximité d'une belle plage

de sable fin. Les chambres sont équipées d'une salle de bains, téléphone et climatisation. A votre disposition : piscine, pédalos, kayaks, ski nautique... Des excursions vous seront proposées sur place afin d'agrémenter votre séjour sur l'île. Le 11ème jour, transfert à l'aéroport, formalités d'enregistrement et envol à destination de la France. Repas et nuit à bord.

12ème JOUR :
PARIS OU LYON/ VOTRE LIEU DE DEPART
Atterrissage à PARIS (14 MARS), LYON (5 DECEMBRE) et retour en autocar à votre lieu de départ.

19 *les cocktails du bonheur...*

Pour mieux écrire : Pour vous aider à mieux organiser votre texte et à utiliser un vocabulaire riche et varié, commencez par noter les renseignements que vous voulez inclure dans chacune des catégories mentionnées et le vocabulaire nécessaire pour exprimer ces idées plus en détail. Une fois que vous avez bien établi la progression des idées, pensez à une introduction bien choisie pour captiver l'attention de vos lecteurs. Et n'oubliez pas qu'il faut aussi une conclusion.

Bien prononcer

A. Vowels can be distinguished from one another not only by the shape of the lips (spread or rounded) and by the position of the tongue (front or back), but also by the degree of opening of the mouth. For example, the vowels **e, eu,** and **o** each have two pronunciations that differ only by the degree of opening of the mouth. First, note that the written forms may not differ. Then note that, in general, closed vowels tend to occur in syllables ending in a vowel sound, whereas open vowels are found in syllables ending in a consonant sound.

Study the following examples and repeat the pairs of words.

	Closed Vowels	Open Vowels
e	/e/ mes	/ɛ/ mer
eu	/ø/ deux	/œ/ heure
o	/o/ nos	/ɔ/ note

/e/ versus /ɛ/	/ø/ versus /œ/	/o/ versus /ɔ/
thé / tête	peu / peur	vos / votre
ses / cette	jeu / jeune	sot / sotte
premier / première	ceux / seul	beau / bord

B. Practice repeating words containing the sound /e/, and note the different spellings associated with this sound.

été	mes	aimer	boulanger
clé	chez	préférer	épicier
idée	et	écouter	pâtissier

C. Practice repeating words containing the sound /ɛ/, and note the different spellings associated with this sound.

mère	faire	être	modeste
infirmière	chaîne	tête	vert
terre	chaise	bête	cet
mer	j'aime	vous êtes	quel
cher	maire	avec	vers

D. Practice repeating words and phrases containing both the sound /e/ and the sound /ɛ/. Note the role of the contrast of the /e/ and /ɛ/ in distinguishing the masculine versus the feminine forms of some nouns and adjectives.

/e/	/ɛ/	/ɛ/	/e/
premier	première	cet	été
boulanger	boulangère	cette	clé
épicier	épicière	quel	thé
célèbre		quelle	idée
sévère		fermer	
je préfère		chercher	

Petite conversation... Practice repeating the following conversation.

—Mes deux sœurs sont un peu trop jeunes pour sortir seules.
—Mais mon cher, vous êtes trop sévère avec elles. Ces idées-là sont dépassées.

AU TOGO

Superficie : 56 600 km2

Population : 4 100 000 h

Capitale : Lomé, sur le golfe de Guinée

Langues : le français et les langues locales : éwé et mina dans le sud, kabayè dans le nord et kotokoli dans le centre

Institutions : république indépendante depuis 1960

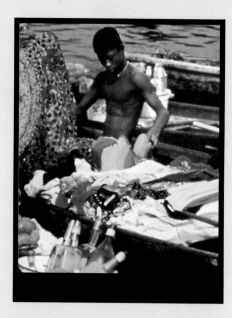

« Situé en Afrique de l'Ouest, mon pays, le Togo va de la côte atlantique jusqu'à la frontière avec le Burkina-Faso au Nord. Cela veut dire qu'il y a en fait deux zones climatiques. Dans le sud, on trouve un climat de type équatorial avec deux saisons pluvieuses et deux saisons sèches. La « grande saison pluvieuse » va d'avril à juillet, et la « petite saison pluvieuse » dure d'octobre à novembre. Entre les deux, il y a la « petite saison sèche » en août et en septembre, et la « grande saison sèche » de décembre à mars. À cela il faut ajouter l'effet de la mousson qui donne un temps très frais sur la côte au mois d'août ! Dans le nord, on trouve un climat de type tropical caractérisé par une seule saison pluvieuse de mai à octobre, et une saison sèche de novembre à avril. (C'est de cette région-là que je viens.)

Ici les pluies sont moins abondantes, surtout dans la région des savanes où on approche du Sahel. En décembre et en janvier, dans toute la zone nord souffle un vent très fort, froid et sec, qui vient du Sahara et appelé l'harmattan. C'est un vent chargé d'une poussière (dust) très fine qui pénètre partout, même à l'intérieur des maisons. Alors, attention aux barbes, aux moustaches et aux cheveux qui vont devenir tout blancs si vous ne les couvrez pas ! »

Vocabulaire

Le temps (Voir pp. 194–195)
Les verbes conjugués comme *partir* et comme *venir* (Voir pp. 198–199)

Noms

accident *(m) accident*
activité *(f) activity*
arrivée *(f) arrival*
bonheur *(m) happiness*
chose *(f) thing*
comparaison *(f)*
  comparison
côte *(f) coast*
décision *(f) decision*
département *(m)*
  department
  (administrative
  district)
développement *(m)*
  development
employé(e) *(m, f)*
  employee
félicitations *(f pl)*
  congratulations
fin *(f) end*
fleuve *(m) river*
forêt *(f) forest*
impression *(f)*
  impression
message *(m) message*
mot *(m) word*
moyen *(m) means*
neveu *(m) nephew*
nouvelles *(f pl) news*
océan *(m) ocean*
paradis *(m) paradise*
paysage *(m) landscape,*
  scenery
pensée *(f) thought*
réalité *(f) reality*
santé *(f) health*
séjour *(m) stay*
surprise *(f) surprise*
vallée *(f) valley*

Verbes

admirer *to admire*
s'arrêter *to stop*
arriver *to arrive; to*
  happen
avoir l'intention *to*
  intend
avoir peur *to be afraid*
camper *to camp*
croire *to believe*
descendre *to come or go*
  down; to get off
dîner *to eat dinner*
échanger *to exchange*
embrasser *to kiss,*
  embrace
entrer *to enter*
envoyer *to send*
espérer *to hope*
être en train de *to be in*
  the process of
faire attention *to pay*
  attention
faire la connaissance *to*
  become acquainted; to
  meet
faire le tour de *to go*
  around
monter *to go up, climb*
mourir *to die*
naître *to be born*
organiser *to organize*
profiter *to take*
  advantage of
réfléchir *to think*
rencontrer *to meet, run*
  into
retourner *to return*
risquer *to risk*
tomber *to fall*
tomber en panne *to*
  break down
tomber malade *to*
  become ill

Adjectifs

accueillant *friendly,*
  hospitable
bronzé *tanned*
électronique *electronic*
haut *high*
incroyable *unbelievable*
long(ue) *long*
rare *rare*
régulier / ière *regular*
sauvage *wild*
situé *located, situated*
spécialisé *specialized*
sûr *sure*
violent *violent*

Divers

adieu *good-bye, farewell*
alors *then, so, well*
bientôt *soon*
ce que *which, what, that*
  which
outre-mer *overseas*
dehors *outside, outdoors*
depuis *since, ever since,*
  for
longtemps *for a long*
  time
par contre *on the other*
  hand
sans *without*
vite *quickly*

Chapitre neuf

Le monde du travail

Fonctions

Dans ce chapitre, vous allez apprendre à
- *parler des professions et métiers*
- *parler de vos intentions, de vos options et de vos obligations*
- *parler de choses ou de personnes déjà mentionnées*
- *évaluer vos options*

Vocabulaire et structures

Point de départ : Professions et métiers
Exploration 1 : Les verbes vouloir, pouvoir *et* devoir
Exploration 2 : Les pronoms compléments d'objet direct
Exploration 3 : Le subjonctif avec il faut *et* il vaut mieux

Point de départ : Professions et métiers

Orientation professionnelle

Est-ce que vous savez[1] ce que vous voulez faire dans la vie ?
Dans quel domaine avez-vous envie de travailler ?

- dans les relations publiques
- dans l'administration
- dans la gestion des entreprises (*corporate management*)

---

[1]**Savoir** is an irregular verb. Its forms are **je sais, tu sais, il/elle/on sait, nous savons, vous savez, ils/elles savent.**

- dans le marketing
- dans la recherche scientifique
- dans l'industrie
- dans les télécommunications
- dans l'informatique
- dans le commerce
- dans l'enseignement *(teaching)*

Aptitudes et préférences

Qu'est-ce qui vous intéresse et pour quel type de travail êtes-vous doué(e) ?
N'oubliez pas que vous avez déjà appris plusieurs professions dans le chapitre
deux.

Give brief descriptions of what
one does in these professions
and have students tell which job
is being described or have them
describe each profession.

Les métiers manuels

mécanicien(ne)
électricien(ne)
plombier / ière
agriculteur / trice

L'enseignement

instituteur / trice
professeur de lycée ou d'université
conseiller pédagogique

La santé et les professions médicales

chirurgien(ne) *(surgeon)*
psychiatre
infirmier / ière
assistant(e) dentaire
kinésithérapeute (kiné) *(physical therapist)*

L'hôtellerie, la restauration, et le tourisme

cuisinier / ière
gérant(e) d'hôtel *(hotel manager)*
interprète
guide touristique

Les entreprises publiques ou privées

comptable
technicien(ne)
informaticien(ne)
chercheur / euse
chef d'entreprise, patron(ne) *(boss)*

Avantages et inconvénients à considérer

Qu'est-ce qui est important pour vous dans le choix d'un emploi ?

- le salaire
- les conditions de travail
- les possibilités de promotion et d'augmentation de salaire
- les heures de travail; travail à plein temps ou à mi-temps
- les débouchés *(openings)*
- la sécurité de l'emploi
- les avantages sociaux (congés payés *[paid vacation]*, assurances et retraite)
- des horaires *(schedule)* flexibles

Communication et vie pratique

A. **Sondage d'opinion.** Au cours d'un sondage, on a demandé aux Français de choisir les professions qui, à leur avis, apportent le plus de satisfaction. Examinez cette liste et divisez-la en quatre colonnes indiquant le degré d'intérêt que vous portez à chacune de ces professions. Discutez vos réactions avec un(e) autre étudiant(e).

☐ jamais de la vie !   ☐ probablement pas...   ☐ peut-être   ☐ super !

EXEMPLE **Moi, comptable ? Jamais de la vie ! Je ne suis pas doué(e) en maths.**

chirurgien(ne)	comptable	instituteur / trice
cadre commercial	vétérinaire	chercheur / euse scientifique
dentiste	psychologue	secrétaire
avocat(e)	professeur d'université	commerçant(e)
médecin	ingénieur	mécanicien(ne)

B. **Il faut bien réfléchir.** Qu'est-ce qui compte le plus pour vous dans le choix d'une profession ou d'un emploi ? Examinez les avantages et les inconvénients mentionnés dans le **Point de départ** et indiquez l'importance de chacun.

très important   assez important   pas très important   sans importance

EXEMPLE **Est-ce que la sécurité de l'emploi est importante pour vous ?**
Oui, c'est assez important pour moi.

C. **Préparez votre curriculum vitæ.** Lisez la description du curriculum vitæ et ensuite préparez votre propre dossier.

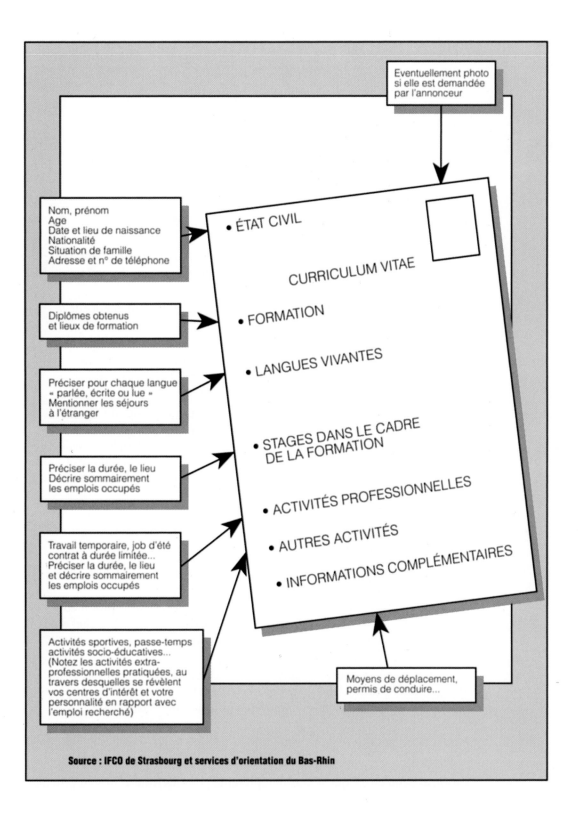

Eventuellement photo
si elle est demandée
par l'annonceur

Nom, prénom
Age
Date et lieu de naissance
Nationalité
Situation de famille
Adresse et n° de téléphone

• ÉTAT CIVIL

CURRICULUM VITAE

Diplômes obtenus
et lieux de formation

• FORMATION

• LANGUES VIVANTES

Préciser pour chaque langue
« parlée, écrite ou lue »
Mentionner les séjours
à l'étranger

• STAGES DANS LE CADRE
DE LA FORMATION

Préciser la durée, le lieu
Décrire sommairement
les emplois occupés

• ACTIVITÉS PROFESSIONNELLES

• AUTRES ACTIVITÉS

Travail temporaire, job d'été
contrat à durée limitée...
Préciser la durée, le lieu
et décrire sommairement
les emplois occupés

• INFORMATIONS COMPLÉMENTAIRES

Activités sportives, passe-temps
activités socio-éducatives...
(Notez les activités extra-
professionnelles pratiquées, au
travers desquelles se révèlent
vos centres d'intérêt et votre
personnalité en rapport avec
l'emploi recherché)

Moyens de déplacement,
permis de conduire...

Source : IFCO de Strasbourg et services d'orientation du Bas-Rhin

Info-culture : Les Français au travail

Les conditions de travail

- Durée du travail : 37.5 heures par semaine, avec flexibilité des heures de travail et possibilité d'un passage progressif à 35 heures.
- Congés payés : 5 semaines par an, plus 10 jours fériés *(legal holidays)*.
- 88 % des actifs (des gens qui travaillent) sont des salariés et 1 actif sur 4 est fonctionnaire (employé par l'état).
- La part de travail à temps partiel augmente régulièrement et représente 16 % de la population active, avec une forte proportion de femmes et de jeunes.
- 8 femmes sur 10 entre l'âge de 25 et 49 ans travaillent en dehors de la maison.
- Le chômage reste un gros problème : plus de 12 %. C'est un sujet qui préoccupe les trois quarts des Français. Depuis le début de la crise économique, près d'un actif sur deux a déjà fait l'expérience du chômage. Les jeunes et les femmes sont les plus touchés.
- Selon les Français, parmi les moyens utilisés pour trouver du travail, les plus efficaces sont : les relations (83 %); les filières *(networks)* de formation professionnelle (67 %); les agences d'intérim (58 %); les associations d'entraide (aide mutuelle) et de chômeurs (50 %); les candidatures spontanées (48 %); les petites annonces dans la presse (45 %); les services de l'Office national de l'emploi (31 %).

Attitudes et sentiments vis-à-vis du travail

- Presque 60 % des Français déclarent être satisfaits de leur situation professionnelle.
- C'est pour les professions suivantes que les Français ont le plus d'admiration : médecin (56 %), professeur (27 %), agriculteur (26 %), chef d'entreprise (21 %), ingénieur (18 %), magistrat (14 %).
- À la question « Pour vous, que représente avant tout le travail ? » 65 % ont répondu « Une source de revenu », 19 % « L'épanouissement personnel » *(personal growth)*, 10 % « Un moyen d'insertion sociale » (faire sa place dans la société) et 6 % « Un moyen d'affirmation sociale ».

Et vous ?

À votre avis, qu'est-ce que le travail représente pour les Américains en général ? Et pour vous en particulier ?

Exploration 1

Parler de vos intentions, de vos options et de vos obligations : Les verbes *vouloir, pouvoir,* et *devoir*

We often talk about what we want to do, what we can do, and what we have to do. To express these ideas in French, the following irregular verbs are used: **vouloir** *(to want, wish)*, **pouvoir** *(can, may, to be able)*, **devoir** *(to have to, must)*.

Contrast the /ø/ of **peux** and **veux** with the /œ/ of **peuvent** and **veulent.**

vouloir *et* **pouvoir**	
je **veux**	nous **voulons**
je **peux**	nous **pouvons**
tu **veux**	vous **voulez**
tu **peux**	vous **pouvez**
il / elle / on **veut**	ils / elles **veulent**
il / elle / on **peut**	ils / elles **peuvent**
Passé composé : j'ai **voulu**	
j'ai **pu**	

Est-ce que je **peux** partir ?
Vous **pouvez** partir quand vous **voulez.**

A. **Pouvoir** and **vouloir** are often used to make requests. However, in the present tense, these requests are very direct, almost blunt. Compare them with the more polite forms in the second column. The polite forms should always be used when addressing people you don't know.

The phrases in the conditional are included to give students a more polite way of making requests; they should be learned as vocabulary items at this point. If desired, you may want to point out that **je pourrais,** and so on, are in the conditional, which will be introduced later.

Direct	Polite
Peux-tu... ? *(Can you . . . ?)*	Pourrais-tu... ? *(Could you . . . ?)*
Pouvez-vous... ? *(Can you . . . ?)*	Pourriez-vous... ? *(Could you . . . ?)*
Veux-tu... ? *(Do you want . . . ?)*	Voudrais-tu... ? *(Would you . . . ?)*
Voulez-vous... ? *(Do you want . . . ?)*	Voudriez-vous... ? *(Would you . . . ?)*
Je veux... *(I want . . .)*	Je voudrais... *(I would like . . .)*
Je peux... *(I can . . .)*	Je pourrais... *(I could . . .)*

Point out that in formal style, **puis-je** can replace **est-ce que je peux.**

B. **Devoir** has several meanings: *must, to have to,* and *to owe.*

devoir	
je **dois**	nous **devons**
tu **dois**	vous **devez**
il / elle / on **doit**	ils / elles **doivent**
Passé composé : j'ai dû	

Nous **devons** gagner notre vie.	*We must earn our living.*
Je **dois** rentrer maintenant.	*I have to go home now.*
Nous **avons dû** travailler jusqu'à minuit.	*We had to work until midnight.*
Je **dois** de l'argent à mes parents.	*I owe my parents money.*

Situation : Un petit service

Emmanuel cherche du travail. Il a rendez-vous avec le patron d'une entreprise. Il voudrait emprunter la voiture de sa sœur pour aller à cette interview, mais ce n'est pas facile.

EMMANUEL	Dis, Sylvie, est-ce que je pourrais emprunter ta voiture demain ?
SYLVIE	Et pourquoi veux-tu emprunter ma voiture ? Tu ne peux pas prendre l'autobus comme tout le monde ?
EMMANUEL	Non, il y a une grève des transports et je dois aller en ville pour une interview. C'est vraiment important, tu sais...
SYLVIE	Demande à papa et à maman...
EMMANUEL	Ils ne peuvent pas. Ils doivent aller à Lyon. Allez, Sylvie..., sois chic..., pour une fois... s'il te plaît.

> **Mots à retenir :**
> **rendez-vous** *appointment,* **emprunter** *to borrow,* **tout le monde** *everyone,* **la grève** *strike,* **sois chic** *be a sport, be nice*

Avez-vous compris ?

Indiquez pourquoi Emmanuel a besoin d'emprunter la voiture de Sylvie. Quelle est la réaction de Sylvie ?

Communication et vie pratique

A. **Obligations.** Pascale et ses amis ont besoin de gagner leur vie. Qu'est-ce qu'ils doivent faire ?

EXEMPLE   Pascale / chercher du travail
Pascale doit chercher du travail.

1. Marc / finir ses études
2. nous / gagner de l'argent
3. mes amis / chercher un emploi

---

*You might want to point out that the counterpart of **emprunter** is **prêter** (to lend) and that **prêter** requires the use of an indirect object pronoun (**Est-ce que tu peux me prêter ta voiture ?**).*

IAE Drills: 1. **Je ne veux pas sortir. Marc / nous / tu / mes amis / je / vous** 2. **Qu'est-ce que je peux faire ? tu / nous / vos parents / vous / Marianne** 3. **Nous devons trouver du travail. mon frère / je / vous / tu / Roger / mes amis** 4. **Elle n'a pas pu venir. je / vous / mon frère / les enfants / tu / nous.**

4. tu / travailler à mi-temps
5. je / préparer mon c.v.
6. Mélanie / demander une augmentation de salaire

B. **C'est dommage.** Vos amis parlent de ce qu'ils ont envie de faire ce week-end. Mais malheureusement, c'est impossible.

> EXEMPLE　Laurent / aller au cinéma
> **Laurent veut aller au cinéma, mais il ne peut pas parce qu'il doit travailler.**

1. je / inviter des amis à dîner
2. nous / aller voir des amis
3. Virginie et Marc / faire du camping
4. tu / aller voir un bon film
5. vous / aller à la campagne
6. Mireille / aller au théâtre

C'est dommage can be made more challenging by changing the reason in each sentence: 1. **étudier** (**Je veux inviter des amis à dîner, mais je ne peux pas parce que j'ai besoin d'étudier.** 2. **aller à la bibliothèque** 3. **aller voir les parents de Marc** 4. **faire le ménage** 5. **rester en ville** 6. **travailler**

C. **Et vous ?** Expliquez à un(e) autre étudiant(e) ce que vous voulez faire ce week-end (et ce que vous ne pouvez pas faire) et demandez à cette personne quels sont ses projets.

> EXEMPLE　**Je voudrais aller voir mes parents mais je ne peux pas passer tout le week-end chez eux. Et toi ?**

As preparation, have students make a list of possible weekend activities.

D. **Possibilités.** Vos amis veulent travailler pendant l'été. Que peuvent-ils faire ?

> EXEMPLE　David / donner des leçons d'anglais
> **David peut donner des leçons d'anglais.**

1. je / travailler dans un bureau
2. nous / travailler dans un restaurant
3. tu / garder des enfants
4. mes frères / travailler dans une agence de voyages
5. Sylvia / donner des leçons d'espagnol
6. vous / faire le ménage dans un hôtel

Repeat having students say that they want these part-time jobs: **David veut donner des leçons d'anglais.**

E. **Un travail d'été.** Richard voudrait trouver un job cet été. Il examine ses préférences (**vouloir**), ses options (**pouvoir**) et ses obligations (**devoir**).

> EXEMPLE　(option) faire un travail manuel
> **Je peux faire un travail manuel.**

1. (préférence) ne pas travailler dans un bureau
2. (option) travailler dans l'usine de mon oncle
3. (option) commencer vers la fin du mois de mai
4. (obligation) revenir à l'université au mois de septembre
5. (obligation) gagner de l'argent pour payer mes études
6. (obligation) travailler pendant tout l'été
7. (préférence) ne pas passer tout mon temps à travailler
8. (préférence) ne pas faire un travail trop difficile

F. **Et vous ?** Vous aussi, vous avez besoin de trouver un travail pour l'été. Faites l'inventaire de vos préférences, de vos options et de vos obligations. Utilisez l'activité précédente comme guide. Ensuite, discutez avec un(e) autre étudiant(e).

> EXEMPLE　**Je voudrais trouver un travail intéressant, mais je dois gagner assez d'argent pour payer mes études.**

As preparation, have the class come up with reasons why they would need the car and ways to persuade their parents to give it to them. Then have them find reasons that the parents might give for not lending them the car.

C'est votre tour

Vous désirez emprunter la voiture de vos parents ou d'un(e) ami(e). Expliquez pourquoi vous voulez emprunter cette voiture. Ils ne sont pas faciles à persuader. Utilisez la **Situation** comme modèle.

Exploration 2

Parler de choses ou de personnes déjà mentionnées : Les pronoms compléments d'objet direct

Languages have many ways to avoid repetition and to make communication more efficient; as you have seen, pronouns are one of these ways. Direct object pronouns can replace proper nouns and nouns with definite, possessive, or demonstrative articles. They agree in number and gender with the nouns they replace and are usually placed before the verb of which they are the object.

me (m')	**nous**
te (t')	**vous**
le, la (l')	**les**

Qui cherche-t-elle ?

Moi ?	Elle **me** cherche.	Nous ?	Elle **nous** cherche.
Toi ?	Elle **te** cherche.	Vous ?	Elle **vous** cherche.
Patrick ?	Elle **le** cherche.	Ses amis ?	Elle **les** cherche.
Chantal ?	Elle **la** cherche.	Ses sœurs ?	Elle **les** cherche.

Note that **le, la,** and **les** can replace nouns that refer to either people or things.

Nous trouvons **Alice** intéressante. → Nous **la** trouvons intéressante.
Nous ne trouvons pas
    cette histoire intéressante. → Nous ne **la** trouvons pas intéressante.

A. When object pronouns are used with the **passé composé,** they are placed before the auxiliary verb. The past participle agrees in number and gender with the object pronoun.

Pauline ne **nous** a pas invité**s.**
Ses études ? Elle **les** a fait**es** en France.
Mes devoirs ? Je **les** ai fini**s.**

Have students note the pronunciation of **faites:** /fɛt/.

B. When an infinitive has a direct object, the direct object pronoun immediately precedes the infinitive.

Cette voiture ? Oui, je vais **l'**acheter.
Il va écouter ces cassettes ? Non, il n'a pas envie de **les** écouter.

C. Direct object pronouns can also be used with **voici** and **voilà.**

Où est Paul ? **Le** voilà.
Où sont mes devoirs ? **Les** voici.

Situation : Voyage d'affaires

Le patron de Michel Maréchal doit aller aux États-Unis en voyage d'affaires. Il invite Michel à l'accompagner.

Le Patron	Maréchal, je pars aux États-Unis la semaine prochaine. Je vous invite à m'accompagner.
Michel	Moi ? Vous m'invitez à aller aux États-Unis avec vous ?
Le Patron	Oui, j'ai besoin de quelqu'un pour m'aider et vous parlez très bien anglais.
Michel	Vous me flattez, monsieur !
Le Patron	Non, non, pas du tout. Je vous trouve dynamique et débrouillard. J'aime ça.
Michel	Je vous remercie.
Le Patron	Inutile de me remercier.

> **Mots à retenir :**
> **débrouillard** *resourceful,* **remercier** *to thank,* **inutile de** *no need to*

Avez-vous compris ?

Indiquez où va le patron de Michel et pourquoi il invite Michel à l'accompagner. Quelle est la réaction de Michel ?

Communication et vie pratique

A. **Mais si !** Un ami vous reproche de ne pas l'écouter quand il parle. Vous essayez de le rassurer.

> EXEMPLE   Tu ne m'écoutes pas.
> **Mais si, je t'écoute !**

1. Tu ne me comprends pas.
2. Tu ne me respectes pas.
3. Tu ne m'écoutes pas.
4. Tu ne m'invites jamais à sortir.
5. Tu ne me trouves pas amusant.
6. Tu ne m'emmènes jamais au cinéma.

B. **Réciprocité.** Madame Dassin traite ses employés avec respect. Que dit-elle à leur sujet ?

> EXEMPLE   Je les écoute...
> **Je les écoute et ils m'écoutent.**

Have students note that one can also say **aux USA.** Note also the use of the employee's last name by the boss.

Point out that **débrouillard** (resourceful) and la **débrouillardise** (resourcefulness) are related to the idea of the **système D,** which refers to an individual's ability to be resourceful, to get along, or to manage in different (and sometimes difficult or annoying) circumstances.

IAE Drills: Have students repeat these sentences replacing the noun with the appropriate pronoun: **Je fais mon travail. Je le fais.** 1. **Je fais mes études à Paris.** 2. **Il finit ses devoirs.** 3. **Nous regardons le match.** 4. **Tu achètes les provisions.** 5. **Vous regardez ces photos.** 6. **Ils font la vaisselle.** 7. **Qui fait le ménage ?** 8. **J'invite mes amis à dîner.** Change the sentences in the previous set to the negative **Je ne fais pas mon travail. Je ne le fais pas;** to the passé composé **J'ai fait mon travail. Je l'ai fait;** and to the near future **Je vais faire mon travail. Je vais le faire.**

1. Je les respecte...
2. Je les aime bien...
3. Je les laisse tranquilles...
4. Je ne les critique pas...
5. Je les aide...
6. Je les trouve intéressants...
7. Je ne les oublie pas...
8. Je les comprends...

C. **Pense-bête.** Michel vérifie ce qu'il a déjà fait et ce qu'il n'a pas eu le temps de faire. Qu'est-ce qu'il dit ?

> EXEMPLE faire le ménage (oui)
> **Je l'ai déjà fait.**
>
> faire la vaisselle (non)
> **Je ne l'ai pas encore faite.**

à faire	fait
1. faire le ménage	✔
2. faire la vaisselle	☐
3. faire mon lit	✔
4. ranger ma chambre	✔
5. passer l'aspirateur	☐
6. préparer le dîner	☐
7. faire mes devoirs	✔
8. nettoyer la cuisine	☐
9. vider les poubelles	☐
10. emmener le chien chez le vétérinaire	✔

D. **Conversations.** Choisissez un ou deux des sujets suivants et répondez aux questions. Si vous préférez, vous pouvez poser les questions à un(e) autre étudiant(e).

Le travail

1. Est-ce que tu aimes ton travail ?
2. Est-ce que c'est un travail qui t'intéresse ?
3. Est-ce que tu trouves ton travail difficile ou fatigant ?
4. Est-ce que tu trouves les autres employés sympathiques ?
5. Est-ce qu'ils t'aident quand tu as des difficultés ?

Les loisirs

1. Est-ce que tu invites quelquefois des amis chez toi ?
2. Est-ce qu'ils t'invitent aussi ?
3. Est-ce que tu aimes les films étrangers ?
4. Est-ce que tes amis et toi, vous aimez regarder la télé ensemble ?
5. Est-ce que tu regardes les informations chaque jour ?

Have students work in pairs: one student has a blank agenda and asks whether or not the partner has completed the tasks (e.g., **Est-ce que tu as déjà fait le ménage ?**). The partner who has the list of tasks and the record of whether or not they were completed answers the question (e.g., **Oui, je l'ai déjà fait.**).

This activity can be completed in different ways: 1. Use one or two sets of questions daily to spread the practice across several days. 2. Assign different topics to different pairs of students. After asking each other the questions, students can be assigned (or can choose) another topic. 3. Put questions for each topic on separate interview cards and distribute them to students for paired conversation practice. Remind students to use direct object pronouns in their responses.

L'amitié

1. Est-ce que tes amis t'aident quand tu as des problèmes ?
2. Est-ce que tu les aides aussi ?
3. Est-ce qu'ils te critiquent quelquefois ?
4. Et toi, est-ce que tu les critiques aussi ?
5. Est-ce que tes amis te comprennent ?
6. Et toi, est-ce que tu les comprends ?

Les études

1. En général, est-ce que tu aimes tes profs ?
2. Est-ce que tu trouves tes profs sympathiques ?
3. Est-ce que tu aimes tes cours ?
4. Est-ce que tes cours t'intéressent ?
5. Est-ce que tes profs t'aident quand tu ne comprends pas ?
6. Est-ce que tu comprends toujours le prof de français ?

E. Décisions. Demandez aux autres étudiants ce qu'ils ont envie de faire cet été et si les possibilités suivantes les intéressent.

EXEMPLE   travailler dans un restaurant
Travailler dans un restaurant, ça t'intéresse ?
Oui, ça m'intéresse beaucoup parce que j'aime être libre pendant une partie de la journée. *ou*
Non, ça ne m'intéresse pas du tout. C'est un travail que je déteste.

1. passer l'été dans un pays où on parle français
2. rester à l'université
3. passer l'été à la plage
4. rester à la maison
5. travailler dans une usine
6. faire du camping
7. étudier dans un pays étranger
8. travailler dans un hôpital

See if students have other possible summer activities to add to the list before you begin the activity. You might also want to give students a card with one of the jobs on it. The students circulate asking other students whether or not the job interests them and why or why not. They report back to the class: **Robert ne veut pas travailler dans un hôpital; ça ne l'intéresse pas du tout.**

F. Compatibilité. Vous avez la possibilité de partager un appartement avec deux ou trois autres étudiants. Avant de décider, vous avez besoin de trouver des étudiants qui ont les mêmes goûts et les mêmes habitudes. Répondez d'abord aux questions et ensuite posez ces mêmes questions à d'autres étudiants. Après cela, décidez ensemble si vous êtes compatibles ou non.

EXEMPLE   Est-ce que tu aimes la musique classique ?
Non, je ne l'aime pas beaucoup. Et toi ?

1. Est-ce que tu aimes la musique rock ?
2. Et la musique classique, est-ce que tu l'aimes ?
3. Est-ce que tu aimes regarder la télé ?

4. Est-ce que tu écoutes souvent la radio ?
5. Est-ce que tu fais tes devoirs le matin ou le soir ?
6. Quand est-ce que tu fais le ménage ?
7. Est-ce que tu aimes faire la cuisine ?
8. Est-ce que tu invites souvent tes amis ?
9. Est-ce que tu ranges toujours tes affaires ?
10. Est-ce que tu fais souvent la vaisselle ?

C'est votre tour

As preparation, have the students who are playing the boss think of possible compliments that they might give to the employee; the employee thinks of reasons why the business trip wouldn't be possible.

Votre patron(ne) (joué[e] par un[e] autre étudiant[e]) travaille sur un projet important. Il / Elle a une très bonne opinion de vous et surtout, il / elle a besoin de quelqu'un pour l'aider. Pour essayer de vous persuader d'accepter son offre, il / elle vous fait toutes sortes de compliments sur votre travail et sur votre personnalité. Mais vous, vous hésitez parce que vous avez déjà beaucoup de travail. Prenez la **Situation** comme point de départ.

Exploration 3

Évaluer vos options : Le subjonctif avec *il faut* et *il vaut mieux*

The subjunctive is introduced early in the sequence because of its high communicative value. It will be reentered and expanded later.

Have students note that **il ne faut pas** does not mean *it isn't necessary*.

We often talk about what we have to do or what we think is best to do. **Il faut que...** *(it is necessary that, to have to)*, **il ne faut pas que** *(one must not)*, and **il vaut mieux que...** *(it is better that)* or **il vaudrait mieux que...** *(it would be better that)* are often used to communicate these meanings. They are followed by clauses whose verbs must be in the subjunctive mood. The subjunctive, although technically a mood and not a tense, should be learned as if it were a new tense.

A. For regular verb patterns, the subjunctive is formed by adding the endings shown here to a stem that is found by dropping the **-ent** from the **ils / elles** form of the present tense.

Il faut que je parl**e**	Il faut que nous parl**ions**
Il faut que tu parl**es**	Il faut que vous parl**iez**
Il faut qu'il / elle / on parle	Il faut qu'ils / elles parl**ent**

Il faut que je finiss**e**	Il faut que nous finiss**ions**
Il faut que tu finiss**es**	Il faut que vous finiss**iez**
Il faut qu'il / elle / on finisse	Il faut qu'ils / elles finiss**ent**

Il faut que je par**te**	Il faut que nous part**ions**
Il faut que tu par**tes**	Il faut que vous part**iez**
Il faut qu'il / elle / on parte	Il faut qu'ils / elles part**ent**

Il faut qu'ils **finissent** ça maintenant.	*They have to finish that now.*
Il vaut mieux que tu **partes** tout de suite.	*It's better that you leave right away.*
Il ne faut pas que j'**oublie.**	*I must not forget.*

B. Some verbs have irregular stems in only the **nous** and **vous** forms.

venir	que je vienne	que nous **venions**
prendre	que je prenne	que nous **prenions**

Il faut que nous **apprenions** le subjonctif.
Il vaudrait mieux que vous **reveniez** demain.

C. Some frequently used verbs have irregular stems for the subjunctive. **Faire, aller, être,** and **avoir** are among these verbs.

Il faut que je **fasse**	Il faut que nous **fassions**
Il faut que tu **fasses**	Il faut que vous **fassiez**
Il faut qu'il / elle / on **fasse**	Il faut qu'ils / elles **fassent**

Il faut que j'**aille**	Il faut que nous **allions**
Il faut que tu **ailles**	Il faut que vous **alliez**
Il faut qu'il / elle / on **aille**	Il faut qu'ils / elles **aillent**

Il faut que je **sois**	Il faut que nous **soyons**
Il faut que tu **sois**	Il faut que vous **soyez**
Il faut qu'il / elle / on **soit**	Il faut qu'ils / elles **soient**

Il faut que j'**aie**	Il faut que nous **ayons**
Il faut que tu **aies**	Il faut que vous **ayez**
Il faut qu'il / elle / on **ait**	Il faut qu'ils / elles **aient**

Il faut que j'**aille** au supermarché.
Il faut que nous **soyons** à la gare à une heure.
Il faut que vous **fassiez** attention.

Note the difference between a general statement where **il faut** is followed by an infinitive and a statement referring to a specific person where **il faut que** is followed by a subjunctive verb clause.

Il faut parler français.
Il faut que vous parliez français.

Situation : Une invitation

Georges Berger désire inviter Élise et Roger Guérin à déjeuner, mais ils sont très occupés en ce moment.

GEORGES Est-ce que vous êtes libres dimanche ?
ÉLISE Non, dimanche il faut que nous allions voir mes parents.
GEORGES Et samedi ?
ROGER Samedi, il faut que je finisse un rapport.
GEORGES Alors, venez dîner un soir.
ÉLISE Voyons... Lundi, il faut que nous fassions des courses. Mardi soir, il faut que j'emmène les enfants à leur leçon de piano. Mercredi, il faut que j'aille à une réunion du comité du personnel.
GEORGES Vous êtes bien occupés en ce moment.
ROGER Oui, il vaut mieux que nous repoussions ça à la semaine prochaine.

Mots à retenir :
le rapport *report,* **la réunion** *meeting,* **repousser** *to put off*

Avez-vous compris ?

Élise et Roger sont très occupés. Indiquez pourquoi ils ne sont pas libres samedi, dimanche, lundi, mardi et mercredi.

Communication et vie pratique

A. **Obligations.** Annick parle de ce qu'elle va faire la semaine prochaine. Basé sur ce qu'elle a marqué sur son calendrier, indiquez ce qu'elle doit faire. Ensuite, préparez votre propre calendrier pour la semaine prochaine et indiquez ce que vous devez faire chaque jour.

EXEMPLE faire le ménage
Il faut que je fasse le ménage.

B. **Ils ne sont pas libres.** Vos amis ont envie de sortir avec vous, mais ils ont d'autres obligations. Qu'est-ce qu'ils disent ?

EXEMPLE Mireille / aller chez le dentiste
Il vaudrait mieux que Mireille aille chez le dentiste.

1. nous / faire le ménage
2. Gérard / aller à la bibliothèque
3. je / aller chez ma tante
4. vous / rester à la maison
5. tu / être au travail à huit heures
6. Marcel et Robert / finir leurs devoirs

21	LUNDI
Ranger mes vêtements	
Faire le ménage	

22	MARDI
Aller chez le dentiste	
Faire des courses	

23	MERCREDI
Aller à la bibliothèque	
Passer un coup de fil à mes parents	

24	JEUDI
Finir mon projet	
Garder Anne-Sophie et Lucie	

25	VENDREDI
Sortir avec des amis	
Être devant le cinéma à 8 h	

C. **On cherche du travail.** Marc Lemaître est en train de chercher du travail, et un employé du bureau de placement lui donne des conseils. Qu'est-ce qu'il dit ?

> EXEMPLE faire l'inventaire de vos talents
> **Il faut que vous fassiez l'inventaire de vos talents.**
>
> être en retard
> **Il ne faut pas que vous soyez en retard.**

préparer votre c.v.

oublier d'envoyer votre c.v.

regarder les petites annonces

prendre rendez-vous

arriver à l'heure

avoir peur

être sûr de vous pendant l'interview

faire très attention

être trop timide

D. **Qui peut me remplacer ?** Un(e) de vos ami(e)s qui travaille dans un restaurant vous a demandé de l'aider à trouver quelqu'un pour le / la remplacer vendredi soir ou samedi soir. Posez des questions aux autres étudiants pour savoir qui est libre un de ces deux soirs et ensuite téléphonez à votre ami(e) pour lui communiquer les résultats de votre enquête.

> EXEMPLE **Est-ce que tu es libre vendredi soir ?**
> **Non, je regrette. Il faut que je travaille.** *ou*
> **Oui, je suis libre, mais il vaudrait mieux que je reste à la maison pour étudier.**

As preparation, have students who are going to find a replacement think of reasons why other students should work that evening; other students will come up with reasons why they can't work.

E. **Conseils.** Vos amis ont toutes sortes de problèmes. Vous leur donnez de bons conseils.

> EXEMPLE J'ai envie de quitter l'université.
> **À mon avis, il vaudrait mieux que tu finisses tes études.** *ou*
> **Mais non ! Il ne faut pas que tu fasses ça.**

1. J'ai un examen la semaine prochaine, mais je n'ai pas envie d'étudier.
2. Mon ami Gérard veut être comptable, mais il n'est pas très fort en maths.
3. Je n'ai pas l'argent pour acheter mes livres pour le trimestre prochain.
4. Nous n'avons pas envie d'aller en classe aujourd'hui.
5. Mes amis m'ont invité à sortir, mais j'ai du travail à faire.
6. Je voudrais aller au cinéma, mais je suis fatiguée.

C'est votre tour

Vous êtes invité(e) à une soirée. Mais vous ne pouvez pas—ou vous ne voulez pas—accepter l'invitation. Expliquez que vous êtes très occupé(e) en ce moment et indiquez ce que vous devez faire.

Intégration et perspectives : Inventez votre emploi

Pour mieux lire : Identifier les faits importants dans un texte facilite la lecture. Lisez rapidement la description de chaque personne et dans chaque cas, cherchez seulement deux renseignements importants : (1) le premier travail de cette personne et (2) le nouveau travail qu'elle a inventé. Ensuite vous pouvez relire le texte pour ajouter les détails.

Que pouvez-vous faire si votre formation ne vous offre pas les débouchés que vous désirez, ou si vous n'êtes pas satisfait de votre travail ?... La solution est peut-être d'inventer votre emploi comme l'ont fait ces jeunes Québécois.

Régine Clément

Régine a son doctorat en histoire de l'art. Elle voudrait bien enseigner, mais il faut qu'elle essaie de trouver quelque chose dans la région parce que son mari ne peut pas abandonner l'entreprise qu'il a créée. Elle envoie son c.v. à tous les établissements scolaires de la région, mais sans succès. Tous les postes sont déjà occupés.

    Pour occuper son temps, elle travaille comme bénévole dans les parcs de la ville, et surtout elle passe beaucoup de temps à explorer l'Internet. Elle devient vite très forte en informatique et apprend l'infographie. Elle crée et maintient une page Internet pour l'administration des parcs. Elle invente des dessins pour illustrer leurs activités et leurs programmes. Tout le monde admire son travail et ça l'occupe, mais malgré tout, elle voudrait bien avoir un « vrai » travail et gagner un peu d'argent... Elle a l'idée de proposer ses services à différentes entreprises qui veulent utiliser ce médium pour faire de la publicité pour leurs produits. Ça réussit. Elle a maintenant une longue liste de clients, et parmi eux, son propre mari !

Francois Joyet

François Joyet grandit dans un petit village sur la côte de Gaspésie. Il passe des journées entières sur l'eau avec son grand-père. Il est heureux. Mais dans la vie, être heureux, ça ne suffit pas; il faut aussi apprendre un métier et gagner sa vie ! À regret, il quitte son village pour aller faire des études à l'université. Il obtient son diplôme et entre dans la marine dans l'espoir de réaliser enfin son rêve : passer sa vie sur un bateau.

    En réalité, il faut qu'il passe presque tout son temps dans un bureau et son travail l'ennuie. Il décide de quitter son poste, de retourner dans son village et d'acheter un bateau. Pour gagner sa vie, il loue son bateau et ses services aux visiteurs qui veulent explorer la côte ou faire des mini-croisières. Au début, les fins de mois sont difficiles : il ne gagne pas beaucoup et il faut qu'il fasse très attention... Mais il n'a pas de regrets : il est son propre patron et il mène une vie qu'il aime.

Marie Magnien

Marie Magnien est diplômée d'une grande école de cuisine. Elle travaille d'abord dans le restaurant d'un grand hôtel. Mais c'est un travail qu'elle partage avec une dizaine d'autres cuisiniers. Ce n'est pas ce qu'elle veut. Acheter son propre restaurant est un rêve qu'elle n'a pas les moyens de réaliser... Que peut-elle faire ?

Elle finit par avoir une idée : beaucoup de gens n'ont pas toujours le temps de préparer les plats qu'ils veulent servir à leurs invités, alors pourquoi ne pas le faire pour eux ?... Elle place une annonce dans le journal. Au début, les clients sont rares. Il faut du temps pour établir sa réputation. Mais maintenant ses affaires marchent si bien qu'elle a une liste d'attente et elle va embaucher plusieurs assistants.

Caroline Dubost

Professeur d'histoire dans un CEGEP,* Caroline Dubost a des élèves qui ne sont pas très studieux. Elle est fatiguée d'enseigner à des jeunes qui n'ont pas envie d'apprendre. Elle décide d'abandonner l'enseignement et de travailler dans une agence immobilière. Elle apprend vite les secrets de son nouveau métier et ses affaires marchent si bien qu'elle décide de créer sa propre agence. Elle a maintenant une douzaine d'employés qui travaillent pour elle. C'est une grosse responsabilité, bien sûr, et il faut qu'elle travaille dur, mais elle gagne bien plus que dans l'enseignement et elle peut organiser son temps comme elle veut.

Mots à retenir / Mots en contexte :
enseigner *to teach*, **bénévole** *volunteer*, **l'infographie** *(f) computer graphics*, **le dessin** *drawing, design*, **malgré** *despite*, **parmi** *among*, la marine *navy*, **l'espoir** *(m) hope*, **le rêve** *dream*, ennuyer *to bore*, **mener** *to lead*, **une dizaine** *about ten*, **finir par** *to end up*, **embaucher** *to hire*, **l'élève** *(m, f) pupil*, **dur** *hard*

Avez-vous compris ?

Imaginez que vous êtes à la place des différentes personnes présentées dans le texte précédent. On vous demande pourquoi vous avez changé de travail. Expliquez...

- pourquoi vous avez quitté votre emploi précédent
- ce que vous faites maintenant
- les avantages et les inconvénients de votre nouvel emploi

Have students assume the roles of the individuals described in the perspectives reading; other students will prepare questions to ask them about their old and new jobs.

*Collège d'enseignement général et professionnel : une école intermédiaire entre l'école polyvalente (c'est-à-dire l'équivalent de notre *high school*) et l'université.

Inventez votre emploi

If appropriate, students could prepare business cards, print and televised ads, Internet ads or home pages, flyers, and so on, to advertise their business to others in the class and role-play conversations with potential customers.

Seul(e) ou avec un petit groupe d'étudiants, imaginez un ou plusieurs emplois adapté(s) à vos talents individuels ou collectifs. Utilisez les catégories suivantes comme point de départ.

Votre formation :

> **EXEMPLE** **Nous avons fait des études de français à l'université, etc.**

Vos qualités :

> **EXEMPLE** **Nous sommes intelligents et travailleurs, etc.**

Vos aptitudes :

> **EXEMPLE** **Nous sommes très forts en informatique, etc.**

Vos préférences :

> **EXEMPLE** **La sécurité de l'emploi ne compte pas beaucoup pour nous, mais nous voulons faire un travail intéressant, etc.**

Vos options :

> **EXEMPLE** **Nous pouvons utiliser l'Internet pour donner des cours de français aux gens qui n'ont pas le temps de venir à l'université, etc.**

Info-culture : L'entrée des jeunes dans le monde du travail

Afin de faciliter l'entrée des jeunes dans le monde du travail, le gouvernement français a pris un certain nombre de mesures. « La formation en alternance » est une de ces mesures. Voici en quoi elle consiste.

- Le gouvernement a décidé d'ouvrir l'apprentissage *(apprenticeship)*, forme traditionnelle de formation aux professions artisanales et manuelles, à toutes les formations de l'enseignement supérieur *(higher education)*. Aujourd'hui, on trouve donc des apprentis dans un grand nombre d'universités, d'écoles d'ingénieurs ou de commerce et dans les instituts universitaires de technologie.
- Les contrats d'apprentissage en alternance permettent aux jeunes de préparer un diplôme en même temps qu'ils apprennent un métier.
- D'une durée d'un à trois ans, le contrat d'apprentissage permet de progresser d'un diplôme à l'autre. En principe, on peut commencer avec un simple CAP (certificat d'aptitude professionnelle) et arriver à un diplôme d'ingénieur.
- Les diplômes qu'on prépare en alternance sont identiques aux diplômes préparés par les étudiants à temps complet, et ils ont la même valeur.
- Les jeunes en alternance partagent leur temps entre l'entreprise où ils travaillent et l'école où ils préparent un diplôme. Selon la profession ou

l'entreprise choisie, ils peuvent avoir un ou deux jours par semaine pour leurs études ou ils peuvent faire alterner travail et études (six mois pour l'un, six mois pour l'autre, par exemple).

- La formation est gratuite (un avantage important pour les jeunes qui ont des difficultés à financer leurs études) et, en plus, ils reçoivent un salaire.
- Les jeunes qui font un bon travail sont souvent embauchés par l'entreprise où ils ont fait leur apprentissage. De plus, beaucoup d'entreprises préfèrent embaucher des jeunes qui ont déjà un peu d'expérience pratique. Ils ont donc une meilleure chance de trouver un emploi permanent.
- Le centre de formation et l'employeur sont en contact l'un avec l'autre pour assurer que les jeunes travaillent dans de bonnes conditions, qu'ils sont bien guidés et que leur travail correspond bien au diplôme qu'ils préparent.
- Les apprentis sont des salariés; ils ont les mêmes droits et les mêmes obligations que les autres employés.

Et vous ?

Les jeunes Américains ont-ils eux aussi de la difficulté à trouver du travail quand ils ont fini leurs études ? Quels sont les services ou les programmes qui facilitent leur entrée dans le monde du travail ?

Communication et vie pratique

A. **Offres d'emploi.** Voici des offres d'emploi pour étudiants. Elles viennent d'un journal français. Remarquez qu'on utilise des abréviations dans ces annonces (e.g., pr. = pour; ang. = anglais; sér. = sérieux; sem. = semaine). Étudiez d'abord ces annonces et ensuite choisissez l'emploi qui vous intéresse. Expliquez votre choix (e.g., préférences, qualifications, formation, expérience).

Have students give the gist of each ad: **On cherche un(e) étudiant(e) pour garder les enfants,** and so on.

Étudiant(e) pr. accomp. dame âgée aller retour Paris Orléans les me. et Sa. chaq. sem. juill. et août.

Étudiant(e) parlant espagnol pr aider mère fam. garder enfs à la campagne et bord de mer, juil., sept., tél.

Étudiant(e) pour garder 3 enfants, pendt. qq mois, Côte d'Azur, Mme Junot.

Étudiant(e) parlant ang. pr réception, hôtel, trav. de nuit. Hôtel Terminus, 42 Rue de Vaugirard, Paris, 15e.

Étud. aimant livres pr. passer été en famil. Bretagne, contacter Mme Carnot, 764 Rue des Martyrs, Paris, 18e.

Étudiant sér. énerg. sportif, travail de moniteur pr groupe garçons 12 ans. colonie de vacances Alpes 3 sem. août. Contacter Directeur, Centre Bel Air, 12. Av. du Mont Blanc, Chamonix.

B. **Internet.** Imaginez que vous voulez explorer la possibilité de travailler en France. Pour avoir une idée des « jobs » et des débouchés possibles, consultez le site Internet suivant (ou cherchez vous-même un autre site) : **http://www.lemonde.fr/emploi/index.htm**. Quels sont les jobs qui vous intéressent et pourquoi ? Comparez et discutez.

C. **Lettre de demande d'emploi.** Une des offres d'emploi présentées dans l'activité A (ou une autre offre trouvée dans un journal français) vous intéresse et vous avez décidé de poser votre candidature. Utilisez le format suivant pour composer votre lettre. N'oubliez pas d'ajouter une copie de votre c.v.

If not already completed, you might want students to prepare a c.v., using the model provided in **Activité C, Communication et vie pratique** at the beginning of the chapter.

You might also want to have students write a letter of recommendation for another student who is interviewing for one of the jobs in **Activité A.** They could be asked to talk with the person and/or look over the person's c.v. before writing the letter.

Pour mieux écrire : Vous voulez persuader l'employeur de vous embaucher, par conséquent il faut faire très attention au contenu et à la forme de votre lettre. Faites d'abord une liste des choses principales que vous voulez mentionner au sujet de vos qualifications, de votre expérience professionnelle, des études que vous avez faites, etc. Ensuite, révisez votre liste pour voir s'il y a des choses que vous voulez ajouter ou éliminer. Puis, organisez ces catégories selon leur degré d'importance. Maintenant vous êtes prêt(e) à commencer à composer votre lettre.

Votre nom et adresse

La date
Le nom et l'adresse de
votre correspondant(e)

Monsieur (Madame),
En réponse à l'annonce d'offre d'emploi que vous avez placée dans le journal, je voudrais me présenter comme candidat(e)...

Veuillez agréer, Monsieur (Madame), mes salutations respectueuses.

Signature

D. **Interview.** Vous avez rendez-vous avec vos employeurs éventuels. D'autres étudiants vont jouer le rôle des employeurs. Voici quelques questions que vous pouvez utiliser.

Questions que l'employeur peut poser

1. Quel âge avez-vous ?
2. Quelle est votre nationalité ?
3. Est-ce que vous avez déjà travaillé ? si oui, où ça ?
4. Avez-vous des lettres de recommandation ?
5. Quel salaire espérez-vous gagner ?
6. Est-ce que vous avez des talents particuliers ?
7. Aimez-vous les enfants ? (les livres, les animaux, etc.)
8. ?

Questions que les candidats peuvent poser

1. En quoi consiste le travail en question ?
2. Quelles vont être mes heures de travail ?
3. Combien est-ce que je vais gagner ?
4. Est-ce que je peux faire des heures supplémentaires ?
5. Quelles vont être mes responsabilités ?
6. Quand est-ce que je peux espérer une augmentation de salaire ou une promotion ?
7. Quand est-ce que je peux commencer à travailler ?
8. ?

E. **Demande d'emploi.** Le directeur du personnel d'une entreprise est en train d'interviewer Marie-Hélène Charpentier pour un poste dans leur établissement. Vous travaillez comme stagiaire dans cette entreprise. On vous a demandé de remplir le formulaire de demande d'emploi concernant cette candidate. Écoutez leur conversation et remplissez le formulaire.

Pour mieux comprendre : Familiarisez-vous avec les différentes parties du formulaire de demande d'emploi avant d'écouter la conversation. Si vous savez à l'avance quels renseignements on désire obtenir, cela va vous aider à remplir la fiche. Notez que le directeur du personnel n'a pas posé de questions sur tous les sujets. Par conséquent, vous ne pouvez pas remplir complètement la fiche.

Bien prononcer

A. Certain French vowels are pronounced with the lips rounded and the tongue forward (i.e., resting against the back of the lower front teeth). These vowels in order of increasing openness are

/y/ as in **du**
/ø/ as in **deux**
/œ/ as in **jeune**

Because these vowels do not exist in English, learning to pronounce them requires special care. Make sure that your tongue is pressed against your teeth when you pronounce these sounds. Practice repeating the following sequences:

/y/	/ø/	/œ/
1. su	ceux	seul
2. jus	jeu	jeune
3. pu	peu	peur
4. plu	pleut	pleure

B. The sounds /ø/ and /œ/ are usually written as **eu.** Whereas /œ/ always occurs in a syllable ending in a consonant sound, /ø/ occurs in syllables ending in a vowel sound or /z/ sound.

Compare and repeat the following pairs. Note the role of the /ø/ versus /œ/ contrast in distinguishing the singular and plural of certain verbs as well as the masculine and feminine of certain adjectives and nouns.

/ø/	/œ/
1. il veut	ils veulent
2. il peut	ils peuvent
3. chanteuse	chanteur
4. vendeuse	vendeur
5. menteuse	menteur

Repeat words containing the sound /ø/:

il pleut	sérieux	sérieuse	je veux

Repeat words containing the sound /œ/:

heure	beurre	sœur	moteur

Petite conversation. Practice repeating the following conversation.

—Lucie, pourquoi pleures-tu ? Tu n'es pas heureuse ?
—Je ne veux pas rester seule pendant plusieurs heures.

CHEZ NOUS

AU NIGER

Superficie : 1 267 000 km2

Population : 8 500 000 h

Capitale : Niamey

Institutions : république
indépendante depuis 1960

« Mon beau pays est situé au cœur du Sahel. Dans le nord, c'est le Sahara mystérieux avec ses dunes de sable, ses oasis et ses sources thermales. Dans le sud coule le Niger. Le Niger est un fleuve magnifique, et il n'y a rien de plus beau qu'un coucher de soleil sur la rivière.

Le Niger est un carrefour de civilisations, d'ethnies et de langues. On y trouve d'une part des populations arabo-islamiques et berbères venues du nord et d'autre part, des populations qui viennent du sud telles que les Touaregs, les Peuls, les Sonhaïs, et les Huoussa. Certains groupes ethniques sont sédentaires (agriculteurs, commerçants, artisans, griots (storytellers) et marabouts (medicine men), d'autres sont des nomades qui élèvent des bovins, des moutons, des chèvres et des chameaux.

La population nigérienne est en grande majorité musulmane, avec une petite minorité animiste ou chrétienne. La dominance de l'école coranique où les enfants sont initiés à la lecture et à la mémorisation du Coran en langue arabe reflète donc ces valeurs culturelles et religieuses. Dans d'autres cas, l'enseignement du Coran est donné dans les langues locales. La plupart des écrivains traditionalistes s'inspirent de ces deux cultures littéraires. En plus, il y a aussi ce qu'on appelle « l'école formelle » qui utilise le français comme moyen et sujet d'enseignement et qui nous vient de la colonisation française. À son indépendance en 1960, le Niger a adopté le français comme langue officielle et langue d'enseignement. Dix pour cent de la population est éduquée en français. Parmi l'élite francophone nigérienne, on trouve de nombreux professionnels, enseignants, médecins, administrateurs et technocrates et aussi plusieurs grands écrivains. Parmi eux on peut citer les romanciers Mamani Abdoulaye, Issa Ibrahim et Salou Bania, des dramaturges tels que Dan Inna et André Salifou et des critiques littéraires comme Fatouma Mounkaila. »

Vocabulaire

Les professions et les métiers (Voir pp. 222–223)
Les verbes *vouloir, pouvoir,* et *devoir* (Voir pp. 227–228)

Noms

agence (f) agency, branch, office
avis (m) opinion
client(e) (m, f) customer
condition (f) condition
dessin (m) drawing
diplôme (m) diploma
dizaine (f) about ten
élève (m, f) pupil, student
emploi (m) job, employment
espoir (m) hope
grève (f) strike
infographie (f) computer graphics
interview (m, f) interview
journée (f) day
leçon (f) lesson
liste (f) list
lycée (m) secondary school
parc (m) park
patron(ne) (m, f) boss
piano (m) piano
possibilité (f) possibility
poste (m) job, position
rapport (m) report
recherche (f) research
regret (m) regret
rendez-vous (m) appointment
responsabilité (f) responsibility
réunion (f) meeting
rêve (m) dream
secret (m) secret
solution (f) solution
succès (m) success
village (m) village

Verbes

abandonner to abandon
accompagner to accompany
aider to help
apporter to bring
compter to count
créer to create
décider to decide
embaucher to hire
emprunter to borrow
enseigner to teach
établir to establish
finir par to end up
flatter to flatter
inventer to invent
mener to lead
offrir to offer
proposer to propose
réaliser to achieve
remercier to thank
repousser to delay, put off
respecter to respect

Adjectifs

débrouillard resourceful
dur hard
dynamique dynamic
entier / ière entire
gros(se) large, big
payé paid
privé private
propre own
studieux / euse studious

Divers

à mi-temps part-time
à plein temps full-time
contre against
d'abord first
il vaudrait mieux it would be better
il vaut mieux it is better
inutile de no need to
malgré despite, in spite of
parmi among

Chapitre dix

On fait des achats

Fonctions

Dans ce chapitre, vous allez apprendre à
- *parler de ce qu'on peut acheter dans les différents magasins*
- *parler de vos achats et ventes*
- *donner des suggestions, des conseils et des ordres*
- *faire des comparaisons*

Vocabulaire et structures

Point de départ : Les achats
Exploration 1 : Les verbes comme **vendre**
Exploration 2 : L'impératif
Exploration 3 : Le comparatif et le superlatif

Point de départ : Les achats

En France comme aux USA, on peut trouver presque tout ce qu'on veut dans un centre commercial, dans un hypermarché (comme Carrefour ou Mammouth) ou aux différents rayons d'un grand magasin (comme Les Galeries Lafayette ou Le Printemps). Mais beaucoup de gens préfèrent faire leurs achats dans des boutiques ou dans des magasins spécialisés.

Les magasins

Les marchandises

Dans une pharmacie, on vend (*sells*)...

des médicaments (*m*)
des produits (*m*) pour la santé et pour
l'hygiène personnelle comme...
du dentifrice et une brosse à dents
du shampooing
du déodorant
du savon

Vocabulaire supplémentaire—médicaments : du sirop pour la gorge, des pastilles pour la gorge, des gouttes pour le nez / les yeux, un désinfectant, une pommade, des pansements, des antibiotiques

Dans une droguerie, on vend...

des produits pour la maison, la voiture et le
jardin
des produits pour l'hygiène personnelle (du
papier hygiénique, un rasoir, une brosse, un
sèche-cheveux, etc.)

Vocabulaire supplémentaire—produits pour la maison : un balai, un aspirateur, un chiffon, un torchon, du détergent

Dans une parfumerie, on vend...

des produits de beauté
du maquillage
du parfum

Vocabulaire supplémentaire—produits de beauté : du rouge à lèvres, du fond de teint, du mascara, un crayon pour les yeux, du maquillage pour les yeux, une lime à ongles, une mousse coiffante, de la laque, un fer à friser

Vocabulaire supplémentaire—fournitures scolaires : un classeur, du papier, une enveloppe, une gomme, des trombones, une règle, des autocollantes

Dans une librairie-papeterie, on vend...

des livres
du papier et des fournitures *(f)* scolaires

Vocabulaire supplémentaire—journaux : un plan de la ville, un annuaire du téléphone, une carte routière

Chez un marchand de journaux ou dans un kiosque, on vend...

des journaux *(m)* et des revues *(f)*
des cartes postales

Clothing vocabulary is introduced formally in Chapter 12.

Chez un marchand de vêtements, on vend des vêtements comme...

un pantalon
une robe
une veste

Vocabulaire supplémentaire—chaussures : des chaussures de marche, des pantoufles, des sandales, des espadrilles

Chez un marchand de chaussures, on vend des chaussures *(f)*

Vocabulaire supplémentaire—bijoux : des boucles d'oreille, un collier, une bague, un bracelet, une chaîne en or / en argent, une bague de fiançailles, un anneau de mariage

Dans une bijouterie, on vend...

des bijoux *(m)*
des montres *(f)*

Vocabulaire supplémentaire—maroquinerie : un portefeuille, un parapluie, une ceinture (en cuir), un porte-clés

Dans une maroquinerie, on vend des accessoires *(m)* comme...
un sac
un sac à dos *(a backpack)*
une valise

Dans un magasin de jouets, on vend toutes sortes de jouets *(m)* et de jeux *(m)*

Vocabulaire supplémentaire — jouets : une poupée, un jeu électronique

Chez un fleuriste, on vend...

des fleurs *(f)*
des plantes *(f)* vertes

Chez un opticien, on vend...

des lunettes *(f)*
des verres *(m)* de contact

Les bonnes occasions

La publicité nous invite à profiter de toutes sortes de « bonnes occasions » *(bargains)* :

Prix réduits!

Soldes de fin d'année

Réduction de 20%!

Qu'acheter et comment le payer

Quand vous décidez d'acheter quelque chose, vous pouvez...

l'acheter neuf *(new)* ou d'occasion *(secondhand, used)*
l'acheter au prix normal ou en solde *(on sale)*
payer comptant *(pay cash)* ou l'acheter à crédit

Vous pouvez payer...

avec de l'argent liquide *(cash)*
par chèque
avec votre carte de crédit

Communication et vie pratique

A. **Les marchandises.** Indiquez ce que vous pouvez acheter ou quels services vous allez trouver dans chacun des endroits suivants.

> EXEMPLE   dans un magasin de vêtements
> **Dans un magasin de vêtements, on peut acheter des robes, des vestes et des pantalons.**

1. dans une pharmacie
2. chez un fleuriste
3. à la poste
4. dans une librairie-papeterie
5. dans une maroquinerie
6. dans une droguerie
7. chez un marchand de journaux
8. dans une bijouterie

B. **Les magasins.** Vous êtes en France et vous avez des courses à faire. Consultez votre liste et expliquez à un(e) autre étudiant(e) de quoi vous avez besoin. Il/Elle va vous dire dans quel magasin il faut aller pour trouver ce que vous cherchez.

> EXEMPLE   **J'ai besoin d'acheter du dentifrice.**
> **Il faut aller à la pharmacie ou au supermarché.**

C. **Les bonnes occasions.** Les étudiants de votre classe ont décidé de vendre toutes sortes de choses. Divisez la classe en deux groupes. Un groupe prépare une liste de choses à vendre; l'autre, une liste de choses à acheter. Les vendeurs essaient de vendre ce qu'ils ont; les acheteurs essaient de trouver ce qu'ils cherchent. Après ça, faites l'inventaire des choses vendues et achetées.

> EXEMPLE   **Je cherche des cartes postales.**
> **Je regrette, mademoiselle, je n'ai pas de cartes postales; mais j'ai de très belles affiches, si cela vous intéresse.**

If appropriate, make up want ads that include items that students want to sell and/or buy. The list can be distributed and students can "telephone" each other about the items.

D. **Choix.** Vous êtes chargé(e) d'acheter des cadeaux pour les personnes suivantes. Qu'est-ce que vous allez acheter pour chaque personne, et pourquoi pensez-vous que c'est un bon cadeau ? Faites vos choix et ensuite discutez ces choix avec un(e) autre étudiant(e) ou groupe d'étudiants. Ensuite décidez ensemble quel cadeau vous allez acheter. Qu'est-ce que vous allez acheter pour...

1. votre professeur de français ?
2. une personne qui est à l'hôpital ?
3. les parents d'un ami chez qui vous allez dîner ?
4. une famille française chez qui vous allez passer quelques jours ?
5. l'anniversaire d'un membre de votre famille ?
6. ?

Other possible categories: **le mariage d'un(e) ami(e), l'anniversaire de mariage de vos parents ou des parents de vos amis, la naissance d'un enfant.**

Info-culture : Faire du shopping en France

Au cours des trente dernières années, les habitudes de vie des Français ont beaucoup changé, surtout en ce qui concerne les achats. Les magasins et commerces traditionnels existent toujours, mais ils ont dû faire face à la concurrence *(competition)* de nouveaux modes de vente (vente par correspondance, vente sur l'Internet) et à l'apparition des grandes surfaces : supermarchés, hypermarchés, grands magasins et centres commerciaux.

   • **Les petits commerçants.** Pour faire face à la concurrence des grandes surfaces, les petits commerces soulignent *(emphasize)* l'attention spéciale portée aux besoins de chaque client, la qualité supérieure de leurs produits et l'aspect artisanal de leur entreprise—« pain cuit au feu de bois » *(cooked on a wood fire)* et « plats préparés maison ». Les Français continuent donc d'apprécier la proximité, le charme, la qualité et le contact humain que ces magasins apportent, en dépit de leurs prix un peu plus élevés.

   • **Les marchés en plein air** ont lieu une ou deux fois par semaine. Dans ces marchés, souvent très animés et pittoresques, on peut acheter toutes sortes de produits alimentaires (certains sont vendus directement par les producteurs) et même des vêtements, des chaussures ou des produits pour la maison ou le jardin.

• **Les grands magasins.** Les plus connus sont Les Galeries Lafayette et Le Printemps, et on les trouve dans presque toutes les grandes villes. La notion de grand magasin date du milieu du XIXe siècle avec l'ouverture à Paris du premier grand magasin, Le Bon Marché, en 1852.

• **Les hypermarchés** comme Auchan, Carrefour, Mammouth ou Casino sont d'immenses surfaces à prédominance alimentaire mais où on peut aussi trouver pratiquement de tout.

• **Les centres commerciaux** sont composés d'un ou plusieurs grands magasins et d'une grande variété de magasins et boutiques spécialisés, avec des restaurants, des cinémas et des services divers.

• **Les catalogues et les ventes par correspondance.** Cette forme de vente s'est beaucoup développée récemment. Les catalogues les plus connus sont La Redoute et Les Trois Suisses. Certains grands magasins ont aussi un service de vente par correspondance.

• **L'Internet** offre de nouvelles possibilités aux consommateurs. Avec l'Internet, il est maintenant possible de visiter virtuellement les rayons de la plupart des grandes surfaces et de faire ses achats « en ligne ». Les avantages de cette nouvelle formule ? Plus besoin de sortir de chez soi, finies les longues queues *(lines)* à la caisse *(checkout)* et les sites de ces magasins restent ouverts tous les jours, 24 heures sur 24.

Et vous ?

Avez-vous déjà eu l'occasion de faire des achats dans un grand magasin français ? Si oui, quelles différences avez-vous remarquées ? Sinon, vous pouvez visiter ces magasins sur l'Internet. Consultez, par exemple, les sites suivants :

http://www.galerieslafayette.com/gb/home/gbhome.html
http://www.carrefour.fr/

Exploration 1

Parler de vos achats et ventes : Les verbes comme *vendre*

A group of French verbs that describe various activities has infinitives that end in **-re**. These verbs have endings like **vendre** *(to sell)*.

v e n d r e	
je **vends**	nous **vendons**
tu **vends**	vous **vendez**
il / elle / on **vend**	ils / elles **vendent**
Passé composé : j'**ai vendu**	
Subjonctif : que je **vende**	

Qu'est-ce qu'on **vend** dans une droguerie ?
Janine **a vendu** son vieux vélo.
Il faut que je **vende** ma voiture.

Note that the **d** is not pronounced in the singular (**il vend**) but is pronounced in the plural (**ils vendent**). In inversion with the third-person singular (**vend-il**), the **liaison** sound is /t/.

Other **-re** verbs that follow this pattern are

attendre *to wait for, expect*	J'**attends** un coup de fil d'un ami.
défendre *to forbid; to defend*	Je **défends** à mes enfants de sortir seuls le soir.
	Nous avons **défendu** notre point de vue.
entendre *to hear*	Répétez, s'il vous plaît. Je n'**ai** pas bien **entendu.**
perdre *to lose; to waste*	Vous **perdez** votre temps.
	J'**ai perdu** mes lunettes.
répondre (à) *to answer*	Est-ce que tu **as répondu** à sa question ?
rendre + NOUN *to hand back, return*	Est-ce que le prof **a rendu** les examens ?
	Quand est-ce que le prof **va rendre** les examens ?
rendre + ADJECTIVE *to make*	L'argent ne **rend** pas les gens heureux.
rendre visite à *to visit (a person)*	Ils **ont rendu visite à** leurs amis.

Point out that **visiter** is used for places and that **rendre visite** is used for people. **Aller voir** is less formal than **rendre visite**.

Situation : Au bureau des objets trouvés

Catherine a perdu son sac. Elle va au bureau des objets trouvés pour voir si quelqu'un l'a trouvé. L'employé est très occupé.

CATHERINE   Monsieur !... Monsieur ! Excusez-moi, mais ça fait un quart d'heure que j'attends.

L'EMPLOYÉ   Ne perdez pas patience, Madame ! Je suis à vous dans un instant... Voilà... Qu'est-ce que je peux faire pour vous ?

CATHERINE   J'ai perdu mon sac.

L'EMPLOYÉ   Où et quand l'avez-vous perdu ?

CATHERINE   Je ne sais pas... Hier soir, j'ai rendu visite à une amie qui est à l'hôpital. Avant ça, je suis allée dans un magasin où on vend des cadeaux.

L'EMPLOYÉ   Et qu'est-ce qu'il y a dans votre sac ?

CATHERINE   Mon portefeuille, plusieurs gros billets et toutes mes cartes de crédit !

Mots à retenir :
avant *before,* **un cadeau** *a gift,* **un portefeuille** *a wallet, billfold,* **un billet** *a bill*

IAE Drills: 1. **J'attends un taxi. mes parents / Jean / tu / vous / nous** 2. **Je n'ai pas bien entendu. les étudiants / nous / vous / tu / Bertrand** 3. **Est-ce que ton frère perd souvent patience ? tu / le professeur / Mireille / tes amis**

Avez-vous compris ?

Indiquez...

- ce que Catherine a fait hier soir
- ce qu'elle a perdu
- ce qu'il y a dans son sac

Communication et vie pratique

Point out to students that the **marché aux puces,** or **les Puces** for short, is a well-known Parisian landmark situated in the north of Paris, near the **Porte de St Ouen** and covering the equivalent of many city blocks. Although all kinds of goods are sold there, it is especially famous for its antique dealers, and it attracts buyers from all over the world. In fact, many American **antiquaires** are regular customers of **les Puces.**

A.   **Au marché aux puces.** Vous êtes au marché aux puces *(flea market)* à Paris où vous écoutez la conversation de quelques marchands qui discutent ce qu'ils ont à vendre. Qu'est-ce qu'ils disent ?

     EXEMPLE   Annette [livres]
           Annette vend des livres.

B. C'est en solde ? Imaginez que vous êtes commerçant(e) et que vous avez décidé de solder une partie de vos marchandises. Vos clients, joués par d'autres étudiants, vous demandent le prix des objets suivants. Qu'allez-vous répondre ?

This activity can be used as a role-play by having students bring in items to sell. Potential buyers can negotiate prices.

> EXEMPLE   sac à dos
> **Ce sac à dos, vous le vendez combien ?**
> **Vous pouvez l'avoir pour cent soixante francs.**

C. Des produits internationaux. Quels produits étrangers est-ce qu'on peut trouver dans votre ville (chaussures, journaux, voitures, etc.) et dans quels magasins est-ce qu'on les vend ?

> EXEMPLE   **On vend des fromages français et des vins français dans plusieurs magasins.**

D. Où est-ce qu'ils ont attendu ? Vous êtes allé(e) faire des courses l'autre jour, mais vous avez oublié où retrouver vos amis. Où vos amis vous ont-ils attendu ?

> EXEMPLE   Monique / devant le magasin de vêtements
> **Monique a attendu devant le magasin de vêtements.**

As preparation, it might be useful for students first to make a list of foreign products that might be sold in American stores. You might also want them to find out what companies from France, Canada, or other francophone countries are in their area. You can also ask students to look in magazines and newspapers to find international products, especially those from francophone countries.

Have students role-play the situation by asking: **Où est-ce que Monique a attendu ?** → **Elle a attendu devant le magasin de vêtements.**

1. je / près de la pharmacie
2. nous / en face de la charcuterie
3. vous / devant le grand magasin
4. Robert / près du kiosque
5. tu / à côté de la parfumerie
6. les autres / près de la droguerie

C'est votre tour

You might want to have students make a list of items that they have in their backpacks (real or imaginary). Then make copies of about half of these lists to give to the employees at the lost-and-found office. As students tell what is in their backpack, the employee can verify using the lists that he or she has.

Imaginez que vous êtes en voyage et que vous avez perdu votre sac à dos. Vous expliquez votre situation à l'employé(e) du service des objets trouvés.

L'employé(e), joué(e) par un(e) autre étudiant(e), va vous demander...

- ce que vous avez perdu
- où vous l'avez perdu
- quand vous l'avez perdu
- ce qu'il y a dans votre sac à dos

Exploration 2

Donner des suggestions, des conseils et des ordres : L'impératif

The **nous** form of the imperative is not as commonly used as the present tense (**on va, on fait,** etc.) or the imperfect with **si** (**Si on allait au cinéma ?**) Although students should be able to recognize this form, it does not need to be emphasized in speaking or writing. Point out that **voyons** in this context means "come on."

Imperative verb forms are used to give orders or advice, to make requests, or to explain how to do something. They are identical to the **tu**, **vous**, and **nous** verb forms except that the final **s** is dropped from the **tu** form of all -**er** verbs and **aller**. They are used without subject pronouns, and the **nous** form conveys the meaning *let's . . .*

-er verbs	-ir verbs	-re verbs
écoute	finis	attends
écoutez	finissez	attendez
écoutons	finissons	attendons

Finissez vos études.
Va chez le médecin.
Prenons un taxi.
Fais attention, voyons !

Negative imperatives are regular, that is, the **ne** precedes the verb and **pas** (**jamais,** etc.) follows.

Ne **travaillez** pas trop.
Ne **choisissez** pas ce métier.
Ne **perds** pas ton argent.
Ne **partons** pas tout de suite.

A. The verbs **être** and **avoir** have irregular imperatives.

ê t r e	a v o i r
sois	aie
soyez	ayez
soyons	ayons

Soyez patients.
N'**aie** pas peur.

B. In affirmative commands, direct object pronouns follow the verb, and **moi** and **toi** replace **me** and **te**. In negative commands, the direct object pronoun remains in its usual place and in its usual form.

Achetez-**le**.   Ne **l'**achetez pas.
Vendez-**les**.   Ne **les** vendez pas.
Attendez-**moi**.   Ne **m'**attendez pas.

C. The imperative is used in many common expressions.

Sois sage !	*Be good!*
Sois gentil !	*Be nice!*
Allons-y !	*Let's go!*
Faites attention !	*Be careful! (Pay attention!)*
Ne faites pas de bruit.	*Don't make any noise.*

D. When making a request, it is better to avoid the imperative and to use instead a more polite form such as **Pourriez-vous…**

Pourriez-vous me donner un renseignement, s'il vous plaît ?

E. On signs, billboards, instruction manuals, and recipes, imperatives are often replaced by infinitives or noun phrases.

Défense de fumer
Il est interdit de fumer
Prière de ne pas fumer

Situation : Dans un grand magasin

Michel travaille comme réceptionniste dans un grand magasin. Son rôle est d'aider les clients à trouver ce qu'ils cherchent. Il donne des renseignements à une cliente accompagnée de son petit garçon.

LA CLIENTE   Pardon, monsieur, pourriez-vous me dire à quel rayon sont les parapluies ?

MICHEL   Au troisième étage, au rayon maroquinerie. Prenez l'ascenseur, c'est plus rapide…

LA CLIENTE   Voyons, Gérard, reste ici ! Tu es pénible !… Excusez-moi, monsieur, cet ascenseur, où est-il ?…

MICHEL   Là-bas… Tournez à droite ; vous ne pouvez pas le manquer.

Have students note that the **rez-de-chaussée** refers to the first floor or ground floor and that **premier étage** refers to the second floor, and so on.

La Cliente	Et les appareils-photos, ils sont au rez-de-chaussée ?
Michel	Non, au sous-sol. Prenez l'escalier roulant et allez tout droit jusqu'au fond.
La Cliente	Merci, monsieur. Gérard, sois sage ! Ne touche pas à tout !

> **Mots à retenir :**
> **les renseignements** *(m pl) information*, **un rayon** *a counter, department*, **le parapluie** *umbrella*, **l'étage** *(m) floor, level*, **l'ascenseur** *(m) elevator*, **pénible** *(acting like) a nuisance*, **l'appareil-photo** *(m) camera*, **le rez-de-chaussée** *ground floor*, **le sous-sol** *basement*, **l'escalier roulant** *(m) escalator*, **le fond** *end, back*

Avez-vous compris ?

Expliquez...

- en quoi consiste le travail de Michel.
- ce que la cliente cherche.
- où trouver les appareils-photos et les parapluies.

Communication et vie pratique

A. **À l'agence de voyages.** Vous travaillez pour une agence de voyages et votre rôle est de préparer une brochure-conseils à l'usage de vos clients. Quelles suggestions allez-vous leur donner ?

> EXEMPLE   choisir un bon hôtel
> **Choisissez un bon hôtel.**
>
> ne pas prendre de risques
> **Ne prenez pas de risques.**

1. ne pas rester chez vous
2. faire le voyage de vos rêves
3. choisir un hôtel bien situé
4. prendre le TGV
5. descendre sur la Côte
6. louer une voiture de sport
7. ne pas partir sans vos cartes de crédit
8. oublier vos problèmes

B. **Slogans.** Vous êtes chargé(e) de préparer des slogans publicitaires pour un produit ou un service de votre choix. Préparez vos slogans (seul[e] ou en petits groupes) et présentez-les au reste de la classe.

> EXEMPLE **Allez au cinéma sans sortir de chez vous : Achetez un magnétoscope.**

Have students create additional slogans for the travel agency.

C. **Mais non !** Votre ami Antoine parle de ce qu'il a l'intention de faire; vous êtes de mauvaise humeur et vous dites le contraire de tout ce qu'il propose.

> EXEMPLE Je vais rester à la maison.
> **Mais non, ne reste pas à la maison !**

1. Je vais étudier ce matin.
2. Je vais prendre l'autobus.
3. Je vais faire la cuisine.
4. Je vais aller à la boulangerie.
5. Je vais regarder cette émission.

> EXEMPLE Je n'ai pas envie de faire mes devoirs.
> **Tant pis, fais-les quand même.**

Explain the expression **tant pis.**

1. Je n'ai pas envie d'étudier pour mon examen.
2. Je n'ai pas envie d'apprendre le subjonctif.
3. Je n'ai pas envie de finir mon travail.
4. Je n'ai pas envie d'aller à la bibliothèque.
5. Je n'ai pas envie de faire le ménage.

D. **Conseils.** Un étudiant de première année vous a demandé votre avis sur les sujets suivants. Quels conseils allez-vous donner à cet étudiant ?

Repeat with the **vous** form of the imperative.

> EXEMPLE habiter dans une résidence universitaire
> **N'habite pas dans une résidence universitaire. Loue un appartement, c'est préférable.**

1. habiter dans un appartement
2. partager un appartement avec d'autres étudiants
3. habiter près de l'université
4. acheter des livres neufs
5. utiliser une carte de crédit pour tous les achats
6. acheter une voiture d'occasion
7. étudier en groupe
8. aller dans les cafés pour rencontrer d'autres étudiants

E. **Je vous donne un petit conseil.** Quels conseils pourriez-vous donner aux personnes suivantes ? Travaillez en petits groupes et mettez vos suggestions en commun. Ensuite, choisissez les meilleurs conseils dans chacune des catégories mentionnées et présentez vos sélections au reste de la classe.

Assign different categories to small groups of students who can then share their advice with the rest of the class. You might also want to spread this activity over several days to allow for reentry of the material.

> EXEMPLE aux professeurs
> **Ne donnez pas d'examens le lundi ou le vendredi.**

1. aux professeurs
2. aux futurs parents
3. aux enfants
4. aux touristes français qui viennent aux États-Unis
5. aux touristes américains qui vont en France
6. à l'administration de votre université

Have students playing the roles of the shoppers make lists of the items that they would like to buy; students playing the receptionist need to familiarize themselves with the floor plan and the items found on different floors.

C'est votre tour

Vous travaillez comme réceptionniste à la Samaritaine, un grand magasin parisien. Différents clients (joués par d'autres étudiants) veulent savoir où trouver ce qu'ils cherchent. Vous avez à votre disposition un plan général du magasin et une liste des différents rayons qui indiquent les étages où ces rayons sont situés. Aidez-les.

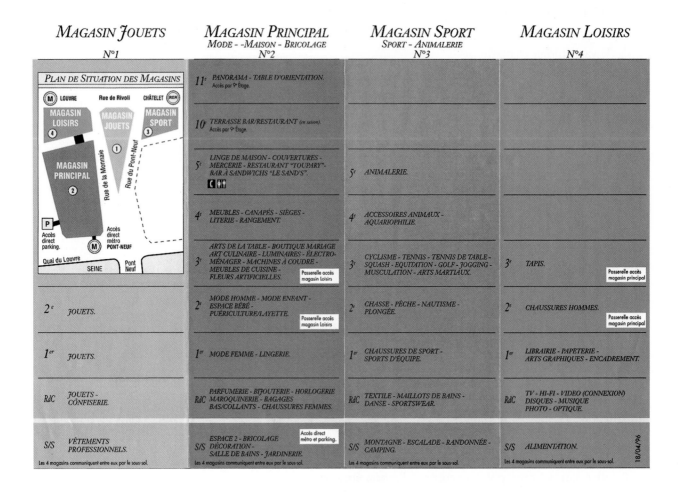

Exploration 3

Faire des comparaisons : Le comparatif et le superlatif

One of the ways in which we evaluate something is by making comparisons; we say that one thing, action, or person is larger (smaller), faster (slower), or more (less) beautiful than another.

A. In French, comparisons of adjectives and adverbs can take three forms:

aussi... que	*as . . . as*	Il est **aussi** grand **que** sa sœur.
		Il marche **aussi** vite **que** sa sœur.
plus... que	*more . . . than*	Il est **plus** grand **que** son frère.
		Il marche **plus** vite **que** son frère.
moins... que	*less (fewer) . . . than*	Il est **moins** grand **que** son père.
		Il marche **moins** vite **que** son père.

B. The following expressions of quantity are combined with **que** to compare amounts or quantities of things.

autant de + NOUN + **que**	*as much (many) . . . as*	Tu as **autant de travail** et **autant de devoirs que** Jean.
plus de + NOUN + **que**	*more . . . than*	Tu as **plus de travail** et **plus de devoirs que** Suzanne.
moins de + NOUN + **que**	*less (fewer) . . . than*	Tu as **moins de travail** et **moins de devoirs que** Mireille.

C. To say that something is *better,* use **meilleur,** the comparative form of **bon.**

	Singulier	**Pluriel**
Masculin	meilleur	meilleurs
Féminin	meilleure	meilleures

C'est une bonne boutique ?
Oui, cette boutique est **meilleure que** l'autre. Les prix sont **meilleurs** ici.

D. The comparative of the adverb **bien** is **mieux,** which means *better.*

Robert parle bien français. Mais sa sœur parle **mieux** que lui, et elle a un **meilleur** accent.
Ça va **de mieux en mieux.**

E. The superlative is used to express the ideas of *the most, the least, the best.* In English, the ending *est* usually communicates the superlative (*greatest, fastest*). In French, the superlative of adjectives is formed by simply adding the definite article to the comparative form.

C'est une ville intéressante.	C'est la ville **la plus** intéressante **de** la région.
C'est un bon magasin.	C'est **le meilleur** magasin **du** quartier.
C'est un vieux bâtiment.	C'est **le plus** vieux bâtiment **de** la ville.

You've already learned that some adjectives come before nouns and others follow; this placement is not changed by the superlative. Note also that **de** follows the superlative, whereas in English *in* is used.

When an adverb is used with a superlative, the definite article is always **le** because adverbs do not have gender or number.

C'est la ville que j'aime **le moins.**
Voici les magasins où je vais **le plus souvent.**

Point out that adjectives in the superlative generally follow the normal pattern. Remind students that some adjectives are placed before the noun and others after, and that the position of the superlative reflects that word order: **la plus grande ville** vs. **la ville la plus intéressante.** The superlative of **mauvais** can be **le plus mauvais** or **le pire.**

Situation : Achat d'un cadeau

Mélanie veut acheter un cadeau pour sa meilleure amie qui vient d'avoir son premier bébé. Elle demande conseil à sa mère.

LA MÈRE Le mieux, c'est d'aller à « L'enfant-roi ». C'est le meilleur magasin de la ville.

MÉLANIE Tu crois qu'ils ont autant de choix qu'aux Galeries ?

LA MÈRE Oui, et les prix ne sont pas plus élevés. Et je dois ajouter que les vendeuses sont beaucoup plus aimables !

MÉLANIE Oui, mais est-ce que la qualité est aussi bonne ?

LA MÈRE Meilleure, en fait. Et c'est moins loin d'ici...

MÉLANIE Tu sais, un kilomètre de plus ou de moins, ce n'est pas ce qui est le plus important.

LA MÈRE Écoute, si tu aimes mieux aller aux Galeries, va aux Galeries. Mais si tu veux profiter des soldes, vas-y le plus tôt possible.

> **Mots à retenir :**
> **plus élevés** *higher,* **en fait** *in fact*

Avez-vous compris ?

Selon la mère de Mélanie, il vaut mieux acheter le cadeau en question à « L'enfant-roi ». Quelles sont les cinq raisons qu'elle donne ?

Communication et vie pratique

A. **Qui dit mieux ?** Vous êtes persuadé(e) que Mademoiselle Villiers est un des meilleurs profs de votre école. Vous la comparez aux autres professeurs. Un de vos amis pense que Monsieur Martel est encore meilleur.

> EXEMPLE intéressant
> **Mlle Villiers est plus intéressante que les autres profs.**
> **À mon avis, M. Martel est encore plus intéressant !**

1. gentil
2. compétent
3. amusant
4. sympathique
5. patient
6. juste
7. bon
8. doué

B. **Et vous ?** Quelles sortes de comparaisons pouvez-vous faire entre vos différents professeurs et vos différents cours ?

> EXEMPLE **Mon cours de géographie est beaucoup plus intéressant que mon cours d'histoire. C'est peut-être parce que le prof est plus sympa.**

C. **Internet.** Imaginez que vous êtes en Suisse et que vous avez décidé d'utiliser l'Internet pour faire quelques achats. (Vous pouvez, par exemple, consulter le site **http://www.welcome-geneva.com**, ou si vous préférez, cherchez vous-même d'autres sites). Qu'est-ce que vous allez acheter ? Comparez et discutez vos choix avec d'autres étudiants.

D. **C'est mon opinion.** Chacun a son mot à dire sur toutes sortes de sujets. Utilisez les expressions ou les adjectifs suggérés pour exprimer votre opinion sur les sujets suivants. Notez les différentes possibilités dans l'exemple suivant.

Have students give other categories that they could compare and contrast. Then have them give their opinions.

> EXEMPLE **l'avion ↔ le train**
> **Le train est moins rapide que l'avion.**
> **Le train n'est pas aussi dangereux que l'avion.**
> **Le train coûte moins cher que l'avion.**

1. l'avion ↔ le train
   rapide / dangereux / confortable / pratique / cher / bon marché / aller vite / coûter cher / ?

2. la cuisine américaine ↔ la cuisine française
   variée / bonne / mauvaise / simple / de bonne qualité / facile à préparer / ?

3. les Américains ↔ les Français
   accueillants / conformistes / grands / naïfs / optimistes / bien informés / ?

4. les voitures étrangères ↔ les voitures américaines
   économiques / chères / confortables / pratiques / de bonne qualité / ?

5. les hommes ↔ les femmes
   courageux/euses / gentil(le)s / sportifs/ives / ambitieux /euses / indépendant(e)s / intelligent(e)s / ?

E. **Paris et la province.** Un de vos amis qui vient de Marseille fait ses études dans la capitale. Il compare sa ville d'origine avec Paris. Qu'est-ce qu'il dit ? Et vous ? Que pouvez-vous dire de positif (ou de négatif) au sujet de la ville ou de la région où vous habitez ? Pouvez-vous la comparer à une autre ville américaine ?

Optional activity: **Demandez aux étudiants de donner les aspects positifs ou négatifs de la ville ou de la région où ils habitent.**

> EXEMPLE   les gens / moins heureux
> **Les gens sont moins heureux que chez nous.**

1. la vie / moins agréable
2. les magasins / plus intéressants
3. les prix / plus élevés
4. les gens / moins sympa
5. les vêtements / plus chers
6. le climat / plus froid

> EXEMPLE   boutiques (+)
> **Il y a plus de boutiques.**

1. restaurants (+)
2. soleil (−)
3. bruit (+)
4. fleurs (−)
5. vent (−)
6. voitures (+)

F. **Paris, ville lumière.** Un autre ami pense que Paris est la plus belle ville du monde. Qu'est-ce que votre ami dit ?

EXEMPLE   des gens intéressants
C'est à Paris qu'on trouve les gens les plus intéressants.

1. de bons restaurants
2. de beaux quartiers
3. de jolis parcs
4. de bons théâtres
5. de bonnes écoles
6. des monuments célèbres
7. des musées intéressants
8. des rues animées

Assign one category to each group, or spread the activity over several days and have the whole class do each category. One or two categories could be discussed in class, the other(s) assigned as homework where students are asked to explain their answers.

G. **À votre avis.** On essaie toujours de trouver les meilleures choses possibles — le meilleur restaurant, le meilleur film de l'année. Utilisez les suggestions suivantes pour poser des questions aux autres étudiants de votre classe. Travaillez d'abord en petits groupes et ensuite partagez les résultats de votre conversation avec le reste de la classe.

Le monde du spectacle

le meilleur chanteur ou la meilleure chanteuse
le meilleur acteur ou la meilleure actrice
le meilleur film (et le plus mauvais)
le film le plus amusant
la chanteuse la plus populaire cette année
le groupe le plus populaire
la meilleure chanson
la série la plus amusante
le meilleur feuilleton (et le plus mauvais)
?

Les voyages

la plus belle ville des États-Unis
la plus belle région des États-Unis
la ville américaine la plus intéressante à visiter
le plus beau pays du monde
le pays le plus intéressant à visiter
?

Sur le campus et dans votre ville

le restaurant où on mange le mieux
le plus mauvais restaurant de la ville
le cours le plus difficile
le cours le plus intéressant
le cours le plus facile
l'endroit où on rencontre les gens les plus intéressants
le sport le plus populaire
la meilleure librairie
?

C'est votre tour

C'est le début de l'année scolaire. Un étudiant français qui vient d'arriver dans votre ville a besoin d'acheter toutes sortes de choses (fournitures scolaires, nourriture, vêtements, etc). Aidez-le à choisir les magasins les mieux situés et où il peut trouver le meilleur choix et les meilleurs prix. Travaillez en groupes de deux. L'étudiant(e) qui joue le rôle du jeune Français prépare sa liste et demande conseil. L'autre étudiant(e) répond à ses questions et offre ses conseils. Utilisez autant de comparatifs et de superlatifs que possible.

Intégration et perspectives : Acheter ou ne pas acheter ? maintenant ou plus tard ? voilà la question !

Pour mieux lire : Les pubs utilisent toutes sortes de techniques pour attirer et séduire les consommateurs : retour à la tradition, témoignages personnels, jeux de mots, culte de la jeunesse, culte de la technologie, images qui séduisent, amusent ou intriguent, etc. Lisez rapidement les publicités qui suivent et essayez d'identifier les techniques utilisées.

New vocabulary in the ads has not been glossed. Have students read through the ads to get the gist and then have them guess the meaning of new words from context. It might also be useful to have students compare French and American ads for similar products to see in which ways they are the same and different.

Point out that the French, like Americans, are subjected to a constant stream of advertising. Although consumer protection agencies are not so common in France, false advertising is prohibited by law and severe penalties are imposed on guilty parties. Statistics indicate there is more advertising for household products and for beauty and personal hygiene than for other types of consumer goods.

1.

2.

3.

4.

5.

6.

7.

Dans notre société de consommation, la publicité — la pub comme on dit souvent — joue un rôle de premier ordre. Elle est partout : le long des routes, sur les murs, dans les journaux et revues, sur nos écrans de télévision, dans notre boîte aux lettres et maintenant même sur l'Internet ! Chaque jour, elle nous invite à découvrir de nouveaux produits, toujours meilleurs, toujours plus perfectionnés et... toujours plus indispensables à notre bonheur !... Les images et les slogans sont soigneusement étudiés pour nous séduire, gagner notre confiance et nous donner envie d'acheter le produit en question. Les produits et les services proposés varient mais le message reste le même : découvrez, achetez et surtout, ne laissez pas passer l'occasion !

Mots à retenir :
la consommation *consumption*, **le mur** *wall*, **l'écran** *(m) screen*, **la boîte aux lettres** *mailbox*, **soigneusement** *carefully*

Avez-vous compris ?

Dans chacune des publicités présentées, quels sont les mots et les images qui sont particulièrement bien choisis pour gagner notre confiance ou pour nous donner envie d'acheter le produit en question ? Pouvez-vous faire mieux (ou aussi bien) ? Mais oui, bien sûr ! Alors, allez-y et créez un nouveau slogan pour chacun de ces produits.

Info-culture : L'euro, qu'est-ce que c'est ?

L'euro et l'Union européenne

L'euro est la nouvelle monnaie *(currency)* commune des pays membres de l'Union européenne. La valeur de l'euro fluctue en fonction des monnaies qui le composent. En ce moment, sa valeur est presque la même que la valeur du dollar. Le but de cette nouvelle monnaie est de faciliter la libre circulation des biens *(goods)* et des personnes dans les pays membres de l'Union européenne.

La naissance de l'euro

C'est le 1er janvier 1999 que l'euro fait son entrée dans la vie des Français. Mais ce n'est que le 1er janvier 2002 que les nouveaux billets et les nouvelles pièces entrent en circulation. Après une courte période de « double circulation » des pièces et des billets en francs et en euros, les francs vont disparaître et il va falloir échanger ses francs pour des euros.

Et entre temps ?

Entre le 1er janvier 1999 et le 1er janvier 2002, le franc et l'euro sont deux expressions de la même monnaie. On peut donc payer — ou être payé — en francs ou en euros, à condition de payer par chèque ou par carte bancaire, et les banques font automatiquement la conversion. Les prix peuvent être indiqués en francs ou en euros, ou les deux à la fois.

Les nouvelles pièces et les nouveaux billets

Il y a sept nouveaux billets et huit nouvelles pièces. La taille *(size)* des billets est proportionnelle à leur valeur. Chaque pièce a une face nationale qui est différente pour chaque pays, et une face commune, ce qui permet d'utiliser les mêmes pièces et les mêmes billets quand on passe d'un pays à l'autre. En France, la face nationale est frappée à l'éffigie de Marianne et de la Semeuse, symboles traditionnels de la République française.

Les pièces Euro:

1 cent

2 cents

5 cents

1 EURO

10 cents

20 cents

50 cents

2 EURO

Point out to students that cent refers to centime.

Communication et vie pratique

A. **Soyez les bienvenus à Châtillon.** Vous visitez Châtillon, une petite ville située au nord-est de Lyon. Vous allez à l'Office du tourisme pour obtenir quelques renseignements sur les différents magasins et services. Expliquez votre situation aux employés (joués par d'autres étudiants).

Le rôle des employés (qui ont la liste des commerçants châtillonnais) est (1) d'étudier le plan de la ville (p. 273) et la liste des services qui est à la page 274, (2) de dire aux visiteurs où ils peuvent trouver ce qu'ils cherchent, (3) d'indiquer dans quelle rue le magasin est situé et le chemin qu'il faut prendre et (4) de donner le numéro de téléphone du magasin en question.

Le rôle des visiteurs (qui ont simplement le plan de la ville, p. 273) est (1) d'expliquer leur situation aux employés et demander où ils peuvent trouver les magasins et les services suivants, (2) d'écouter les indications données par l'employé(e) et (3) de trouver sur la carte la rue où le magasin est situé.

1. Vous désirez consulter un médecin.
2. Vous cherchez une bonne boulangerie.
3. Vous voulez savoir où il y a une station service.
4. Votre voiture est en panne.
5. Vous avez perdu un de vos verres de contact.
6. Vous voulez faire une excursion dans la région.
7. Vous avez besoin d'acheter des médicaments.
8. Vous avez décidé de faire du camping et vous avez besoin de l'équipement nécessaire.
9. Vous avez besoin d'acheter un guide touristique de la région.

B. **Soldes de printemps.** Vous écoutez la radio, et vous entendez une annonce publicitaire pour Monoprix, un magasin qu'on trouve dans presque toutes les villes françaises.

> *Pour mieux comprendre :* Écoutez la pub pour Monoprix une première fois et indiquez si elle donne ou non des renseignements sur chacun des sujets suivants. Ensuite, écoutez la pub une deuxième fois et donnez les renseignements demandés.

oui	non		
❑	❑	Nom du magasin	_____
❑	❑	Adresse du magasin	_____
❑	❑	Numéro de téléphone	_____
❑	❑	Date(s) des soldes	_____
❑	❑	Qualité du magasin	_____
❑	❑	Qualité des vendeurs	_____
❑	❑	Articles en solde	_____
❑	❑	Rayon où on peut les trouver	_____
❑	❑	Prix des articles en solde	_____

Ce plan de ville vous est offert par les artisans d'art, les hôteliers, les restaurateurs et les chambres d'hôtes

Adhérants à l'Office du Tourisme

ARTISANS D'ART

A CASAROSA
Ébéniste d'art, rue Gambetta

B CHORIN
Dinandier, rue Ph.-Collet

C GEISS G.
Maître Verrier, av. C.-Désormes

D HAGNERE
Artiste Peintre, rue Pasteur

HOTELS - RESTAURANTS

1 HOTEL DE LA TOUR - Place de la République

2 HOTEL DU COMMERCE
Place du Champ-de-Foire

3 LA GOURMANDINE - Rue Pasteur

3b CREPERIE DORINE - Rue Pasteur

4 PIZZERIA DON CAMILLO - Rue Commerson

5 AUBERGE DE MONTESSUY
Route de Marlieux

5b BAR-RESTAURANT DE LA POSTE

6 BAR-RESTAURANT DE LA PISCINE

6b CHAMBRES D'HOTES
M. et Mme Salmon
Place du Champ-de-Foire

6c CHEVALIER NORBERT

6d BAR-RESTAURANT DES SPORTS

A ne pas manquer, lors de votre visite

7 HOTEL DE VILLE (extérieur)

8 EGLISE SAINT ANDRE (XIVe siècle)

9 LES HALLES (1670)

9b MAISON DE SAINT VINCENT DE PAUL

10 PORTE DE VILLARS (vestige des anciens remparts)

11 PARC MUNICIPAL "LE CLOS JANIN" (aire de pique-nique)

12 PLACE SAINT VINCENT DE PAUL

13 ANCIEN HOSPICE ACTUELLEMENT CENTRE CULTUREL DE LA DOMBES

14 APOTHICAIRERIE DE L'HOPITAL - TRIPTYQUE (1527)
collection "Tradition de vie" - ouvroir des sœurs
horaires d'ouverture disponibles auprès de l'Office de Tourisme

15 ANCIEN CHATEAU FORT (remparts), aire de pique-nique

16 PONTS ET BARQUES FLEURIES

17 TRABOULES ET COUR INTERIEURE

LOCATIONS MEUBLE CLE CONFORT

• M. et Mme DUMERGUE Guy - 45, rue Philibert Collet - 04 74 55 34 31
ou à Paris 01 30 34 06 13

GITES DE FRANCE

CHAMBRES D'HOTES
• Condeissiat 01400 - M. et Mme BELOUZARD
Etang Ratel - 04 74 51 44 51
• Romans 01400 - M. et Mme MONTRADE GUY
Le Grand Janan - 04 74 55 00 80

GITES RURAUX
• Neuville-les-Dames 01400 - M. et Mme SALLUCET André
La Chassagne - 04 74 55 61 79
• Saint-Trivier-sur-Moignans 01990 - M. et Mme GOIFFON Jean
Grand Etang - 04 74 55 80 73
• Sandrans 01400 - M. et Mme PROST G.
Les Bornes - 04 74 24 52 57

PROFESSIONS LIBERALES
Architecte
• Etude et chantiers : M. LE BOT Jacques
240, Av. Clément Désormes - 04 74 55 02 69

Dentiste
• Mme BRETTE-VIALLY Pascale
Av. Clément Désormes - 04 74 55 04 29

Infirmières
• Centre de soins Saint-Vincent-de-Paul - 12, Pl. des Halles

Laboratoires d'analyses médicales
• Mme DELOCHE Martine - Pl. des Halles - 04 74 55 25 40

Médecins
• Dr COILLARD Victor - 151, Av. Clément Désormes - 04 74 55 05 63
• Dr COLSON Jacques - 19, rue Philibert Collet - 04 74 55 04 24
• Dr RIMAUD Christine - Av. Montpensier - 04 74 55 02 68
• Dr ROUSSEL François - Lot. Champ-de-Foire - 04 74 55 01 53

Notaires
• M. BRUNET Jean-Charles - Montée du Champ-de-Foire - 04 74 55 00 49
• Mme REGAL Josette

Pharmaciens
• M. CHANEL Pierre - Rue Gambetta - 04 74 55 00 81
• M. KROELY Philippe - 62, rue Philibert Collet - 04 74 55 06 22

Radiologie - Scanographie
• Dr VERCELLIS Yves - 15, Pl. Saint-Vincent-de-Paul - 04 74 55 14 98

ALIMENTATION GENERALE
• La Corbeille Châtillonnaise - M. ROCH Michel
49, Av. Clément Désormes - 04 74 55 11 00

LAITERIE - FROMAGERIE
• Les Clarines - M. et Mme CUINET Christophe
52, rue du Président Carnot - 04 74 55 09 22
• M. LAGUIN Jean - Rue Barrit - 04 74 55 08 59

ARTICLES DE SPORT
• Sport Evasion - Mlle MATHON Nadine
127, rue Pasteur - 04 74 55 35 40

ASSURANCES
• Mutuelles du Mans :
MM. BARRET Max, PERREAULT Philippe,
ESCHBACH Jean-Charles - 81 rue Alphonse Baudin - 04 74 55 03 42
• Société d'Assurances Mutuelles contre l'Incendie et les Risques
Divers - MIC :
Mme GERBEL Danielle - 83, Pl. des Halles - 04 74 55 04 22

AUTO-ECOLE
• Auto-école des Dombes - M. DRUGUET Robert
65, rue Bergerat - 04 74 55 03 29

BOUCHERIES-CHARCUTERIES
• M. et Mme DOUCET Jean-Pierre - Rue Pasteur - 04 74 55 01 28

BOUCHERIE GROS ET DETAIL
• Deplatière S.A. - M. DEPLATIERE Gérard
La Tredonnière - 04 74 55 27 67

BOULANGERIES
• M. et Mme ARCHENY Christian - 88, rue Pasteur - 04 74 55 02 84
• M. et Mme PELUS André - Pl. des Halles - 04 74 55 02 02

COIFFEURS
• M. BOUDAT Roger - Av. Clément Désormes - 04 74 55 03 47

CORDONNIER
• M. GADIOLLET Armand - Rue Pasteur

COUTURIERE
• "Yvette" - Mme BELAY Yvette - 155, rue Victor Hugo - 04 74 55 34 52

ENTREPRISES
Accessoires Autos et Equipment Autos
• Targa - M. MARTIN Jean-Michel - Z.I. - B.P. 19 - 04 74 55 05 55

Décolletage
• Sindra (SA) - M. AZMAN (P.D.G.) - Z.I. - Sud B.P. 41 - 04 74 55 03 38

Laboratoires de Thérapeutique Moderne
• L.T.M. (SA) - M. CLIVIO Louis (Directeur) - Av. Foch - 04 74 45 54 42

Casques Gallet de France (SA) - C.G.F.
• M. GALLET Adrien - Z.I. Sud - 04 74 55 01 55

GARAGE - CARROSSERIE - STATION
Garage
• Renault - M. GALLAND Michel
48, Pl. du Champ-de-Foire - 04 74 55 03 23

Station-service
• Station Total - Mme FERRARI Stéphanie
27, Pl. de la République - 04 74 55 00 02

LINGERIE - BONNETERIE - VETEMENTS ENFANTS
• Mme GERBET Isabelle - Pl. de l'Eglise - 04 74 55 15 20

MERCERIE - BONNETERIE - LINGE DE MAISON - FORAINS
• "La Pince à Linge" (linge de maison) - Mme RASSION Claude
Pl. de l'Eglise - 04 74 55 24 91

MEUBLES - MENUISERIE
• Escalier restauration - Parquet - Plafond à la Française
M. PRIVEL Frères - Impasse du Champ-de-Foire - 04 74 55 02 95

OPTICIEN
• Baillet Optique - M. BAILLET Christian
64, rue Commerson - 04 74 55 12 11

PATISSERIES
• M. GAGET Michel - 98, rue Pasteur - 04 74 55 01 17
• M. LEBEAU Albert-Gilles - 28, rue Pasteur - 04 74 55 00 25
• M. REBOUL Charles - Rue Alphonse Baudin - 04 74 55 04 27

PAYSAGISTE - PEPINIERISTE
• Sté Sols et Paysage - M. MANIGAND Michel - Route de Belle
"Maillard" - 04 74 55 00 53

PLOMBIER
• M. JAFFRE Henri - 113, rue Pasteur - 04 74 55 02 93

PRESSE - LIBRAIRIES
• M. RANDON Jean-Pierre - Pl. de la République - 04 74 55 05 86

PRET-A-PORTER - VETEMENTS
• Ninou Boutique - Mme Lety Irène - 21, rue Gambetta - 04 74 55 09 21

TOILETTAGE CANIN
• "L'Espace du Chien" - M. DEMULE Alain
100, rue Pasteur - 04 74 55 07 35

VOYAGES - TRANSPORTS
• Le Courrier des Dombes - M. et Mme CARRE Jean-Pierre
148, Av. Clément Désormes - 04 74 55 04 21

C. On fait de la pub ! Des commerçants de Châtillon vous ont demandé de préparer un spot publicitaire pour leur magasin ou un de leurs produits ou services. Ces pubs vont passer à la radio ou à la télévision, et vous disposez de seulement 30 secondes. Travaillez seul(e) ou en petits groupes pour créer vos spots publicitaires. Si vous préférez, vous pouvez faire de la pub pour un autre produit de votre choix.

> *Pour mieux écrire :* Une fois que vous avez choisi le produit ou le service en question, faites une liste de mots ou de phrases qui vont attirer l'attention du public. Par exemple, si vous avez choisi un garage, vous pouvez dire : **mécaniciens honnêtes et compétents, service rapide et de grande qualité, les meilleurs mécaniciens et les meilleurs prix.** Essayez d'utiliser le comparatif et le superlatif dans vos pubs.

Encourage students to use props, graphs, or other illustrations in their ads. You might also want to have them tape their ads (audio or video).

Have students work in pairs to ask each other these questions, writing down responses so that they can interpret their partner's score. A class survey could be taken.

D. Économe ou dépensier ? Est-ce que vous avez tendance à économiser votre argent ou à le dépenser sans compter ? Pour le savoir, faites le test suivant et consultez l'interprétation à la fin du test. Vous pouvez répondre vous-même à ces questions ou les utiliser pour interviewer un(e) autre étudiant(e).

1. À la fin du trimestre, est-ce que... ?
   a. vous revendez vos livres ?
   b. vous les gardez ?
2. Quand vous avez besoin d'une nouvelle voiture, est-ce que vous achetez... ?
   a. une voiture d'occasion ?
   b. une voiture neuve ?
3. Quand vous avez envie d'un livre, est-ce que... ?
   a. vous allez à la bibliothèque ?
   b. vous l'achetez dans une librairie ?
4. Quand vous avez besoin de nouveaux vêtements, est-ce que vous les achetez... ?
   a. quand ils sont en solde ?
   b. quand ils sont vendus au prix normal ?
5. Quand vous cherchez un appartement, est-ce que vous choisissez... ?
   a. un appartement modeste mais confortable ?
   b. un appartement de luxe qui possède tout le confort moderne ?
6. Comment organisez-vous votre budget ? En général, est-ce que... ?
   a. vous établissez votre budget au début de chaque mois ?
   b. vous dépensez votre argent sans compter ?
7. Il y a quelque chose que vous voulez acheter mais votre budget est très limité en ce moment. Est-ce que... ?
   a. vous attendez d'avoir l'argent nécessaire ?
   b. vous l'achetez à crédit ou vous empruntez de l'argent ?
8. Quand vous utilisez une carte de crédit, est-ce que... ?
   a. vous payez chaque mois ce que vous devez ?
   b. vous continuez à acheter ce que vous voulez ?
9. Quand vous empruntez de l'argent à un(e) ami(e), est-ce que... ?
   a. vous rendez immédiatement l'argent que vous avez emprunté ?
   b. vous oubliez que vous avez emprunté de l'argent ?
10. À la fin du mois, est-ce que... ?
    a. vous avez toujours assez d'argent pour finir le mois ?
    b. vous devez emprunter de l'argent ?

Interprétation

Combien de fois avez-vous choisi la réponse **a** ?

8-10   Vous êtes très économe, et c'est une bonne chose. Mais ne soyez pas obsédé(e) par les questions d'argent.

6-7   Vous êtes économe, mais sans excès. Et vos amis peuvent compter sur vous quand ils ont besoin d'argent !

3-5   Vous aimez dépenser sans compter, mais n'espérez pas être un jour Ministre des finances.

0-2   Si dépenser de l'argent rend les gens heureux, vous devez être très, très heureux (euse).

Bien prononcer

A. The letter **e** (without an accent mark) is usually pronounced /ə/, as in the following words:

le   de   me   ce   demain   regarder

The letter **e** is not always pronounced, however. Whether it is pronounced or not depends on its position in a word or group of words and on its "phonetic environment." It is not pronounced in the following situations.

1. At the end of a word:

ouvert*e*   chanc*e*   voitur*e*   anglais*e*

2. When it is preceded by only one consonant sound:

sam*e*di   tout d*e* suite   seul*e*ment   je l*e* sais

Listen and repeat:

ach*e*ter	chez l*e* marchand
boulang*e*rie	ça n*e* fait rien
épic*e*rie	en c*e* moment
heureus*e*ment	un kilo d*e* pain
tout l*e* monde	je n'ai pas l*e* temps

B. The letter **e** is pronounced when it is preceded by two consonant sounds and followed by a third.

vendr*e*di   quelqu*e* chose   mon propr*e* patron

Listen and repeat:

mercr*e*di	pour d*e*main
quelqu*e*fois	ça march*e* bien
premi*e*r	faire l*e* marché
votr*e* livre	pomm*e* de terre
notr*e* voiture	une autr*e* personne

Petite conversation... Practice repeating the following conversation.

—Qu'est-cȩ que tu vas faire samȩdi ?

—Je nȩ sais pas; j'ai beaucoup dȩ travail en cȩ moment...

—Si tu as lȩ temps, viens avec nous chez lȩ cousin dȩ Monique.

—Tout lȩ monde est invité ?

—Jȩ pensȩ que oui.

CHEZ NOUS

AU MAROC

Superficie : 710 000 km^2

Population : 28 000 000 h

Capitale : Rabat

Langues : arabe et français

Institutions : monarchie constitutionnelle

« *Chez nous, au Maroc, nous avons aussi des grands magasins et des boutiques de toutes sortes, mais c'est tellement plus pratique—et plus intéressant—d'aller faire ses achats dans un souk, c'est-à-dire dans un marché de rue. Dans les souks qui couvrent tout un quartier de la ville, on trouve absolument de tout. Et si on a besoin de rien, on a quand même le plaisir de regarder les étalages !*

En général, chaque souk a sa spécialité. Chez nous, à Marrakesh, par exemple, dans le Souk Qassadine on peut acheter des fruits secs et des épices et toutes sortes d'objets en osier (wicker). Quand on arrive à la place Smarine, les paniers (baskets) font place aux vêtements et aux tissus (fabrics). Plus loin, c'est le Souk Ghazal où on vend de la laine (wool) le matin et des peaux (hides) l'après-midi. Puis on arrive au Souk Rabia où on vend de très beaux tapis (carpets) berbères tissés à la main. Dans le Souk El Kabir et dans le Souk Cherratine, on trouve toutes sortes de produits en cuir (leather) et on peut regarder travailler les artisans. Ensuite viennent le Souk Fagharine où on vend des objets en fer forgé (wrought iron) et le souk des bijoutiers. Et bien sûr, il y a aussi un souk pour les produits alimentaires (près de la place Rahba Kedima) où vous allez trouver une incroyable variété de fruits et légumes ainsi que les épices et les herbes que nous utilisons dans notre cuisine ! Au fait, si vous n'avez jamais goûté un « vrai » couscous marocain, n'attendez pas. Je vous assure que vous allez vous régaler ! »

Vocabulaire

Les magasins et les marchandises (Voir pp. 248–251)
Les verbes comme *vendre* (Voir p. 255)

Noms

appareil-photo (*m*) *camera*
ascenseur (*m*) *elevator*
avion (*m*) *airplane*
billet (*m*) *bill, ticket*
cadeau (*m*) *gift*
confiance (*f*) *confidence, trust*
consommation (*f*) *consumption*
écran (*m*) *screen*
escalier roulant (*m*) *escalator*
étage (*m*) *floor, level*
fond (*m*) *end, back, bottom*
mur (*m*) *wall*
ordre (*m*) *order*
parapluie (*m*) *umbrella*
portefeuille (*m*) *wallet, billfold*
rayon (*m*) *counter*
réceptionniste (*m, f*) *receptionist*
rez-de-chaussée (*m*) *ground floor*
rôle (*m*) *role*
route (*f*) *road, way*
slogan (*m*) *slogan*
souci (*m*) *worry*
sous-sol (*m*) *basement*

Adjectifs

bête *stupid*
commercial *commercial*
conformiste *conformist*
économique *economical*
élevé *high, raised*
indispensable *indispensable*
informé *informed*
meilleur *better*
normal *normal*
pénible *(acting like) a nuisance,
    painful*
populaire *popular*
rapide *fast*

Divers

aussi... que *as . . . as*
autant de... *as much (many) . . .*
en fait *in fact*
s'habiller *to get dressed*
le long de *along*
mieux *better*
moins de *less, fewer*
plus de *more*
soigneusement *carefully*
toucher *to touch*

Chapitre onze

Être bien dans sa peau

Fonctions

Dans ce chapitre, vous allez apprendre à
- *parler de votre santé et des sports
  que vous pratiquez*
- *parler de vos activités quotidiennes*
- *parler de vos activités passées*
- *donner des conseils, des suggestions et des ordres*

Vocabulaire et structures

Point de départ : La santé et le sport
*Exploration 1 : L'infinitif et le présent des verbes
réfléchis*
Exploration 2 : Le passé composé des verbes réfléchis
Exploration 3 : L'impératif des verbes réfléchis

Point de départ : La santé et le sport

Optional vocabulary: **la cheville, le cou, l'épaule, la figure, le visage, les hanches, les lèvres, les orteils, les doigts de pied, le poignet, le pouce, les sourcils, le ventre, le cœur, les poumons, le foie, la cuisse**

A. Le corps humain

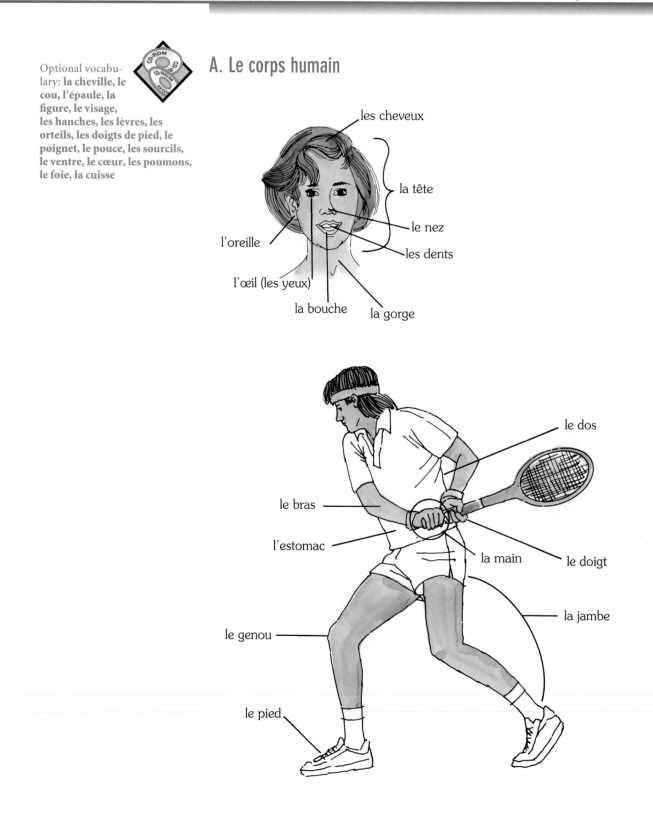

les cheveux

la tête

le nez

les dents

l'oreille

l'œil (les yeux)

la bouche

la gorge

le dos

le bras

l'estomac

la main

le doigt

la jambe

le genou

le pied

B. La santé

On espère toujours être et rester en bonne santé. Mais quand on est malade ou en mauvaise santé, il faut aller chez le médecin. Comment allez-vous lui expliquer vos symptômes ?

Les douleurs et les symptômes

avoir mal à la gorge (à la tête,
à l'estomac, au dos, aux pieds, etc.)

avoir de la fièvre

tousser

avoir sommeil

être fatigué(e)
être allergique à...

Les maladies

la grippe *(flu)*   le cancer
un rhume *(a cold)*   une crise cardiaque
une infection   le SIDA (AIDS)

Les remèdes

une ordonnance *(a prescription)*
un médicament
une pilule
un comprimé d'aspirine
une piqûre *(a shot, an injection)*

Explain to the students that sometimes le ventre may be used in place of l'estomac. These two words aren't synonymous. When we say **avoir mal à l'estomac,** we speak of the area above the belt and ailments such as indigestion, acid stomach, or ulcers. **Avoir mal au ventre** refers to intestinal pains and problems or to menstrual cramps.

Optional vocabulary: **une angine, une bronchite, une pneumonie.** You might also want to teach common childhood illnesses: **les oreillons** (mumps), **la rougeole** (measles), **la varicelle** (chicken pox).

Optional vocabulary: **avoir envie de vomir, avoir la diarrhée, être paralysé(e), être déprimé(e).**

le SIDA = Syndrome Immunodéficitaire Acquis

C. Le sport

Pour rester en forme, on peut faire de la gymnastique ou faire du sport. Par exemple, on peut...

faire de la marche
à pied

faire du judo ou
du karaté

faire de la musculation

faire de la natation

faire du jogging

faire du vélo

faire du ski

faire du patinage

faire du cheval

jouer au tennis

jouer au basket

jouer au football

jouer au base-ball

jouer au golf

jouer au hockey
sur glace

Info-culture : Les Français et le sport

Avec l'augmentation du temps consacré aux loisirs et l'importance accordée à tout ce qui touche à la santé, le sport occupe une place de plus en plus grande dans la vie des Français.

Le sport qu'on pratique

- Un Français sur deux pratique régulièrement un sport.
- En général, les Français préfèrent les sports individuels. Beaucoup de jeunes, cependant *(however)*, aiment mieux les sports d'équipe *(team)* et font partie d'une association sportive.
- Il existe de nombreux stages sportifs (voile [*sailing*], ski, plongée sous-marine [*scuba diving*], escalade [*rock climbing*], etc.) où on peut pratiquer ou apprendre un sport nouveau.
- Grâce à la présence de nombreuses stations de ski *(ski resorts)*, surtout dans les Alpes et dans les Pyrénées, les Français peuvent satisfaire leur passion pour le ski et les sports d'hiver. Les enfants des écoles bénéficient souvent de ce qu'on appelle « les vacances de neige » : pendant deux ou trois semaines, élèves et professeurs vont à la montagne et partagent leur temps entre ski et études. En été, les passionnés de montagne peuvent faire de l'escalade ou de l'alpinisme *(mountain climbing)*.
- La marche à pied et les randonnées en montagne sont le sport favori des gens qui aiment le grand air et la nature « au naturel ».
- De nouveaux sports font leur apparition sur la scène sportive française (le golf et le base-ball, par exemple), et pour les gens qui cherchent l'aventure et les sensations fortes, il y a des sports comme le parapente *(parasailing)*, le vol libre *(hang gliding)* et les sports acrobatiques.
- Le sport et la gymnastique font partie intégrale du programme scolaire dans les lycées. Mais les universités n'ont pas leurs propres équipes sportives comme aux États-Unis.

Le sport spectacle

- Le football est le sport favori des spectateurs et téléspectateurs. La victoire de la France à la Coupe du monde de 1998 a été célébrée avec enthousiasme. Toutes les grandes villes de France ont leur équipe qui porte le nom de la ville.
- Le cyclisme est l'autre passion traditionnelle des Français. La course principale est « le Tour de France ». Comme son nom l'indique, cette course qui dure plusieurs semaines et qui attire des équipes du monde entier, fait le tour de presque toute la France, y compris *(including)* les Alpes et les Pyrénées. Le vainqueur *(winner)* de chaque étape porte « le maillot jaune ».
- Les courses automobiles, en particulier les Vingt-Quatre Heures du Mans et le rallye de Monte-Carlo, et les courses de chevaux sont également suivies avec beaucoup d'intérêt. Dans le Midi, on peut aussi assister à la corrida et aux courses de taureaux.

Deux sports « bien français »

En plus des sports internationaux, il y a deux sports typiquement français. Les boules ou la pétanque (populaire surtout dans le Midi de la France) sont un sport tranquille pour les chaudes journées d'été. La pelote basque *(jai alai)* est un sport qu'on pratique au Pays basque et dans le sud-ouest de la France.

Et vous ?

Le tableau suivant représente les principaux sports pratiqués en France. Quels sont les trois sports que les Français préfèrent ? À votre avis, est-ce que les Américains ont les mêmes préférences ?

	Occasionnellement		Régulièrement	
	H	**F**	**H**	**F**
• Alpinisme	2,2%	1,0%	0,6%	0,2%
• Athlétisme	5,1	2,4	1,8	0,9
• Aviation	1,2	0,6	0,3	0,0
• Basket	4,7	2,7	1,4	1,2
• Bateau à moteur	2,1	0,9	0,4	0,2
• Bateau à voile	2,9	1,7	1,2	0,3
• Planche à voile	3,2	2,3	1,3	0,3
• Boules	15,2	4,7	2,5	0,3
• Cyclisme	17,5	9,7	6,3	2,9
• Chasse	2,8	0,5	3,4	0,1
• Équitation	2,6	2,7	0,6	0,8
• Football	10,1	0,9	6,5	0,2
• Golf	1,6	1,1	0,5	0,3
• Gymnastique	4,2	9,3	2,6	11,4
• Jogging	12,6	8,4	6,5	3,6
• Judo-karaté	1,6	0,4	1,8	0,5
• Natation	20,2	16,7	5,1	6,0
• Patin à glace	3,8	3,1	0,1	0,2
• Pêche en mer	4,6	1,0	1,1	0,2
• Pêche en eau douce	8,6	1,5	4,2	0,2
• Plongée	3,0	1,3	0,9	0,2
• Rugby	2,0	0,2	1,1	0,1
• Randonnée pédestre	11,5	9,3	4,9	4,0
• Ski de fond	8,6	5,9	1,4	1,0
• Ski alpin	13,3	7,9	4,2	2,6
• Ski de randonnée	1,3	1,0	0,4	0,1
• Tennis	15,1	7,8	6,9	2,3
• Volley ball	6,1	2,9	2,1	1,6

Communication et vie pratique

A. **Chez le médecin.** Vous êtes dans la salle d'attente du médecin. Il y a plusieurs autres personnes qui attendent leur tour. Où ont-elles mal et quelle maladie ont-elles ?

> EXEMPLE   Le petit garçon a mal à la gorge. Il a peut-être la grippe.

As a review, have students name as many sports as they can. Add to their list to make it as complete as possible and then ask students to complete **Êtes-vous sportif / ive ?**

Give students the list of sports and leisure activities on your campus and have them role-play a situation in which they tell a French-speaking student what activities are available.

You may want to have students scan the list and guess the meanings of the new sports vocabulary on the list:
for example, **gym d'entretien** (*fitness center*), **plongée** (*diving*); **palmes** (*flippers*); **entraînement** (*training*).

B. **Êtes-vous sportif/ive ?** Indiquez si vous pratiquez régulièrement, de temps en temps, rarement ou jamais les sports mentionnés dans le **Point de départ.** Ensuite, demandez aux autres étudiants s'ils pratiquent les mêmes sports.

> EXEMPLE   **Je joue souvent au tennis, mais je fais rarement du vélo.**
> **Je fais de temps en temps du jogging. Et toi ?**

C. **Activités de loisir.** Regardez d'abord la liste d'activités sportives proposées par l'Université d'Angers (voir page 289) et choisissez deux ou trois activités qui vous intéressent. Ensuite, essayez de trouver d'autres étudiants qui s'intéressent aux mêmes sports.

D. **Internet.** Pour savoir quels services de santé existent au Québec, consultez le site Santé-net Québec, **http://www.pageweb.qc.ca/sante/default.htm,** ou utilisez un moteur de recherche pour trouver d'autres sources de renseignements sur ce sujet.

ACTIVITES HEBDOMADAIRES

Aérobic :
Lundi 12 h 30 – 13 h 30
Mercredi 17 h 30 – 18 h 30
Mercredi 20 h – 21 h

Athlétisme :
Mardi 13 h 30 – 16 h

Badminton :
Mardi 12 h – 13 h 30
Mercredi 18 h – 19 h 30
Mercredi 19 h 30 – 21 h

Basket-ball :
Lundi 17 h 30 –19 h
Lundi 21 h 15 – 22 h 30
Mercredi 19 h 30 – 21 h

Danse contemporaine :
Lundi   18 h 30 – 20 h
Mardi   11 h – 12 h 30
Mercredi 16 h – 17 h 30
               18 h 30 – 20 h
Jeudi   12 h – 13 h 30
               18 h – 19 h 30

Danses Folkloriques :
Jeudi 19 h 30 – 21 h

Foot Ball :
Mardi 20 h – 21 h 30

Footing :
10 h 30 – 11 h 30

Gym d'entretien :
Lundi   12 h – 13 h 30
               18 h – 19 h
Mercredi 18 h – 19 h 30
Vendredi 12 h – 13 h 30
Mercredi 12 h – 13 h 30

Gym sportive :
Lundi 17 h 30 – 19 h
Mardi 12 h – 13 h 30

Hand Ball : Lundi 19 h – 20 h 30
                    20 h – 21 h 15

Judo : Mercredi 14 h 30 – 16 h 30
              Vendredi 18 h – 20 h

Natation : Horaires en suspens

Plongée : mardi 20 h – 22 h
Nage avec palmes : mardi 21 h – 22 h

Rugby : Lundi 19 h – 21 h

Stretching : Lundi 17 h – 18 h 30

Taiji Quan : Mardi 12 h – 13 h 30

Musculation : Lundi 12 h –13 h 30
                        Mardi 18 h – 19 h 30
                        Jeudi 18 h – 19 h 30

Tennis de table : Lundi 20 h 30 –21h 30
                            21 h 30 – 22 h 30

Tennis : débutant
Lundi 12 h – 13 h 30
Jeudi 16 h 15 – 17 h 15

Perf 1
Lundi 19 h – 20 h
Mercredi 12 h – 13 h 30
Jeudi 17 h 15 – 18 h 15
Vendredi 17 h 30 – 18 h 30

Perf 2
Mardi 16 h 30 – 17 h 30
          17 h 30 – 18 h 30
Mercredi 17 h – 18 h
Vendredi 19 h 30 – 20 h 30

Entrainement
Mardi 18 h 30 – 19 h 30
Jeudi 12 h – 13 h 30
Vendredi 12 h – 13 h 30
Vendredi 18 h 30 – 19 h 30

Volley ball : Mardi 12 h –13 h 30
                        19 h 30 – 21 h
                    Mercredi 18 h–19 h 30

Karaté : Mercredi 19 h 30 – 21 h
                 Lundi 20 h – 21 h

Yoga : Mardi 18 h – 19 h
                 19 h – 20 h
              Jeudi 12 h – 13 h 30

Exploration 1

Parler de vos activités quotidiennes : L'infinitif et le présent des verbes réfléchis

Many everyday activities are expressed by what are called reflexive verbs. In a sense, the object of the verb is not another person or thing, but oneself. Compare:

Je lave la voiture. *(I wash the car.)*   Je me lave. *(I wash myself.)*

Reflexive pronouns are identical to other direct object pronouns except in the third person, where **se** is used.

se laver	
je **me lave**	nous **nous lavons**
tu **te laves**	vous **vous lavez**
il / elle / on **se lave**	ils / elles **se lavent**

s'habiller	
je **m'habille**	nous **nous habillons**
tu **t'habilles**	vous **vous habillez**
il / elle / on **s'habille**	ils / elles **s'habillent**

A. Reflexive verbs fall into three main categories.

- Some reflexive verbs, such as **se laver** and **s'habiller**, indicate that the subject performs the action on himself or herself.

  s'arrêter *to stop* **se peigner** *to comb one's hair*
  se coucher *to go to bed* **se préparer** *to get ready*
  se détendre *to relax* **se reposer** *to rest*
  se lever[1] *to get up* **se réveiller** *to wake up*

- Many verbs can be made reflexive to indicate a reciprocal action.

  s'aimer *to like each other, love each other*
  s'embrasser *to kiss, kiss each other*

---

[1]**Se lever** is a regular **-er** verb except for spelling changes in its stem. Its forms are similar to those of **acheter: je me lève, tu te lèves, il/elle/on se lève, nous nous levons, vous vous levez, ils/elles se lèvent.**

● Some reflexive verbs have an idiomatic meaning.

s'amuser	*to have a good time*	On **s'amuse** bien ici.
s'appeler[2]	*to be named*	Comment **vous appelez**-vous ?
se débrouiller	*to manage, get along*	Est-ce que tu **te débrouilles** bien en français ?
se dépêcher (de)	*to hurry*	Nous **nous dépêchons de** finir notre travail.
s'entendre	*to get along with*	Henri ne **s'entend** pas très bien avec son frère.
s'intéresser à	*to be interested in*	Est-ce que tu **t'intéresses** au sport ?
se marier (avec)	*to get married (to)*	Ils **se marient** samedi.
s'occuper de	*to take care of*	Qui **s'occupe** des enfants ?
se passer	*to happen*	Qu'est-ce qui **se passe ?**
se souvenir de	*to remember*	Je ne **me souviens** pas de son adresse.
se sentir bien/mal[3]	*to feel good/bad*	Monique ne **se sent** pas bien.

B. To form the negative of reflexive verbs, place the **ne** before the reflexive pronoun and the **pas** after the verb.

Je me lève très tôt.   Je **ne** me lève **pas** très tôt.
Nous nous entendons bien.   Nous **ne** nous entendons **pas** bien.

Questions are formed by using **est-ce que** or by inversion.

Est-ce qu'il se débrouille bien ?
Se débrouille-t-il bien ?

C. When reflexive verbs are used in the infinitive, the reflexive pronoun is always in the same person and number as the subject, and it precedes the infinitive.

Je n'ai pas envie de **me** lever.
On va bien **s'amuser**.
Tu n'as pas l'air de **te** sentir bien.

D. Certain reflexive verbs can be used with parts of the body: **se laver les mains, se brosser** *(to brush)* **les dents,** etc. Note that in this case the noun is preceded by an article, not by a possessive adjective.

Elle se lave **les** mains.   *She is washing her hands.*
N'oublie pas de te brosser **les** dents.   *Don't forget to brush your teeth.*

You may want to point out that although an action done *to* the body may take a reflexive verb (**je me lave le mains; nous nous brossons les dents**), an action done *with* a part of the body does not (**elle a tourné le dos; levez la main**).

---

[2]S'appeler also has spelling changes: **je m'appelle, tu t'appelles, il/elle/on s'appelle, nous nous appelons, vous vous appelez, ils/elles s'appellent.**

[3]Se sentir is an irregular verb: **je me sens, tu te sens, il/elle/on se sent, nous nous sentons, vous vous sentez, ils/elles se sentent.**

Situation : Chez le médecin

Monsieur Verdier ne se sent pas bien. Il vient consulter son médecin, le docteur Dupas.

Le Médecin	Comment vous sentez-vous aujourd'hui ?
M. Verdier	Pas trop bien. Je me sens très fatigué et je n'ai pas d'énergie...
Le Médecin	Est-ce que vous dormez bien ?
M. Verdier	Non, je me réveille souvent pendant la nuit.
Le Médecin	À quelle heure vous couchez-vous ?
M. Verdier	Vers minuit.
Le Médecin	Et à quelle heure vous levez-vous ?
M. Verdier	À cinq heures.
Le Médecin	Hmmm... Vous prenez le temps de déjeuner le matin, j'espère... ?
M. Verdier	Non, je n'ai pas le temps. Je me lève, je prends une douche et je me dépêche d'aller à mon travail.

> **Mots à retenir :**
> **dormir**[4] *to sleep,* **vers** *toward, about,* **prendre une douche** *to take a shower*

Ask students to give the doctor's report for M. Verdier: **Il ne se sent pas bien,** and so on.

IAE Drills: **Les verbes réfléchis au présent. 1. Je m'amuse bien. on / vous / nous / Marc / je / mes amis 2. Elle se couche tard. vous / Jean / tu / nous / je / les autres 3. Je ne me souviens pas de son nom. Serge / nous / vous / tu / ses professeurs / je 4. Tu te lèves tôt. nous / tu / mon père / mes frères / je / vous.** L'infinitif des verbes réfléchis. **1. À quelle heure est-ce que tu vas te lever ? nous / vous / Chantal / tes parents / les enfants 2. J'ai besoin de me détendre. mes parents / tu / vous / Michel nous 3. On va bien s'amuser ce soir. nous / Lucien / je / vous / mes amis / tu**

Have students respond in the negative: **Paul ne se lève pas à six heures et demie.** You might want to have students ask each other yes/no questions to try to guess at what time another student gets up, goes to bed, and so on. **Est-ce que tu te lèves à six heures ? Non, je ne me lèves pas à six heures,** and so on.

Avez-vous compris ?

Qu'est-ce qui indique que Monsieur Verdier n'est pas en très bonne santé ?

Communication et vie pratique

A. **C'est l'heure !** À quelle heure est-ce que ces étudiants se lèvent d'habitude pour aller à l'université ?

EXEMPLE   Paul
Paul se lève à six heures et demie.

---

[4]**Dormir** is an irregular verb. Its forms are **je dors, tu dors, il/elle/on dort, nous dormons, vous dormez, ils/elles dorment.** Passé composé : **j'ai dormi.**

1. nous

4. tu

2. Catherine

5. Roger et Serge

3. vous

6. je

B. **Ça ne va pas trop bien.** Monsieur Ricard ne va pas très bien. Il décide d'aller chez le médecin. Donnez ses réponses aux questions du médecin.

> EXEMPLE Est-ce que vous vous sentez bien aujourd'hui ? (non... pas très bien)
> **Non, je ne me sens pas très bien.**

1. Est-ce que vous vous reposez assez ? (non)
2. Est-ce que vous vous couchez assez tôt ? (non)
3. Est-ce que vous vous levez très tôt ? (oui)
4. Est-ce que vous vous intéressez à votre travail ? (non)
5. Est-ce que vos enfants se débrouillent bien à l'école ? (non)
6. Est-ce qu'ils se couchent assez tôt ? (non)
7. Est-ce que vous vous entendez bien avec vos enfants ? (oui)

Have students role-play the activity using the doctor's questions and the patient's responses. The activity can be expanded by asking students to make up their own answers to the doctor's questions and/or ask the doctor additional questions.

C. **Différences.** Il y a des gens qui aiment se coucher tôt et d'autres qui n'aiment pas ça. Utilisez les suggestions suivantes pour décrire la situation de chaque personne.

> EXEMPLE   Marc n'aime pas...
> **Marc n'aime pas se coucher tôt.**

1. Thérèse préfère...
2. Je voudrais...
3. Tu as besoin de...
4. Ils ont l'intention de...
5. Nous ne voulons pas...
6. Vous n'avez pas envie de...

Have students work in small groups to describe Philippe's daily schedule.

D. **Le train-train quotidien.** Utilisez les illustrations suivantes pour décrire la routine quotidienne de Philippe.

> EXEMPLE   **Il se réveille à sept heures.**

1.   2.   3.   4.

5.   6.   7.   8.

Have students compare their daily routines and report back where their activities are similar and different: **Nous nous levons vers sept heures, mais Paul se couche vers une heure du matin et moi, je me couche beaucoup plus tôt.** You can also have students imagine their daily routines in other situations—on vacation, at the beach, and so on.

E. **C'est toujours la même chose.** Décrivez votre routine quotidienne. Utilisez autant de verbes réfléchis que possible dans votre description. Utilisez des expressions comme **d'habitude, en général** et **tous les jours** pour marquer la répétition et des expressions comme **d'abord, ensuite** et **après ça** pour marquer la progression.

> EXEMPLE   **D'habitude, je me lève tôt parce que j'ai un cours à huit heures. Après ça, je prends ma douche...**

F. **Ça ne peut pas durer comme ça.** Vous avez un ami qui ne va pas très bien : Il ne fait pas attention à sa santé et il a tendance à brûler la chandelle par les deux bouts *(burn the candle at both ends)*. Utilisez les éléments de chaque colonne pour formuler les conseils que vous allez lui donner.

EXEMPLE   **Il vaut mieux te coucher beaucoup plus tôt.**

Colonne A	Colonne B
il vaut mieux	faire plus attention à sa santé
il faut	se reposer
tu as besoin de	se lever tôt / tard
tu pourrais	être moins pressé *(in a hurry)*
tu dois	prendre le temps de se détendre
	s'amuser un peu
	s'arrêter de fumer
	se coucher plus tôt
	faire de la gymnastique
	aller plus souvent chez le médecin

This is a good opportunity to revisit the subjunctive: **Il vaut mieux que tu te couches plus tôt** or **Il faut que tu te reposes un peu.**

C'est votre tour

Imaginez une conversation entre un malade imaginaire *(a hypochondriac)* et son médecin. Jouez les rôles respectifs avec un(e) partenaire. Pour vous préparer, faites une liste des questions que le médecin peut poser au malade et pensez aussi aux différents symptômes que le malade imaginaire peut avoir.

Have students review the vocabulary in the **Point de départ** and the conversation in the **Situation** in this section.

Exploration 2

Parler de vos activités passées : Le passé composé des verbes réfléchis

Talking about the past can involve the use of reflexive verbs. The auxiliary verb **être** is used in the **passé composé** of reflexive verbs. The past participle agrees in number and gender with the subject.

je **me suis lavé(e)**	nous **nous sommes lavé(e)s**
tu **t'es lavé(e)**	vous **vous êtes lavé(e)(s)**
il / elle / on **s'est lavé(e)**	ils / elles **se sont lavé(e)s**

Ils **se sont mariés** l'été dernier.
Nous **nous sommes** bien **amusés**.
Elle **s'est** bien **débrouillée** à l'examen.

A. The negative is formed by placing the **ne** before the reflexive pronoun and the **pas** after the auxiliary verb.

Je **ne** me suis **pas** souvenu de son anniversaire.
Nous **ne** nous sommes **pas** réveillés assez tôt.

B. As with other verbs, questions with reflexives in the **passé composé** can be formed by intonation, **est-ce que,** or inversion.

Est-ce que Sophie **s'est dépêchée** de partir ?

Sophie **s'est-elle dépêchée** de partir ?

Où **est-ce que vous vous êtes rencontrés ?**

Où **vous êtes-vous rencontrés ?**

Note that to form questions using inversion, the subject pronoun is placed after the auxiliary verb and the reflexive pronoun stays before the auxiliary verb.

There is no agreement when the past participle is used with a part of the body.

Nous nous sommes brossé les dents.

Elle s'est coupé les cheveux.

Situation : Une histoire d'amour

Claude et Josselyne viennent de se marier. Claude parle avec sa cousine Nathalie.

NATHALIE Josselyne et toi, où est-ce que vous vous êtes rencontrés ?

CLAUDE À une conférence. Nous nous sommes regardés, et tout de suite ça a été le coup de foudre !

NATHALIE Et après, qu'est-ce qui s'est passé ?

CLAUDE Je me suis débrouillé pour avoir son adresse. Je l'ai invitée à aller faire du ski. Nous nous sommes retrouvés à Chamonix.

NATHALIE C'est à ce moment-là que tu as eu ton accident ?

CLAUDE Oui, je me suis cassé la jambe. Josselyne s'est occupée de moi et après cela, nous ne nous sommes plus jamais quittés !

Margin notes:

Reflexives with parts of the body (**se brosser les dents**) are important for their communicative value. The question of agreement in the past participle can be emphasized in more advanced study.

Point out that around three fourths of French couples get married between the ages of 20 and 30 and that the average marrying age for women is 27 and 29 for men. In most cases, couples seem to have a lot in common (age, social milieu, education, and profession). Less than half of all couples also have a religious ceremony in addition to the required civil ceremony.

Point out that **une conférence** refers to a lecture; **un congrès** refers to a convention.

Mots à retenir :
se rencontrer *to meet by chance,* **tout de suite** *right away, quickly,* **cela** *that,* **le coup de foudre** *love at first sight,* **se débrouiller** *to work things out,* **se retrouver** *to meet (by prior arrangement)*

Avez-vous compris ?

Racontez les différents épisodes de l'histoire d'amour de Josselyne et Claude.

Communication et vie pratique

A. **Un matin comme les autres.** Vos amies Marie-José et Véronique parlent de ce qu'elles ont fait ce matin. Qu'est-ce qu'elles disent ?

> EXEMPLE   se réveiller à six heures
> **Nous nous sommes réveillées à six heures.**

1. se lever tout de suite
2. se dépêcher de se préparer
3. se brosser les dents
4. se peigner
5. s'occuper du chat
6. s'arrêter à la boulangerie

B. **On va faire une cure à Évian.** Il y a beaucoup de choses à faire quand on part en voyage. Indiquez ce que les membres de la famille Bertrand ont fait le matin de leur départ pour Évian.

> EXEMPLE   nous / se réveiller à 5 heures
> **Nous nous sommes réveillés à cinq heures.**

1. je / se lever immédiatement
2. tu / se réveiller tard
3. nous / se dépêcher
4. Solange / s'occuper des enfants
5. les enfants / s'habiller
6. ils / se brosser les dents

C. **Au club de gymnastique.** Une de vos amies travaille dans un club de gymnastique. Elle parle de ce qu'elle a fait hier.

> EXEMPLE   se lever très tôt
> **Je me suis levée très tôt.**

1. arriver au club à dix heures
2. s'occuper de mes clients
3. se reposer un peu
4. quitter le club à six heures et demie
5. s'arrêter chez des amis
6. rentrer chez moi à dix heures
7. boire un verre d'eau minérale
8. se coucher vers onze heures

Hand out daily calendar pages. Then have students interview each other in pairs to find out what they did over the weekend (yesterday, last week, etc.). They should fill out the calendar for the person they interviewed and then use it as the basis for an oral or written report.

D. **Le week-end passé.** Posez des questions aux autres étudiants pour savoir les choses suivantes.

> EXEMPLE à quelle heure il / elle s'est réveillé(e)
> **À quelle heure est-ce que tu t'es réveillé(e) dimanche matin ?**

1. à quelle heure il / elle s'est réveillé(e)
2. à quelle heure il / elle s'est levé(e)
3. ce qu'il / elle a fait vendredi et samedi soir
4. s'il / si elle a pris le temps de se détendre un peu
5. ce qu'il / elle a fait pour s'amuser
6. s'il / si elle a eu le temps de faire ses devoirs
7. ce qu'il / elle a fait dimanche après-midi
8. à quelle heure il / elle s'est couché(e)

Remind students to use adverbs such as **d'abord, ensuite, après ça** in their descriptions.

E. **Votre journée d'hier.** Racontez votre journée d'hier. Utilisez autant de verbes réfléchis que possible dans votre description. Par exemple, vous pouvez commencer par « Je me suis réveillé(e) à sept heures. Après cela... »

C'est votre tour

Imaginez que vous êtes un des personnages d'un feuilleton romantique. Décrivez la personne que vous aimez, racontez votre histoire et répondez aux questions des autres étudiants. Indiquez, par exemple, où vous vous êtes rencontrés, ce qui s'est passé, etc.

Exploration 3

Donner des conseils, des suggestions et des ordres : L'impératif des verbes réfléchis

When using a reflexive verb to tell someone to do something, the reflexive pronoun follows the verb. When telling someone *not* to do something (by using a negative imperative), the reflexive pronoun precedes the verb. Compare:

Dépêchez-**vous** !	Ne **vous** dépêchez pas !
Mariez-**vous** !	Ne **vous** mariez pas !
Brossez-**vous** les dents !	Ne **vous** brossez pas les dents !

The reflexive pronoun **te** changes to **toi** in the affirmative imperative. Compare:

Lève-**toi** !	Ne **te** lève pas !
Amuse-**toi** !	Ne **t**'amuse pas !
Coupe-**toi** les cheveux !	Ne **te** coupe pas les cheveux !

Situation : Allez, vite, lève-toi !

Il est sept heures du matin. Stéphanie a encore sommeil et elle voudrait bien rester au lit un peu plus longtemps... Mais sa mère n'a aucune pitié pour elle et elle lui dit de se lever sans plus attendre.

MME CHEVRIER	Réveille-toi, Stéphanie !... Allez, vite, lève-toi, c'est l'heure.
STÉPHANIE	Laisse-moi dormir encore un peu... J'ai sommeil !
MME CHEVRIER	Stéphanie, voyons ! Ne te recouche pas. Tu exagères !
STÉPHANIE	Bon, bon, ne te fâche pas ! Je me lève...
MME CHEVRIER	Dépêche-toi de faire ta toilette. Tu vas être en retard...
STÉPHANIE	Je ne me sens pas bien... Je crois[5] que je suis en train d'attraper quelque chose...
MME CHEVRIER	Arrête-toi de te plaindre et habille-toi vite !

> **Mots à retenir :**
> **avoir sommeil** *to be sleepy,* **ne... aucun** *not any,* **se recoucher** *to go back to bed,* **se fâcher** *to become angry,* **faire sa toilette** *to wash-up and get ready,* **attraper** *to catch,* **se plaindre** *to complain*

Avez-vous compris ?

Indiquez pourquoi Stéphanie n'a pas envie de se lever. Comment est-ce que sa mère réagit, et qu'est-ce qu'elle lui dit de faire ?

Communication et vie pratique

A. **Les jolies colonies de vacances.** Cet été, Gilbert est moniteur dans une colonie de vacances. Les enfants n'ont pas envie de se préparer. Qu'est-ce qu'il leur dit ?

> EXEMPLE   (à tout le monde) se réveiller
>
> **Réveillez-vous.**
>
> (à Julie)
>
> **Réveille-toi.**

1. (à tous les enfants) se lever
2. (à Jean-Marie) se dépêcher
3. (à Roger et à Philippe) se brosser les dents
4. (à Alain) se réveiller
5. (à Rémi) ne pas s'amuser
6. (à Éric) s'arrêter de parler
7. (à tous les enfants) s'habiller vite
8. (à tous les enfants) se dépêcher

IAE Drills: Change the following commands to the negative: for example, **Dépêche toi.→Ne te dépêche pas.** 1. **Repose-toi.** 2. **Couche-toi.** 3. **Levez-vous.** 4. **Préparez-vous.** 5. **Arrête-toi.** 6. **Arrêtez-vous de travailler.** Change the following commands to the affirmative: for example, **Ne te réveille pas avant six heures. → Réveille-toi avant six heures.** 1. **Ne t'arrête pas ici.** 2. **Ne te lève pas.** 3. **Ne te dépêche pas.** 4. **Ne vous couchez pas.** 5. **Ne vous occupez pas du chat.** 6. **Ne vous brossez pas les cheveux.**

Have students make the responses in this activity more lively by adding **Allez** *(Come on)* at the beginning of each statement: for example, **Allez, réveille-toi, Julie !**

---

[5]**Croire** *(to believe)* is an irregular verb: Its forms are **je crois, tu crois, il/elle/on croit, nous croyons, vous croyez, ils/elles croient. Passé composé : j'ai cru.**

B.   Comment vivre jusqu'à cent ans. Josette Lebrun va bientôt avoir cent ans, et elle nous donne sa recette de longévité. Quelles sont ses suggestions ? (Notez que certains verbes ne sont pas réfléchis.)

> EXEMPLE   se coucher tôt
> **Couchez-vous tôt.**
>
> prendre le temps de s'amuser
> **Prenez le temps de vous amuser.**

1. se détendre un peu
2. faire une petite promenade chaque matin
3. s'amuser un peu
4. boire un peu de vin, mais pas trop
5. ne pas avoir peur de dire ce que vous pensez
6. ne pas se dépêcher tout le temps
7. prendre la vie comme elle vient
8. s'intéresser à tout
9. ne pas s'occuper des affaires des autres
10. profiter de la vie

C.   Avez-vous de l'autorité ? Est-ce que vous aimez donner des ordres ? Si oui, profitez de l'occasion et donnez des ordres aux autres étudiants. Utilisez autant de verbes réfléchis que possible. Les autres étudiants vont décider s'ils vont accepter ou refuser ces ordres.

> EXEMPLE   **Lève-toi à cinq heures du matin.**
> **Non, je refuse de me lever à cinq heures du matin.** *ou*
> **Oui, c'est une bonne idée. Je vais me lever à cinq heures du matin.**

D.   Les malades imaginaires. Quelques étudiants vont imaginer qu'ils ont un problème de santé, et ils vont l'expliquer au reste de la classe. Ce deuxième groupe d'étudiants va écouter avec sympathie et donner des conseils aux malades imaginaires.

> EXEMPLE   Problème : **Je ne me sens pas très bien. J'ai mal à la gorge et j'ai très sommeil.**
> Conseil : **Tu as peut-être la grippe. Couche-toi tôt ce soir et va chez le médecin demain matin.**

C'est votre tour

Imaginez que vous êtes moniteur ou monitrice dans une colonie de vacances. Vous êtes chargé(e) d'un groupe de garçons / filles (joués par d'autres étudiants de la classe). C'est l'heure du réveil, mais ils / elles n'ont pas envie de se lever. Jouez la scène.

Intégration et perspectives : Être et rester en forme : Les bonnes et les mauvaises méthodes

Pour mieux lire : Le texte suivant contient de nombreux adverbes de manière, indiqués par un astérisque. Comme leur nom l'indique, ces adverbes modifient le sens d'un mot. D'autre part, le sens de chaque adverbe est basé sur le sens de l'adjectif correspondant. Faites une liste des adverbes de manière contenus dans le texte et indiquez quel mot chaque adverbe modifie et à quel adjectif il correspond. Pouvez-vous aussi indiquer comment ces adverbes sont formés ?

Pour être en forme — ou pour retrouver la forme si vous l'avez perdue — pour se sentir bien* dans sa peau, il n'y a pas de miracle, il faut pratiquer régulièrement* une activité physique et avoir une alimentation mesurée, variée et équilibrée. Mais dans la pratique, comment ces principes se traduisent-ils ?

Régime et activité physique

Vous avez quelques kilos à perdre ? Méfiez-vous des régimes miracles qui font des promesses spectaculaires mais qui mènent droit à l'échec et peuvent même être dangereux. Il est impératif de choisir un régime modérément* restrictif mais qui reste varié et équilibré.

Pour devenir et rester mince il est aussi vivement* conseillé d'avoir une activité physique régulière, et ceci pour trois raisons :

- Premièrement,* quand on maigrit, le corps a besoin de moins d'énergie pour fonctionner.

- Deuxièmement,* on a généralement* tendance à se sentir

fatigué et, par conséquent, à réduire son activité physique.

- Troisièmement,* notre métabolisme de base s'adapte. Même quand on arrête son régime, le métabolisme de base continue à tourner au ralenti et a besoin d'une période de temps pour revenir à son niveau normal. Pour éviter ce problème, il est recommandé d'augmenter son métabolisme en pratiquant régulièrement* une activité physique.

Sport : Faites le bon choix

Première règle d'or : Il faut absolument* profiter de toutes les occasions de bouger. Marchez chaque fois que c'est possible et évitez d'utiliser systématiquement* l'ascenseur. Mais ce n'est pas suffisant. Il faut aussi pratiquer régulièrement* une activité sportive. Évitez les sports qui exigent des efforts violents; ils ne sont pas efficaces pour perdre du poids et ils peuvent être dangereux pour le cœur. Il faut s'orienter vers les sports d'endurance comme le cyclisme et la marche à pied. Souvenez-vous que c'est seulement* après une demi-heure d'effort que l'organisme commence à brûler les graisses !

Alimentation : Six règles d'or à respecter

1. Consommez des fruits, des légumes et des céréales. Ils apportent les vitamines et les sels minéraux nécessaires au bon fonctionnement du corps.
2. Ayez une alimentation bien équilibrée. Même pour les sportifs qui s'entraînent régulièrement,* on recommande de 30 à 40 % de glucides — essentiellement* sous forme d'amidons — 20 à 30 % de lipides et 10 à 15 % de protéines.
3. Méfiez-vous des sucres. Les sucres nous aident à surmonter le coup de pompe, mais ils ont l'effet opposé quand ils sont notre seule source de glucides.
4. N'oubliez pas les protéines animales (viande, poisson, œufs, produits laitiers) parce qu'elles seules contiennent les acides aminés qui sont absolument* indispensables au fonctionnement de nos muscles.
5. Choisissez les bonnes graisses. Si vous désirez diminuer la part de lipides dans votre alimentation, remplacez la viande par du poisson. Mais ne réduisez pas trop votre consommation d'huiles végétales riches en acides gras polyinsaturés qui sont essentiels à l'organisme et qui aident à réduire le taux de cholestérol.
6. Buvez au moins un litre et demi d'eau par jour et doublez cette dose les jours d'activité physique intense.

Mots à retenir / Mots en contexte :
en forme *in shape*, **la peau** *skin*, mesuré *moderate*, équilibré *balanced*, se traduire *to be translated*, se méfier de *to watch out for*, un régime *a diet*, **l'échec** *(m) failure*, mince *thin*, vivement *strongly*, **ceci** *this*, maigrir *to lose weight*, **par conséquent** *consequently*, réduire *to reduce*, tourner au ralenti *to idle*, **éviter** *to avoid*, **la règle** *rule*, **l'or** *(m) gold*, bouger *to move*, **exiger** *to require*, **le poids** *weight*, brûler *to burn*, la graisse *fat*, s'entraîner *to train, practice*, les glucides *(m) carbohydrates*, les amidons *(m) starches*, les lipides *(m) fat*, surmonter *to overcome*, le coup de pompe *feeling of exhaustion*, le taux *level*, **au moins** *at least*

Avez-vous compris ?

Quelles sont les principales choses que l'auteur vous conseille de faire (les bonnes méthodes) et les principales choses qu'il ne faut pas faire (les mauvaises méthodes) ?

Communication et vie pratique

A. **Journal d'un étudiant fatigué.** Imaginez que vous êtes un(e) de ces étudi-ant(e)s qui ne prennent pas très bon soin de leur santé et qui « brûlent la chandelle par les deux bouts ». Vous racontez votre vie — et vous docu-mentez vos excès — dans votre journal. Mais, à la fin de la semaine, vous décidez qu'il faut que ça change. Vous préparez une liste des bonnes résolu-tions que vous allez prendre.

> *Pour mieux écrire :* Faites deux listes : la première comprend les différentes acti-vités et habitudes qui caractérisent la vie d'un étudiant qui brûle la chandelle par les deux bouts. La deuxième donne les activités d'une personne qui est bien organ-isée et qui prend soin de sa santé. Utilisez ces deux listes pour écrire le journal de l'étudiant fatigué.

B. **Quoi ?! Tu n'es pas encore prête ?** Valérie et ses amies vont régulièrement à leur cours de gymnastique. Ses amies Sophie et Janine viennent la chercher mais elle n'est pas prête. Écoutez la conversation entre Sophie, Janine, Valérie et la mère de Valérie. Ensuite, dites si les phrases suivantes sont vraies ou fausses.

> *Pour mieux comprendre :* Quand on écoute une conversation, souvent le ton de voix d'une personne suffit à nous indiquer son état d'esprit et nous aide à compren-dre ce qui se passe entre les différents protagonistes. Par exemple, dans la conversa-tion suivante, vous pouvez sentir que Mme Rigaud est un peu irritée et qu'elle fait des reproches à sa fille. Pourquoi est-elle irritée ? Et Valérie, comment se sent-elle ? Pourquoi ? Maintenant, utilisez ces questions pour vous guider et pour vous aider à comprendre.

1. Valérie et ses amies se sont inscrites à un cours d'anglais.
2. Valérie n'est pas prête parce qu'elle a été malade pendant la nuit.
3. Valérie n'a pas envie d'aller à son cours.
4. Ses amies n'acceptent pas ses excuses.
5. Valérie a oublié de se peigner.
6. Valérie pense qu'elles vont aller à leur cours en voiture.

C. **Au club de gym.** Inspirez-vous des descriptions suivantes pour créer votre propre club de gymnastique. Dans votre description, indiquez le nom du club, le numéro de téléphone, les tarifs, les activités proposées, les avantages spéciaux que vous offrez pour attirer de nouveaux clients, etc. Ensuite, vos futurs clients vont vous téléphoner pour avoir des renseignements.

Centres de gymnastique	Tarifs	Activités proposées
Sports club	Forfait 1 mois : 500F; 3 mois : 1 250F; 1 an : 3 500F. Assurance incluse.	musculation, kung-fu, piscine, sauna, gymnastique, stretching, taekwando, jazz, yoga
Oxygène	1 séance : 50F; Forfait 1 mois : 500F; 3 mois : 980F; 1 an : 3 100F	footing, danse africaine, gym tonic, gym enfant, low impact aérobic, body building, stretching
Gymnasium	1 séance : 42F; Forfait 1 mois : 700F; 3 mois : 1 200F; 1 an : 3 400F. Assurance incluse.	gym, aérobic, stretching, danse, jacuzzi, massages mécaniques, solarium, gym pré- et post-natale, taekwando, cardio-training

D. **Ça saute aux yeux.** Les dessins suivants illustrent le sens de quelques expressions idiomatiques. Lisez les petits extraits de conversations qui les accompagnent et essayez de deviner le sens de ces expressions idiomatiques. Est-ce qu'il y a des expressions correspondantes en anglais ?

1. **Tu me casses les pieds.** Arrête de me poser des questions !
   a. Les chaussures que tu m'as achetées sont trop petites.
   b. Tu m'embêtes.
   c. Fais attention, voyons !

2. Martine est une femme forte qui **ne se laisse pas marcher sur les pieds.**
   a. Elle n'a pas peur de dire ce qu'elle pense.
   b. Elle ne danse pas très bien.
   c. Elle a mal aux pieds.

Mais dites-donc, pour qui est-ce que vous vous prenez?!

3. **Ne vous cassez pas la tête,** ça va s'arranger...
   a. Prenez de l'aspirine si vous avez mal à la tête.
   b. Faites attention, vous allez vous faire mal.
   c. Ne vous inquiétez pas.

4. Tu ne l'as pas remarqué ?!... Pourtant, **ça saute aux yeux !**...
   a. C'est évident.
   b. C'est une surprise !
   c. C'est dangereux pour les yeux.

5. Ce type, **c'est un vrai casse-cou !**
   a. Il a eu un accident de moto.
   b. Il n'a pas peur du danger.
   c. Il a mal à la gorge.

6. Mais tu es fou, mon vieux; **tu es tombé sur la tête !**
   a. Va te coucher si tu as mal à la tête.
   b. Ce que tu dis n'a pas de sens.
   c. J'espère que tu ne t'es pas fait mal.

7. Je suis sûr qu'il peut t'aider; **il a le bras long.**
   a. Il est très grand.
   b. Il a un bras plus long que l'autre.
   c. Il a beaucoup d'influence.

8. Zut ! Je crois que **j'ai mis les pieds dans le plat !**
   a. Je mange comme un cochon !
   b. J'ai parlé sans réfléchir !
   c. Ce n'est pas ma faute si j'ai les pieds plats !

Answers: 1. b, 2. a, 3. c, 4. a, 5. b, 6. b, 7. c, 8. b

E. **Internet.** Votre tâche est de découvrir au moins trois faits importants sur la place que le tennis occupe au Québec, et de comparer et discuter les résultats avec d'autres étudiants. Pour cela, utilisez un moteur de recherche, ou bien consultez un site Internet tel que **http://www.tennis.qc.ca.**

CHEZ NOUS

AU QUÉBEC

Superficie : 1 540 680 km^2

Population : 6 896 000 h
(plus de 80 pour cent sont fran-cophones)

Capitale : Québec

Langue officielle : français

Statut politique : province canadienne

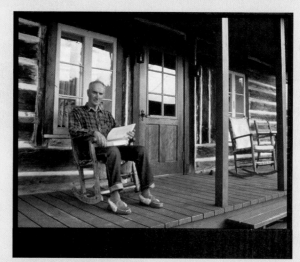

Comme le dit Jean Lapointe dans une de ses chansons, mon pays est un pays « de lacs et de rivières ». Cette appellation est bien justifiée car il y a plusieurs milliers de lacs au Québec. À cela, ajoutez le « Bouclier canadien », le plus ancien système montagneux du monde qui s'étend de l'extrême nord du Québec jusqu'à la plaine du Saint Laurent. Ajoutez-y encore des forêts immenses, puis la « taïga », forêt boréale (northern) d'arbres rabougris (stunted), et plus au nord encore la « toundra », domaine des caribous, où le sol est gelé pratiquement en permanence, et vous avez un paradis pour les amoureux de la nature, de la chasse et de la pêche !

N'oubliez pas non plus que « mon pays, c'est l'hiver », comme nous le rappelle Gilles Vigneault dans une autre chanson. Et l'hiver, chez nous, ça veut dire beaucoup, beaucoup de neige ! Et pendant des

mois ! Pas très drôle pour les gens qui ont peur du froid, mais un régal (treat) pour les amateurs de sports d'hiver. Ski de piste, ski de randonnée, planche à neige, raquettes, promenades et courses en traineau à chiens, nous avons tout. Et chaque année, pendant le Carnaval, nous avons notre célèbre course de canots parmi les glaces du Saint Laurent et nos rues décorées de monuments de glace pour fêter la splendeur de notre hiver canadien ! (Pour d'autres, je suis sûr que c'est plutôt l'attente de l'arrivée du printemps qui les inspire !)

Quant à nos autres sports qui maintenant ne sont plus uniquement des sports d'hiver, comme le patinage et le hockey sur glace, je suis sûr que vous les connaissez bien. Mais attention, ce n'est pas une raison pour essayer de nous chiper (steal) nos meilleurs joueurs ! »

Vocabulaire

Le corps humain (Voir p. 282)
La santé (Voir p. 283)
Le sport (Voir p. 284)
Les verbes réfléchis (Voir pp. 290–291)

Noms

augmentation (f)
  increase
cyclisme (m) *cycling*
échec (m) *failure*
effet (m) *effect, result*
énergie (f) *energy*
loisirs (m pl) *leisure
  activities*
miracle (m) *miracle*
muscle (m) *muscle*
or (m) *gold*
poids (m) *weight*
pratique (f) *practice*
promesse (f) *promise*
raison (f) *reason*
régime (m) *diet*
règle (f) *rule*
symptôme (m)
  symptom
tabac (m) *tobacco*
taux (m) *amount, level,
  rate*
vitamine (f) *vitamin*

Verbes

attraper *to catch*
augmenter *to increase*
avoir sommeil *to be
  sleepy*
avoir tendance *to tend
  to*
consulter *to consult*
diminuer *to diminish*
dormir *to sleep*
éviter *to avoid*
exagérer *to exaggerate*
maigrir *to lose weight*
se méfier de *to watch
  out for*
pratiquer *to practice*
recommander *to
  recommend, advise*
se rencontrer *to meet
  (by chance)*
se retrouver *to meet (by
  prior arrangement)*
surmonter *to overcome*

Adjectifs

humain *human*
intense *intense*
mauvais *bad*
mince *thin, slender*
normal *normal*
opposé *opposite*
suffisant *sufficient,
  enough*
varié *varied*

Divers

au moins *at least*
ceci *this*
de plus en plus *more
  and more*
en forme *in shape*
régulièrement *regularly*
vers *toward, about*

Des goûts et des couleurs

Chapitre douze

Fonctions

Dans ce chapitre, vous allez apprendre à
- *décrire vos vêtements et votre apparence*
- *parler d'une personne déjà mentionnée*
- *parler de ce que vous portez*
- *nier ou refuser*

Il y a des goûts et des couleurs and **à chacun son goût** are two ways of saying "to each his or her own."

Vocabulaire et structures

Point de départ : Être et paraître
Exploration 1 : Les compléments d'objet indirect
Exploration 2 : Les verbes conjugués comme mettre
Exploration 3 : La négation

Point de départ : Être et paraître

Les vêtements et les chaussures

Quels types de vêtements aimez-vous porter ?

Les commentaires et les compliments

Quand vous allez dans un magasin pour essayer des vêtements, comment allez-vous exprimer votre opinion sur ce qu'on vous propose ?

Est-ce que ça me va bien ? *(Does this fit me? Does this look good on me?)*
Ça vous (te) va bien.

Ce style (Cette couleur) vous (te) va très bien.
C'est trop grand / petit.
C'est trop long / court *(short)*.
C'est à la mode *(in fashion)*. / C'est démodé *(out of style)*.
C'est très chic.
C'est très élégant.
Ça me plaît *(I like this)*. / Ça ne me plaît pas.

Les mesures

Comment allez-vous indiquer la taille ou la pointure qu'il vous faut ?
Pour les vêtements, on parle de la taille :

> —Quelle est votre taille ?
> —Je fais du 38.

Pour les chaussures, par contre, on parle de la pointure :

> —Quelle est votre pointure ?
> —Je fais du 46.

Pour les équivalences entre les tailles américaines et les tailles européennes, consultez la table de comparaison, p. 313.

Le portrait

Comment êtes-vous physiquement ?

Êtes-vous grand(e) ou petit(e) ?
Avez-vous les cheveux bruns *(dark)* / châtains *(brown)* / roux *(red)* / blonds / gris ?
Avez-vous les cheveux longs ou courts ?
Avez-vous les yeux bleus / verts / gris / bruns ?
Avez-vous une barbe ou une moustache ?
Portez-vous des lunettes ou des verres de contact ?

Les couleurs

Quelles sont vos couleurs préférées ?

Have students practice giving compliments in various situations (e.g., clothing, dinner, gifts).

Point out that **marron** and **orange** are invariable: **une robe marron, des chaussettes orange.** All colors are invariable when modified by **foncé** or **clair: une veste bleu foncé.**

Point out also that the response to Quelle est votre couleur préférée ? is C'est le bleu (le rouge, etc.).

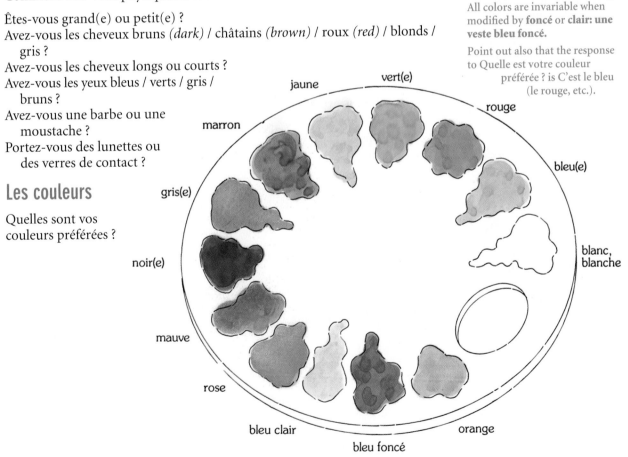

jaune · vert(e) · rouge · marron · bleu(e) · gris(e) · blanc, blanche · noir(e) · mauve · rose · bleu clair · bleu foncé · orange

Communication et vie pratique

A. Faites vos valises. Des amis français vont passer un an dans votre université, et ils ont besoin de savoir quelles sortes de vêtements ils doivent apporter. Ils vous ont demandé ce que les étudiants américains portent habituellement dans les circonstances suivantes. Qu'est-ce que vous allez leur conseiller d'apporter ?

1. pour aller à l'université
2. pour faire du sport
3. pour sortir ou pour aller dîner dans des restaurants élégants
4. pour aller à la plage
5. pour rester à la maison

B. Internet. Imaginez que vous êtes à Paris et que vous voulez faire un cadeau à un(e) ami(e). Pour vous aider à trouver quelque chose, vous consultez quelques catalogues de grands magasins sur l'Internet. Utilisez un moteur de recherche ou visitez les sites suivants : **http://www.smartweb.fr/printemps/index.html** si vous cherchez un cadeau pour un homme et **http://www.smartweb.fr/fr/printemps/mode/rca.htm** si c'est pour une femme.

C. Un individu suspect. Vous remarquez la présence d'un individu suspect dans votre quartier et vous décidez de signaler sa présence à la police. Vous expliquez à un agent—joué par un autre étudiant—où et quand vous avez remarqué cet individu et pourquoi sa présence a attiré votre attention. Vous donnez autant de détails que possible sur son apparence, sa taille, ses vêtements et son comportement. N'oubliez pas les signes particuliers : barbe, moustache, etc. L'agent, de son côté, va vous poser des questions pour avoir une image plus précise de l'individu en question.

D. Arrivée à l'aéroport. Vous allez étudier en France et votre famille d'accueil va vous attendre à l'aéroport. Avant votre départ, vous leur téléphonez—ou vous leur envoyez un fax—pour leur donner votre signalement : taille, apparence générale, couleur des cheveux, vêtements que vous allez porter, signes particuliers, etc.

E. Aidez-les. Un employé du Printemps aide des clients américains à trouver leur taille ou leur pointure. Jouez les différents rôles. Les clients vont décider ce qu'ils cherchent et indiquer quelle est leur pointure ou leur taille selon le système américain. Les employés vont utiliser la table des comparaisons pour leur donner les conversions nécessaires.

EXEMPLE   **Je voudrais acheter des chaussures, mais je ne sais pas quelle est ma pointure.**
Quelle est votre pointure aux États-Unis ?
Je fais du 6.
Alors, ici, ça correspond au 37.

Table de comparaison de tailles								
FEMMES								
Robes, manteaux et jupes								
Petites tailles								
USA		5	7	9	11	13	15	
France		34	36	38	40	42	44	
Tailles normales								
USA		6	8	10	12	14	16	18
France		36	38	40	42	44	46	48
Chaussures								
USA	5½	6	6½	7	7½	8	8½	9
France	36½	37	37½	38	38½	39	39½	40
HOMMES								
Complets								
USA		34	36	38	40	42	44	
France		44	46	48	50	52	54	
Chemises								
USA		14½	15	15½	16	16½	17	
France		37	38	39	41	42	43	
Chaussures								
USA		8	9	10	11	12	13	
France		41	42	43	44½	46	47	

Info-culture : Les nouveaux visages de la mode

La France est depuis longtemps la capitale de la haute couture. Les noms des grands couturiers et couturières français comme Chanel, Saint-Laurent ou Cardin sont connus dans le monde entier. Cependant, ces dernières années, la mode française a beaucoup évolué et elle n'est plus seulement synonyme de vêtements chers et élégants. Grâce à de nouveaux venus comme Inès de la Fressange, Thierry Mugler ou Jean-Paul Gaultier, la haute couture est de plus en plus présente dans notre quotidien.

Jean-Paul Gaultier, par exemple, crée les costumes de scène de Madonna (en particulier son fameux corset) pour sa tournée « Blond Ambition ». Plus récemment, il dessine les costumes du film *La cité des enfants perdus*. Un autre exemple de l'interaction entre mode et art est lorsque la chanteuse française

Mylène Farmer demande au couturier Paco Rabanne de créer les costumes de sa dernière tournée.

Le fait que la haute couture coûte encore très cher explique le développement du « prêt-à-porter ». Mais le prêt-à-porter a aussi ses couturiers—Cacharel, Hechter, Sonia Rikiel, par exemple—qui maintiennent la qualité et l'esthétique de leurs créations. Jean-Paul Gaultier signe lui aussi une seconde ligne de vêtements plus abordables *(affordable)* qu'il nomme JPG. La multiplication des parfums et eaux de toilette, portant les noms de grands couturiers comme « Le Mâle » de Jean-Paul Gaultier ou « Angel » et « Amen » de Thierry Mugler, sont d'autres exemples de la présence de plus en plus forte de la mode dans notre vie de tous les jours.

Pour en savoir plus sur les professionnels de l'habillement, visitez leur site officiel : **http://www.lamodefrancaise.tm.fr/**.

Pour en savoir plus sur les créations d'Inès de la Fressange, Sonia Rikiel, Thierry Mugler et d'autres, cliquez sur : **http://www.worldmedia.fr/fashion/indexvf.html**.

Et vous ?

Que pouvez-vous dire au sujet de la mode aux USA ? Quels sont les couturiers les plus connus ici ? Que pensez-vous des vêtements qu'on porte aujourd'hui ? Peut-on parler d'un style « étudiant » ? d'un style typiquement américain ?

Exploration 1

Parler d'une personne déjà mentionnée : Les compléments d'objet indirect

As you have already seen, the object of a verb can be direct:

Nous avons vendu **notre voiture.**

It can also be indirect (usually introduced by the preposition **à**):

Nous avons vendu notre voiture **à M. Girard.**

The following indirect object pronouns can replace **à** + NOUN.

À qui parle-t-il ?	
À moi ? Il **me** parle.	À nous ? Il **nous** parle.
À toi ? Il **te** parle.	À vous ? Il **vous** parle.
À lui ? Il **lui** parle.	À eux ? Il **leur** parle.
À elle ? Il **lui** parle.	À elles ? Il **leur** parle.

Note that only the third-person indirect object pronouns differ from direct object pronouns: **Lui** means either *to him* or *to her;* **leur** means *to them.*

A. Indirect object pronouns, like direct object pronouns, are placed directly before the verb of which they are the object.

Présent	Passé composé	Infinitif
Il **me** téléphone.	Il **m'**a téléphoné.	Il va **me** téléphoner.
Il ne **te** répond pas.	Il ne **t'**a pas répondu.	Il ne va pas **te** répondre.
Est-ce qu'elle **te** parle de moi ?	Est-ce qu'elle **t'**a parlé de moi ?	Est-ce qu'elle va **te** parler de moi ?

Point out that the past participle never agrees with a preceding indirect object pronoun. It does, however, agree with a preceding direct object pronoun. Compare: **Je leur ai parlé** vs. **Je les ai invités.**

B. In affirmative commands, the indirect object pronoun follows the verb, and **moi** and **toi** replace **me** and **te**. In negative commands, the indirect object pronoun remains in its usual place before the verb, and its form does not change.

Affirmatif	Négatif
Répondez-**lui.**	Ne **lui** répondez pas.
Apportez-**moi** votre livre.	Ne **m'**apportez pas votre livre.
Expliquez-**lui** la situation.	Ne **lui** expliquez pas la situation.
Donnez-**leur** un cadeau.	Ne **leur** donnez pas de cadeau.

Double object pronouns have not been introduced because of the complexity of the topic for this level of instruction and because they can be circumvented without impeding communication.

Situation : Noël approche

Madame et Monsieur Humbert se demandent ce qu'ils vont acheter comme cadeaux de Noël pour leurs enfants.

M. HUMBERT	Si tu veux, on peut leur acheter des vêtements...
MME HUMBERT	Ce n'est pas une mauvaise idée. Henri grandit si vite. Les vêtements que je lui ai achetés l'hiver dernier ne lui vont plus...
M. HUMBERT	Alors, achète-lui un anorak. Et pour Annette, tu as une idée ?
MME HUMBERT	Je crois qu'elle a envie d'une guitare.
M. HUMBERT	Dis-moi, et à toi ? Qu'est-ce que je vais te donner ?
MME HUMBERT	Si tu veux me faire plaisir, achète-moi un caméscope.

> **Mots à retenir :**
> **si** *so*, **un anorak** *a ski jacket*, **dire**[1] *to say, to tell*, **faire plaisir à quelqu'un** *to please someone*, **un caméscope** *a camcorder*

Avez-vous compris ?

Quel cadeau chaque membre de la famille Humbert va-t-il recevoir et pourquoi ?

Communication et vie pratique

A. **Générosité.** Robert a acheté des cadeaux pour sa famille et ses amis. Qu'est-ce qu'il leur a donné ?

> EXEMPLE à ses parents / un magnétoscope
> **Il leur a donné un magnétoscope.**

1. à ses petits frères / des jouets
2. à son père / une cravate
3. à ses grands-parents / une boîte de chocolats
4. à sa sœur / une jupe
5. à sa mère / une robe
6. à ses amis / des disques compacts
7. à son oncle / un livre
8. à ses neveux / des jeux vidéos

B. **Messages.** Ce soir, Laurent est sorti avec ses amis. Quand il rentre, il demande à Renaud, son camarade de chambre, si différentes personnes ont téléphoné ou laissé un message pour lui.

> EXEMPLE Est-ce que quelqu'un m'a téléphoné ? (oui, plusieures personnes)
> **Oui, plusieures personnes t'ont téléphoné.**

1. Est-ce que Muriel m'a téléphoné ? (non)
2. Et Sonia, est-ce qu'elle m'a téléphoné ? (oui)
3. Est-ce qu'elle m'a laissé un message ? (non)

---

[1]**Dire** is an irregular verb. Its present tense forms are **je dis, tu dis, il/elle/on dit, nous disons, vous dites, ils/elles disent.** Passé composé : **j'ai dit.** Subjonctif : **Il faut que je dise.**

4. Est-ce qu'elle t'a posé des questions à mon sujet ? (oui)
5. Et-ce que tu lui as dit que je sors avec Muriel ? (non)
6. Est-ce qu'elle t'a parlé de sa famille ? (oui)
7. Est-ce qu'elle va rendre visite à ses parents le week-end prochain ? (oui)
8. Est-ce qu'elle va leur dire que nous ne sortons plus ensemble ? (non)

C. **J'ai changé d'avis.** Il y a des gens qui changent d'avis comme ils changent de chemise. Jean-Luc est une de ces personnes. Une minute, c'est une chose, l'autre c'est le contraire. Qu'est-ce qu'il dit ?

> EXEMPLE   Explique-lui ta situation.
> **Ne lui explique pas ta situation.**

1. Téléphone-nous ce soir.
2. Parle-moi de tes voyages.
3. Montre-leur tes revues.
4. Donnez-moi votre opinion.
5. Demandez-lui son adresse.
6. Répondez-moi.

D. **Est-ce que ça me va bien ?** Vous faites des courses avec vos amis qui vous demandent si les vêtements qu'ils essaient leur vont bien. Qu'est-ce que vous allez leur dire ?

Have students compliment each other's clothing.

> EXEMPLE   **Est-ce que ce tee-shirt me va bien ?**
> **Non, ça ne te va pas très bien. C'est trop petit.**

1.   2.   3.   4.   5.   6.

E. **J'ai une autre suggestion.** Un(e) ami(e) vous a fait les propositions suivantes. Allez-vous accepter ou suggérer quelque chose d'autre ?

> EXEMPLE   Est-ce que je peux te parler de mon travail ?
> **Oui, parle-moi de ton travail.** *ou*
> **Non, ne me parle pas de ton travail. Parle-moi de tes voyages.**

1. Est-ce que je peux te téléphoner ce soir ?
2. Est-ce que je peux te montrer mes photos de voyage ?
3. Est-ce que je peux te donner mon numéro de téléphone ?
4. Est-ce que je peux t'apporter un sandwich ?
5. Est-ce que je peux te rendre visite pendant l'été ?
6. Est-ce que je peux t'acheter des fleurs ?

Have students add other items for different situations (e.g., planning meals—**Est-ce que je peux te préparer un sandwich ?**; buying a gift—**Est-ce que je peux t'acheter un pull-over ?**). Other students accept or decline the suggestions.

C'est votre tour

Discutez avec un(e) ami(e) ce que vous allez offrir comme cadeau de Noël ou comme cadeau d'anniversaire à différentes personnes. Commencez par faire une liste des différentes personnes à qui vous voulez donner quelque chose, et une liste de cadeaux possibles. Ensuite, expliquez ces choix à votre ami(e) et demandez-lui ce qu'il (elle) pense de vos choix et s'il (si elle) a d'autres suggestions à vous faire.

Exploration 2

Parler de ce que nous portons : Les verbes conjugués comme *mettre*

The verb **mettre** communicates the idea of "putting on" clothes or "to put or place something somewhere."

m e t t r e	
je **mets**	nous **mettons**
tu **mets**	vous **mettez**
il / elle / on **met**	ils / elles **mettent**
Passé composé : j'ai **mis**	
Subjonctif : il faut que je **mette**	

Qu'est-ce que tu vas **mettre** ce soir ?
Mets ton joli complet gris.
Je ne **mets** pas de sucre dans mon café.
Où est-ce que tu **as mis** mon stylo ?

A. **Mettre** has several other uses.

mettre la table	*to set the table*	Est-ce que tu **as mis la table** ?
se mettre à	*to start*	Il **s'est mis à** pleuvoir.
se mettre à table	*to sit down to eat*	Nous allons **nous mettre à table.**
se mettre en colère	*to get angry*	Il **se met** facilement **en colère.**

B. Several other verbs are conjugated like **mettre.**

permettre	*to allow, permit*	Elle ne **permet** pas à sa fille de sortir seule.
promettre	*to promise*	J'**ai promis** à mes parents de leur rendre visite.
admettre	*to admit*	J'**admets** que j'ai eu tort.
commettre	*to commit*	Quel crime **a-t-il commis** ?
remettre	*to hand in; to postpone*	Quand faut-il que nous **remettions** nos devoirs ?

Note that both **permettre** and **promettre** take indirect object pronouns: **permettre à quelqu'un de faire quelque chose; promettre à quelqu'un de faire quelque chose.**

Situation : Un compromis acceptable

Martine a envie de sortir ce soir, mais Sébastien a déjà d'autres projets. Heureusement, ils trouvent une solution.

MARTINE   Tu es libre ce soir ?
SÉBASTIEN   Non, j'ai promis à ma sœur de l'accompagner à une soirée… Ma mère ne lui permet pas de sortir seule le soir.
MARTINE   Zut… C'est dommage.
SÉBASTIEN   Si tu veux, tu peux venir avec nous.
MARTINE   Oui, mais qu'est-ce que je vais mettre ? Je n'ai rien de joli.
SÉBASTIEN   Mais si ! Mets ta petite robe bleue; elle te va si bien !
MARTINE   Bon, alors… Vous pouvez venir me chercher vers huit heures ?
SÉBASTIEN   C'est promis.

> **Mots à retenir :**
> **heureusement** *fortunately,* **zut !** *darn!,* **c'est dommage** *that's too bad*

Have students note that although dating customs are changing in France, French young people tend to go out more often in groups and are less likely to pair off than American students.

Avez-vous compris ?

Quels sont les problèmes et quelles solutions Martine et Sébastien trouvent-ils ?

Communication et vie pratique

A. **Qu'est-ce qu'on va mettre ?** Danielle vous parle de ce que ses amis vont mettre pour aller au concert ce soir. Qu'est-ce qu'elle dit ?

> EXEMPLE   Philippe / pantalon gris
> **Philippe met un pantalon gris.**

1. il / chemise blanche
2. Roger / complet gris
3. Isabelle / robe noire
4. nous / quelque chose de joli
5. je / jupe bleu foncé
6. tu / pantalon et pull

B. **Et vous ?** Dites ce que vous mettez dans les situations suivantes. Est-ce que vous avez les mêmes préférences que les autres étudiants ?

> EXEMPLE   pour aller en classe
> **En général, je mets un jean et un pull pour aller en classe.**

Qu'est-ce que vous mettez…

1. pour aller en classe ?
2. pour sortir avec des amis ?
3. pour aller dîner dans un bon restaurant ?

IAE Drills: 1. **Je mets la table. Pierre et Marc / tu / Janine / vous / nous** 2. **Qu'est-ce que tu mets pour sortir ? vous / Jean-Luc / Martine et Delphine / tu / les autres** 3. **Où est-ce que j'ai mis les clés ? nous / vous / on / Patrick / mon frère** 4. **Il s'est mis en colère. je / nous / mon voisin / Marcel / ses amis** 5. **Il a promis à Sylvie de lui téléphoner ce soir. je / nous / tu / vous / Marc / les autres**

Repeat in the **passé composé.** You can also bring in magazine photos to use in this activity.

4. quand vous avez envie de vous détendre ?
5. quand vous avez une interview ?
6. pour faire du camping ?

Ask students to make up additional resolutions for each category. They can compare their answers with others in the class.

C. **Chose promise, chose due.** Une de vos amies vient de prendre quelques bonnes résolutions. Qu'est-ce qu'elle a promis aux personnes suivantes ?

> EXEMPLE   à ses parents... de ranger ses affaires
> **Elle leur a promis de ranger ses affaires.**

1. à sa mère... de l'aider plus souvent à la maison
2. à son professeur... de venir en classe tous les jours
3. à nous... d'être plus patiente
4. à son patron... d'être toujours à l'heure
5. à ses grands-parents... de téléphoner plus souvent
6. à moi... de ne pas se mettre en colère

Students could also make up New Year's resolutions.

D. **Les bonnes résolutions.** Au début du trimestre, on essaie toujours de faire mieux et de prendre de bonnes résolutions. Qu'est-ce que vous avez promis de faire ou de ne pas faire ce trimestre ?

> EXEMPLE   **J'ai promis de mieux écouter en classe et de ne pas remettre mon travail à la dernière minute.**

E. **On change de rôle.** Imaginez que vous êtes professeur. Qu'est-ce que vous allez permettre et ne pas permettre à vos étudiants ? Par exemple, est-ce que vous allez leur permettre de dormir en classe ? de ne pas remettre leurs devoirs ? d'être souvent en retard ?

C'est votre tour

As preparation, have students make lists of positive and negative comments they might make about different outfits they might put on; they can use these lists to role-play the following situation.

Vous avez promis à des amis (joués par d'autres étudiants) de sortir avec eux, mais à la dernière minute, vous hésitez parce que vous n'avez rien à mettre. Vous critiquez tout (ça ne me va pas bien, c'est démodé, etc.) Vos amis essaient de vous rassurer et de vous donner des suggestions.

Exploration 3

Nier ou refuser : La négation

In addition to **ne... pas** and **ne... jamais**, there are other ways to express negative meanings.

You might want to point out that **jamais** used without **ne** can mean *ever:* **Est-ce que tu as jamais voyagé en Chine ?**

A. **Ne... plus** (*no longer, no more*) and **ne... pas du tout** (*not at all*) function in the same way as **ne... pas.**

Nous **n'**avons **plus** d'argent.
Cette couleur **ne** me va **pas du tout.**

B. **Personne** *(no one)* and **rien** *(nothing)*, used with **ne**, can be either the subject or object of the verb.

Est-ce qu'il y a quelqu'un dans cette boutique ?	Il **n'**y a **personne** dans cette boutique.
Est-ce que tu as parlé à Jean ?	Je **n'**ai parlé à **personne.**
Est-ce que vous faites quelque chose ce soir ?	Nous **ne** faisons **rien.**
Est-ce que tu te souviens de ça ?	Je **ne** me souviens de **rien.**

When **rien** and **personne** are subjects, both come at the beginning of the sentence.

Rien n'est simple.
Personne n'est venu.

Notice the word order when **rien** and **personne** are direct objects in the **passé composé: Rien** comes before the past participle; **personne** comes after it.

Je **ne** vois **rien.**	Je **n'**ai **rien** vu.
Je **ne** vois **personne.**	Je **n'**ai vu **personne.**

C. **Rien** and **personne** (as well as **quelqu'un** and **quelque chose**) are often used with adjectives. Note that the adjective is always masculine singular and is preceded by **de.**

Est-ce qu'il y a **quelque chose de bon** au menu ?
Non, il **n'**y a **rien de bon** au menu.
Est-ce que tu as fait **quelque chose de spécial** hier ?
Non je **n'**ai rien fait **de spécial.**
Est-ce que tu as rencontré **quelqu'un d'intéressant ?**
Non, je **n'**ai rencontré **personne d'intéressant.**

D. In response to a question, **jamais, personne,** and **rien** can be used alone.

Quand vas-tu prendre une décision ? **Jamais !**
Qui a téléphoné ? **Personne.**
Qu'est-ce qui est arrivé ? **Rien. Absolument rien !**

E. **Aussi** is used to agree with an affirmative statement; **non plus** is used to agree with a negative statement.

Christine s'habille très bien. Nathalie **aussi.**
Ils ne portent jamais de cravate. Nous **non plus.**

Situation : Dans une boutique de mode

Régine a été invitée à une soirée, mais elle n'a rien à porter. Elle va dans une boutique de mode pour voir si elle peut trouver quelque chose.

RÉGINE	Ce style me plaît bien, mais la couleur ne me va pas du tout. Est-ce que vous avez quelque chose d'autre ?
LA VENDEUSE	Non, nous n'avons rien d'autre.
RÉGINE	Vous n'avez pas beaucoup de choix...

La Vendeuse	Vous savez, c'est la fin de la saison. Il ne reste pas grand-chose.
Régine	Et les nouvelles collections, elle ne sont pas encore arrivées ?
La Vendeuse	Non, nous ne les avons pas encore reçues.
Régine	C'est dommage.

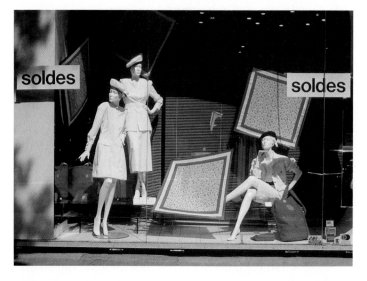

Mots à retenir :
pas grand-chose *not much,* **reçues** *received*

Avez-vous compris ?

Quelle est l'opinion de Régine sur les sujets suivants : (1) le style de la robe qu'on lui propose, (2) la couleur de cette robe, (3) les autres choix possibles, (4) les nouvelles collections ?

Communication et vie pratique

A. **Que la vie est cruelle !** Jean se sent abandonné et négligé par ses amis. Qu'est-ce qu'il répond quand ses amis lui posent des questions ?

EXEMPLE   Est-ce que tes amis viennent souvent te voir ? (non... jamais)
Non, ils ne viennent jamais me voir.

1. Est-ce qu'ils te téléphonent souvent ? (non... personne)
2. Est-ce qu'ils te donnent des cadeaux pour ton anniversaire ? (non... rien)
3. Est-ce qu'ils t'invitent à sortir ? (non... personne)
4. Est-ce qu'ils s'intéressent à toi ? (non... pas du tout)
5. Est-ce que tu vois encore Stéphanie de temps en temps ? (non... plus)
6. Est-ce que tu joues quelquefois au tennis avec Paul ? (non... jamais)
7. Est-ce que tu as quelque chose d'intéressant à faire ce week-end ? (non... pas grand-chose)
8. Est-ce que tu sors toujours avec Suzanne ? (non... plus)

B. **Mais non, ne t'inquiète pas.** Bernadette est inquiète au sujet de son ami Christian et de sa famille. Essayez de la rassurer.

> EXEMPLE   Tout le monde est malade en ce moment.
> **Mais non, personne n'est malade.**

1. Christian a l'air triste, tu ne crois pas ?
2. Est-ce qu'il sort encore avec Julie ?
3. Est-ce que sa mère est encore à l'hôpital ?
4. Est-ce que quelque chose lui est arrivé ?
5. Il a souvent des problèmes d'argent, je crois.

C. **Rien ne va plus.** Imaginez que c'est un de ces jours où tout va mal. Indiquez d'abord ce que vous avez à dire au sujet de votre propre situation. Ensuite, mettez-vous à la place des personnes suivantes et imaginez ce qu'elles peuvent dire.

> EXEMPLE   vous-même
> **Personne ne s'est souvenu de mon anniversaire.**
> **Je n'ai rien fait d'intéressant pendant le week-end.**

1. vous-même
2. votre professeur de français
3. les étudiants de votre classe
4. les parents d'un enfant qui n'est pas sage
5. ?

D. **J'en ai marre !** En ce moment, tout va mal dans votre vie, et vos amis semblent être dans la même situation. Ils vous racontent leurs malheurs et vous leur expliquez votre propre situation. Voici quelques suggestions pour commencer.

Have students work in groups of two or three and ask them to come up with as many complaints as they can for each situation or for the situation they've been assigned. You may want to ask students to create other similar situations.

> EXEMPLE   Vous n'aimez pas les plats qu'on sert dans les restaurants de votre université.
> **Il n'y a jamais rien de bon ici.**

1. Vous n'êtes pas content(e) de la région où vous passez vos vacances.
2. Vous essayez de préparer un bon dîner, mais c'est un vrai fiasco.
3. Vous allez dîner dans un restaurant, mais vous n'aimez pas ce qu'il y a au menu et la cuisine laisse beaucoup à désirer.
4. Vous désirez acheter des vêtements, mais c'est la fin de la saison et il ne reste presque rien.
5. Vous partagez un appartement avec une autre personne, mais vous avez des habitudes et des goûts très différents.

C'est votre tour

Vous allez faire du shopping avec un(e) ami(e). Expliquez aux vendeurs (joués par d'autres étudiants) ce que vous cherchez. Répondez à leurs questions et n'hésitez pas à exprimer votre réaction devant les modèles qu'on vous propose. Votre ami(e), bien sûr, donne aussi son opinion. Avant de commencer, les clients peuvent préparer une liste de ce qu'ils cherchent : style, couleur, taille, prix, etc. Pensez aussi aux commentaires que vous pouvez faire : « ça ne me va pas », « cette couleur est horrible », etc. De leur côté, les vendeurs préparent un inventaire de ce qu'ils ont : nouveaux modèles, articles en solde, tailles, prix, etc., et des commentaires qu'ils peuvent faire pour influencer les clients : « ce style est très à la mode cette année », etc.

Intégration et perspectives : L'ABC des bonnes manières : Ce qu'il faut faire et ne pas faire

Pour mieux lire : Comme le titre l'indique, vous allez trouver dans ce texte des conseils sur ce qu'il faut faire et ne pas faire quand vous êtes en France. Pour vous aider à mieux comprendre ce texte, prenez une feuille de papier et divisez-la en deux colonnes. Vous intitulez la première colonne « Ce qu'il faut faire » et la deuxième « Ce qu'il ne faut pas faire ». À mesure que vous lisez le texte, vous notez dans chaque colonne les conseils qu'on vous donne. Ensuite, relisez le texte et notez également dans deux colonnes différentes les mots et les tournures de phrases utilisées par l'auteur pour indiquer d'une part ce qu'il faut faire (e.g., « il est toujours poli de... » et d'autre part, ce qu'il faut éviter (e.g., « ça ne se fait pas »). Après cela, relisez le texte encore une fois pour voir si vous avez bien noté tous les points importants.

As they read, ask students to compare and contrast French manners with American etiquette.

En général, on peut dire que la politesse et les bonnes manières sont basées sur le respect des autres. Cependant, ce qui constitue les bonnes manières peut varier d'un pays à l'autre. Il est donc bon de savoir comment on doit se comporter pour éviter les malentendus et les faux pas. Voici quelques conseils pour les étudiants qui se préparent à visiter un pays francophone européen.

À table

Tenez-vous bien à table. Ne parlez pas la bouche pleine. Ne mettez pas les coudes sur la table, ni les pieds sur la chaise de votre voisin — sauf, peut-être, si vous êtes en famille ou entre jeunes. N'oubliez pas qu'en France, il faut garder les deux mains sur la table pendant le repas. Ne gardez pas la main gauche sous la table comme vous avez l'habitude de le faire aux États-Unis. Ça risque d'amuser vos amis français.

Aux États-Unis, vous devez repasser votre fourchette dans votre main droite chaque fois que vous avez fini de couper un petit morceau de viande. En France, ça ne se fait pas. Gardez votre fourchette dans la main gauche. Ne vous servez[1] pas avant d'être invité à le faire. Quand l'hôte ou l'hôtesse vous demande de vous servir une deuxième fois, répondez : « Oui, avec plaisir » si vous avez envie de reprendre un peu de ce qui vous est proposé. Mais attention, « merci » veut généralement dire « Non, merci, je n'ai plus faim. » Et surtout, ne dites

jamais « Je suis plein. » C'est très vulgaire en français.

Quand vous êtes invité à dîner, il est toujours poli — et gentil — d'apporter quelques fleurs, des bonbons ou un petit cadeau. Si vous apportez des fleurs, n'apportez jamais de chrysanthèmes. Ils sont associés avec l'idée de mort et de deuil. N'arrivez jamais en avance. En fait, il est bon d'arriver quelques minutes en retard pour laisser à vos hôtes le temps de s'occuper des préparatifs de dernière minute.

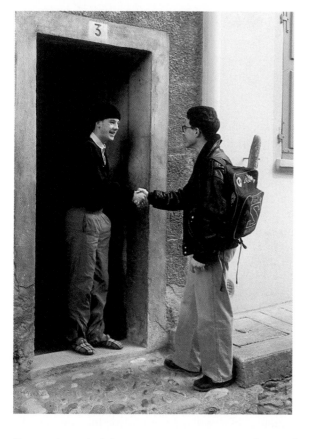

Rencontres et visites

Ne soyez pas choqué : Les Français, même les hommes quelquefois, s'embrassent sur les joues quand ils rencontrent des parents ou des amis. Par contre, c'est vous qui allez les choquer

si vous les embrassez sur la bouche ! Ça ne se fait pas, même entre parents et enfants. C'est réservé aux amoureux. Les Français se serrent aussi très souvent la main. On se serre la main chaque fois qu'on se rencontre et qu'on se quitte, excepté, bien

---

[1]**Servir** *(to serve)* is conjugated like **partir** and **sortir.** Its forms are **je sers, tu sers, il/elle/on sert, nous servons, vous servez, ils/elles servent. Passé composé : j'ai servi. Subjonctif : il faut que je serve.**

sûr, si on travaille dans le même endroit ou si on se rencontre plusieures fois par jour.

Ne tutoyez pas tout le monde ! On se tutoie entre amis et en famille. Attendez qu'on vous le demande. C'est une marque d'affection et d'amitié. Un conseil général : Quand vous n'êtes pas sûr de ce que vous devez faire, observez d'abord les gens autour de vous et laissez-les prendre l'initiative !

> **Mots à retenir** / Mots en contexte :
> **la politesse** *politeness,* **cependant** *however,* **se comporter** *to behave,* **le malentendu** *misunderstanding,* **se tenir bien** *to behave properly,* **le coude** *elbow,* **sauf** *except,* **la fourchette** *fork,* **ça ne se fait pas** *that's not done,* **poli** *polite,* **les bonbons** *(m) candy,* **le deuil** *mourning, grief,* **les amoureux** *(m) lovers,* **se serrer la main** *to shake hands,* **tutoyer** *to use tu,* **l'amitié** *(f) friendship,* **autour de** *around*

Avez-vous compris ?

Les Johnson, une famille américaine, rendent visite à des Français. Indiquez si, en France, les actions suivantes sont considérées comme de bonnes manières ou non. Expliquez pourquoi.

1. Les Johnson sont invités chez les Grandjean. Ils arrivent dix minutes avant l'heure indiquée parce qu'ils ne veulent pas faire attendre leurs hôtes.
2. Ils se sont arrêtés chez un fleuriste et ils ont acheté de beaux chrysanthèmes pour les Grandjean.
3. Mme Johnson veut montrer ses bonnes manières et elle fait très attention à repasser sa fourchette dans sa main droite chaque fois qu'elle se prépare à porter à sa bouche le morceau de viande qu'elle vient de couper.
4. La conversation tourne à la politique et la discussion devient très animée. M. Johnson commence à tutoyer son voisin de table, le beau-père de M. Grandjean.
5. M. Johnson a envie de reprendre un peu de soufflé. Il se tourne vers sa voisine et dit « Pouvez-vous me passer le soufflé, s'il vous plaît ? »
6. Mme Grandjean remarque que Mme Johnson garde sa main gauche sous la table. Elle est inquiète et elle se demande si Mme Johnson a mal au bras.
7. Mme Grandjean demande à M. Johnson s'il veut reprendre un peu de dessert. M. Johnson a beaucoup mangé et il n'a plus faim. Il répond : « Non, merci, madame, votre tarte est délicieuse, mais je suis plein. »
8. Le fils des Johnson ne veut pas faire de faux pas. Il observe les gens autour de lui. Il remarque que le fils des Grandjean tutoie un monsieur d'une cinquantaine d'années qu'il appelle « tonton Pierre ». Il décide qu'il peut faire la même chose et se met à le tutoyer aussi.

Info-culture : Les gestes parlent

Toutes les cultures ont leurs gestes caractéristiques qui sont souvent plus ex-
pressifs et éloquents que des mots. Ces gestes permettent quelquefois de communiquer sans parler. Les Français, en particulier, ont la réputation de faire
beaucoup de gestes et de parler avec les mains.

Pouvez-vous interpréter les gestes suivants ? Sinon, consultez les réponses.

1. a. Cette conférence n'est pas très intéressante.
   b. Je suis perplexe.
   c. Où est mon rasoir électrique ?

2. a. Tu as l'air fatigué.
   b. Veux-tu sortir avec moi ?
   c. Mon œil ! Tu exagères; je ne te crois pas.

3. a. Embrasse-moi !
   b. Ce champagne est superbe !
   c. Au revoir et bon voyage !

4. a. Il est très intelligent, ce type.
   b. Il est fou, ce garçon !
   c. J'ai mal à la tête. Donnez-moi deux aspirines.

5. a. Où est le ballon ?
   b. Quelle heure est-il ?
   c. Je ne sais pas.

6. a. Un, deux...
   b. Attention, il y a un revolver.
   c. Vive la France !

Answers: 1. a; 2. c; 3. b; 4. b; 5. c; 6. a

Et vous ?

Les Américains aussi font souvent des gestes pour indiquer—ou pour ponctuer—ce qu'ils veulent dire. Quels gestes faites-vous pour communiquer les messages suivants ? Y a-t-il d'autres gestes typiques que vous voulez expliquer à vos amis français ?

Quels gestes faites-vous ...

1. pour indiquer que vous êtes fatigué(e) ?
2. pour indiquer que quelqu'un est fou (folle) ?
3. pour indiquer que quelque chose est de qualité supérieure ?
4. pour indiquer que quelque chose est de qualité très inférieure ?
5. quand quelqu'un parle trop ?
6. pour indiquer que vous n'avez pas de solution à un problème ?
7. pour exprimer la surprise ?
8. pour dire au revoir à quelqu'un ?

Communication et vie pratique

The activity can be extended to include a role-play of the conversation during dinner.

A. **Ne mettez pas les pieds dans le plat !** Imaginez que vous êtes invité(e) à déjeuner chez des Français. Certains étudiants jouent le rôle des Français et d'autres jouent le rôle des Américains. Jouez la scène. Les Français vont (1) dire bonjour, serrer la main à leurs invités et indiquer qu'ils sont heureux de les voir; (2) inviter leurs amis à entrer; (3) offrir un apéritif à leurs invités; (4) demander à leurs amis s'ils ont fait bon voyage; demander des nouvelles de la famille et parler de chose ou autre; (5) inviter leurs invités à se mettre à table.

Students could also discuss **L'ABC des bonnes manières pour étudiants.**

B. **L'ABC des bonnes manières.** Expliquez à des Français ce qu'il faut faire ou ne pas faire aux États-Unis dans différentes circonstances (e.g., à table, quand on est invité, quand on sort avec des amis).

Suggested for written homework. If desired, students could describe famous people and then read their descriptions aloud to see if other students can guess the identify of the people.

C. **Portraits.** Faites votre autoportrait ou le portrait de quelqu'un d'autre. Parlez de ses caractéristiques physiques, de sa façon de s'habiller et des vêtements qu'il/elle porte d'habitude. Vous pouvez aussi comparer cette personne à d'autres personnes pour rendre votre portrait plus vivant et plus intéressant.

> *Pour mieux écrire :* Avant de commencer le portrait de la personne en question, faites trois listes : (1) caractéristiques physiques, (2) façon de s'habiller, (3) personnalité et habitudes. Ensuite, ajoutez quelques adverbes à chaque liste—e.g., « C'est une personne qui s'habille extrêmement bien; il a de très beaux yeux noirs ». Utilisez ces listes comme point de départ pour faire le portrait de la personne que vous avez choisie.

D. **Aux Galeries Lafayette.** Micheline et Robert ont décidé d'aller faire des courses aux Galeries Lafayette. Écoutez les conversations qu'ils ont eues aux différents rayons et répondez aux questions suivantes.

Pour mieux comprendre : Écoutez une première fois pour découvrir l'essentiel de chaque conversation, c'est-à-dire ce que chaque personne va acheter. Une fois que vous avez compris cela, le reste de la conversation est beaucoup plus facile à comprendre parce que vous avez déjà une idée de ce que chaque personne va dire.

1. Qu'est-ce que Robert a l'intention d'acheter ?
2. Quelle est sa taille ?
3. Combien est-ce qu'il va payer ?
4. Qu'est-ce que Micheline a l'intention d'acheter ?
5. Quelle couleur est-ce qu'elle cherche ?
6. Quelle est sa pointure ?

CHEZ NOUS

EN GUINÉE

Superficie : 250 000 km^2

Population : 7 500 000 h

Capitale : Conakry

Statut politique : république indépendante depuis 1958

Langues : français et langues locales : mandingue (malinké), peul, soussou, bassari

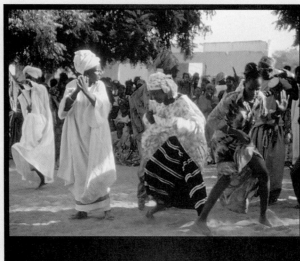

Chez nous, on porte bien sûr des vêtements européens comme chez vous, mais en général, faits avec des tissus différents, plus au goût africain. Et nous avons aussi nos vêtements typiquement africains. En fait, beaucoup de jeunes recommencent à les porter assez régulièrement parce qu'ils font partie de notre identité. Et nous sommes fiers d'être des Africains ! À mon avis, ces vêtements sont aussi très beaux et très pratiques quand on vit dans des climats chauds comme ici. Les couleurs aussi sont différentes—ou plutôt les motifs et les assemblages de couleurs. Nous aimons les couleurs vibrantes et profondes. Des couleurs à l'image de notre continent.

En général, nous portons nos vêtements africains pour toutes les occasions spéciales : cérémonies culturelles et religieuses, fêtes de famille, etc. Il y a aussi une différence entre les grands centres urbains où l'influence européenne est plus forte et les régions rurales où le respect de la tradition compte davantage. Il faut dire que nos vêtements reflètent aussi l'influence islamique qui est très importante dans toute l'Afrique occidentale.

Les hommes portent un « trois pièces » composé d'un pantalon en tissu assez léger, d'une courte jallaba et d'un boubou, une tunique longue et ample qu'on peut enlever si on a trop chaud. Sur la tête, ils portent le bonnet traditionnel, et aux pieds, des sandales en cuir (leather) décorées au goût ethnique (chaque groupe a sa façon de travailler le cuir).Les femmes portent un pagne, c'est-à-dire, une sorte de jupe longue, nouée à la taille, un corsage (tissu, coupe, et couleurs africaines), ou un boubou. Elles portent également un foulard sur la tête et une écharpe ou un voile léger sur les épaules. Elles aiment aussi porter des bijoux, surtout des boucles d'oreilles et des bracelets. ≫

Vocabulaire

Les vêtements et les chaussures (Voir p. 310)
Les commentaires et les compliments (Voir pp. 310–311)
Les mesures (Voir p. 311)
Le portrait (Voir p. 311)
Les couleurs (Voir p. 311)
Les verbes comme *mettre* (Voir pp. 318–319)
La négation (Voir pp. 320–321)

Noms

affection *(f) affection*
amitié *(f) friendship*
anorak *(m) ski jacket*
bonbons *(m pl) candy*
caméscope *(m)*
camcorder
coude *(m) elbow*
faux pas *(m) faux pas,*
foolish mistake
fourchette *(f) fork*
goût *(m) taste*
guitare *(f) guitar*
manière *(f) manner*
marque *(f) sign, mark*
politesse *(f) politeness*
style *(m) style*

Verbes

avoir l'habitude *to be in*
the habit
choquer *to shock*
dire *to say, tell*
se comporter *to behave*
faire plaisir *to please*
recevoir *to receive*
(se) serrer la main *to*
shake hands
(se) servir *to serve*
(oneself)
se tenir bien *to sit and*
behave properly
tutoyer *to use the*
familiar form **tu**
varier *to vary*

Adjectifs

poli *polite*
vulgaire *vulgar*

Divers

ailleurs *elsewhere*
autour de *around*
ça ne se fait pas *that's*
not done
cependant *however*
c'est dommage *that's*
too bad
heureusement
fortunately
pas grand-chose *not*
much, not a big deal
sauf *except*
si *so, if*

Le passé et les souvenirs

Fonctions

Dans ce chapitre, vous allez apprendre à
- *parler de votre vie et de vos sentiments*
- *décrire des situations et des événements passés*
- *parler d'une chose ou d'un lieu déjà mentionné*
- *exprimer vos intentions et vos réactions*

Vocabulaire et structures

Point de départ : La vie et les sentiments
Exploration 1 : L'imparfait et le passé composé
Exploration 2 : Les pronoms **y** *et* **en**
Exploration 3 : Le subjonctif avec les verbes de volition, d'émotion et de doute

Point de départ :
La vie et les sentiments

Les étapes de la vie

La naissance
On naît, on sourit[1] à la vie.

L'enfance
On grandit. On apprend à
marcher, à parler, à lire et à écrire.

La jeunesse
On est jeune. On fait ses
études. On apprend un métier.

Bring in copies of birth announcements and
obituaries from French newspapers and have
students compare them with those in US papers. You might want to point out that French
families receive **allocations familiales,** for
example, an allowance for each child in the
family. **Allocations** are also provided in other
situations such as child care, adoption, and
foster care. Each couple has a **livret de famille,**
an official document that lists important events
in the family: births, marriages, divorces, and
deaths. A single-parent family is called **une
famille monoparentale.**

You might want to point out the equivalent of
"living together": **la cohabitation (cohabiter,**
to live together) or **l'union libre.** Point out that
one says **divorcer d'avec quelqu'un.**

Point out that the retirement age in France is
currently set at 60. Pensions are provided
through the **Securité Sociale;** those who
worked in the private sector may have additional pensions through their companies. There
are many **universitiés du troisième âge,** often
associated with one of France's universities.

According to *Francoscopie,* the French are trying
to find a suitable word to use for older people.
Among the possibilities: **les vieux** sounds somewhat pejorative; **le troisième âge** has been
replaced by **senior; retraité** works only for those
who have worked previously; and **ancien** con-
trasts negatively with **moderne.** Some prefer the
term **aîné,** which seems more respectful and is
not linked to one's work status.

L'âge adulte
On devient adulte. Certains se marient
et élèvent des enfants. D'autres restent
célibataires ou vivent avec leur
partenaire. Si on ne s'entend pas bien,
quelquefois on finit par divorcer.

Le troisième âge et la vieillesse
On prend sa retraite. On vieil-
lit. Puis, c'est la mort.

[1]**Sourire** *(to smile)* and **rire** *(to laugh)* are irregular verbs. Their forms are **je ris (je souris),
tu ris, il/elle/on rit, vous riez, ils/elles rient. Passé composé : J'ai ri.**

Les sentiments et les rapports avec les autres

Le plaisir, la joie et le bonheur
On est content. On est heureux.
On rit.

La tristesse
On est triste. On est malheureux.
On a le cafard *(is depressed)*. On
pleure *(cries)*.

L'inquiétude et les soucis
On est inquiet. On se fait du
souci.

La fierté, la honte (shame) et les regrets
On est fier — ou on a honte — de
ce qu'on a fait.

*Les hauts et les bas de la vie
quotidienne*
On est de bonne / de mauvaise
humeur. On s'amuse. On
s'ennuie. On en a marre *(is fed
up)*. On est surpris.

L'amitié et l'amour
On éprouve *(feels)* de l'affection,
du respect, de la tendresse pour
quelqu'un.
On tombe amoureux. On sort ensemble. On s'aime. Quelquefois,
on est jaloux, surtout si l'autre
personne n'est pas fidèle.

La bonne entente
On a bon / mauvais caractère. On
est gentil / méchant. On s'entend
bien / mal avec quelqu'un.
On se met en colère. On se
dispute. On se sépare. Puis, on
pardonne et on se réconcilie.

Find magazine pictures that illustrate
these emotions and have students identify the emotion(s) being expressed.
Students could also be asked to find
pictures. If appropriate for your class,
you could also play charades.

You might want to point out the expression **Je ne suis pas dans mon assiette.**

Point out that **avoir bon / mauvais
caractère** means to be good/bad
tempered.

Les vœux et les condoléances

Félicitations ! C'est un succès bien mérité !
Je te souhaite un bon anniversaire !
C'est demain la Saint-Christophe, alors, je te souhaite une bonne fête !
Meilleurs vœux de bonheur et de santé pour la nouvelle année !
Je vous présente mes sincères condoléances.
Sincères regrets. Mes pensées sont avec vous dans ces moments difficiles.

Communication et vie pratique

A. **Une vie.** Racontez la vie d'un membre de votre famille ou d'une personne que vous trouvez particulièrement intéressante. Indiquez, par exemple...

- où il / elle est né(e)
- où il / elle a passé son enfance
- où il / elle a fait ses études (lycée, université)
- s'il / si elle s'est marié(e) et à quel âge
- s'il / si elle a eu des enfants
- les principaux événements de sa vie
- ce qu'il / elle fait maintenant

B. **Réactions et sentiments.** Regardez les photos suivantes et décrivez les situations et les réactions des gens représentés. Inspirez-vous du vocabulaire présenté dans le **Point de départ**. Si vous préférez, vous pouvez décrire vos propres photos.

> EXEMPLE   **Ils ont l'air heureux.**

1.

2.

3.

4.

5.

C. **Vœux et condoléances.** Vous allez envoyer une carte à des amis qui se trouvent dans les situations suivantes. Qu'est-ce que vous allez mettre sur la carte ?

> EXEMPLE   à un ami qui vient de recevoir une promotion
> **Félicitations et bonne chance dans ton nouveau travail !**

1. à un ami à l'occasion de son anniversaire
2. à une amie qui va partir en voyage
3. à des amis français à l'occasion du nouvel an
4. à une amie qui vient de passer son baccalauréat
5. à un ami qui vient de perdre un membre de sa famille
6. à des amis qui vont se marier
7. à des amis qui viennent d'avoir un bébé
8. à un de vos profs de français qui va prendre sa retraite

You might want to encourage students to add several sentences to their basic greeting. Have them compare what they have written with other students.

Info-culture : Rites et coutumes

En France, comme dans la plupart des autres cultures, les étapes *(stages)* et les événements importants de la vie sont marqués par des rites particuliers. Du fait que *(Given the fact that)* la France est un pays de tradition catholique, la plupart de ces cérémonies ont une origine religieuse.

- **Le baptême.** Les enfants sont généralement baptisés dans les quelques mois qui suivent leur naissance. Jusqu'à une époque récente, l'Église exigeait même qu'on donne aux enfants des noms de saints, tels que *(such as)* Jean, Paul, Thérèse ou Marie. Ainsi en France, on célèbre non seulement l'anniversaire mais aussi la fête d'une personne. Le baptême est suivi d'un dîner qui réunit toute la famille et le parrain *(godfather)* et la marraine *(godmother)*.

- **La première communion.** Il y a également une cérémonie religieuse suivie d'un dîner de famille quand l'enfant fait sa première communion, généralement à l'âge de onze ou douze ans.

- **Le mariage.** Selon les statistiques, la plupart des Français se marient entre l'âge de vingt-quatre et vingt-six ans. Pour être marié légalement, il faut se marier à la mairie, mais un grand nombre de couples choisissent également d'avoir une cérémonie religieuse.

- **L'enterrement.** Il y a généralement une cérémonie religieuse à l'église. Après cela, la famille et les amis vont au cimetière.

- **Autres religions; autres rites et coutumes.** Il y a aussi en France un certain nombre de protestants, de juifs et de musulmans. Les pratiquants de ces différentes religions célèbrent les événements de la vie selon les traditions propres à leur religion.

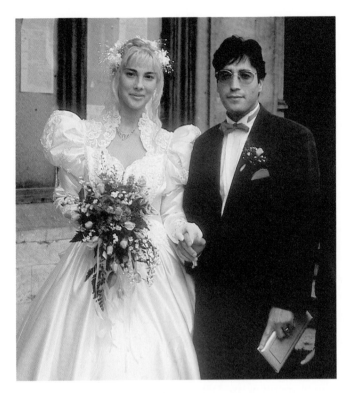

Exploration 1

Décrire des situations et des événements passés : L'imparfait et le passé composé

The imperfect tense (**l'imparfait**) provides another way of talking about the past. It is formed by dropping the **ons** ending from the **nous** form of the present tense and adding the endings shown here.

nous parlons   →   **parl** + IMPERFECT ENDINGS
nous avons   →   **av** + IMPERFECT ENDINGS
nous finissons   →   **finiss** + IMPERFECT ENDINGS

je parl**ais**	nous parl**ions**
tu parl**ais**	vous parl**iez**
il / elle / on parl**ait**	ils / elles parl**aient**

The only exception is **être,** whose stem is **ét-.**

j'étais	nous étions
tu étais	vous étiez
il / elle / on était	ils / elles étaient

Point out that *would* is often used in English to express the idea of *used to*.

Depending on the context, the **imparfait** can be equivalent to several verb tenses in English:

j'habitais $\begin{cases} \textit{I was living} \\ \textit{I used to live} \\ \textit{I lived} \end{cases}$

A. There are two main uses of the imperfect.

  1. To indicate an habitual past action:

   Nous **allions** en Bretagne **tous les étés.**
   Chaque matin, je **me levais** à huit heures.

  2. To describe a situation or condition that existed in the past:

   Quand il **était** petit, il **était** souvent malade.
   Ils **avaient** une petite maison à la campagne.

Have students contrast the expressions used with the **imparfait** with those typically used with the **passé composé:** for example, **hier, la semaine dernière, samedi dernier, l'été passé, l'année dernière.**

B. Certain time expressions are often used with the **imparfait.**

à cette époque-là	*at that time, in those days*
autrefois	*in the past, long ago*
d'habitude	*usually, generally*
chaque année, mois, etc.	*every year, month, etc.*
tous les jours	*every day*

C. Although the **imparfait** and the **passé composé** are both past tenses, they have different purposes. Whether the **imparfait** or **passé composé** is used depends on the speaker's view or perception of a past action.

Imparfait

Background

The **imparfait** is used to describe a situation that existed in the past. There is no concern for the time when the situation began or ended. It can describe, for example, the following:

- a condition

  Il pleuvait. (*It was raining.*)

- a state of mind

  Elle était très malheureuse. (*She was very unhappy.*)

Passé composé

Event

In contrast, the **passé composé** is used to describe specific events. It expresses:

- an action that is a completed event

  Il a fini ses devoirs. (*He finished his homework.*)

- an event that had a known beginning or end, or a specific duration, whether the duration was a few moments or many years

Background	Event
	Nous avons attendu pendant deux heures. *(We waited for two hours.)*
• an action that was continuing or was in progress	• a change in state of mind or a reaction to an event
Il **finissait** ses devoirs. *(He was finishing his homework.)* À cette époque-là, il **travaillait** dans une usine. *(At that time, he was working in a factory.)*	J'**ai été** très surprise quand j'**ai appris** la nouvelle. *(I was very surprised when I heard the news.)* • a succession of events, each event moving the story forward
	Elle **s'est réveillée,** elle **s'est habillée** et elle **a quitté** la maison. *(She woke up, got dressed, and left the house.)*

Repeated Action	Specific Action
The **imparfait** describes an habitual action in the past.	In contrast, the **passé composé** describes what was done or said at a particular time.
Le samedi, mon père **faisait** la cuisine. *(My father used to do the cooking on Saturdays.)* Autrefois, j'**allais** rarement au cinéma. *(In the past, I rarely went to the movies.)*	Hier, mon père **a fait** la cuisine. *(Yesterday my father did the cooking.)* Je **suis allé** quatre fois au cinéma la semaine dernière. *(I went to the movies four times last week.)*

The **passé composé** and the **imparfait** are frequently contrasted when a continuing action is interrupted by a specific event and when a reason for a specific action is given.

Nous **parlions** quand le professeur **est entré.**
Ils **étaient** en train de manger quand nous **sommes arrivés.**
Il **faisait** froid quand je **suis sortie** ce matin.
Je **suis allé** chez le dentiste parce que j'**avais** mal aux dents.
Elle **a pris** un taxi parce qu'elle **était** en retard.

Situation : Je me souviens...

Catherine Gagnon, une jeune Québécoise, parle avec son arrière-grand-mère, Francine Hébert, maintenant âgée de 90 ans. Elles évoquent des souvenirs d'autrefois.

CATHERINE	Tu habitais déjà à Jonquière quand tu étais petite ?
MME HÉBERT	Non, j'ai déménagé quand je me suis mariée. Avant ça, nous habitions à Roberval.

CATHERINE   La vie était dure à cette époque-là, hein ?
MME HÉBERT Oui, mais on n'était pas malheureux. Je me souviens, en
            hiver, on restait bloqué par la neige pendant plusieurs mois.
            Pour aller à la messe, le dimanche, on prenait notre
            traîneau. Il fallait traverser un grand lac glacé. Tout était
            couvert de neige. On entendait seulement les pas du
            cheval...

> **Mots à retenir :**
> **l'arrière-grand-mère** *(f) great-grandmother*, **déménager** *to move*, **la messe**
> *mass*, **un traîneau** *a sleigh*, **un pas** *a step*

Avez-vous compris ?

Qu'avez-vous appris au sujet de Francine Hébert et de la vie d'autrefois au Canada ?

Communication et vie pratique

A. **Quand j'étais petit...** Au cours d'une visite dans le quartier du vieux Lyon où il a grandi, Monsieur Berger évoque quelques souvenirs de son enfance.

EXEMPLE   je / jouer souvent dans cette rue
          Je jouais souvent dans cette rue.

1. mes parents / habiter dans ce quartier
2. ma mère / faire les courses chaque matin

IAE Drill #1: 1. **D'habitude, je finissais à huit heures. tu / nous / vous / les employés / le patron** 2. **Autrefois, tu perdais souvent patience. nous / vous / le professeur / les étudiants** 3. **Je n'étais pas heureuse. nous / tu / mes cousins / Marianne** *Drill* #2: 1. **Je suis fatigué.→ J'étais fatigué.** 2. **Il a peur.** 3. **Nous allons en Italie chaque année.** 4. **Tu es malade.** 5. **Vous vous levez assez tôt.** 6. **Ils veulent partir en vacances.** *Drill* #3: **Je rentre à la maison.→ Je rentrais à la maison quand j'ai rencontré Martine.** 1. **J'attends l'autobus.** 2. **Nous sommes au café.** 3. **Il fait des courses.** 4. **Vous allez à la gare.** 5. **Tu manges au restaurant.**

This activity can be adapted for additional listening comprehension practice by putting the items in paragraph form.

3. je / aller toujours avec elle
4. nous / s'arrêter dans chaque magasin
5. elle / prendre le temps de parler avec les marchands
6. ils / parler de la pluie et du beau temps
7. nous / passer ensuite devant le magasin de Monsieur Giraud
8. je / vouloir être boulanger comme lui
9. il / répondre à toutes mes questions
10. ma mère / attendre patiemment

B. **Pourquoi ?** Bertrand demande toujours des explications à ses amis. Qu'est-ce qu'ils répondent à ses questions ?

> EXEMPLE   Pourquoi est-ce que tu lui as téléphoné ? (s'ennuyer)
> **Je lui ai téléphoné parce que je m'ennuyais.**

Can be used as a role-play. Ask students to give additional reasons for each question.

1. Pourquoi est-ce que tu es allé chez le médecin ? (ne pas se sentir bien)
2. Pourquoi est-ce que tu t'es levé si tôt ? (avoir beaucoup de travail)
3. Pourquoi est-ce que tu as vendu ta vieille voiture ? (ne pas marcher bien)
4. Pourquoi est-ce que tu as quitté Nathalie ? (ne pas s'entendre bien avec elle)
5. Pourquoi est-ce que tu as décidé de faire une promenade ? (faire beau)
6. Pourquoi est-ce que tu as pleuré ? (avoir le cafard)
7. Pourquoi est-ce que ta mère t'a téléphoné ? (être inquiète à mon sujet)
8. Pourquoi est-ce que tu as dit ça ? (être de mauvaise humeur)
9. Pourquoi est-ce que tu ne m'as pas répondu ? (en avoir marre de tes questions)

C. **L'histoire de Cendrillon.** Pour compléter l'histoire de Cendrillon, mettez les verbes suggérés à l'imparfait ou au passé composé selon le cas.

Suggested for individual or small-group writing. Although paragraphs such as these are very helpful, students also need to write their own paragraphs in which the **passé composé** and the **imparfait** are used. See other activities in this section and at the end of the chapter.

Il était une fois une jeune fille qui _____ (s'appeler) Cendrillon. Elle _____ (avoir) deux demi-sœurs qui _____ (être) très méchantes. C' _____ (être) Cendrillon qui _____ (faire) tout le travail à la maison.

Un jour, le prince _____ (décider) de donner un grand bal. Mais Cendrillon ne _____ (pouvoir) pas aller au bal parce qu'elle n' _____ (avoir) pas de jolis vêtements.

Cendrillon _____ (avoir) le cafard et elle _____ (être) en train de pleurer quand sa marraine (godmother) _____ (arriver). Elle _____ (posséder) une baguette magique (magic wand). Avec cette baguette, elle _____ (toucher) les vêtements de Cendrillon et ils _____ (devenir) très beaux. Cendrillon _____ (promettre) à sa marraine de rentrer avant minuit et elle _____ (partir) au bal.

Le prince _____ (inviter) à danser la mystérieuse jeune fille et ils _____ (danser) pendant tout le bal. Cendrillon _____ (être) si heureuse qu'elle _____ (oublier) l'heure. Quand elle _____ (entendre) minuit sonner (*ring*), elle _____ (partir) si vite qu'elle _____ (perdre) une de ses chaussures.

Le prince, qui _____ (aimer) Cendrillon, _____ (aller) dans toutes les maisons de son pays pour essayer de la retrouver. Finalement, le prince _____ (venir) à la maison où Cendrillon et ses sœurs _____ (habiter). Les deux sœurs _____ (essayer) la chaussure mais elle _____ (être) beaucoup trop petite pour elles. Timidement, Cendrillon _____ (demander) si elle _____ (pouvoir) l'essayer. La chaussure lui _____ (aller) parfaitement. Il _____ (être) évident que la belle jeune fille du bal et Cendrillon _____ (être) la même personne. Le prince et Cendrillon _____ (se marier) et ils _____ (avoir) beaucoup d'enfants.

Students can work individually or in small groups to compose their stories. Students could share them with the rest of the class.

D. **Cendrillon, tu viens de loin, ma petite !** L'histoire de Cendrillon appartient au folklore international et reflète les valeurs traditionnelles de notre culture. Transformez-la pour la rendre plus moderne, moins sexiste, plus amusante, etc. Vous pouvez changer les personnages, le pays où l'action a lieu, le développement de l'histoire ou sa conclusion. Si vous préférez, inventez une autre histoire.

E. **Souvenirs d'enfance.** Utilisez les questions suivantes pour évoquer des souvenirs de votre enfance et partagez ces souvenirs avec d'autres étudiants. Si vous préférez, vous pouvez poser ces mêmes questions à un(e) autre étudiant(e) ou les utiliser comme point de départ pour une conversation sur un ou plusieurs des sujets proposés.

This activity can be used for small-group oral interviews where students write and turn in **résumés** of their partners' answers; the activity can also be used as a basis for individual composition writing. Topics can be done in one day or spread over several days.

La famille

Où et quand es-tu né(e) ? Est-ce que tu as grandi dans cette ville ? Est-ce que tu avais des frères et des sœurs ? Comment étaient-ils ? Est-ce que tu t'entendais bien avec eux ? Peux-tu raconter une anecdote amusante au sujet de ta famille ?

Les amis

Comment s'appelaient tes meilleur(e)s ami(e)s ? Habitaient-ils / elles près de chez toi ? Veux-tu me raconter quelques aventures qui vous sont arrivées ? Est-ce que tu es resté(e) en contact avec ces ami(e)s ? Que sont-ils / elles devenu(e)s ?

Les gens

Est-ce que tu te souviens d'une personne de ton enfance avec un plaisir particulier ? Qui était cette personne ? Pourquoi est-ce que tu te souviens de cette personne ? Est-ce que tu l'admirais beaucoup ? Comment était-elle ?

Les études

Comment était le lycée où tu es allé(e) ? Quel âge avais-tu quand tu es entré(e) au lycée ? Quels étaient tes cours et tes professeurs préférés ? Est-ce que tu avais un travail après l'école ? En quoi consistait ce travail ? Quelles étaient tes responsabilités à la maison ? En quelle année est-ce que tu as fini tes études secondaires ? Qu'est-ce que tu as fait après ? Pourquoi as-tu décidé de venir faire tes études ici ?

Les voyages

Peux-tu nous raconter un voyage que tu as fait quand tu étais petit(e) ? Où est-ce que tu es allé(e) ? avec qui ? Qu'est-ce que tu as fait ? Comment est-ce que c'était ? Est-ce que tu t'es bien amusé(e) ?

C'est votre tour

Imaginez que vous êtes en âge d'être grand-père ou grand-mère. Vos petits-enfants (ou des enfants du quartier), joués par d'autres étudiants, vous posent des questions sur votre vie quand vous étiez jeune, et en particulier sur votre vie à l'université. Répondez à leurs questions et donnez autant de détails que possible.

As preparation, have the group playing the children think of questions to ask; those playing the grandfather/grandmother can think of different topics to talk about.

Exploration 2

Parler d'une chose ou d'un lieu déjà mentionné : Les pronoms *y* et *en*

A. The pronoun **y** (*there*) is used to replace a prepositional phrase indicating location.

La voiture n'est plus **dans le garage**.	La voiture n'**y** est plus.
Elle va rester deux mois **en Belgique**.	Elle va **y** rester deux mois.
Je ne suis jamais allé **en Afrique**.	Je n'**y** suis jamais allé.
N'allez pas **voir ce film** sans moi.	N'**y** allez pas sans moi.
Va **chez le dentiste**.	Vas-**y**.

Note that an **s** is added to **va** for the affirmative command with **y** to make it easier to pronounce.

Double object pronouns have not been introduced because of the complexity of the topic for this level of instruction. Although native speakers use double object pronouns, students can circumvent them when they communicate and should be able to recognize them when they see or hear them.

B. The pronoun **y** can also replace other phrases with the preposition **à,** as long as the object of the preposition is a *thing,* not a person.

Je pense **à mon enfance.**	J'y pense.
Est-ce que tu as répondu **à sa lettre** ?	Est-ce que tu **y** as répondu ?
Je m'intéresse beaucoup **à ça.**	Je m'**y** intéresse beaucoup.
Ne pensez pas trop **à vos problèmes.**	N'**y** pensez pas trop.

C. When the object of the preposition **à** is a person, indirect object pronouns or disjunctive pronouns are used instead of **y.** This contrast is especially important when using the verb **penser à,** which means *to think about* or *to have one's mind on someone or something.* Compare:

Je pense **à mon travail.**	J'**y** pense.
Je pense **à mes parents.**	Je pense **à eux.**

D. The pronoun **en** replaces the partitive. Its meaning is usually the equivalent of *some, any, not any.*

Nous avons acheté **du pain.**	Nous **en** avons acheté.
Elle va me prêter **des livres.**	Elle va m'**en** prêter.
Prenez **de la salade.**	Prenez-**en.**

En is also used to replace a noun modified by a number or by an expression of quantity.

J'ai une **moto.**	J'**en** ai une.
Il y a dix **étudiants.**	Il y **en** a dix.
Nous avons beaucoup **de travail.**	Nous **en** avons beaucoup.

You may want to point out that **quelques** *is replaced by* **quelques-uns** *or* **quelques-unes : Nous avons rencontré quelques Français. Nous en avons rencontré quelques-uns.**

E. **En** is also used with the verb **penser de** *(to have an opinion about)* and verbs like **se souvenir de** when referring to a thing or an idea. However, when the object of either verb is a person, disjunctive pronouns are used. Compare:

Qu'est-ce que tu penses **de cette idée** ?	Qu'est-ce que tu **en** penses ?
Qu'est-ce que tu penses **du professeur** ?	Qu'est-ce que tu penses **de lui** ?
Est-ce que tu te souviens **de ce jour-là** ?	Oui, je m'**en** souviens.
Est-ce que tu te souviens **de ma cousine** ?	Non, je ne me souviens pas **d'elle.**

Questions using **penser de** are answered by **je pense que...**

Qu'est-ce que **tu penses** de son camarade de chambre ?
Je **pense qu**'il est assez sympa.

F. **Y** and **en** are used in many common expressions.

Allons-y.	*Let's go.*
Je n'y peux rien.	*I can't do anything about it.*
Je n'en peux plus.	*I'm exhausted.*
J'en ai marre (J'en ai assez).	*I've had it!*
Ne m'en veux pas.	*Don't be angry with me.*

Situation : Souvenirs d'enfance

Catherine Gagnon continue sa conversation avec son arrière-grand-mère.

CATHERINE	Dis, mémé, est-ce que tu te souviens de ton enfance ?
MME HÉBERT	Bien sûr que je m'en souviens ! J'étais justement en train d'y penser...
CATHERINE	Tu en gardes de bons souvenirs ?
MME HÉBERT	Des souvenirs, tu sais, il y en a des bons et des mauvais !...
CATHERINE	Et des frères et sœurs, tu en avais combien ?
MME HÉBERT	Nous étions huit enfants, mais il y en a deux qui sont morts quand ils étaient encore petits. Maman ne s'y est jamais habituée, la pauvre...
CATHERINE	Et ton père, il n'était pas à la maison ?
MME HÉBERT	Non, il n'y était pas souvent. Pendant toute la belle saison, il s'en allait travailler comme bûcheron. Mais il revenait passer l'hiver avec nous.

> **Mots à retenir :**
> **un souvenir** *a memory*, **s'habituer à** *to get used to*, **s'en aller** *to go away*, **un bûcheron** *a logger*

Avez-vous compris ?

Pourquoi Mme Hébert a-t-elle à la fois de bons et de mauvais souvenirs de son enfance ?

Communication et vie pratique

A. **Fêtes de famille.** Votre cousin veut savoir qui va aller aux différentes fêtes de famille qui vont bientôt avoir lieu.

EXEMPLE   Est-ce que Serge va au mariage de Véronique ? (oui)
Oui, il y va.

1. Est-ce que tu vas au mariage de ta cousine ? (non)
2. Est-ce que Bruno va aussi aller au mariage ? (oui)
3. Est-ce que Robert et Anne-Marie vont au baptême de leur neveu ? (non)
4. Est-ce que vous allez à la réunion de famille ce week-end ? (oui)
5. Est-ce que ton frère va aussi aller à la réunion ? (oui)
6. Est-ce que tout le monde va à la première communion de Charlotte ? (oui)

B. **À quoi pensez-vous ?** À quoi ou à qui pensez-vous souvent ?

EXEMPLE   vos études ?
Oui, j'y pense souvent. Je ne suis pas content de mon travail ce trimestre.

vos amis du lycée ?
Je pense souvent à eux. Ils étaient vraiment sympa.

1. votre enfance ?
2. vos anciens profs ?
3. vos amis d'enfance ?

After students have practiced the **Situation,** ask them to identify the antecedent of each instance of **y** or **en.** Remind students that **mémé** and **pépé** are familiar forms for grandmother and grandfather.

As an option, have students write a short paragraph describing Mme Hébert's life using the information in this **Situation** and in the previous **Situation.**

IAE Drill #1: **Il travaille dans une banque.→Il y travaille.
1. Je vais à Lyon. 2. Ne répondez pas à ses questions. 3. Je ne suis jamais retourné dans cette ville. 4. Est-ce que tu passes tes vacances en Suisse ? 5. Vous êtes resté un an au Mexique. 6. Ils sont arrivés à la gare à huit heures.**
Drill #2: **Nous avons acheté des légumes.→ Nous en avons acheté. 1. Elle ne mange jamais de viande. 2. Est-ce qu'ils ont vu des films français ? 3. Est-ce que vous faites souvent des erreurs ? 4. Est-ce qu'elles vont acheter une maison ? 5. Est-ce que Lisette a envie de sortir ? 6. Vous avez pris beaucoup de photos.**

Can be used as a role-play.

4. ce que vous allez faire plus tard ?
5. votre future profession ?
6. la situation politique ?
7. vos prochaines vacances ?
8. ?

C. **C'est la vie.** Imaginez que c'est la fin du trimestre. Vous êtes très fatigué(e) et vous en avez marre d'étudier — bref, tout va mal — et vous voulez que tout le monde le sache. Qu'est-ce que vous allez dire à propos de chacun des sujets suivants ? Utilisez le pronom **en** dans vos réponses ainsi qu'une expression de quantité (**assez, peu, trop,** etc.).

EXEMPLE   de l'argent ?
           Je n'en ai jamais assez !

1. des devoirs ?
2. de l'argent ?
3. des problèmes ?
4. des examens ?
5. de la chance ?
6. du travail ?
7. des soucis ?
8. du temps libre ?

Both topics can be treated the same day or spread over two days. Suggested as a small-group activity in groups of three with one student (who has been given the correct answers) serving as a **moniteur / trice.**

D. **Habitudes et activités.** Utilisez les suggestions suivantes pour poser des questions aux autres étudiants sur leurs activités de loisirs. N'oubliez pas d'utiliser le pronom **y** ou **en** dans vos réponses.

EXEMPLE   aller souvent au cinéma
           Est-ce que tu vas souvent au cinéma ?
           Oui, j'y vais souvent, mais pas pendant la semaine.
           boire souvent du café
           Est-ce que tu bois souvent du café ?
           Non, j'en bois rarement; je préfère le thé.

1. aller souvent au concert
2. passer beaucoup de temps à la maison
3. aller quelquefois au théâtre
4. acheter souvent des revues françaises
5. écouter souvent de la musique classique
6. écouter de temps en temps des CD français
7. regarder quelquefois des films étrangers

C'est votre tour

Notre vie est marquée d'événements mémorables : notre premier jour à l'école, la première fois qu'on voyage seul, le premier petit amour, etc. Travaillez en petits groupes de trois ou quatre et posez-vous mutuellement des questions pour explorer ce type de souvenir.

Exploration 3

Exprimer vos intentions et vos réactions : Le subjonctif avec les verbes de volition, d'émotion et de doute

The subjunctive is used after verbs and expressions of wanting or wishing, emotion, or doubt.

A. Wanting or wishing (**vouloir, désirer, préférer, aimer mieux,** etc.):

Le professeur veut que nous **fassions** des progrès.
Je voudrais que vous **soyez** heureux.

B. Emotion (**avoir peur, être content, regretter, être triste, être surpris,** etc.):

Nous regrettons que vous ne **puissiez** pas venir.
Je suis surpris que tu ne t'en **souviennes** pas.
J'ai peur qu'ils **aient** un accident.

C. Doubt (**douter, ne pas croire, ne pas être sûr,** etc.):

Je doute qu'ils **viennent.**
Je ne crois pas que tu le **saches.**
Je ne suis pas sûr qu'ils **soient** en bonne santé.

Croire and **penser** are followed by the subjunctive only when used in the negative (and sometimes in the interrogative) — that is, when doubt is implied. Compare:

Je crois qu'ils viendront.
Tu penses qu'il pourra se débrouiller.

Je ne crois pas qu'ils viennent.
Penses-tu qu'il puisse se débrouiller ?

The verb **espérer** is not followed by the subjunctive.

J'espère que tu ne vas pas oublier.

D. The subjunctive is used only when the subject of the first clause is different from the subject of the second clause. When there is only one subject, an infinitive is used instead. Compare:

Elle est contente que nous partions.
Mon père veut que je finisse mes études.

Nous sommes contents de partir.
Je veux finir mes études.

Situation : Différences d'opinion

Catherine est très agitée parce que ses parents et elle ne sont pas d'accord au sujet de son avenir. Elle se confie à son grand-père et lui demande conseil.

CATHERINE   Ah, pépé ! Je suis contente que tu sois là; j'ai besoin de tes conseils.

M. LÉVÊQUE   Je ne suis pas sûr de pouvoir t'aider, mais dis-moi quand même ce qui ne va pas.

Ask students to identify each usage of the subjunctive and the verb that requires its usage.

CATHERINE	Papa et maman veulent que j'aille à l'université, mais moi, je n'en ai pas envie...
M. LÉVÊQUE	Je comprends que tu n'aies pas envie de nous quitter, mais, tu sais, j'ai peur qu'ils aient raison...
CATHERINE	Ils veulent que je fasse des études parce qu'ils ont peur que je donne le mauvais exemple pour mon petit frère ! J'en suis sûre !
M. LÉVÊQUE	Mais non, mais non; calme-toi... Je ne crois pas que ce soit la raison ! Tout ce qu'ils veulent, c'est que tu sois heureuse et que tu aies une bonne situation.

> **Mots à retenir :**
> **se confier à** *to confide in*, **quand même** *anyway*

Avez-vous compris ?

Quelles sont les différences d'opinion entre Catherine et ses parents ? Quel est le rôle du grand-père dans tout ça ?

Communication et vie pratique

A. **On va au mariage.** Thierry et Sandrine vont se marier samedi, et bien sûr, tous leurs amis sont invités. Mais quel temps va-t-il faire ? Tout le monde a son opinion sur la question.

> EXEMPLE   je crois
> **Je crois qu'il va faire beau.**
>
> je ne crois pas
> **Je ne crois pas qu'il fasse beau.**

1. je suis sûr (e)
2. je doute
3. j'espère
4. je ne pense pas
5. je voudrais bien
6. je crois
7. je souhaite
8. je ne suis pas sûr (e)

B. **Confidences.** Vos amis partagent avec vous leurs soucis et leurs joies. Vous écoutez avec sympathie et vous réagissez à ce qu'ils disent.

> EXEMPLE   Je ne me sens pas très bien. (Je regrette)
> **Je regrette que tu ne te sentes pas bien.**

1. Nous avons des soucis d'argent. (Je regrette)
2. Je peux résoudre mes problèmes tout seul. (Je doute)
3. Nous n'avons pas le temps de nous détendre. (C'est dommage)
4. Ma grand-mère va beaucoup mieux. (Je suis content)
5. Pierre et moi, nous nous disputons souvent. (C'est dommage)
6. Denise a mauvais caractère. (Je ne crois pas)
7. Je me sens beaucoup mieux. (Je suis heureux)
8. Martine et moi, nous ne sortons plus ensemble. (Je suis surpris)

C. Différences d'opinion. Jean-Luc et ses parents ne sont pas toujours d'accord. Quelle est sa situation ?

> EXEMPLE   Ses préférences : aller à l'université de Nice
> **Il voudrait aller à l'Université de Nice.**
>
> Les préférences de ses parents : aller à l'Université de Lille
> **Ils voudraient qu'il aille à l'Université de Lille.**

Ses préférences	Les préférences de ses parents
1. louer un appartement	1. habiter dans une résidence universitaire
2. acheter une moto	2. utiliser son vieux vélo
3. apprendre le chinois	3. apprendre l'anglais
4. être musicien	4. être médecin
5. faire des études de musique	5. faire des études de médecine
6. sortir tous les soirs	6. sortir moins souvent
7. s'amuser	7. être plus sérieux
8. choisir des cours intéressants	8. choisir des cours plus pratiques

> Have students role-play this activity with one group playing Jean-Luc (**Je voudrais aller à l'université**) and the other group playing the parents (**Nous voudrions qu'il aille à l'Université de Lille**).

D. C'est la vie. Êtes-vous d'accord avec les opinions exprimées ? Pour indiquer votre opinion, commencez la phrase avec **je crois, je suis sûr(e), je ne suis pas sûr(e), j'ai peur, je regrette, je doute,** etc.

> EXEMPLE   On peut être à la fois riche et heureux.
> **Je crois qu'on peut être à la fois riche et heureux.** *ou*
> **Je doute (Je ne crois pas) qu'on puisse être à la fois riche et heureux.**

1. On apprend beaucoup de choses utiles à l'école.
2. Les enfants grandissent trop vite de nos jours.
3. Il est trop difficile de divorcer.
4. On peut être à la fois riche et heureux.
5. Les jeunes sont bien préparés pour la vie.
6. Les parents donnent trop de liberté à leurs enfants.
7. On a le droit de faire et de dire ce qu'on veut.
8. La jalousie est un sentiment tout à fait normal.

C'est votre tour

Il y a des gens qui voient toujours « la vie en rose » et d'autres pour qui c'est tout le contraire. Imaginez que vous faites partie du premier groupe et que vos amis (joués par d'autres étudiants) font partie du deuxième groupe. Ils vous parlent de leurs problèmes, de leurs doutes et de leurs craintes. Vous essayez de les rassurer et de les aider à voir la vie sous un meilleur jour. Utilisez la **Situation** et les activités qui précèdent comme point de départ.

Intégration et perspectives : *BARBARA*

Jacques Prévert (1900–1977) a été le poète des sentiments, de la vie de tous les jours et de la solidarité humaine. Il prend le temps de regarder et de sentir les gens et les choses vivre autour de lui. Et ensuite, il les exprime avec des mots de tous les jours, dans un style simple et spontané, mais plein d'intensité et de tendresse.

Dans ses poèmes et ses chansons, Prévert parle des gens et des choses qu'il aime. Parfois aussi, comme dans le poème suivant, il est le témoin impuissant des drames de la vie, et il évoque de façon poignante la dévastation de la guerre et son indignation devant une telle stupidité.

Le poème suivant comprend trois étapes, ou trois scènes, bien distinctes :

- Le théâtre de l'action : La ville de Brest, sous la pluie, avant la guerre. Une pluie heureuse, sur une ville heureuse. Une femme, Barbara, à qui Prévert adresse son poème, marche sous la pluie. Nous sommes ici dans le passé, un passé qui reste gravé dans le souvenir du poète, témoin impuissant du drame qui va se dérouler.

- L'action : Barbara a rendez-vous avec l'homme qu'elle aime. Les deux amants se retrouvent, sous la pluie. Ils sont heureux. Puis, brusquement, tout change. C'est la guerre.

- Le présent : Il pleut de nouveau sur Brest; mais maintenant tout est vide et dévasté. Les bombes ont tout détruit. Et on ne sait pas ce que les deux amants sont devenus.

Le poème est ponctué par une phrase qui revient constamment : « Rappelle-toi Barbara ». Le poète demande à Barbara de ne pas oublier son amour passé, et surtout l'horreur de la guerre. Mais, en même temps, c'est aussi à nous qu'il demande de ne pas oublier.

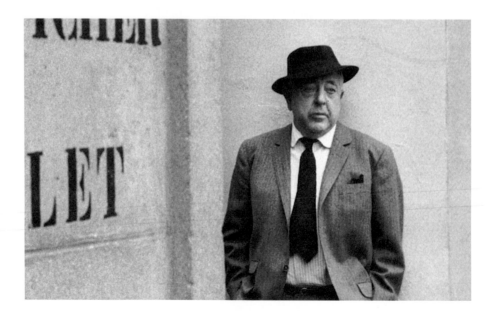

Pour mieux lire : Dans les manuels scolaires, les indications qu'on vous donne à l'avance sur un auteur ou sur le texte même sont souvent très utiles pour vous aider à mieux le comprendre. Il est également important de savoir à quelles circonstances historiques le texte fait allusion. Par exemple, cela va vous aider de savoir que la ville de Brest, qui servait de base sous-marine allemande pendant la Deuxième Guerre mondiale, a été complètement détruite par les bombardements alliés. Vous pouvez également consulter un atlas ou une encyclopédie pour savoir exactement où Brest est situé, son rôle historique et sa situation actuelle.

Rappelle-toi Barbara
Il pleuvait sans cesse sur Brest ce jour-là
Et tu marchais souriante
Épanouie ravie ruisselante
Sous la pluie
Rappelle-toi Barbara
Il pleuvait sans cesse sur Brest
Et je t'ai croisée rue de Siam
Tu souriais
Et moi je souriais de même
Rappelle-toi Barbara
Toi que je ne connaissais pas
Toi qui ne me connaissais pas
Rappelle-toi
Rappelle-toi quand même ce jour-là
N'oublie pas
Un homme sous un porche s'abritait
Et il a crié ton nom
Barbara
Et tu as couru vers lui sous la pluie
Ruisselante ravie épanouie
Et tu t'es jetée dans ses bras
Rappelle-toi cela Barbara
Et ne m'en veux pas si je te tutoie
Je dis tu à tous ceux que j'aime
Même si je ne les ai vus qu'une seule fois
Je dis tu à tous ceux qui s'aiment
Même si je ne les connais pas
Rappelle-toi Barbara
N'oublie pas

Cette pluie sage et heureuse
Sur ton visage heureux
Sur cette ville heureuse
Cette pluie sur la mer
Sur l'arsenal
Sur le bateau d'Ouessant
Oh Barbara
Quelle connerie la guerre
Qu'es-tu devenue maintenant
Sous cette pluie de fer
De feu d'acier de sang
Et celui qui te serrait dans ses bras
Amoureusement
Est-il mort disparu ou bien encore vivant
Oh Barbara
Il pleut sans cesse sur Brest
Comme il pleuvait avant
Mais ce n'est plus pareil et tout est abîmé
C'est une pluie de deuil terrible et désolée
Ce n'est même plus l'orage
De fer d'acier de sang
Tout simplement des nuages
Qui crèvent comme des chiens
Des chiens qui disparaissent
Au fil de l'eau sur Brest
Et vont pourrir au loin
Au loin très loin de Brest
Dont il ne reste rien.

JACQUES PRÉVERT, **BARBARA,** EXTRAIT DE
PAROLES, ÉDITIONS GALLIMARD

Mots à retenir / Mots en contexte :
épanouie *face lit up*, ruisselante *dripping wet*, croiser *to meet*, **connaître**[2] *to know, to be familiar with*, s'abriter *to take shelter*, **courir** *to run*, **jeter** *to throw*, Ouessant *an island near Britanny*, une connerie *stupidity*, le fer *iron*, l'acier *(m) steel*, le sang *blood*, pareil *the same*, abîmé *ruined, destroyed*, le deuil *mourning*, crever *to burst, to die*, au fil de l'eau *with the flow*, pourrir *to rot*, **dont** *of which*

Avez-vous compris ?

Le poème décrit ce que le poète a vu et pensé. Racontez l'histoire du point de vue de chacun des deux amants. Utilisez les trois étapes (le théâtre de l'action, l'action, le présent) pour vous guider.

---

[2]**Connaître** is an irregular verb. Its forms are **je connais, tu connais, il/elle/on connaît, nous connaissons, vous connaissez, ils/elles connaissent. Passé composé : j'ai connu.**

Info-culture : Le jour « J »

Point out that **le jour « J »** stands for **le grand jour,** that is, a very important day.

Le jour « J », c'est le 6 juin 1944, « D Day » en anglais, ce fameux jour où les troupes alliées ont débarqué en Normandie pour venir aider la France à repousser l'invasion allemande. C'est le jour évoqué dans de nombreux films de guerre et en particulier dans « Le jour le plus long » de Daryl Zanuck et plus récemment dans « Il faut sauver le soldat Ryan » de Spielberg. Mais quelle est la chronologie de ces événements ?

En fait, c'est le 5 juin, à 22 heures que commencent les opérations. Cinq forces d'assaut composées de 6 939 navires *(ships)* et de 130 000 hommes quittent les ports du sud de l'Angleterre et se rassemblent en convois à un endroit surnommé *(nicknamed)* « Piccadilly Circus ».

À 0 h 05, les alliés commencent le bombardement des positions allemandes entre Cherbourg et Le Havre. Les divisions aéroportées composées de 15 000 hommes passent alors à l'action et les parachutages arrivent par vagues *(waves)* successives. Leur mission est de préparer le chemin pour les troupes qui vont débarquer. Le courage héroïque de ces commandos a été immortalisé dans la scène de la prise de « Pegasus Bridge » dans « Le jour le plus long ».

À 5 h 50 commence le bombardement naval des fortifications allemandes pour permettre aux bateaux du débarquement d'arriver à proximité des plages. Dix minutes plus tard, les bombardiers déversent 5 316 tonnes de bombes sur les fortifications allemandes. Cinq minutes avant l'heure « H », les bombardements cessent. Puis, c'est le débarquement.

Dès 6 h 30, les Américains débarquent sur les plages d'Omaha et Utah. À partir de 7 h 10, ils s'attaquent à la Pointe du Hoc. À 7 h 30, les Britanniques et les Canadiens débarquent sur les plages de Juno et Sword. Toute la journée, les troupes débarquent par vagues successives.

Au soir du 6 juin, Eisenhower peut déclarer que l'opération « Overlord » est un succès. Les troupes du débarquement ont réussi à prendre pied sur les plages normandes. Pourtant, l'inquiétude reste car il y a encore des poches de résistance et la « tête de pont » *(beachhead)* alliée reste fragile. Et surtout la victoire vient à un très lourd prix : 10 000 soldats sont morts, blessés ou portés disparus. Mais c'est la délivrance de l'Europe qui vient de commencer.

Communication et vie pratique

If possible, you might want to videotape these adaptations of the poem

A. **Silence, on tourne !** Vos amis et vous avez décidé de faire un film sur la Deuxième Guerre mondiale et vous voulez que la scène décrite dans « Barbara », le poème de Prévert, fasse partie de ce film. Commencez par écrire la partie du scénario qui correspond à cette scène. N'oubliez pas de choisir la musique et, si possible, les décors qui vont accompagner cette scène. Ensuite, choisissez les étudiants qui vont jouer le rôle de Barbara, de son amant et du narrateur, et jouez la scène.

B. **Déjeuner du matin.** Lisez « Déjeuner du matin », un autre poème de Jacques Prévert. À votre avis, quels sont les différents sentiments éprouvés par chaque personnage ? Quels sentiments semblent absents de leur vie ?

*As a prereading activity, ask students to see how Prévert transforms an ordinary part of daily life into a **drame de la vie** by asking them first to list the typical actions that one goes through at breakfast. Then have them compare their lists with the content of the poem.*

> *Il a mis le café*
> *Dans la tasse*
> *Il a mis le lait*
> *Dans la tasse de café*
> *Il a mis le sucre*
> *Dans le café au lait*
> *Avec la petite cuiller*
> *Il a tourné*
> *Il a bu le café au lait*
> *Et il a reposé la tasse*
> *Sans me parler*
> *Il a allumé*
> *Une cigarette*
> *Il a fait des ronds*
> *Avec la fumée*
> *Il a mis les cendres*
> *Dans le cendrier*
> *Sans me parler*
> *Sans me regarder*
> *Il s'est levé*
> *Il a mis*
> *Son chapeau sur sa tête*
> *Il a mis*
> *Son manteau de pluie*
> *Parce qu'il pleuvait*
> *Et il est parti*
> *Sous la pluie*
> *Sans une parole*
> *Sans me regarder*
> *Et moi j'ai pris*
> *Ma tête dans ma main*
> *Et j'ai pleuré*

In groups or as a class, have two students act out the poem while another student reads it aloud.

*Ask students to write a continuation of the poem; they can also be asked to describe the events that might have preceded the poem. Apollinaire's **Calligrammes** (e.g., **Le Cigare**, **Le Miroir**) can also be used at this point. If desired, students can make up their own **calligramme.***

JACQUES PRÉVERT, **DÉJEUNER DU MATIN**
EXTRAIT DE *PAROLES*, ÉDITIONS GALLIMARD

Mots en contexte :
un rond *a smoke ring,* les cendres *(m) ashes,* la parole *word*

C. **Internet.** Sur l'Internet, on peut même trouver des poèmes de Prévert et des renseignements sur sa vie et son œuvre. Utilisez un moteur de recherche pour trouver un de ces sites. Quels autres poèmes de Prévert avez-vous trouvés ? De quels sujets Prévert parle-t-il dans ces poèmes ? Si vous préférez, vous pouvez explorer des sites dédiés à d'autres poètes français comme, par exemple, Guillaume Apollinaire, Victor Hugo, Arthur Rimbaud, Charles Baudelaire, etc.

D. **Les étapes de la vie.** Racontez votre vie jusqu'au moment présent, ou si vous préférez, la vie de quelqu'un d'autre. Utilisez le vocabulaire présenté dans le **Point de départ** et les verbes et les temps appropriés.

Pour mieux écrire : Exprimer vos idées telles qu'elles vous viennent à l'esprit quand vous traitez un sujet est seulement le premier pas. Pour bien écrire, il faut aussi porter une attention particulière à la composition de votre texte. Voici quelques questions qui vont vous aider dans cette tâche.
L'introduction : Est-ce qu'elle est intéressante, et est-ce qu'elle donne envie de continuer la lecture ?
Les paragraphes : Est-ce qu'il y a une idée principale dans chaque paragraphe, et est-ce que le reste du paragraphe développe cette idée de façon claire et logique ?
Les transitions : Est-ce qu'il y a une bonne transition d'un paragraphe à l'autre ?
La conclusion : Est-ce que vous avez une conclusion, et est-ce qu'elle est bien adaptée au contenu de votre texte ?

E. **Familiale.** Écoutez le poème de Prévert intitulé « Familiale » et ensuite, indiquez qui sont les trois personnages dans le poème, ce qu'ils font et comment se termine le poème. Utilisez les illustrations suivantes pour vous guider dans votre récit.

La mère fait du tricot.

Le père fait des affaires.

Le fils fait la guerre.

Le cimetière

Pour mieux comprendre : Un poème est fait pour être écouté autant que pour être lu. Son interprétation va vous aider à rétablir la ponctuation (absente dans un poème en vers libres) et surtout à « sentir » les émotions exprimées. Faites aussi très attention aux mots et aux phrases qui sont répétés fréquemment. Qu'est-ce que cela vous dit ? Pour vous aider à comprendre, vous pouvez également regarder les illustrations et faire appel à ce que vous savez déjà au sujet de Prévert et de son attitude vis-à-vis de la guerre.

Avez-vous compris ?

Indiquez qui sont les trois personnages, ce qu'ils font et ce qui arrive à la fin. Utilisez les quatre photos pour vous guider dans votre récit.

CHEZ NOUS

À MADAGASCAR

Superficie : 587 000 km²

Population : 13 300 000 h

Capitale : Tananarive

Langues : français et malgache

Institution : république indépendante depuis 1960

« Nous, les Malgaches, nous n'avons pas peur de la mort car elle est considérée comme le simple passage d'une vie à l'autre. Mais attention, il y a des rituels à respecter ! Quand quelqu'un meurt, les vivants doivent demander aux ancêtres déjà morts d'accepter le nouveau venu parmi eux; sinon, il risque d'errer éternellement. Et pour se venger de ce mauvais sort, il va passer son temps à embêter les vivants au lieu de les aider de ses conseils !

À l'occasion des enterrements, ainsi que de tous les événements importants, on fait venir des griots, c'est-à-dire des professionnels de la parole. La marque d'un bon discours se trouve dans la subtilité et l'originalité des images et des allégories. Les images les plus utilisées par les orateurs viennent des proverbes et elles forment la base des discours. Un orateur, par exemple, ne va pas hésiter à citer des séries entières de proverbes et, en général, il va terminer son discours par un petit poème. En voici un exemple :

Comment sont les reproches ?

Comme les vents. J'ai entendu leur nom, mais je ne vois pas leur visage.

Comment sont les reproches ?

Ils sont comme le froid.

On ne l'entend pas, mais il engourdit. »

Vocabulaire

Les étapes de la vie (Voir p. 334)
Les sentiments (Voir p. 335)
Les vœux et les condoléances (Voir p. 336)

Noms

arrière-grand-mère (f)
  great-grandmother
bûcheron (m) *logger*
chapeau (m) *hat*
enfance (f) *childhood*
feu (m) *fire*
guerre (f) *war*
mémé (f) *grandma*
parole (f) *word*
pas (m) *step*
situation (f) *job*
souvenir (m) *memory*
témoin (m) *witness*
traîneau (m) *sleigh*

Verbes

allumer *to light*
bloquer *to block, stop*
se confier à *to confide in*
connaître *to know,*
  become familiar with
courir *to run*
crier *to cry out, shout*
déménager *to move*
disparaître *to disappear*
évoquer *to evoke*
s'habituer à *to become*
  accustomed to
pleurer *to cry*

Adjectifs

agité *restless, agitated*
glacé *frozen*
malheureux / euse
  unhappy, miserable
pareil(le) *the same*
tel(le) *such*
vide *empty*

Divers

en *of it, of them, from it,*
  from them, some, any
ensuite *then, next*
justement *just, exactly*
sans cesse *continuously,*
  without stopping
y *there, to it, to them*

Le monde
d'aujourd'hui
et de demain

Fonctions

Dans ce chapitre, vous allez apprendre à
- *vous tenir au courant de ce qui se passe dans le monde*
- *parler de l'avenir*
- *parler des possibilités*
- *relier deux idées*

Vocabulaire et structures

Point de départ : À la une des journaux
Exploration 1 : Le futur et le futur antérieur
Exploration 2 : Le conditionnel et la phrase conditionnelle
Exploration 3 : Les pronoms relatifs

Point de départ : À la une des journaux

You might want to find articles and have students scan them to determine which of the categories in the **Point de départ** is illustrated. You might want students to scan newspapers in print or on the Web to see if they can find these or other words related to the topics introduced in the **Point de départ.**

You might want to make students more aware of word families by pointing out words related to those in the categories below: for example, **une élection→les élus, être élu, le système électoral; un candidat→une candidature; le gouvernment→gouverner.** You might also ask students to look up these words in the dictionary and ask them to (1) find related words or (2) see how these words are used in different expressions (e.g., **être candidat(e), être candidat(e) à la présidence, poser sa candidature**).

Point out that **chômeur / chômeuse** refers to unemployed workers; **en chômage** means unemployed.

Les médias (journaux et revues, informations à la radio et à la télévision, sites et groupes de discussion Internet) nous permettent de nous tenir au courant *(to stay informed)* de ce qui se passe dans le monde. De quels sujets parle-t-on en ce moment ? À quels sujets vous intéressez-vous particulièrement ?

La vie politique

une élection, un candidat, une campagne électorale, un parti politique
voter une loi
le gouvernement, prendre une décision
lutter pour une cause, participer à une manifestation *(demonstration)*

La justice

la police, arrêter un suspect
commettre un crime
être accusé, être jugé coupable *(guilty)* ou non coupable, aller en prison
être condamné à la peine de mort

Les relations internationales

la paix, les conflits et les guerres, attaquer un autre pays, défendre son pays
signer un accord
le terrorisme, un attentat *(criminal attempt)*

Les problèmes sociaux

l'inflation *(f)*, le chômage, la drogue, les injustices *(f)* et les inégalités *(f)*,
sociales, l'intolérance *(f)* et les préjugés *(m)*, le racisme et le sexisme

Les catastrophes

une inondation *(flood)*, un tremblement de terre *(earthquake)*, une tornade,
un cyclone, un incendie *(fire)*, un accident d'avion, les accidents de la route

La nature et l'environnement

la pollution, les déchets *(m)* *(waste)* toxiques, les armes *(f)* nucléaires, le gaspillage *(wasting)* des ressources naturelles, la surpopulation
la protection de l'environnement, conserver l'énergie, protéger les espèces en voie d'extinction, recycler les déchets

Le progrès et la recherche scientifique

les découvertes *(f)* scientifiques et les progrès *(m)* technologiques
l'exploration *(f)* spatiale, un astronaute, lancer une fusée *(rocket)*, un satellite, une navette *(shuttle)* spatiale, une station spatiale

Communication et vie pratique

A. **À la une des journaux.** Lisez les titres suivants et indiquez le sujet de chaque article. Si vous préférez, apportez vous-même quelques titres d'articles trouvés dans des revues et des journaux de langue française.

Transition politique en Afrique de l'Ouest

IBM : 10.000 suppressions d'emploi l'an prochain

Les prix ont augmenté de 0,3 % à 0,4 % en février

Le «Parlement des enfants» dénonce les injustices

Paris et l'Europe : bonnes questions, mauvaises réponses
Grâce à la vision française, l'Europe n'est pas seulement un marché mais une puissance.

Cancer du sein : la vitamine A du moindre risque

Débat sur la réforme du Conseil constitutionnel

Nuage toxique sur San Francisco

La Russie face aux épidémies
Choléra, diphtérie et typhus ... Les maladies infectieuses se propagent et inquiètent les autorités.

Les bizarreries de la nature

Fin de la grève des camionneurs italiens

Yen-dollar : nouvel appel à la concertation

B. **Sondage d'opinion.** Quelle est, à votre avis, l'importance des problèmes suivants dans le monde ? et aux États-Unis ? Essayez de justifier votre point de vue.

1 = ce n'est pas très important   3 = c'est très important
2 = c'est assez important   4 = c'est extrêmement important

Les problèmes	Dans le monde				Aux États-Unis			
	1	2	3	4	1	2	3	4
le chômage								
la violence								
le racisme								
l'inflation								
la pauvreté								
la faim								
la pollution								
la surpopulation								
le SIDA								
les conflits entre les nations								
les risques d'accidents nucléaires								
les crimes contre les enfants								
?								

C. **Discussions et débats.** Formez des petits groupes dans lesquels vous allez discuter les sujets suivants. Présentez et défendez votre point de vue.

1. Les lois : Êtes-vous satisfait(e) des lois que nous avons dans ce pays ? Y a-t-il des lois que vous désirez changer ? Pourquoi ?
2. Les élections : Que pensez-vous des différents candidats et de leurs idées ? Avez-vous voté aux dernières élections ? Sinon, pourquoi pas ?
3. La situation sociale : Que pensez-vous de la situation sociale aux États-Unis ? Quels sont les problèmes qui vous préoccupent le plus ? Que faut-il faire pour les résoudre ?
4. La situation internationale : Qu'est-ce qui se passe en ce moment dans le monde ? Quels sont, à votre avis, les problèmes ou les événements les plus importants ? Pourquoi ?
5. La recherche et le progrès : Quels sont les aspects de la recherche et du progrès qui vont apporter le plus de changements dans notre vie ? Expliquez.

D. **Internet.** Quelles sont les principales nouvelles dont parle la presse française ces jours-ci ? Utilisez un moteur de recherche pour trouver un journal français ou, si vous préférez, consultez le site suivant qui vous donnera une liste des principaux journaux : **http://www.webwombat.com.au/ intercom/newsprs/France.htm.** Après ça, il vous suffira de cliquer sur le journal qui vous intéresse.

Info-culture : « Liberté, égalité, fraternité »

« Liberté, égalité, fraternité », telle est la devise *(motto)* de la France, dont la constitution est basée sur la « Déclaration des droits de l'homme et du citoyen » de 1789. La France est maintenant sous le régime de la 5ᵉ République (Constitution de 1958, modifiée en 1962). Elle est composée de deux branches : la branche exécutive et la branche législative.

● Le pouvoir exécutif

Le Président de la République... Il est élu au suffrage universel pour un mandat de sept ans. Il nomme le Premier ministre et il préside les déliberations du Cabinet, c'est-à-dire du gouvernement. Gardien de la Constitution, le Président promulgue les lois et peut dissoudre le Parlement en cas de nécessité. Le Président est aussi le commandant en chef des forces armées.

Le Premier ministre et son Cabinet... Nommé par le président, il dirige la politique du gouvernement et il est chargé de l'administration du pays et de l'exécution des lois votées par le Parlement. Il peut également soumettre des projets de lois au Parlement.

● Le pouvoir législatif

Le Parlement est composé de deux chambres : l'Assemblée nationale, composée de 577 députés élus au suffrage universel direct pour une période de cinq ans, et le Sénat, composé de 321 sénateurs élus au suffrage indirect pour une période de neuf ans, et dont un tiers est renouvelé tous les trois ans.

Le Parlement est chargé de proposer et de voter les lois. Le président ne peut pas déclarer la guerre sans l'accord du Parlement. L'Assemblée nationale peut, en outre, « poser la question de confiance » et forcer le gouvernement à démissionner.

Les députés et les sénateurs appartiennent à un des nombreux partis politiques; au moment d'une élection plusieurs partis peuvent se grouper et former une coalition. Quelques-uns des principaux partis sont le Parti socialiste, le Rassemblement pour la République, les Verts, et l'Union pour la démocratie française.

You might want to consider having students check the **Chez nous** sections at the end of each chapter and make a list of the type of government in place in different francophone countries. If appropriate, you might ask them to do a brief research project on one or several of the governments of these countries to present orally or in writing to the class.

Exploration 1

Parler de l'avenir : Le futur et le futur antérieur

In French, the future tense is a single word formed by adding endings to a stem. It is used both in writing and in speaking, though **aller** + infinitive is also often used in conversation.

A. Most verbs form the future by adding the endings shown to the infinitive. When the infinitive ends in **-re,** the **e** is dropped.

je manger**ai**	nous manger**ons**
tu manger**as**	vous manger**ez**
il / elle / on manger**a**	ils / elles manger**ont**

je finir**ai**	nous finir**ons**
tu finir**as**	vous finir**ez**
il / elle / on finir**a**	ils / elles finir**ont**

j'attendr**ai**	nous attendr**ons**
tu attendr**as**	vous attendr**ez**
il / elle / on attendr**a**	ils / elles attendr**ont**

Je ne **voterai** pas pour ce candidat.
Quand le gouvernement **prendra**-t-il une décision ?
J'espère qu'ils **signeront** bientôt un accord.

B. Although the future endings are the same for all verbs, certain common verbs have irregular stems.

Verb	Future Stem	
aller	**ir**	Est-ce qu'il **ira** en prison ?
avoir	**aur**	Vous **aurez** le droit de voter.
devoir	**devr**	On **devra** trouver une solution.
être	**ser**	Nous **serons** tous à la manifestation.
faire	**fer**	Que **ferez-vous** s'il y a une guerre ?
falloir	**faudr**	Il **faudra** résoudre ce problème.
pleuvoir	**pleuvr**	**Pleuvra**-t-il encore longtemps ?
pouvoir	**pourr**	Je **pourrai** vous aider plus tard.
savoir	**saur**	Nous **saurons** bientôt les résultats.
tenir	**tiendr**	J'espère que vous nous **tiendrez** au courant.
venir	**viendr**	Quand le président **reviendra**-t-il de son voyage officiel ?
vouloir	**voudr**	Sais-tu ce que tu **voudras** faire ?

C. In French, when a clause begins with **quand** (when), **lorsque** (when), **dès que** (as soon as), or **aussitôt que** (as soon as) and future time is implied, the verb is in the future. In English the present tense is used in similar instances.

Ils pourront voter **quand** ils **auront** 18 ans.

They'll be able to vote when they are 18.

Lorsque nous **irons** en France, nous visiterons le palais de l'Élysée.

When we go to France, we'll visit the Élysée palace.

Nous commencerons la discussion **dès que** tout le monde **sera** ici.	*We'll begin the discussion as soon as everyone is here.*
Je te téléphonerai **aussitôt que** j'**aurai** la réponse.	*I'll call you as soon as I have the answer.*

D. To indicate that one future event will occur before another, the **futur antérieur** is used. It is simply the future tense of **avoir** or **être** and the past participle.

j'**aurai fini**	nous **aurons fini**
tu **auras fini**	vous **aurez fini**
il / elle / on **aura fini**	ils / elles **auront fini**

je **serai parti(e)**	nous **serons parti(e)s**
tu **seras parti(e)**	vous **serez parti(e)s**
il / elle / on **sera parti(e)**	ils / elles **seront parti(e)s**

On **aura signé** un accord avant la fin de la semaine.
Téléphonez-nous **dès que** vous **serez rentré**.

Situation : Ne sois pas si pessimiste !

Patrick et Régine ont deux enfants. Ils se demandent comment sera la vie de leurs enfants quand ils seront grands.

You might want to ask them to identify the instances of the future and the future perfect in the **Situation.**

PATRICK   Je me demande comment sera leur vie quand ils auront notre âge...

RÉGINE   Si on n'arrête pas de polluer la planète, c'est un monde bien triste qu'on leur laissera.

PATRICK   Ne t'inquiète pas, d'ici là, on trouvera bien une solution !

RÉGINE   Oui, mais entre temps, on aura détruit tout ce qui fait la qualité de notre vie. Et qui sera à blâmer si on ne fait rien ? Nous, personne d'autre !

PATRICK   Je sais bien. Mais on ne peut pas arrêter le progrès...

RÉGINE   Non, mais il faudra bien faire quelque chose, sinon, tout ce progrès ne servira à rien.

Mots à retenir :
se demander *to wonder,* **s'inquiéter** *to worry,* **sinon** *if not*

IAE Drills: 1. **Nous partirons à onze heures. tu / vous / je / Marc / Gabrielle.** 2. **J'attendrai dix minutes. nous / le professeur / les étudiants / vous** 3. **Est-ce qu'ils iront au Canada cet été ? vous / tu / nous / on / Sophie.** 4. **Tu seras ici, n'est-ce pas ? les étudiants / le professeur / vous / Jean-Marie / tout le monde.** 5. **Elle s'en occupera demain. nous / mes amis / tu / je / sa mère.** 6. **Un jour, elle aura beaucoup d'argent. je / mes amis / vous / nous / son ami.** 7. **Ils finiront ce projet la semaine prochaine. vous / je / les employés / le patron / nous.**

Have students work in groups of three: one student provides replies of **les optimistes,** the second student **les pessimistes,** and the third student who has been given the correct answers serves as **moniteur / monitrice.**

As an alternative, have students pick the five projects that they will accomplish, adding ideas of their own. Their lists, without names, are given to other students who ask questions to find out whose list they have been given: **Est-ce que tu feras un jour le tour du monde ?**

Avez-vous compris ?

À votre avis, qui est le plus pessimiste des deux, Patrick ou Régine ? Justifiez votre opinion.

Communication et vie pratique

A. Il y a des optimistes... et des pessimistes. Vous avez des amis qui sont assez optimistes quand ils pensent à l'avenir, et d'autres qui sont pessimistes. Qu'est-ce qu'ils disent ?

> **EXEMPLE**   nous / trouver du travail
> Les optimistes : **Nous trouverons du travail.**
> Les pessimistes : **Nous ne trouverons pas de travail.**

1. Valérie / réussir bien dans la vie
2. vous / faire des progrès
3. Sylvie et Bertrand / se marier
4. ses parents / acheter une maison
5. tu / finir tes études
6. je / devenir célèbre
7. nous / être contents
8. tu / aller très loin

B. Projets d'avenir. Qu'est-ce que les autres étudiants ont l'intention de faire plus tard ? Posez-leur des questions pour le savoir. Demandez-leur aussi d'expliquer leurs choix.

> **EXEMPLE**   apprendre une autre langue étrangère
> **Est-ce que tu apprendras une autre langue étrangère ?**
> **Oui, j'apprendrai le russe parce que c'est important pour ma future profession.**

1. aller travailler à l'étranger
2. faire souvent des voyages
3. gagner beaucoup d'argent
4. devenir riche et célèbre
5. avoir un métier intéressant

6. prendre le temps de vivre
7. se marier et avoir des enfants
8. faire du sport régulièrement
9. acheter une maison
10. passer un an dans un pays francophone
11. ?

C. **Prédictions.** Dites ce que vous pensez de chacune des prédictions suivantes. Ensuite, faites vos propres prédictions et demandez aux autres étudiants ce qu'ils en pensent.

EXEMPLE   Les hommes ne seront jamais parfaits.
C'est vrai, les hommes ne seront jamais parfaits.

1. On ne pourra jamais éliminer la nécessité de travailler.
2. L'énergie solaire sera notre principale source d'énergie.
3. Dans deux siècles, il n'y aura plus de vie sur cette planète.
4. On pourra habiter sous les mers.
5. Un jour, on mangera seulement des aliments artificiels.
6. On n'aura plus besoin de travailler. Ce sont les robots qui feront tout.
7. On ne pourra jamais résoudre le problème des inégalités sociales.
8. Il n'y aura plus de guerre.

D. **Boule de cristal.** Imaginez que vous pouvez prédire l'avenir. Quelles sont vos prédictions pour les autres étudiants de votre classe ?

EXEMPLE   **Toi, Julie, tu iras loin. Un jour, tu seras un des juges de la Cour suprême.**

You might want to have students use horoscopes from magazines and newspapers for ideas.

C'est votre tour

Vous avez une discussion avec des amis au sujet de l'avenir de notre planète. Certains sont optimistes; d'autres sont plutôt pessimistes. Chaque groupe prépare ses arguments. Ensuite, présentez et discutez vos points de vue respectifs.

As preparation, have students list positive things and negative things that might happen in the future.

Exploration 2

Parler des possibilités : Le conditionnel et la phrase conditionnelle

In English, a conditional verb can be recognized by the presence of the word *would* in a verb phrase: *I would like to study in Quebec. Would you vote for this candidate?* In French, the conditional is formed by adding the endings of the imperfect tense to the future stem of a verb.

Remind students that the imperfect, not the conditional, is used to express the idea of "would" in the sense of "used to." Have students contrast the conditional and future endings.

j'aimer**ais**	nous aimer**ions**
tu aimer**ais**	vous aimer**iez**
il / elle / on aimer**ait**	ils / elles aimer**aient**

The conditional tense is used in the following situations.

A. To express a wish or suggestion:

Je **préférerais** acheter un autre journal.

I would prefer to buy a different newspaper.

Nous **voudrions** parler aux candidats.

We'd like to speak to the candidates.

B. When a condition is implied:

À votre place, je ne **dirais** pas ça.

In your place (If I were you), I wouldn't say that.

Dans ce cas-là, tu **pourrais** venir demain.

In that case, you could come tomorrow.

C. In **si** clauses. The condition (hypothesis or supposition) is stated in the **si** clause, and the verb is in the imperfect tense. The result clause is in the conditional.

Si j'**avais** le temps, j'**écouterais** les informations.

If I had the time, I'd listen to the news.

J'**achèterais** un ordinateur si j'**avais** assez d'argent.

I would buy a computer if I had enough money.

Tu **serais** mieux informé si tu **lisais** le journal tous les jours.

You would be better informed if you read the newspaper every day.

When the **si** clause is in the present tense, the result clause can be in the present, future, or imperative.

Si vous **avez** un accident, **vous pouvez** appeler Police-Secours.
Si tu **pars** maintenant, tu ne **seras** pas en retard.
Si vous **achetez** du coca, n'**oubliez** pas de recycler les bouteilles.

D. In order to be less direct and more polite in:

1. making requests or suggestions (**je voudrais..., pourriez-vous..., accepteriez-vous..., aimeriez-vous...,** etc.).

2. accepting invitations (**ça me ferait plaisir, ce serait une excellente idée, j'aimerais bien**).

Aimeriez-vous venir dîner à la maison ?

Would you like to come have dinner at our house?

Oui, ça me **ferait** plaisir.

I'd love to. (Yes, that would please me.)

E. In indirect style, to relate what somebody has said:

Il a dit qu'il **parlerait** au juge.

He said that he would speak to the judge.

Situation : Si on allait lui rendre visite ?

André et Robert font des projets de voyage. L'idée leur vient d'aller rendre visite à Liliane, une amie québécoise.

Point out to students the following: **rendre visite à quelqu'un** but **visiter un endroit.**

ANDRÉ   Si on allait rendre visite à Liliane ? Qu'est-ce que tu en penses ?

ROBERT   Ce serait une bonne idée. Ça me ferait vraiment plaisir de la revoir.

ANDRÉ   Et si elle, elle n'avait pas envie de nous revoir, on aurait l'air plutôt bête, tu ne crois pas... ?

ROBERT   Mais non, souviens-toi, elle nous a dit : « Si jamais vous avez l'occasion de venir au Canada, n'hésitez pas à me le dire. » Elle a même ajouté qu'elle serait heureuse de nous accueillir chez elle.

ANDRÉ   Avant d'acheter nos billets, il vaudrait quand même mieux lui passer un mot.

> **Mots à retenir :**
> **si on allait** *how about going*, **plutôt** *rather*, **accueillir** *to welcome*

Have students note the use of **si** + **imparfait** to make a suggestion both in the title and in the conversation.

Avez-vous compris ?

Pourquoi est-ce que Robert est sûr que leur visite ferait plaisir à Liliane ? Qu'est-ce qu'André préférerait ?

Communication et vie pratique

IAE Drills: 1. S'il faisait mauvais, nous resterions à la maison. 2. Si Jacques travaillait plus, il aurait de meilleures notes. mes amis / vous / je / tu / André. 3. Pierre viendrait s'il avait le temps. vous / mes parents / Nadine / nous / je

A. **Je me suis trompée.** Monique a mal compris ce qu'on lui a dit. Elle est surprise d'apprendre qu'elle s'est trompée. Qu'est-ce qu'elle dit ?

> EXEMPLE   Il viendra demain. (aujourd'hui)
> **Ah oui ? Moi, je croyais qu'il viendrait aujourd'hui.**

1. La manifestation aura lieu vendredi. (samedi)
2. Nous irons au cinéma. (au théâtre)
3. Nos amis arriveront lundi. (dimanche)
4. On mangera à la maison. (au restaurant)
5. Tu m'attendras devant le musée. (dans le parc)
6. On sera de retour à huit heures. (à sept heures)

B. **À chacun ses responsabilités.** Plusieurs amis ont décidé de faire un voyage au Canada. Voici ce que chaque personne a promis de faire.

> EXEMPLE   Luc va choisir l'itinéraire.
> **Luc a dit qu'il choisirait l'itinéraire.**

1. Nous allons louer une voiture.
2. Tu vas acheter une carte.
3. Michel va consulter une agence de voyages.
4. Catherine va écrire à ses cousins québécois.
5. Vous allez acheter les billets d'avion.
6. Mes amis vont me donner une valise.

C. **Si c'était possible...** Votre ami Serge Lefèvre parle des choses qu'il aimerait faire.

> EXEMPLE   chercher un autre travail
> **Si je pouvais, je chercherais un autre travail.**

1. continuer mes études
2. devenir astronaute
3. habiter dans un autre quartier
4. apprendre un autre métier
5. vendre ma vieille voiture
6. m'acheter une nouvelle voiture
7. rendre visite à mes amis
8. faire plus pour l'environnement

D. Interview. Demandez à d'autres étudiants de la classe ce qu'ils feraient s'ils avaient plus de temps, plus d'argent, etc. Comparez vos réponses.

EXEMPLE **Qu'est-ce que tu ferais si tu avais plus d'argent ?**
Si j'avais plus d'argent, je m'achèterais une nouvelle voiture.

Demandez-leur ce qu'ils feraient...

1. s'ils avaient plus d'argent.
2. s'ils avaient plus de temps.
3. s'il n'y avait pas de cours aujourd'hui.
4. s'ils pouvaient passer un an en France.
5. s'ils habitaient dans un autre pays.
6. s'ils étaient millionnaires.
7. s'ils pouvaient être une autre personne.
8. s'ils pouvaient habiter dans une autre ville.
9. s'ils pouvaient faire tout ce qu'ils veulent.

E. Changez de rôle. Que feriez-vous si vous étiez à la place des personnes suivantes ?

1. le professeur
2. le président des États-Unis
3. le président de votre université
4. une vedette de cinéma
5. le ministre de l'environnement
6. un des candidats aux prochaines élections

C'est votre tour

Des amis français (joués par d'autres étudiants) ont envie de venir faire un séjour aux États-Unis. Ils vous demandent où ils devraient aller, ce qu'ils pourraient faire et voir, quels problèmes ils pourraient rencontrer et ce qu'ils devraient faire dans ces cas-là, etc.

EXEMPLE **Qu'est-ce que je devrais faire si j'avais un accident ?**

Exploration 3

Comment relier deux idées : Les pronoms relatifs

It is important to know how to connect ideas together when we speak or write. One way to connect a main idea with a secondary idea in the same sentence is by using relative pronouns (*who, that, which,* etc.). They may not be omitted in French as they often are in English: (*This is the book that I read. This is the book I read.*)

A. **Qui** and **que** (*who, that, which*) refer to both people and things. Use **qui** as the subject of the dependent clause and **que** as the direct object.

Voici une des personnes **qui** étaient à la manif.
Avez-vous entendu parler de l'attentat **qui** a eu lieu hier ?

Voici les suspects **que** la police a arrêtés.
Où sont les revues **que** j'ai achetées ?

B. **Dont** (*of whom, of which, whose*) replaces **de** plus a noun. It can refer to people or things.

> Voici les renseignements **dont** vous aurez besoin.
> J'ai rencontré la candidate **dont** vous m'avez parlé.
> Voici les gens **dont** la maison a été détruite par les inondations.

*Have students note that the antecedent of **dont** uses a form of the definite article.*

C. **Ce qui, ce que,** and **ce dont** refer to ideas that do not have number or gender.

> Je ne comprends pas **ce qui** s'est passé.
> **Ce qui** m'impressionne le plus, c'est son courage.

> Je dis toujours **ce que** je pense.
> Nous ne savons pas **ce que** les autres vont faire.

> **Ce dont** vous parlez est intéressant.
> Je te donnerai tout **ce dont** tu as besoin.

Have students note that ce qui, ce que, and ce dont can be at the beginning of a sentence or within a sentence.

> **Ce qui** and **ce que** are often used to answer questions beginning with **qu'est-ce qui** and **qu'est-ce que.**

> Qu'est-ce qui intéresse les jeunes ?
> Je ne sais pas **ce qui** les intéresse.

> Qu'est-ce que tu penses de ce parti politique ?
> Je préfère ne pas dire **ce que** j'en pense.

D. **Lequel, laquelle, lesquels,** and **lesquelles** are relative pronouns that can be used after prepositions. They also may function as interrogative pronouns.[1]

> Voici une question sur **laquelle** vous devriez réfléchir.
> Je ne connais pas les journalistes avec **lesquels** vous parliez.
> **Laquelle** de ces candidates préférez-vous ?

> *Here is a question that you should think about.*
> *I don't know the journalists with whom you were speaking.*
> *Which one of these candidates do you prefer?*

Situation : C'est sérieux?

[1]For recognition only.

Au cours d'une manifestation écologique à laquelle il a participé, Guillaume a fait la connaissance d'une jeune fille qui l'intéresse. Il parle d'elle avec son copain Jonas.

GUILLAUME	Regarde la fille là-bas, devant le panneau d'affichage.
JONAS	La fille qui est en train de mettre une affiche anti-gaspi ?
GUILLAUME	Oui, c'est la fille dont je t'ai parlé.
JONAS	Ah oui ! La fille que tu as rencontrée à la manif et dont tu es tombé amoureux.
GUILLAUME	Mais non. Ce n'est pas ce que je t'ai dit ! Je t'ai dit que je la trouvais sympa. Un point, c'est tout.

> **Mots à retenir :**
> **un panneau d'affichage** *a bulletin board*, **le gaspi (le gaspillage)** *waste*, **un point** *a period*

Avez-vous compris ?

De quelle fille Guillaume et Jonas parlent-ils ? Donnez au moins trois façons de l'identifier.

Communication et vie pratique

A. **Un amoureux bien malheureux.** Votre ami Bruno n'a pas de chance. Il aime Natacha mais elle n'a pas les mêmes goûts que lui. Qu'est-ce qu'il dit ?

> EXEMPLE J'ai écrit des chansons.
> **Elle n'aime pas les chansons que j'ai écrites.**

1. J'ai acheté des cassettes.
2. Je lui ai apporté des fleurs.
3. J'ai composé des poèmes.
4. Je lui ai donné un cadeau.
5. Je lui ai écrit une lettre.
6. J'ai pris des photos.
7. Je lui ai envoyé une carte.
8. J'ai acheté de nouveaux vêtements.

B. **À chacun son opinion.** Brigitte sait exactement ce qu'elle aime et ce qu'elle n'aime pas. Quelle est son opinion sur les personnes ou les sujets suivants ?

> EXEMPLE Les gens / Ils s'intéressent à ce qui se passe dans le monde / Ils pensent seulement à eux-mêmes.
> **Elle aime les gens qui s'intéressent à ce qui se passe dans le monde. Elle n'aime pas les gens qui pensent seulement à eux-mêmes.**

Sujets / Personnes	ce qu'elle aime	ce qu'elle n'aime pas
1. Les politiciens	Ils défendent les intérêts du public	Ils n'ont pas l'esprit ouvert
2. Les hommes	Ils sont gentils et sensibles	Ils sont trop « machos »
3. Les femmes	Elles savent ce qu'elles veulent	Elles ne sont jamais contentes

4. Les journalistes — Ils ont le courage de dire la vérité — Ils disent seulement une partie de la vérité
5. Les reportages — Ils expliquent bien la situation — Ils donnent une idée simpliste de la situation
6. Les industries — Elles essaient de ne pas trop polluer — Elles pensent seulement à gagner de l'argent
7. Les découvertes — Elles contribuent à la qualité de la vie — Elles risquent de tout détruire
8. Les discussions — Elles nous font réfléchir — Elles ne servent à rien

C. **Vos opinions.** Indiquez les types de gens et de choses que vous appréciez et ceux que vous n'appréciez pas du tout.

Elicit student answers by asking questions (**Quelles sortes de cours préférez-vous ?**) in small groups or as a class.

EXEMPLE les cours
J'apprécie les cours qui sont intéressants même s'ils sont un peu difficiles.

1. les partis politiques
2. les hommes
3. les femmes
4. les revues
5. les livres
6. les journaux
7. les films
8. les professeurs
9. les gens
10. les discussions

D. **J'ai suivi tes conseils.** Vous avez suivi les conseils que votre amie Camille vous a donnés. Qu'est-ce que vous dites ?

EXEMPLE écouter les CD
J'ai écouté les CD dont tu m'as parlé.

1. aller à la réunion
2. lire le livre
3. aller chez le médecin
4. consulter l'avocat
5. acheter le CD
6. voter pour la candidate

E. **Snobisme.** Vous avez des voisins qui sont très fiers de connaître, même indirectement, des gens célèbres. Qu'est-ce qu'ils disent ?

Point out that the 16e is considered one of the more elegant areas of Paris.

EXEMPLE leur fils est astronaute
Nous avons des amis dont le fils est astronaute.

1. leur fille est journaliste
2. leur petit-fils a participé au Tour de France
3. leur grand-mère connaissait de Gaulle
4. leur cousin a acheté un château
5. leur famille habite dans le 16e.

F. **On invite des copains.** Vous avez décidé d'inviter des copains et vous demandez conseil à votre amie Marlène. Malheureusement, elle n'a pas de suggestions à vous faire. Qu'est-ce qu'elle répond ?

EXEMPLE Qu'est-ce qu'on va faire s'il pleut ?
Je ne sais pas ce qu'on va faire.

1. Qu'est-ce qu'on va faire ce soir ?
2. Qui est-ce qu'on va inviter ?
3. Qu'est-ce qu'on va manger ?
4. Qu'est-ce qu'on va boire ?
5. Qui va acheter les provisions ?
6. Qu'est-ce que tu vas porter ?
7. Qu'est-ce qui va arriver si personne ne vient ?

G. **Enrichissez votre style.** Quand on ne connaît pas très bien une langue, on a souvent tendance à s'exprimer d'une façon un peu trop simple. Pensez aux mots, expressions et constructions que vous pourriez utiliser pour enrichir les phrases suivantes.

EXEMPLE   C'était un bon débat politique.
Je viens d'écouter un débat politique qui m'a beaucoup intéressé(e) et dont je voudrais vous parler.

1. Ce candidat a de bonnes idées.
2. Cet homme a commis un crime horrible.
3. L'incendie a détruit plusieurs maisons.
4. L'accusé a été condamné à la peine de mort.
5. La tornade a tout dévasté sur son passage.
6. C'est une découverte formidable.

C'est votre tour

Vous parlez à vos amis—joués par d'autres étudiants—d'une fille ou d'un garçon dont vous venez de faire la connaissance et qui vous intéresse beaucoup. Au début, ils ne savent pas de qui vous parlez. Expliquez-leur qui est cette personne.

EXEMPLE   **C'est la fille dont je t'ai parlé l'autre jour, tu sais, la fille qui portait une robe noire le soir où nous sommes allés au concert.**

Intégration et perspectives : Soyez acteur de l'environnement

Le texte suivant fait partie d'une brochure invitant les Français à devenir « acteurs de l'environnement », c'est-à-dire à participer activement à la protection de l'environnement. Cette initiative est parrainée par différentes compagnies dont vous reconnaîtrez peut-être le noms.

Pour mieux lire : Vous noterez dans ce texte l'utilisation fréquente du gérondif qui indique comment on peut faire quelque chose, par exemple, « en utilisant » veut dire *by using*, et « en ne les abandonnant pas » veut dire *by not abandoning them.*

Signez

la charte **Acteur** de **l'Environnement**

LES 10 ENGAGEMENTS DE

l'Acteur de l'Environnement

1 **Je respecte la nature et ses éléments,**
plantes, fleurs, animaux et tout milieu naturel sensible (marais, lacs, rivières, bords de mer...) avec Sélection du Reader's Digest, acteur de l'environnement.

2 **Je suis responsable de mes déchets,**
en ne les abandonnant pas, en utilisant autant que possible les poubelles appropriées (verre, huile, carton, papier, piles) et, pour les déchets les plus encombrants, en allant à la déchetterie... avec Allibert Développement Urbain, acteur de l'environnement.

3 **Je protège l'eau,**
en veillant à la préservation de l'environnement, en ne rejetant pas de produits toxiques dans les cours d'eau, en gérant ma consommation... avec la Lyonnaise des Eaux-Dumez, acteur de l'environnement.

4 **Je me déplace "futé",**
en utilisant prioritairement les transports en commun, en adaptant mon véhicule à mon itinéraire, en me déplaçant à pied ou en vélo, ce qui est bon pour ma santé... avec la SNCF, acteur de l'environnement.

5 **J'économise l'énergie,**
en éteignant la lumière, en ne chauffant pas la fenêtre ouverte, en isolant ma maison, en me renseignant sur toutes les économies d'énergie protectrices de l'environnement et en choisissant des matériels appropriés... avec IBM, acteur de l'environnement.

6 **Je lutte contre le bruit et ses méfaits,**
en baissant mon poste de télévision, ma radio et ma chaîne hi-fi, en réglant ma mobylette, en utilisant ma tondeuse à gazon à une heure raisonnable... avec le Centre d'Information et de Documentation sur le Bruit (CIDB), acteur de l'environnement.

7 **Je préserve ma santé en préservant l'environnement,**
en appliquant chacun des principes de la charte, et notamment en portant attention à l'eau, aux déchets, au bruit, au comportement de mes animaux... avec Rhône-Poulenc, acteur de l'environnement.

8 **Je préserve le paysage,**
en respectant le cahier des charges de mon immeuble, de ma commune, de ma région, et les règles élémentaires du bon voisinage, en laissant la nature plus propre encore que j'ai pu la trouver... avec Vacances Propres, acteur de l'environnement.

9 **Je choisis des produits,**
et autant que possible des matériaux recyclés ou réutilisables (papier, verre, plastique, etc.) dont les emballages sont recyclables et réduits au minimum... avec Carrefour, acteur de l'environnement.

10 **J'informe et je m'informe,**
je m'informe auprès des associations, de ma mairie et de tout organisme compétent en ce domaine. Je sensibilise ma famille, mes amis, mes collègues de travail à la protection et à la promotion de l'environnement... avec Elf, acteur de l'environnement.

Point out the **Bison futé** (clever, wise Bison) is the equivalent of Smokey the Bear and that **futé** means clever or wise; it can also be used in the negative with a sarcastic intent: **ce n'est pas futé, ça! Tu n'es pas futé, toi.**

Point out that air conditioning in cars and in homes is much less widespread in France; shutters are often used to keep homes cooler in the summer.

Mots à retenir / Mots en contexte :

parrainé *sponsored*, **reconnaître** *to recognize*, **sensible** *sensitive*, le marais *swamp*, **l'huile** *(f) oil*, **la pile** *battery*, encombrant *bulky*, la déchetterie *waste collection center*, veiller *to watch over*, gérer *to manage*, se déplacer *to move about*, futé *smart, wise*, **économiser** *to save*, éteindre *to turn off*, chauffer *to heat*, **se renseigner** *to inform oneself*, les méfaits *(m) damages*, **baisser** *to lower*, **la mobylette** *moped*, la tondeuse à gazon *lawnmower*, le cahier des charges *terms and conditions*, **la règle** *rule*, l'emballage *(m) packaging*, auprès de *about, with*

Avez-vous compris ?

Quelles sont les dix choses principales que ferait un bon « acteur de l'environnement » (e.g., un bon acteur de l'environnement est une personne qui prendrait l'autobus au lieu d'utiliser sa voiture) ?

Info-culture : Le mouvement écologique

Le rôle que jouent les deux partis écologiques—les Verts et Génération écologie—sur la scène politique française est une indication de l'importance que les Français accordent à la protection de l'environnement. Cette prise de conscience s'est manifestée officiellement dès le début des années 70 par la création du Ministère de l'Environnement. Des groupes écologiques, de leur côté, ont commencé à s'organiser dès cette époque. Leur action vise à sensibiliser le public et à faire pression sur le gouvernement pour qu'il prenne des mesures en faveur de la protection de l'environnement.

Selon les experts, les deux plus grands problèmes écologiques en France sont l'eau et les déchets. Les centres de traitement des déchets ne sont pas assez nombreux et leur opération est assez coûteuse. Pour faire face à ce problème, certaines villes ont mis en place un système de tri et de traitement sélectif des déchets. Selon ce système, chaque ménage doit utiliser trois poubelles. Il y en a une pour les déchets ménagers qui peuvent être brûlés (et produire de l'électricité), une pour le plastique et le verre qui vont être recyclés et une pour les déchets toxiques dont il faut disposer d'une manière sûre et efficace.

Et vous ?

Quels sont les principaux dangers qui menacent l'environnement dans votre région ? et aux États-Unis en général ? Y a-t-il d'autres sources de pollution ou des problèmes particuliers qui vous préoccupent ?

Communication et vie pratique

A. Soyez acteur de l'environnement. Quelles sont les choses que vous ferez ou que vous pourriez faire pour devenir un vrai « acteur de l'environnement » ?

> EXEMPLE **Je commencerai à séparer et à recycler mes déchets.**

B. La planète menacée. La carte du monde qui suit indique les principaux problèmes écologiques qui menacent notre planète. Répondez aux questions suivantes selon les renseignements que cette carte nous donne.

Have students first write their suggestions individually and then compare them in groups of three or four. The task of the group is to come to a consensus on the ten most important activities to help the environment.

1. Quelles espèces animales sont en voie d'extinction ?
2. Dans quels pays du monde la déforestation est-elle un problème ?
3. Dans quels pays l'émission de CO_2 (gaz carbonique) présente-t-elle un problème sérieux ?
4. Quels sont les pays du monde où il n'y a pas assez d'eau potable *(drinking water)* ?
5. Dans quels pays existe-t-il un risque nucléaire ?

C. **Si...** À votre avis, qu'est-ce qui serait différent si les gens s'intéressaient plus à la protection de l'environnement ?

> EXEMPLE **Si on ne jetait pas de papiers et de déchets partout, les rues seraient beaucoup plus propres.**

Have students complete the survey and then compile a class profile. Questions can also be put on note cards and students can circulate among the class members, asking them the question that they have been given. You may want to encourage students to explain their answers.

D. **Dans vingt ans.** Comment imaginez-vous votre avenir ? Les questions suivantes font partie d'un sondage d'opinion. Comment allez-vous y répondre ? Comparez et discutez vos réponses.

1. **Votre cadeau d'anniversaire dans vingt ans :** Pour fêter votre anniversaire, vous pourrez enfin vous acheter...
   - un vieux cottage à la campagne
   - une machine à remonter *(to go back in)* le temps
   - un week-end dans l'espace
   - une voiture entièrement programmable
   - un abri *(shelter)* anti-nucléaire
   - autre

2. **Les plaisirs :** Quels seront vos plus grands plaisirs dans vingt ans ?
   - me promener dans la nature
   - faire du sport
   - faire l'amour
   - nager dans ma piscine privée
   - voir des films
   - jouer avec mon ordinateur
   - autre

3. **La famille :** Si vous formez un jour un couple stable, combien d'enfants aurez-vous ?
   - je ne veux pas d'enfants
   - un seul suffira
   - deux enfants
   - trois enfants
   - quatre ou plus

4. **Le travail et la personnalité :** En dehors des diplômes, qu'est-ce qui vous sera, à votre avis, le plus utile pour trouver un emploi ?
   - mes qualités personnelles
   - la façon de me présenter
   - les relations de ma famille
   - c'est uniquement une question de chance
   - autre

5. **Le niveau de vie :** Par rapport à vos parents, votre niveau de vie dans dix ans sera-t-il...

- supérieur
- le même
- inférieur
- autre

6. **Les problèmes sociaux :** Pensez-vous que vous connaîtrez une période de chômage ?

- oui, à tout moment il y aura un risque.
- oui, sans doute au début.
- je pense que non.

7. **Le monde où nous vivons :** Quel est le problème qui devra être résolu en priorité d'ici vingt ans ?

- la faim dans le monde
- le chômage
- la prolifération des armes nucléaires
- le cancer
- le racisme
- autre

E. **Internet.** Le parti politique « les Verts » travaille à la protection de l'environnement. Utilisez un moteur de recherche, ou consultez le site **http://www.verts.imaginet.fr/campagne.html** pour voir quels sont leurs buts spécifiques. Comparez et discutez les résultats de vos recherches avec d'autres étudiants.

F. **« Les Verts ».** Hélène parle avec son amie Martine. Une d'elles a décidé de devenir membre d'un groupe d'action écologique. Écoutez leur conversation et ensuite, répondez aux questions suivantes.

> *Pour mieux comprendre :* Souvent, l'attitude ou le point de vue particulier d'une personne vis-à-vis d'un problème ou d'une situation devient vite évident quand on l'écoute parler. Par la suite, cela nous aide à mieux comprendre ce qu'elle dit. Écoutez la conversation suivante et essayez de décider laquelle des deux étudiantes est plus positive et laquelle est plus négative. Quels sont les mots ou les phrases qui vous ont permis d'arriver à cette conclusion ?

1. Selon Hélène, qui est responsable de la pollution ?
2. Selon Martine, qu'est-ce qui va arriver si on ne fait rien ?
3. Qu'est-ce que Martine voudrait qu'on fasse ?

CHEZ NOUS

AU CAMEROUN

Superficie : 475 000km²

Population : 12 800 000 h

Capitale : Yaoundé

Langues : français, anglais et langues locales

Institutions : république indépendante depuis 1960

« *Le Cameroun, c'est presque mon pays. Je dis « presque », parce que je ne suis pas camerounaise, mais j'y ai passé plusieurs années comme volontaire dans le Corps de la Paix, et cette expérience m'a tellement marquée que le Cameroun fait un peu partie de moi maintenant. Et je suis prête à y retourner dès que possible ! J'ai d'abord passé quelques mois dans un centre urbain pour finir ma formation. Après ça, je suis partie vivre en pleine brousse (bush), dans une région très pauvre et très isolée. Et c'est là que j'ai passé les cinq meilleures années de ma vie !*

Dans cette région, le manioc était la principale culture et la base de l'alimentation. Ça remplit l'estomac, mais ça n'apporte pas les protéines nécessaires pour nourrir le corps. Beaucoup d'enfants souffraient de malnutrition. Mon rôle était donc d'aider les gens du village à diversifier leur alimentation. Je ne suis pas agronome mais le Corps de la Paix m'avait enseigné des rudiments de pisciculture et comment creuser des étangs suffisamment grands pour que les poissons puissent y vivre. Mes nouveaux amis et moi, nous avons d'abord cherché des sources (springs) et ensuite, armés de pioches et de pelles (hoes & shovels), nous avons creusé pendant des mois et même des années. C'était un travail incroyablement dur et le soir, je tombais de fatigue. Mais c'était une « bonne » fatigue, et les résultats en valent la peine: Le village a maintenant trois petits étangs qui produisent assez pour qu'une ou deux fois par semaine chaque famille puisse ajouter un peu de poisson au manioc et aux légumes traditionnels. »

Vocabulaire

La vie politique (Voir p. 364)
La justice (Voir p. 364)
Les relations internationales (Voir p. 364)
Les problèmes sociaux (Voir p. 364)
Les catastrophes (Voir p. 364)
La nature et l'environnement (Voir p. 365)
Le progrès et la recherche scientifique (Voir p. 365)

Noms

déchets *(m pl) waste
    materials*
gaspillage (gaspi) *(m)
    wasting*
industrie *(f) industry*
médias *(m pl) media*
nature *(f) nature*
période *(f) period*
planète *(f) planet*
progrès *(m) progress*
protection *(f)
    protection*
ressources *(f pl)
    resources*
terre *(f) land, earth*

Verbes

baisser *to lower*
conserver *to conserve*
se demander *to wonder*
économiser *to save*
hésiter *to hesitate*
s'inquiéter *to worry*
polluer *to pollute*
protéger *to protect*
reconnaître *to recognize*
recycler *to recycle*
rendre visite à *to visit
    (a person)*
se renseigner *to ask for
    information, inform
    oneself*
revoir *to see again*
se tenir au courant *to
    stay informed*

Adjectifs

naturel(le) *natural*
nucléaire *nuclear*
toxique *toxic*

Divers

activement *actively*
eux-mêmes *themselves*
particulièrement
    particularly
sans doute *probably*
sinon *if not*

Les arts et la vie

Chapitre quinze

Fonctions

Dans ce chapitre, vous allez apprendre à

- *parler de vos goûts artistiques*
- *préciser la personne ou l'objet dont on parle*
- *indiquer ce qui aurait pu être*
- *indiquer les rapports entre deux actions*

Vocabulaire et structures

Point de départ : Sondage d'opinion sur les arts
et les loisirs
Exploration 1 : Les pronoms démonstratifs
Exploration 2 : Le plus-que-parfait et le conditionnel
passé
Exploration 3 : Le participe présent et l'infinitif

Point de départ : Sondage d'opinion sur les arts et les loisirs

Selon les statistiques, presque la moitié *(half)* des Français ont pratiqué des activités artistiques au cours de leur vie, et plus de 15 % en pratiquent au moins une régulièrement. Et vous, quelle place les activités artistiques et l'art en général occupent-ils dans votre vie ?

Est-ce que vous allez souvent...

- au théâtre ? Si oui, quelles pièces *(plays)* avez-vous vues récemment ?
- au concert ? Si oui, à quels concerts avez-vous assisté *(attended)* récemment ?
- à des expositions *(exhibits)* ? Si oui, sur quels thèmes ou quels sujets ?
- au cinéma ? Si oui, quels sont vos films et vos metteurs en scène *(directors)* favoris ?

Possédez-vous — ou avez-vous envie de posséder — des objets d'art ? Si oui, quel type d'objet d'art ?

- un tableau original
- un dessin
- une aquarelle *(a watercolor)*
- une reproduction de tableau
- une statue
- une sculpture
- une poterie
- un meuble ancien

Quelles activités artistiques pratiquez-vous ? Aimez-vous...

- peindre ? Si oui, est-ce que vous peignez des paysages, des portraits, des natures mortes ou des sujets abstraits ?
- dessiner ? Si oui, préférez-vous les dessins humoristiques ou les dessins sérieux ?
- sculpter ? Si oui, qu'est-ce que vous avez sculpté ?
- faire de la poterie ?
- faire de l'infographie ? *(computer graphics)*
- prendre des photos ? Si oui, développez-vous vous-même vos photos ?
- restaurer des meubles ?
- faire du théâtre ? Si oui, dans quelles pièces et quels rôles avez-vous joués ?
- faire de la danse ? Si oui, préférez-vous la danse classique ou la danse moderne ?
- écrire ? Si oui, est-ce que vous avez déjà écrit[1]
    un journal intime ?
    un essai ?
    un poème ?
    une nouvelle *(short story)* ?

---

[1]**Écrire** *(to write)* is an irregular verb. Its forms are **j'écris, tu écris, il/elle/on écrit, nous écrivons, vous écrivez, ils/elles écrivent. Passé composé : J'ai écrit. Subjonctif : qui j'écrive.**

une pièce de théâtre ?
un scénario de film ?
un roman *(a novel)* ?

- chanter ? Est-ce que vous composez la musique ou est-ce que vous écrivez les paroles de vos chansons ? Est-ce que vous chantez seul(e), dans un groupe ou dans une chorale ?

- jouer d'un instrument de musique ? Si oui, de quel instrument jouez-vous ?
  du piano ?
  de la guitare ?
  de la flûte ?
  de la clarinette ?
  du violon ?
  de la trompette ?
  du saxophone ?
  de la batterie *(drums)* ?
  du synthétiseur ?

Y a-t-il d'autres activités artistiques auxquelles vous vous intéressez ? Si oui, lesquelles ?

Suivez-vous[2] des cours pour perfectionner — ou découvrir — vos talents artistiques ?

Communication et vie pratique

A. **La vie d'artiste.** Il y a dans chacun de nous un artiste qui sommeille, n'est-ce pas ? Quel est le rôle des activités artistiques dans votre vie ? Discutez vos réponses aux questions du sondage dans le **Point de départ** avec d'autres étudiants. Comparez vos réponses respectives et essayez de trouver les goûts et les activités que vous avez en commun.

B. **Testez vos connaissances.** Pouvez-vous répondre aux questions suivantes ? Sinon, consultez les réponses à la fin du test.

1. Lequel des architectes suivants a dessiné les plans de la ville de Washington ?
   a. Le Corbusier
   b. Pierre L'Enfant
   c. André Le Nôtre
2. Lequel des peintres suivants est considéré comme un des principaux représentants de l'école impressionniste ?
   a. Auguste Renoir
   b. Eugène Delacroix
   c. Bernard Buffet
3. C'est un musicien du début du vingtième siècle dont l'œuvre *(work)* la plus connue est le *Boléro.*
   a. Pierre Boulez
   b. Camille Saint-Saëns
   c. Maurice Ravel

---

[2]**Suivre** *(to follow, to take)* is an irregular verb. Its forms are **je suis, tu suis, il/elle/on suit, nous suivons, vous suivez, ils/elles suivent.** Passé composé : **j'ai suivi.** Subjonctif : **que je suivre.**

4. Lequel des artistes suivants a peint le tableau intitulé *Guernica* ?
   a. Édouard Manet
   b. Paul Gauguin
   c. Pablo Picasso

5. Cet auteur d'origine roumaine est un des principaux représentants du théâtre de l'absurde.
   a. Jean Cocteau
   b. Jean Anouilh
   c. Eugène Ionesco

6. Il est généralement considéré comme un des plus grands poètes de l'époque romantique. Qui est-ce ?
   a. Victor Hugo
   b. Jean de la Fontaine
   c. Pierre de Ronsard

7. Dans quelle ville y a-t-il chaque année un festival d'art dramatique qui attire des gens du monde entier ?
   a. Avignon
   b. Cannes
   c. Strasbourg

8. Un des trois peintres suivants a décoré l'Opéra de Paris et l'Opéra de New York. Qui est-ce ?
   a. Henri Matisse
   b. Marc Chagall
   c. Vincent Van Gogh

9. Auteur de nombreux romans, cette femme a aussi écrit des scénarios de films et dirigé ses propres films. Qui est-ce ?
   a. Simone de Beauvoir
   b. Marguerite Duras
   c. George Sand

10. Dans quelle ville y a-t-il chaque année un festival de cinéma de réputation internationale ?
    a. Cannes
    b. Paris
    c. Aix-en-Provence

Réponses : 1. b, 2. a, 3. c, 4. c, 5. c, 6. a, 7. a, 8. b, 9. b, 10. a

C. **Encore des questions.** Préparez vous-même des questions sur les artistes, les musiciens et les écrivains francophones (ou américains). Ensuite, posez ces questions aux autres étudiants de la classe.

EXEMPLE **De quel instrument de musique joue James Galway ? Pouvez-vous donner le nom d'un des tableaux de Van Gogh ?**

D. **Internet.** Vous allez passer une semaine à Paris. Consultez le site Web **http://www.top.org/Culture/homepage.htm** qui donne les différents spectacles parisiens. (Ou bien, utilisez un moteur de recherche pour trouver un autre site comparable.) Quels spectacles vous intéressent ? Comparez et discutez vos choix avec quelques autres étudiants.

Info-culture: La vie culturelle

Même si les Français ne s'intéressent pas tous à l'art, d'une façon générale, on accorde une assez grande importance à l'art en France. Ce respect de l'art est évident dans les institutions mêmes du pays; il existe un ministère de la Culture dont le rôle est de protéger et de développer le patrimoine culturel national et d'intéresser le public à l'art.

If available, have students listen to examples of the music of different French composers. Students can also be shown examples of paintings by different French artists.

Le gouvernement accorde aussi d'assez généreuses subventions aux différentes entreprises culturelles : théâtres, musées, salles de concert, expositions, maisons de la culture, etc. Chaque année, on organise aussi des festivals qui attirent des artistes et des spectateurs du monde entier : le festival d'art dramatique d'Avignon, le festival de Cannes (cinéma), le festival d'Aix (musique), par exemple.

Pour les Français, l'art est aussi dans la rue. À Paris, ainsi que dans la plupart des villes françaises, il y a partout de magnifiques exemples d'architecture ancienne, des jardins et des places ornés de statues, des galeries d'art et même des artistes qui travaillent dans la rue sous les yeux des passants. On peut passer quelques minutes (ou quelques heures) à regarder les gravures des bouquinistes installés sur les quais de la Seine; on peut aller faire un tour au marché aux fleurs. Si on est fatigué, on peut se reposer tranquillement à l'ombre de Notre- Dame, dans le jardin des Tuileries, ou sur les bancs des nombreux jardins et parcs publics.

Un certain nombre de musiciens et compositeurs français ont leur place parmi les grands noms de la musique. Par exemple, *le Boléro* de Maurice Ravel (1875–1937) et le *Prélude à l'après-midi d'un faune* de Claude Debussy (1862–1918) sont des classiques de l'impressionnisme. À l'époque moderne, le groupe des Six, fondé en 1918 et qui comprenait Francis Poulenc, Darius Milhaud et Arthur Honegger, un Suisse — ainsi que des compositeurs comme Olivier Messiaen, Erik Satie et plus récemment Pierre Boulez — ont eu un rôle important dans l'évolution de la musique classique moderne.

Les amateurs d'opéra ont probablement eu l'occasion d'entendre *Carmen*, *Les Pêcheurs de perles* ou *L'Arlésienne* de Georges Bizet (1838–1875) ou un opéra de Charles Gounod (1818–1893) tel que *Faust* ou *Mireille*. Même le jazz, dont les origines sont typiquement américaines, occupe une place importante dans la vie musicale française. Au jazz américain s'ajoute le jazz européen au développement duquel ont beaucoup contribué des musiciens comme Stéphane Grappelli et Jean-Luc Ponty.

La France a aussi joué un rôle important dans l'histoire du cinéma, souvent appelé « le septième art ». Cette histoire a commencé en 1895 quand Louis Lumière a présenté ses premières projections animées à une assemblée de 120 personnes. C'est seulement deux ans plus tard que Georges Méliès a construit le premier studio du monde et a commencé à inventer des truquages. À partir de ce moment-là, la vogue du cinéma s'est répandue dans le monde entier. Les Français moyens sont cependant loin d'être tous des cinéphiles. Beaucoup vont au cinéma surtout pour se distraire, et un grand nombre d'entre eux préfèrent rester à la maison pour regarder la télévision. Mais il existe aussi un assez large public bien informé qui recherche la qualité. Les ciné-clubs, groupés en sept fédérations nationales, contribuent beaucoup à éduquer le public et attirent chaque année des millions de spectateurs. Les critiques des films occupent une place importante dans les principales revues françaises, et il existe plusieurs revues spécialisées telles que *Les Cahiers du cinéma*.

Exploration 1

Pour préciser la personne ou l'objet dont on parle : Les pronoms démonstratifs

As you know, **ce, cet, cette,** and **ces** are used to point out specific items. Nouns modified by these demonstrative adjectives can be replaced by demonstrative pronouns.

	Singulier	Pluriel
Masculin	celui	ceux
Féminin	celle	celles

A. Demonstrative pronouns are frequently followed by prepositions, particularly **de** to show possession.

À qui est cette guitare ? C'est **celle** de Robert ?	*Whose guitar is this? Is it Robert's?*
Non, c'est **celle** de Josyanne.	*No, it's Josyanne's.*
Il prend l'avion pour Strasbourg, et moi, je prends **celui** pour Lyon.	*He is taking the plane to Strasbourg and I'm taking the one to Lyon.*

B. They can also be followed by dependent clauses.

Je préfère cette affiche à **celle** que Paul a achetée.	*I prefer this poster to the one that Paul bought.*
Ces tableaux ne sont pas aussi beaux que **ceux** qu'il y avait à l'autre exposition.	*These paintings are not as beautiful as those that were at the other exhibit.*

C. Demonstrative pronouns can be used with the suffixes **-ci** and **-là**.

Je ne sais pas quel dessin choisir. **Celui-ci** est moins cher, mais **celui-là** est plus joli.	*I don't know which drawing to choose. This one is less expensive, but that one is prettier.*

You might want to point out that **-ci** generally refers to the nearer item and **-là** to the more distant item.

D. **Ceci** *(this)* and **cela** *(that)* and the less formal **ça** *(that)* refer to ideas or unspecified things rather than to specifically named items. Thus, they do not indicate number and gender.

Ceci va vous intéresser.	*This is going to interest you.*
Je ne comprends pas **cela**.	*I don't understand that.*
Ça, c'est formidable !	*That's great!*

Situation : Tu n'y connais rien !

Françoise et Christophe ont un peu de difficulté à communiquer. La conversation porte sur certaines reproductions. Mais de quelles reproductions s'agit-il ?

FRANÇOISE   Qu'est-ce que tu penses de mes nouvelles reproductions ?
CHRISTOPHE   Quelles reproductions ? Celles que tu as achetées à la galerie d'art ?

FRANÇOISE	Non, celles que mon cousin m'a envoyées.
CHRISTOPHE	Quel cousin ? Celui de Lyon ou celui de Dijon ?
FRANÇOISE	Mais non ! Celui dont je t'ai parlé. Tu sais, celui qui est peintre.
CHRISTOPHE	Ah oui ! Je me souviens ! Ses tableaux ressemblent à ceux de Picasso.
FRANÇOISE	Mais non ! Tu n'y connais rien !

> **Mots à retenir :**
> **porter sur** *to relate to,* **il s'agit de** *it is about,* **tu n'y connais rien** *you don't know anything about it*

Avez-vous compris ?

De quelles reproductions et de quel cousin s'agit-il ?

Communication et vie pratique

A. **Contradictions.** Vos goûts sont très différents de ceux de votre amie Julie. Chaque fois qu'elle donne son opinion sur quelque chose, vous donnez l'opinion opposée.

> EXEMPLE　Cette reproduction est très jolie.
> **Ah non, celle-ci est beaucoup plus jolie.**

1. Cette exposition est très intéressante.
2. Ce peintre est très célèbre.
3. Ces tableaux sont très modernes.
4. Ces photos sont très belles.
5. Cet article est intéressant.
6. Cette affiche est amusante.
7. Cette danseuse a beaucoup de talent.
8. Cette sculpture est très originale.

B. **La nostalgie du bon vieux temps.** Il y a des gens qui pensent toujours que le passé était bien plus agréable que le présent. Honoré Regret est une de ces personnes. Qu'est-ce qu'il dit ?

> EXEMPLE　Je n'aime pas ma nouvelle maison. (la maison où nous habitions autrefois)
> **J'aimais mieux celle où nous habitions autrefois.**
>
> Je n'aime pas ma nouvelle maison. (la maison de mes parents)
> **J'aimais mieux celle de mes parents.**

1. Je n'aime pas les cours que je suis ce trimestre. (les cours que je suivais le trimestre passé)
2. Je n'aime pas mes professeurs. (les professeurs que j'avais au lycée)
3. Je n'aime pas la mode d'aujourd'hui. (la mode d'il y a dix ans)
4. Je n'aime pas ma nouvelle chambre. (la chambre que j'avais l'année dernière)
5. Je n'aime pas mon nouveau camarade de chambre. (le camarade de chambre que j'avais l'année dernière)
6. Je n'aime pas la musique qu'on entend à la radio. (la musique qu'on entendait autrefois)

IAE Drills: **Modèle : C'est le manteau de Jacques.→C'est celui de Jacques. 1. C'est le stylo du professeur. 2. Ce sont les chaussures de Guy. 3. Ce sont les cédèroms de Sylvie. 4. Ce sont les vêtements des enfants. 5. C'est la voiture de mon père. 6. C'est la mode de l'année passée. Modèle : C'est la robe que je préfère.→C'est celle que je préfère. 1. C'est le tableau que nous allons acheter. 2. C'est la sculpture qui a gagné le premier prix. 3. C'est le poème que mon ami a écrit. 4. C'est la chanson qui a le plus de succès. 5. C'est la bande dessinée que je préfère. 6. Voici les reproductions que nous avons choisies.**

Have students role-play this exercise. You also might want to give the noun first and have students give the demonstrative pronoun: **cette reproduction→ celle-ce, ce peintre→celui-ci,** and so on.

7. Je n'aime pas les vêtements d'aujourd'hui. (les vêtements qu'on portait autrefois)
8. Je n'aime pas les jeux qu'on joue aujourd'hui. (les jeux de mon enfance)

Can be used as a teacher-directed activity or as a small-group activity.

C. **Préférences.** Répondez aux questions suivantes selon vos préférences personnelles.

1. Quels romans préférez-vous, les romans d'aventure ou ceux de science-fiction ?
2. Quels musées préférez-vous, ceux où il y a seulement des tableaux ou ceux où on peut voir toutes sortes d'objets d'art ?
3. Préférez-vous les films d'aventure ou ceux de science-fiction ?
4. Quelle musique préférez-vous, la musique d'aujourd'hui ou celle des années 60 ?
5. Quel type de vie préférez-vous, la vie d'aujourd'hui ou celle d'autrefois ?
6. Quel type de vêtements préférez-vous, les vêtements d'aujourd'hui ou ceux des années 70 ?

C'est votre tour

Vous parlez de certains objets ou de certaines personnes (livres, tableaux, peintres, écrivains), mais la personne avec qui vous parlez ne sait jamais exactement de quel objet ou de quelle personne vous parlez. Vous êtes constamment obligé(e) de préciser (e.g., **mais non, il ne s'agit pas de celui-ci**). Utilisez la **Situation** comme guide.

Exploration 2

Comment indiquer ce qui aurait pu être : Le plus-que-parfait et le conditionnel passé

Sometimes when we are talking about the past, we want to indicate that one event happened prior to another past event. The other past event is sometimes stated, but sometimes just understood (*They had already gone* or *They had already gone when I arrived*). In French, the **plus-que-parfait** (past perfect tense) is used to express this meaning.

A. The **plus-que-parfait** is formed by using the imperfect of **avoir** or **être** and the past participle.

j'**avais fini**	nous **avions fini**
tu **avais fini**	vous **aviez fini**
il / elle / on **avait fini**	ils / elles **avaient fini**

j'**étais allé(e)**	nous **étions allé(e)s**
tu **étais allé(e)**	vous **étiez allé(e)(s)**
il / elle / on **était allé(e)**	ils / elles **étaient allé(e)s**

Elle **avait** déjà **publié** plusieurs articles quand elle a écrit son premier roman.
Je ne savais pas que vous n'**étiez** jamais **allé** à Québec.
Je n'**avais** jamais **pensé** à ça.

B. The **conditionnel passé** (past conditional) describes a past hypothetical event or condition (*I wouldn't have done that*). It is often used with the **plus-que-parfait** to state what would have happened if things had been different. It is formed by using the conditional of **avoir** or **être** and the past participle.

j'**aurais fini**	nous **aurions fini**
tu **aurais fini**	vous **auriez fini**
il / elle / on **aurait fini**	ils / elles **auraient fini**

je **serais allé(e)**	nous **serions allé(e)s**
tu **serais allé(e)**	vous **seriez allé(e)(s)**
il / elle / on **serait allé(e)**	ils / elles **seraient allé(e)s**

You may want to review the use of si clauses introduced previously. You may also want to point out the difference between sentences such as **Ils ont dit qu'ils préféreraient venir un autre jour** and **Ils ont dit qu'ils auraient préféré venir un autre jour.** Both express the idea of the future in relation to the past, but the **conditionnel passé** implies that what they would have preferred is impossible.

À votre place, je n'**aurais** pas **dit** ça.
S'il avait fait beau, nous **serions allés** à la plage.
Si vous aviez écouté, vous **auriez compris**.
Ça ne **serait** pas **arrivé** si tu avais fait attention.

Situation : Je te l'avais bien dit !

M. et Mme Clément ont décidé d'aller au concert. M. Clément était chargé d'acheter les billets, mais il a oublié de le faire. Ils arrivent au guichet.

M. Clément	Bonjour, madame. Nous voudrions deux places au balcon, s'il vous plaît.
La Caissière	Je regrette. Il ne reste que des places à l'orchestre. Si vous aviez retenu vos places à l'avance, vous auriez eu plus de choix...
Mme Clément	Je te l'avais bien dit !
M. Clément	Oui, mais si tu n'avais pas mis si longtemps à te préparer, nous serions arrivés plus tôt !
Mme Clément	C'est toujours comme ça. On ne peut jamais compter sur toi. Si j'avais su, je m'en serais occupée moi-même !

IAE Drills: Substitution (**plus-que-parfait**): 1. **Je n'avais jamais fait cela. nous / tu / on / nos amis.** 2. **Nous étions déjà arrivés. vous / tu / les invités / mon oncle / je** 3. **Le jour précédent, je m'étais réveillé à dix heures. tu / ma mère / nous / vous / les autres.** Substitution (**conditionnel passé**): 1. **Moi, j'aurais fait la même chose. tu / nous / mon frère / les autres / vous.** 2. **À sa place, je serais venu plus tôt. nous / je / vous / tu / Micheline.** Substitution (**les phrases avec si**): 1. **S'il avait fait beau, nous serions allés à la plage. je / Marie et moi, mes amis / vous / Jean-Pierre.** 2. **Cela ne serait pas arrivé si tu avais fait attention. je / nous / les enfants / vous / mon petit frère** 3. **Si j'avais eu plus d'argent, j'aurais acheté une voiture de sport. tu / les Charpentier / vous / nous / Céline**

Nearly 6,000 Acadians (French colonists who had settled in Acadia in Canada) were forced to flee—or were deported—to Louisiana between 1765 and 1780 after Acadia was taken over by the British. Longfellow memorialized this tragic exodus in his long poem "Evangeline." The Canadian singer Angèle Arsenault has also treated this topic in her song "Evangeline."

As a follow-up, you may want to repeat with **nous, il(s), elle(s),** and so on.

Mots à retenir :
le billet *ticket,* **le guichet** *ticket window,* **je te l'avais bien dit** *I told you so*

Avez-vous compris ?

Pourquoi M. et Mme Clément se disputent-ils ? À votre avis, qui est responsable ?

Communication et vie pratique

A. **Trop tard !** Vous étiez invité(e) chez des amis, mais vous êtes arrivé(e) trop tard.

> EXEMPLE ils / manger
> **Ils avaient déjà mangé.**

1. Martine / servir le dîner
2. ils / manger le dessert
3. tout le monde / passer sur la terrasse
4. vous / boire votre café
5. Louis / faire la vaisselle
6. les autres invités / partir

B. **Sur la piste des ancêtres.** Philippe Laforêt, un « Cajun » de Louisiane, a retrouvé la trace d'un de ses ancêtres, Jean-Baptiste Laforêt, qui avait émigré au Canada quand il était jeune. Racontez son histoire.

> EXEMPLE Jean-Baptiste / naître en France
> **Jean-Baptiste était né en France.**

1. il / passer les premières années de sa vie en Normandie
2. il / venir au Canada quand il avait seize ans
3. il / s'installer en Acadie
4. il / apprendre le métier de boulanger
5. il / rencontrer Angèle, sa future femme, quelques années plus tard
6. Angèle / grandir en Acadie
7. ses parents / mourir quand elle avait douze ans
8. elle / s'occuper de ses petits frères et sœurs
9. Jean-Baptiste et Angèle / se marier en 1750
10. ils / devoir tout quitter quelques années plus tard

C. **À votre place.** Vous avez un ami qui n'hésite pas à dire ce que lui, il aurait fait s'il avait été à votre place. Cette fois-ci, ce sont vos activités du week-end passé qu'il critique. Qu'est-ce qu'il vous dit ?

> EXEMPLE ne pas assister à ce concert
> **À ta place, je n'aurais pas assisté à ce concert.**

1. aller voir une exposition d'art moderne
2. prendre le métro pour y aller
3. passer l'après-midi au musée
4. étudier soigneusement chaque tableau
5. essayer de comprendre les intentions de l'artiste
6. ne pas avoir peur de poser des questions
7. acheter des reproductions
8. ne pas revenir directement à la maison

D. **Si on avait eu plus de temps...** Des amis parlent de leur récent voyage à Paris et de ce qu'ils auraient fait s'ils avaient eu plus de temps. Qu'est-ce qu'ils disent ?

> EXEMPLE je / rendre visite à mes amis parisiens
> **Si j'avais eu plus de temps, j'aurais rendu visite à mes amis parisiens.**

1. nous / rester plus longtemps à Paris
2. tu / aller au musée d'Orsay
3. nous / visiter le château de Versailles
4. vous / passer au moins deux semaines à Paris
5. je / sortir tous les soirs
6. Robert / se promener le long de la Seine
7. nous / visiter de la Sainte-Chapelle
8. mes amis / aller voir une pièce de théâtre

E. **Si...** Imaginez ce qui se serait passé si les événements suivants avaient eu lieu.

1. Si vous étiez né(e) il y a deux cents ans...
2. Si Christophe Colomb n'avait pas découvert l'Amérique...
3. Si on n'avait pas inventé l'automobile...
4. Si vous aviez décidé de ne pas faire des études universitaires...
5. Si vous aviez grandi dans une autre région...
6. Si vous étiez né(e) en France...
7. Si on n'avait pas inventé le téléphone...

C'est votre tour

Vous voyagez avec des amis français (joués par d'autres étudiants). Vos amis devaient s'occuper de tous les préparatifs : réservations de chambre, achat des billets, etc., mais ils ne l'ont pas fait. Imaginez la conversation (à l'aéroport, à la gare, à l'hôtel).

Have students use the **Situation** as a guide.

Exploration 3

Pour indiquer les rapports entre deux actions : Le participe présent et l'infinitif

In French, as in English, when we relate two ideas, we can use phrases rather than complete clauses. Present participles and infinitives can be used for two types of these phrases.

A. The present participle functions much like English forms ending in *-ing*, such as *speaking, walking, finding*. In French, the present participle is formed by adding **-ant** to the stem of the present tense **nous** form of the verb.

nous parlons → **parlant**   nous faisons → **faisant**
nous finissons → **finissant**   nous commençons → **commençant**
nous attendons → **attendant**   nous mangeons → **mangeant**

Only three verbs have irregular present participles:

être → **étant**   savoir → **sachant**   avoir → **ayant**

Sachant cela, nous avons pris la décision de rester.
L'avion **arrivant** de Montréal aura un retard de trente minutes.
Étant étudiant, je n'avais pas beaucoup d'argent.

B. The most frequent use of the present participle is after the preposition **en.** It indicates:

1. that two actions are taking place at the same time (similar to *while* or *upon* plus the *-ing* form of the verb). Sometimes no preposition is used in English.

J'écoute de la musique **en faisant** mes devoirs.	*I listen to music while doing my homework.*
En entrant, nous avons remarqué qu'il y avait peu de spectateurs.	*Upon entering, we noticed that there were few spectators.*
Elle s'est cassé la jambe **en faisant** du ski.	*She broke her leg skiing.*

2. the manner in which an action is done or the means by which an end is achieved (similar to using *by, in,* or *through* plus the *-ing* form of a verb).

C'est **en jouant** tous les jours qu'on apprend à bien jouer.	*It is by playing every day that one learns to play well.*
Je me détends **en écoutant** de la musique.	*I relax by listening to music.*

Present participles are occasionally used as adjectives. In this case, they agree with the nouns modified.

C. When prepositions other than **en** are used with verb forms, the verb is always in the infinitive.

Venez me voir **avant de partir**.	*Come see me before leaving.*
Lisez lentement **pour** bien **comprendre.**	*Read slowly in order to understand well.*
Ne décidez pas **sans réfléchir.**	*Don't decide without thinking.*

D. After the preposition **après,** the past infinitive must be used.

Après avoir lu ce roman, faites-en un résumé.	*After reading (having read) this novel, summarize it.*
Elle a fait la connaissance de Jean-Claude **après être revenue** d'Europe.	*She met Jean-Claude after returning (having returned) from Europe.*
Nous sortirons **après nous être reposés.**	*We'll go out after resting (having rested).*

Situation : C'est plutôt bizarre...

Mylène s'est cassé le bras. Son amie Anne-Sophie est plutôt surprise quand Mylène lui explique comment ça lui est arrivé.

ANNE-SOPHIE   Quoi ! Tu t'es cassé le bras en allant au théâtre ? !...
MYLÈNE   Oui, je me suis fait ça juste après avoir assisté à la première.

ANNE-SOPHIE   Je ne vois pas le rapport !

MYLÈNE   Laisse-moi t'expliquer... En sortant du théâtre, j'avais encore la tête pleine de ce que je venais de voir et je marchais sans regarder où je mettais les pieds.

ANNE-SOPHIE   Et alors ?

MYLÈNE   Ne sachant pas qu'il avait plu pendant le spectacle, j'ai glissé en descendant l'escalier... et je me suis cassé le bras en tombant !

ANNE-SOPHIE   Tu avoueras que c'est plutôt bizarre ton histoire !

> **Mots à retenir :**
> **plutôt** *rather*, **le rapport** *relationship*, **glisser** *to slip*, **l'escalier** *(m) stairway*, **avouer** *to confess, admit*

Avez-vous compris ?

Dans quelles circonstances Mylène s'est-elle cassé le bras ?

Communication et vie pratique

A. **En avant la musique !** On peut facilement écouter de la musique en faisant autre chose. Que font les personnes suivantes en même temps qu'elles écoutent de la musique ?

> EXEMPLE   moi / quand je fais de la gymnastique
> **Moi, j'écoute de la musique en faisant de la gymnastique.**

1. nous / quand nous préparons le dîner
2. mon père / quand il lit son journal
3. moi / quand je m'habille
4. nous / quand nous prenons notre petit déjeuner
5. mes amis / quand ils font du jogging
6. toi / quand tu fais le ménage
7. moi / quand je reviens de mon travail
8. vous / quand vous prenez votre douche

B. **Assez d'excuses.** Madame Lebrun est fatiguée d'entendre des excuses. Elle veut que ses enfants rangent d'abord leur chambre. Qu'est-ce qu'elle leur dit ?

> EXEMPLE   Vous écouterez vos CD après.
> **Rangez votre chambre avant d'écouter vos CD.**

1. Vous jouerez après.
2. Tu iras au musée après.
3. Tu téléphoneras à tes amis après.
4. Vous vous reposerez après.
5. Tu sortiras après.
6. Tu feras du vélo après.
7. Vous irez à l'exposition après.
8. Tu liras ces revues après.

IAE Drills: **Modèle : Je regarde la télévision quand je mange.→ Je regarde la télévision en mangeant. 1. quand je fais me devoirs 2. quand je m'habille 3. quand j'étudie 4. quand je lis le journal 5. quand je prépare le dîner 6. quand je fais la vaisselle. Utilisez les phrases de l'exercise précédent dans chacun des exercises suivants. Modèle : Je regarde la télévision quand je mange.→Je regarde la télévision avant de manger. Modèle : Je regarde la télévision quand je mange.→Je regarde la télévision après avoir mangé.**

It might be helpful to have students give the present participle for each of the verbs given before putting them in a sentence.

Repeat with **après avoir : Vous écouterez vos CD après avoir rangé votre chambre.**

Have students give the forms of
the past infinitive before making
complete sentences: **après avoir
fait ses devoirs, après s'être
reposé,** and so on.

C. **Plus tard.** Vous voulez savoir quand vos amis pourront sortir.

> EXEMPLE   Monique doit d'abord faire ses devoirs.
> **Elle sortira après avoir fait ses devoirs.**

1. Judith doit laver sa voiture.
2. Mireille a besoin de se reposer.
3. Joël doit ranger ses affaires.
4. Gérard voudrait regarder la fin du film.
5. Yves doit aller à sa leçon de trompette.
6. Édouard est en train de préparer le dîner.
7. François veut lire le journal.
8. Karine est en train d'écrire une lettre.

This exercise can be done as
shown in the Exemple or each
series can be done separately.

D. **Avant, pendant ou après ?** Vos amis ont des habitudes très différentes. Laurent aime écouter de la musique en faisant autre chose. Colette préfère finir son travail pour pouvoir mieux se concentrer. Quant à Nadine, elle est trop impatiente pour attendre. Quand Laurent, Colette et Nadine écoutent-ils de la musique ?

> EXEMPLE   faire ses devoirs
> **Nadine écoute de la musique avant de faire ses devoirs.**
> **Laurent écoute de la musique en faisant ses devoirs.**
> **Colette écoute de la musique après avoir fait ses devoirs.**

1. lire le journal
2. aller à l'université
3. se préparer
4. manger
5. faire la cuisine
6. s'habiller
7. faire le ménage
8. finir ses devoirs

E. **A chacun ses préférences.** Quelles sont les choses que vous aimez faire en même temps ou l'une après l'autre ? Faites des phrases qui expriment vos préférences personnelles.

1. regarder la télévision
2. faire ses devoirs
3. lire le journal
4. se détendre
5. écouter de la musique
6. regarder des revues
7. faire le ménage
8. faire du jogging
9. ?

F. **Votre emploi du temps.** Indiquez ce que vous allez faire demain ou pendant le week-end et dans quel ordre vous allez le faire.

> EXEMPLE   **Après avoir pris ma douche, je vais déjeuner en écoutant les informations.**

C'est votre tour

Racontez à des amis (joués par d'autres étudiants) un accident (réel ou imaginaire) qui vous est arrivé. Expliquez quand et comment cet accident est arrivé. Vos amis vous posent des questions pour essayer de comprendre ce qui s'est passé.

Have students think about the sequence of events so that they can respond to the questions that they are asked. You might want to give students several different scenarios that they can use: car or bike accident, skiing accident, and so on.

Intégration et perspectives : Van Gogh et Millet enfin réunis

L'article suivant a été publié dans la revue *L'Express* à l'occasion d'une exposition qui réunit pour la première fois les œuvres de Van Gogh et de Millet. Selon cet article, c'est en copiant les œuvres de Millet que le jeune Vincent Van Gogh a appris à peindre.

> *Pour mieux lire :* Vous allez remarquer dans ce texte que pour évoquer des faits passés on utilise ce qu'on appelle « le présent historique » en même temps que le passé composé et l'imparfait. Notez et comparez l'utilisation de ces différents temps. Qu'est-ce que l'auteur essaie d'exprimer par à cette technique ? Quel en est le résultat ?

Le tableau le plus cher du monde est, on le sait, un bouquet d'iris peint à Arles en 1889 par Vincent Van Gogh. On sait aussi que cet artiste a influencé plusieurs courants majeurs de la peinture moderne. Il a préfiguré le fauvisme. Ses autoportraits ont annoncé l'impressionnisme. Sa touche libre a posé les prémices de l'abstraction. Mais lui, d'où a-t-il tiré son inspiration ? De Jean-François Millet, le peintre des paysans. Une exposition qui leur rend hommage les réunit pour la première fois au musée d'Orsay.

Fils de cultivateur, Millet déclarait à ses amis : « Je n'ai jamais vu de ma vie autre chose que des champs. Paysan je suis né, paysan je mourrai. » Il meurt à Barbizon en 1875. Quelques mois après sa mort, un certain Vincent Van Gogh, de passage à Paris, visite l'hôtel Drouot. Dans la salle, il y a 95 dessins et pastels de Millet qui sont là pour être vendus aux enchères. Le jeune Hollandais est frappé par ce qu'il voit.

À 27 ans, après quelques années passées en Belgique comme missionnaire évangélique, Van Gogh décide de vivre pour la peinture. En août 1880, il demande à son frère Théo de lui envoyer une série de reproductions tirées des *Travaux des champs* de Millet. Grâce à ces images, Vincent apprend à dessiner les figures humaines. De son maître posthume, il aime la rigueur et surtout, l'idéologie de l'homme qui gagne son pain à la sueur de son front. Chez Millet, il retrouve des valeurs chrétiennes chères à son cœur, l'humilité et la compassion. Van Gogh est séduit par la sérénité qui se dégage de cette campagne. Pendant plusieurs années, il s'exerce à copier les œuvres de son maître. Dans une lettre à son frère, Théo, Vincent confie : « Pour moi, ce n'est pas Manet, c'est Millet, le peintre essentiellement moderne. »

"La Sieste," by Vincent Van Gogh. Oil on canvas, 73 × 91 cm, R. F. 1952–17, Musée d'Orsay, Paris, France.

"The Haymaker's Rest," by Jean-François Millet, 1848. 89 × 116 cm. R. F. 2049, Musée d'Orsay, Paris, France.

Van Gogh s'installe à Paris en 1886. Là, il découvre l'impressionnisme et l'art japonais. Il abandonne Millet pour se consacrer à la transparence des ciels et aux couleurs vives. Deux ans plus tard, à Arles, il revient à celui qu'il appelle son « maître éternel ». Mais la présente exposition prouve que Vincent va plus loin que son maître. Millet écrivait : « Peindre la fin du jour, voilà l'épreuve d'un tableau », mais le Hollandais illumine le rythme des saisons dans une explosion de couleurs. Le soleil du Midi éclaire enfin les paysans. Van Gogh élimine le superflu, donne de l'ampleur à la forme. Les personnages ne sont plus des statues; ils vivent, bougent, sous un ciel bleu lavande. Et la lumière est omniprésente.

Vers la fin de sa vie, quand il est à l'asile de Saint-Rémy-de-Provence, Vincent, en plein délire, couvre les murs blancs du *Travail des champs* de Millet. Auparavant, il avait peint une étonnante copie de son maître : *Nuit étoilée*, où la voie lactée évoque l'infini. À Théo, en septembre 1888, il écrit : « J'ai un besoin terrible de religion, alors je vais la nuit dehors pour peindre les étoiles... »

Van Gogh meurt le 29 juillet 1890, rejoignant définitivement la nuit, les étoiles et Jean-François Millet.

Extrait et adapté d'un article de Loïc Stavridès,
publié dans L'Express, #2463, du 17 au 23 septembre 1998

Mots à retenir / Mots en contexte :

la touche *stroke*, tirer *to draw*, le paysan *farmer, peasant*, **le champ** *field*, **vendre aux enchères** *to auction off*, frappé *struck*, grace à *thanks to*, le maître *master*, la sueur *sweat*, le front *forehead, brow*, séduire *to seduce*, se dégager *to emanate*, s'exercer *to practice*, l'épreuve *(f) test*, éclairer *to illuminate*, l'ampleur *(f) fullness*, bouger *to move*, l'asile *(m) mental hospital*, auparavant *beforehand, previously*, la voie lactée *Milky Way*, **dehors** *outside*, **une étoile** *star*, **étonnant** *surprising*.

Avez-vous compris ?

Qu'est-ce que ces deux artistes ont en commun ? Et qu'est-ce qui différencie Van Gogh de son maître Millet ?

Info-culture : Le musée d'Orsay

- Dernier-né des grands musées parisiens, le musée d'Orsay a éte aménagé *(established)* dans une ancienne gare, construite par l'architecte Victor Laloux pour l'Exposition Universelle de 1900, et abandonnée en 1939.

- Dès 1973, sous le gouvernement de Georges Pompidou, on envisage l'implantation dans la gare d'Orsay d'un musée de tous les arts de la seconde moitié du 19e siècle.

- En 1980, l'architecture intérieure et l'aménagement en musée sont confiés à l'architecte italienne Gae Aulenti. Elle prend soin de respecter les traits architecturaux de l'édifice et d'utiliser au maximum la lumière naturelle distribuée par ses 3 500 m2 de verrières *(glass roof)*.

- Après six ans de travaux, le musée est inauguré le 1er décembre 1986 par le Président François Mitterrand.

- Exposées sur trois niveaux, les collections du musée, d'une qualité et d'une diversité exceptionnelle, éclairent l'histoire de l'art du milieu du 19e au début de 20e siècle (de 1848 à 1914 plus précisément). On peut y admirer toutes les formes d'art de cette période (peinture, sculpture, architecture, objets d'art, meubles, cinéma, photographie, musique, décors d'opéra) groupées en courants artistiques et présentées dans l'ordre chronologique. Du Symbolisme à l'Art Nouveau, en passant par l'Impressionnisme, on y trouve tous les grands maîtres de cette époque : Courbet, Monet, Gauguin, Van Gogh, Rodin et Lalique, pour n'en nommer que quelques-uns. Le musée d'Orsay comble l'espace *(fills the gap)* entre les collections du Louvre et celles du Musée d'Art Moderne du Centre Georges Pompidou.

- Le musée est aussi un lieu de spectacle, de réflexion et de formation. Il offre, par exemple,...

  • un programme de concerts consacrés au répertoire de la période 1848–1914 et présentés dans l'auditorium

  • des projections de films avec, en particulier, un festival annuel consacré au cinéma des origines

  • des conférences et des débats qui développent les thèmes traités par les expositions temporaires et un ensemble d'activités éducatives consacrées aux enfants des écoles.

Et vous ?

Et vous, quel est votre musée favori ? Quelles sont les principales œuvres qui y sont exposées ? Y a-t-il beaucoup de musées intéressants dans votre ville ou dans votre région (musée de la marionnette, musée de l'automobile, musée-village de l'époque des pionniers, etc. ? Lesquels d'entre eux recommanderiez-vous à des visiteurs étrangers et pourquoi ?

Communication et vie pratique

A. **Internet.** Visitez le musée du Louvre, **http://www.smartweb.fr/louvre/index.html** ou le musée d'Orsay **http://www.paris.org/Musees/Orsay/Collections/Paintings**, ou, si vous préférez, utilisez un moteur de recherche pour découvrir un autre musée français. Quelles sont les œuvres d'art qui vous ont le plus impressionné(e) ? Pourquoi ? Est-ce que les autres étudiants partagent votre opinion ? Si oui, pourquoi ? Sinon, essayez de les convaincre !

B. **Préférences.** Les tableaux suivants ont été peints par des peintres français, mais ils représentent des époques et des styles très différents. Que pensez-vous de chacun de ces tableaux ? Lequel préférez-vous et pourquoi ? Trouvez un ou deux autres étudiants qui ont choisi le même tableau et comparez vos impressions. Ensuite, imaginez que vous êtes des critiques d'art et faites une présentation de ce tableau au reste de la classe.

*"Mozart Kubelick," by Georges Braque, 1912, 47 × 61 cm.
Private collection, Basel, Switzerland.*

*"Sappho and Phaon," by Jacques-Louis David, Hermitage,
St. Petersburg, Russia.*

*"Impression: Sunrise" by Claude Monet, Musée Marmattan,
Paris, France.*

Students can ask each other all the questions in the survey or you can assign different questions to each group. The results can be tallied and presented orally or in writing to the class.

 C. Vous et le cinéma. Les questions suivantes font partie d'un sondage sur le cinéma. Répondez à ces questions et ensuite, discutez vos réponses avec les autres étudiants de la classe.

1. Allez-vous au cinéma...

❑   plusieurs fois par semaine ?
❑   une fois par semaine ?
❑   une fois par mois ?
❑   moins souvent ?
❑   jamais ?

2. Parmi les genres de films suivants, quels sont ceux que vous préférez et ceux qui ne vous intéressent pas ?

❑   les films comiques
❑   les films policiers
❑   les films de science-fiction
❑   les films d'aventure
❑   les films d'épouvante *(horror)*
❑   les grands classiques
❑   les westerns
❑   les dessins animés
❑   les comédies-musicales
❑   les films historiques
❑   autres

3. Préférez-vous les films étrangers...

❑   en version originale avec sous-titres ?
❑   en version anglaise ?
❑   pas de préférence

4. Comment choisissez-vous les films que vous allez voir ? Qu'est-ce qui vous influence le plus dans vos choix ?

❑   le sujet du film
❑   les vedettes
❑   les commentaires de vos amis
❑   les critiques que vous avez lues
❑   les émissions à la télévision
❑   le metteur en scène
❑   le titre
❑   la proximité de la salle
❑   les prix *(awards)* obtenus
❑   autres raisons

5. Quels sont vos acteurs et actrices préférés ? Donnez trois noms et expliquez pourquoi vous les avez choisis.
6. Quel est votre metteur en scène préféré ?
7. Quels sont les trois derniers films que vous avez vus ? Qu'est-ce que vous en avez pensé ?
8. De tous les films que vous avez vus, quels sont ceux que vous avez particulièrement aimés ?

D. **On va au cinéma ?** Thierry voudrait que Maryse aille avec lui voir un film qu'on joue en ce moment. Écoutez leur conversation et répondez aux questions qui suivent.

> *Pour mieux comprendre :* Dans la conversation suivante, vous avez une situation où une personne veut absolument que l'autre fasse quelque chose et essaie de la convaincre à tout prix. L'autre personne, de son côté, a de bonnes raisons de ne pas se laisser convaincre. Concentrez votre attention sur ces deux aspects de leur conversation et notez rapidement les arguments de chacun.

1. Qu'est-ce que Thierry voudrait que Maryse fasse ?
2. Pourquoi est-ce qu'elle hésite à accepter son invitation ?
3. Pourquoi est-ce qu'il insiste ?
4. Maryse est-elle libre ou non vendredi soir ? Pourquoi ?
5. Qui est Chantal, et que savez-vous au sujet de son cousin ?

E. **Critiques de films.** Grâce à l'Internet, vous êtes en contact avec des étudiants français. Vous aimeriez leur faire connaître les films qu'on passe en ce moment dans votre ville (ou les films qui ont été sélectionnés pour recevoir un Oscar). Par conséquent, vous écrivez une description et une revue critique d'un de ces films : qualité générale, moments ou parties du film qui vous ont particulièrement intéressé(e) ou impressionné(e), raisons pour lesquelles vous pensez que ce film mérite l'attention du public, qualité des acteurs, de la mise en scène, etc.

Have students publish their reviews in a class newspaper or on the Web. As a follow-up, ask each student to write to the "critic," agreeing or disagreeing with his or her assessment of the film. You could also use these reviews as the basis for a television movie review program.

> *Pour mieux écrire :* Pour vous aider dans cette tâche, vous pouvez consulter des critiques de films dans des journaux ou des revues françaises et voir comment l'auteur procède et comment il / elle analyse le film en question. Quels sont les aspects du film qu'il / elle mentionne ? Comment essaie-t-il / elle de nous convaincre de la bonne—ou de la mauvaise—qualité du film ? Après avoir consulté plusieurs critiques de films, essayez d'incorporer dans votre description les bonnes idées que vous aurez probablement trouvées.

CHEZ NOUS

AU SÉNÉGAL

Superficie : 197 000 km^2

Population :   8 750 000 h

Capitale : Dakar

Institutions : république
indépendante depuis 1958

Langues: français, ouolof,
peul sérère, mandé

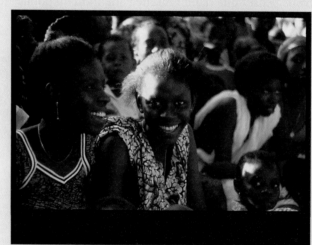

« *C'est à partir des années 70 que les femmes africaines ont vraiment fait leur entrée dans le monde littéraire francophone. Les thèmes abordés dans leurs œuvres sont souvent les mêmes que dans la littérature masculine, mais la perspective qu'elles offrent est très différente. Elles parlent de la condition des femmes dans les diverses sociétés africaines et surtout, elles dénoncent les abus du système patriarcal et la subordination des femmes, non seulement dans la société traditionnelle, mais aussi dans la société moderne.*

Je suis très fière de dire qu'en Afrique francophone, ce sont mes compatriotes, les femmes sénégalaises qui ont été les pionnières de ce mouvement. Dans des genres littéraires variés, chacune de ces romancières offre un portrait poignant mais très réaliste de la condition des femmes dans notre culture. Par exemple, De Tilène au plateau: une enfance dakaroise *de Nfistalou Diallo (1975) est le premier roman autobigraphique écrit par une femme au Sénégal. Le* Revenant *(1976), suivi de* La Grève des battus *en 1979*

et de L'Appel des Arènenes *en 1982 d'Aminata Sow Fall, présente une satire de la classe bourgeoise. Le roman épistolaire* Une si longue lettre *de Marianne Bâ, auteur la plus célèbre parmi les femmes-écrivains d'Afrique francophone, a connu un succès international pour son engagement féministe et son mérite littéraire. Dans ce roman, elle n'hésite pas à critiquer les pratiques culturelles qui contribuent à la subjugation des femmes, telles que la polygamie, les préjugés, l'élitisme de classe et la mauvaise interprétation du Coran. Elle fait aussi appel à une prise de conscience de l'importance de l'éducation formelle pour l'émancipation des femmes, la reconnaissance de leurs contributions et le respect de leurs droits dans notre société. Toutes ces femmes ont eu une grande influence dans ma vie, et je leurs suis reconnaissante de nous avoir ouvert le chemin.* »

Vocabulaire

Les arts et les loisirs (Voir pp. 388–389)

Noms

balcon (*m*) *balcony*
billet (*m*) *ticket; bill*
champ (*m*) *field*
conversation (*f*)
  conversation
escalier (*m*) *stairway,*
  stairs
étoile (*f*) *star*
festival (*m*) *festival*
galerie (*f*) *gallery*
guichet (*m*) *ticket*
  window
impressionnisme (*m*)
  impressionism
journal (*m*) **intime**
  diary
metteur en scène (*m*)
  film director
musicien(ne) (*m, f*)
  musician
personnage (*m*)
  character
siècle (*m*) *century*
sondage (*m*) *survey*

Verbes

appartenir *to belong*
avouer *to confess*
communiquer *to*
  communicate
connaître *to know, be*
  familiar with
déclarer *to declare*
décorer *to decorate*
diriger *to direct*
écrire *to write*
frapper *to strike*
glisser *to slip*
s'installer *to settle*
suivre *to follow; to take*

Adjectifs

bizarre *strange, bizarre*
étonnant *surprising*
majeur *major*

Divers

à l'occasion de *on the*
  occasion of
auparavant *beforehand,*
  previously
grâce à *thanks to*
dehors *outside*
il s'agit de *it's a matter*
  of, it's about
plutôt *rather*

Appendixes

International Phonetic Alphabet

Vowels

a	la
ɑ	pâte
e	été
ɛ	fête
ə	le
i	midi
o	dos
ɔ	votre
ø	deux
œ	leur
u	nous
y	du
ɑ̃	dans
ɛ̃	vin
ɔ̃	mon
œ̃	un

Consonants

b	beau
d	danger
f	fin
g	gare
k	quand
l	livre
m	maman
n	non
p	petit
r	rêve
s	sa
t	tête
v	victoire
z	zéro
ʃ	chien
ʒ	juge
ɲ	montagne

Semivowels

j	famille, métier, crayon
w	Louis, voici
ɥ	lui, depuis

Glossary of Grammar Terms

As you learn French, you may come across grammar terms in English with which you are not familiar. The following glossary is a reference list of grammar terms and definitions with examples. You will find that these terms are used in the grammar explanations of this and other textbooks. If the terms are unfamiliar to you, it will be helpful to refer to this list.

adjective   a word used to modify, qualify, define, or specify a noun or noun equivalent (*intricate* design, *volcanic* ash, *medical* examination)
demonstrative adjective designates or points out a specific item (*this* area)
descriptive adjective provides description (*narrow* street)
interrogative adjective asks or questions (*Which* page?)
possessive adjective indicates possession (*our* house)

In French, the adjective form must agree with, or show the same gender and number as, the noun it modifies.

adverb   a word used to qualify or modify a verb, adjective another adverb, or some other modifying phrase or clause (soared *gracefully*, *rapidly* approaching train)

agreement   The accordance of forms between subject and verb, in terms of person and number, or between tenses of verbs (The *bystander witnessed* the accident but *failed* to report it.)

In French, the form of the adjective must conform in gender and number with the modified noun or noun equivalent.

article   one of several types of words used before a noun
definite article limits, defines, or specifies (*the* village)
indefinite article refers to a nonspecific member of a group or class (*a* village, *an* arrangement)
partitive article refers to an indefinite quantity of an item (*some* coffee, *any* tea).

In French, the article takes different forms to indicate the gender and number of a noun.

auxiliary   a verb or verb form used with other verbs to construct certain tenses, voices, or moods (He *is* leaving. She *has* arrived. You *must* listen.)

clause	a group of words consisting of a subject and a predicate and functioning as part of a complex or compound sentence rather than as a complete sentence **subordinate clause** modifies and is dependent upon another clause (*Since the rain has stopped,* we can have a picnic.) **main clause** is capable of standing independently as a complete sentence (If all goes well, *the plane will depart in twenty minutes.*)
cognate	a word resembling a word in another language (*university* and *université* in French)
command	*See* **mood (imperative).**
comparative	level of comparison used to show an increase or decrease of quantity or quality or to compare or show inequality between two items (*higher* prices, the *more* beautiful of the two mirrors, *less* diligently, *better* than)
comparison	modification of the form of an adjective or adverb to show change in the quantity or quality of an item or to show the relation between the items
conditional	a verb construction used in a contrary-to-fact statement consisting of a condition or an *if*-clause and a conclusion (If you had told me you were sick, *I would have offered* to help.)
conjugation	the set of forms a verb takes to indicate changes of person, number, tense, mood, and voice
conjunction	a word used to link or connect sentences or parts of sentences (*and, but*)
contraction	an abbreviated or shortened form of a word or word group (*can't, we'll*)
gender	the classification of a word by sex. In English, almost all nouns are classified as masculine, feminine, or neuter according to the biological sex of the thing named; in French, however, a word is classified as feminine or masculine (there is no neuter classification) primarily on the basis of its linguistic form or derivation.
idiom	an expression that is grammatically or semantically unique to a particular language (*I caught a cold. Happy birthday.*)
imperative	*See* **mood.**
indicative	*See* **mood.**
infinitive	the basic form of the verb, and the one listed in dictionaries, with no indication of person or number; it is often used in verb constructions and as a verbal noun, usually with "to" in English or with **-er, -ir,** or **-re** in French.
inversion	*See* **word order (inverted).**
mood	the form and construction a verb assumes to express the manner in which the action or state takes place

imperative mood used to express commands (*Walk* to the park with me.)

indicative mood the form most frequently used, usually expressive of certainty and fact (My neighbor *walks* to the park every afternoon.)

subjunctive mood used in expression of possibility, doubt, or hypothetical situations (I wish he *were* here.)

noun a word that names something and usually functions as a subject or an object (*lady, country, family*)

number the form a word or phrase assumes to indicate singular or plural (*light/lights, mouse/mice, he has/they have*)

cardinal number used in counting or expressing quantity (*1, 23, 6,825*)

ordinal number refers to sequence (*second, fifteenth, thirty-first*)

object a noun or noun equivalent

direct object receives the action of the verb (The boy caught a *fish.*)

indirect object affected by the action of the verb (Please do *me* a favor.)

participle a verb form used as an adjective or adverb and in forming tenses

past participle relates to the past or a perfect tense and takes the appropriate ending (*written* proof, the door has been *locked*)

present participle assumes the progressive "-ing" ending in English (*protesting* loudly; *seeing* them)

In French, a participle used as an adjective or in an adjectival phrase must agree in gender and number with the modified noun or noun equivalent.

passive *See* **voice (passive).**

person designated by the personal pronoun and/or by the verb form

first person the speaker or writer (*I, we*)

second person the person(s) addressed (*you*)

In French, there are two forms of address: the familiar and the polite.

third person the person or thing spoken about (*she, he, it, they*)

phrase a word group that forms a unit of expression, often named after the part of speech it contains or forms

prefix a letter or letter group added at the beginning of a word to alter the meaning (*non*committal, *re*discover)

preposition a connecting word used to indicate a spatial, temporal, causal, affective, directional, or some other relation between a noun or pronoun and the sentence or a portion of it (We waited *for* six hours. The article was written *by* a famous journalist.)

pronoun	a word used in place of a noun **demonstrative pronoun** refers to something previously mentioned in context (If you need hiking boots, I recommend *these*.) **indefinite pronoun** denotes a nonspecific class or item (*Nothing* has changed.) **interrogative pronoun** asks about a person or thing (*Whose* is this?) **object pronoun** functions as a direct, an indirect, or a prepositional object (Three people saw *her*. Write *me* a letter. The flowers are for *you*.) **possessive pronoun** indicates possession (The blue car is *ours*.) **reflexive pronoun** refers back to the subject (They introduced *themselves*.) **subject pronoun** functions as the subject of a clause or sentence (*He* departed a while ago.)
reflexive construction	*See* **pronoun (reflexive).**
sentence	a word group, or even a single word, that forms a meaningful, complete expression **declarative sentence** states something and is followed by a period (*The museum contains many fine examples of folk art.*) **exclamatory sentence** exhibits force or passion and is followed by an exclamation point (*I want to be left alone!*) **interrogative sentence** asks a question and is followed by a question mark (*Who are you?*)
subject	a noun or noun equivalent acting as the agent of the action or the person, place, thing, or abstraction spoken about (*The fishermen* drew in their nets. *The nets* were filled with the day's catch.)
suffix	a letter or letter group added to the end of a word to alter the meaning or function (like*ness*, transport*ation*, joy*ous*, love*ly*)
superlative	level of comparison used to express the utmost or lowest level or to indicate the highest or lowest relation in comparing more than two terms (*highest* prices, the *most* beautiful, *least* diligently)
tense	the form a verb takes to express the time of the action, state, or condition in relation to the time of speaking or writing *imparfait* relates to an action that continued over a period of time in the past (It *was existing*. We *were learning*.) *futur antérieur* relates to something that has not yet occurred but will have taken place and be complete by some future time (It *will* have existed. We *will* have learned.) *future tense* relates to something that has not yet occurred (It *will exist*. We *will learn*.) *passé composé* relates to an occurrence that began at some point in the past but was finished by the time of speaking or writing (It *has existed*. We *have learned*.)

present tense relates to now, the time of speaking or writing, or to a general, timeless fact (It *exists*. We *learn*. Fish *swim*.)

verb   a word that expresses action or a state or condition (*walk, be, feel*)

intransitive verb no receiver is necessary (The light *shines*.)
orthographic-changing verb undergoes spelling changes in conjugation (infinitive: *buy*; past indicative: *bought*)
transitive verb requires a receiver or an object to complete the predicate (He *throws* the ball.)

voice   the form a verb takes to indicate the relation between the expressed action or state and the subject
active voice indicates that the subject is the agent of the action (The child *sleeps*. The professor *lectures*.)
passive voice indicates that the subject does not initiate the action but that the action is directed toward the subject (I *was contacted* by my attorney. The road *got slippery* from the rain.)

word order   the sequence of words in a clause or sentence
inverted word order an element other than the subject appears first (*If the weather permits,* we plan to vacation in the country. *Please* be on time. *Have* you met my parents?)

Verb Charts

Regular Verbs

Infinitif Participes	Indicatif				
	Présent	Imparfait	Passé composé	Passé simple	Plus-que-parfait
parler parlant parlé	parle parles parle parlons parlez parlent	parlais parlais parlait parlions parliez parlaient	ai parlé as parlé a parlé avons parlé avez parlé ont parlé	parlai parlas parla parlâmes parlâtes parlèrent	avais parlé avais parlé avait parlé avions parlé aviez parlé avaient parlé
finir finissant fini	finis finis finit finissons finissez finissent	finissais finissais finissait finissions finissiez finissaient	ai fini as fini a fini avons fini avez fini ont fini	finis finis finit finîmes finîtes finirent	avais fini avais fini avait fini avions fini aviez fini avaient fini
rendre rendant rendu	rends rends rend rendons rendez rendent	rendais rendais rendait rendions rendiez rendaient	ai rendu as rendu a rendu avons rendu avez rendu ont rendu	rendis rendis rendit rendîmes rendîtes rendirent	avais rendu avais rendu avait rendu avions rendu aviez rendu avaient rendu

**partir (dormir,
   s'endormir,
   mentir, sentir,
   servir, sortir)**
partant
parti
	pars
	pars
	part
	partons
	partez
	partent
		partais
		partais
		partait
		partions
		partiez
		partaient
			suis parti(e)
			es parti(e)
			est parti(e)
			sommes parti(e)s
			êtes parti(e)(s)
			sont parti(e)s
				partis
				partis
				partit
				partîmes
				partîtes
				partirent
					étais parti(e)
					étais parti(e)
					était parti(e)
					étions parti(e)s
					étiez parti(e)(s)
					étaient parti(e)s

		Conditionnel		Impératif	Subjonctif	
Futur	**Futur antérieur**	**Présent**	**Passé**		**Présent**	**Passé composé du subjonctif**
parlerai	aurai parlé	parlerais	aurais parlé		parle	aie parlé
parleras	auras parlé	parlerais	aurais parlé	parle	parles	aies parlé
parlera	aura parlé	parlerait	aurait parlé		parle	ait parlé
parlerons	aurons parlé	parlerions	aurions parlé	parlons	parlions	ayons parlé
parlerez	aurez parlé	parleriez	auriez parlé	parlez	parliez	ayez parlé
parleront	auront parlé	parleraient	auraient parlé		parlent	aient parlé
finirai	aurai fini	finirais	aurais fini		finisse	aie fini
finiras	auras fini	finirais	aurais fini	finis	finisses	aies fini
finira	aura fini	finirait	aurait fini		finisse	ait fini
finirons	aurons fini	finirions	aurions fini	finissons	finissions	ayons fini
finirez	aurez fini	finiriez	auriez fini	finissez	finissiez	ayez fini
finiront	auront fini	finiraient	auraient fini		finissent	aient fini
rendrai	aurai rendu	rendrais	aurais rendu		rende	aie rendu
rendras	auras rendu	rendrais	aurais rendu	rends	rendes	aies rendu
rendra	aura rendu	rendrait	aurait rendu		rende	ait rendu
rendrons	aurons rendu	rendrions	aurions rendu	rendons	rendions	ayons rendu
rendrez	aurez rendu	rendriez	auriez rendu	rendez	rendiez	ayez rendu
rendront	auront rendu	rendraient	auraient rendu		rendent	aient rendu
partirai	serai parti(e)	partirais	serais parti(e)		parte	sois parti(e)
partiras	seras parti(e)	partirais	serais parti(e)	pars	partes	sois parti(e)
partira	sera parti(e)	partirait	serait parti(e)		parte	soit parti(e)
partirons	serons parti(e)s	partirions	serions parti(e)s	partons	partions	soyons parti(e)s
partirez	serez parti(e)(s)	partiriez	seriez parti(e)(s)	partez	partiez	soyez parti(e)(s)
partiront	seront parti(e)s	partiraient	seraient parti(e)s		partent	soient parti(e)s

Spelling-Changing Verbs

Infinitif Participes	Indicatif				
	Présent	Imparfait	Passé composé	Passé simple	Plus-que-parfait
acheter (lever, mener, promener) achetant acheté	achète achètes achète achetons achetez achètent	achetais achetais achetait achetions achetiez achetaient	ai acheté as acheté a acheté avons acheté avez acheté ont acheté	achetai achetas acheta achetâmes achetâtes achetèrent	avais acheté avais acheté avait acheté avions acheté aviez acheté avaient acheté
préférer (considérer, espérer, exagérer, inquiéter, répéter) préférant préféré	préfère préfères préfère préférons préférez préfèrent	préférais préférais préférait préférions préfériez préféraient	ai préféré as préféré a préféré avons préféré avez préféré ont préféré	préférai préféras préféra préférâmes préférâtes préférèrent	avais préféré avais préféré avait préféré avions préféré aviez préféré avaient préféré
manger (arranger, changer, corriger, déranger, diriger, encourager, nager) mangeant mangé	mange manges mange mangeons mangez mangent	mangeais mangeais mangeait mangions mangiez mangeaient	ai mangé as mangé a mangé avons mangé avez mangé ont mangé	mangeai mangeas mangea mangeâmes mangeâtes mangèrent	avais mangé avais mangé avait mangé avions mangé aviez mangé avaient mangé
payer (essayer) payant payé	paie paies paie payons payez paient	payais payais payait payions payiez payaient	ai payé as payé a payé avons payé avez payé ont payé	payai payas paya payâmes payâtes payèrent	avais payé avais payé avait payé avions payé aviez payé avaient payé
commencer commençant commencé	commence commences commence commençons commencez commencent	commençais commençais commençait commencions commenciez commençaient	ai commencé as commencé a commencé avons commencé avez commencé ont commencé	commençai commenças commença commençâmes commençâtes commencèrent	avais commencé avais commencé avait commencé avions commencé aviez commencé avaient commencé
appeler (rappeler) appelant appelé	appelle appelles appelle appelons appelez appellent	appelais appelais appelait appelions appeliez appelaient	ai appelé as appelé a appelé avons appelé avez appelé ont appelé	appelai appelas appela appelâmes appelâtes appelèrent	avais appelé avais appelé avait appelé avions appelé aviez appelé avaient appelé

		Conditionnel		Impératif	Subjonctif	
Futur	Futur antérieur	Présent	Passé		Présent	Passé composé du subjonctif
achèterai	aurai acheté	achèterais	aurais acheté		achète	aie acheté
achèteras	auras acheté	achèterais	aurais acheté	achète	achètes	aies acheté
achètera	aura acheté	achèterait	aurait acheté		achète	ait acheté
achèterons	aurons acheté	achèterions	aurions acheté	achetons	achetions	ayons acheté
achèterez	aurez acheté	achèteriez	auriez acheté	achetez	achetiez	ayez acheté
achèteront	auront acheté	achèteraient	auraient acheté		achètent	aient acheté
préférerai	aurai préféré	préférerais	aurais préféré		préfère	aie préféré
préféreras	auras préféré	préférerais	aurais préféré	préfère	préfères	aies préféré
préférera	aura préféré	préférerait	aurait préféré		préfère	ait préféré
préférerons	aurons préféré	préférerions	aurions préféré	préférons	préférions	ayons préféré
préférerez	aurez préféré	préféreriez	auriez préféré	préférez	préfériez	ayez préféré
préféreront	auront préféré	préféreraient	auraient préféré		préfèrent	aient préféré
mangerai	aurai mangé	mangerais	aurais mangé		mange	aie mangé
mangeras	auras mangé	mangerais	aurais mangé	mange	manges	aies mangé
mangera	aura mangé	mangerait	aurait mangé		mange	ait mangé
mangerons	aurons mangé	mangerions	aurions mangé	mangeons	mangions	ayons mangé
mangerez	aurez mangé	mangeriez	auriez mangé	mangez	mangiez	ayez mangé
mangeront	auront mangé	mangeraient	auraient mangé		mangent	aient mangé
paierai	aurai payé	paierais	aurais payé		paie	aie payé
paieras	auras payé	paierais	aurais payé	paie	paies	aies payé
paiera	aura payé	paierait	aurait payé		paie	ait payé
paierons	aurons payé	paierions	aurions payé	payons	payions	ayons payé
paierez	aurez payé	paieriez	auriez payé	payez	payiez	ayez payé
paieront	auront payé	paieraient	auraient payé		paient	aient payé
commencerai	aurai commencé	commencerais	aurais commencé		commence	aie commencé
commenceras	auras commencé	commencerais	aurais commencé	commence	commences	aies commencé
commencera	aura commencé	commencerait	aurait commencé		commence	ait commencé
commencerons	aurons commencé	commencerions	aurions commencé	commençons	commencions	ayons commencé
commencerez	aurez commencé	commenceriez	auriez commencé	commencez	commenciez	ayez commencé
commenceront	auront commencé	commenceraient	auraient commencé		commencent	aient commencé
appellerai	aurai appelé	appellerais	aurais appelé		appelle	aie appelé
appelleras	auras appelé	appellerais	aurais appelé	appelle	appelles	aies appelé
appellera	aura appelé	appellerait	aurait appelé		appelle	ait appelé
appellerons	aurons appelé	appellerions	aurions appelé	appelons	appelions	ayons appelé
appellerez	aurez appelé	appelleriez	auriez appelé	appelez	appeliez	ayez appelé
appelleront	auront appelé	appelleraient	auraient appelé		appellent	aient appelé

Auxiliary Verbs

Infinitif Participes	Indicatif				
	Présent	Imparfait	Passé composé	Passé simple	Plus-que-parfait
être étant été	suis es est sommes êtes sont	étais étais était étions étiez étaient	ai été as été a été avons été avez été ont été	fus fus fut fûmes fûtes furent	avais été avais été avait été avions été aviez été avaient été
avoir ayant eu	ai as a avons avez ont	avais avais avait avions aviez avaient	ai eu as eu a eu avons eu avez eu ont eu	eus eus eut eûmes eûtes eurent	avais eu avais eu avait eu avions eu aviez eu avaient eu

		Conditionnel		**Impératif**	**Subjonctif**	
Futur	Futur antérieur	Présent	Passé		Présent	Passé composé du subjonctif
serai	aurai été	serais	aurais été		sois	aie été
seras	auras été	serais	aurais été	sois	sois	aies été
sera	aura été	serait	aurait été		soit	ait été
serons	aurons été	serions	aurions été	soyons	soyons	ayons été
serez	aurez été	seriez	auriez été	soyez	soyez	ayez été
seront	auront été	seraient	auraient été		soient	aient été
aurai	aurai eu	aurais	aurais eu		aie	aie eu
auras	auras eu	aurais	aurais eu	aie	aies	aies eu
aura	aura eu	aurait	aurait eu		ait	ait eu
aurons	aurons eu	aurions	aurions eu	ayons	ayons	ayons eu
aurez	aurez eu	auriez	auriez eu	ayez	ayez	ayez eu
auront	auront eu	auraient	auraient eu		aient	aient eu

Irregular Verbs

Each verb in this list is conjugated like the model indicated by number. See the table of irregular verbs for the models.

admettre 13
(s') apercevoir 22
apprendre 21
commettre 13
comprendre 21
construire 3
couvrir 17
décevoir 22

découvrir 17
décrire 9
devenir 27
disparaître 4
inscrire 9
introduire 3
obtenir 27

paraître 4
permettre 13
poursuivre 25
prévoir 29
produire 3
promettre 13
reconduire 3

reconnaître 4
redire 8
relire 12
remettre 13
retenir 27
revenir 27
revoir 29

satisfaire 11
souffrir 16
se souvenir 27
surprendre 21
se taire 18
tenir 27
traduire 3

Infinitif Participes		Indicatif				
		Présent	Imparfait	Passé composé	Passé simple	Plus-que-parfait
1 **aller** allant allé		vais vas va allons allez vont	allais allais allait allions alliez allaient	suis allé(e) es allé(e) est allé(e) sommes allé(e)s êtes allé(e)(s) sont allé(e)s	allai allas alla allâmes allâtes allèrent	étais allé(e) étais allé(e) était allé(e) étions allé(e)s étiez allé(e)(s) étaient allé(e)s
2 **boire** buvant bu		bois bois boit buvons buvez boivent	buvais buvais buvait buvions buviez buvaient	ai bu as bu a bu avons bu avez bu ont bu	bus bus but bûmes bûtes burent	avais bu avais bu avait bu avions bu aviez bu avaient bu
3 **conduire** conduisant conduit		conduis conduis conduit conduisons conduisez conduisent	conduisais conduisais conduisait conduisions conduisiez conduisaient	ai conduit as conduit a conduit avons conduit avez conduit ont conduit	conduisis conduisis conduisit conduisîmes conduisîtes conduisirent	avais conduit avais conduit avait conduit avions conduit aviez conduit avaient conduit
4 **connaître** connaissant connu		connais connais connaît connaissons connaissez connaissent	connaissais connaissais connaissait connaissions connaissiez connaissaient	ai connu as connu a connu avons connu avez connu ont connu	connus connus connut connûmes connûtes connurent	avais connu avais connu avait connu avions connu aviez connu avaient connu

		Conditionnel		Impératif	Subjonctif	
Futur	**Futur antérieur**	**Présent**	**Passé**		**Présent**	**Passé composé du subjonctif**
irai	serai allé(e)	irais	serais allé(e)		aille	sois allé(e)
iras	seras allé(e)	irais	serais allé(e)	va	ailles	sois allé(e)
ira	sera allé(e)	irait	serait allé(e)		aille	soit allé(e)
irons	serons allé(e)s	irions	serions allé(e)s	allons	allions	soyons allé(e)s
irez	serez allé(e)(s)	iriez	seriez allé(e)(s)	allez	alliez	soyez allé(e)(s)
iront	seront allé(e)s	iraient	seraient allé(e)s		aillent	soient allé(e)s
boirai	aurai bu	boirais	aurais bu		boive	aie bu
boiras	auras bu	boirais	aurais bu	bois	boives	aies bu
boira	aura bu	boirait	aurait bu		boive	ait bu
boirons	aurons bu	boirions	aurions bu	buvons	buvions	ayons bu
boirez	aurez bu	boiriez	auriez bu	buvez	buviez	ayez bu
boiront	auront bu	boiraient	auraient bu		boivent	aient bu
conduirai	aurai conduit	conduirais	aurais conduit		conduise	aie conduit
conduiras	auras conduit	conduirais	aurais conduit	conduis	conduises	aies conduit
conduira	aura conduit	conduirait	aurait conduit		conduise	ait conduit
conduirons	aurons conduit	conduirions	aurions conduit	conduisons	conduisions	ayons conduit
conduirez	aurez conduit	conduiriez	auriez conduit	conduisez	conduisiez	ayez conduit
conduiront	auront conduit	conduiraient	auraient conduit		conduisent	aient conduit
connaîtrai	aurai connu	connaîtrais	aurais connu		connaisse	aie connu
connaîtras	auras connu	connaîtrais	aurais connu	connais	connaisses	aies connu
connaîtra	aura connu	connaîtrait	aurait connu		connaisse	ait connu
connaîtrons	aurons connu	connaîtrions	aurions connu	connaissons	connaissions	ayons connu
connaîtrez	aurez connu	connaîtriez	auriez connu	connaissez	connaissiez	ayez connu
connaîtront	auront connu	connaîtraient	auraient connu		connaissent	aient connu

Infinitif Participes	Indicatif				
	Présent	**Imparfait**	**Passé composé**	**Passé simple**	**Plus-que-parfait**
5 **courir** courant couru	cours cours court courons courez courent	courais courais courait courions couriez couraient	ai couru as couru a couru avons couru avez couru ont couru	courus courus courut courûmes courûtes coururent	avais couru avais couru avait couru avions couru aviez couru avaient couru
6 **croire** croyant cru	crois crois croit croyons croyez croient	croyais croyais croyait croyions croyiez croyaient	ai cru as cru a cru avons cru avez cru ont cru	crus crus crut crûmes crûtes crurent	avais cru avais cru avait cru avions cru aviez cru avaient cru
7 **devoir** devant dû	dois dois doit devons devez doivent	devais devais devait devions deviez devaient	ai dû as dû a dû avons dû avez dû ont dû	dus dus dut dûmes dûtes durent	avais dû avais dû avait dû avions dû aviez dû avaient dû
8 **dire** disant dit	dis dis dit disons dites disent	disais disais disait disions disiez disaient	ai dit as dit a dit avons dit avez dit ont dit	dis dis dit dîmes dîtes dirent	avais dit avais dit avait dit avions dit aviez dit avaient dit
9 **écrire** écrivant écrit	écris écris écrit écrivons écrivez écrivent	écrivais écrivais écrivait écrivions écriviez écrivaient	ai écrit as écrit a écrit avons écrit avez écrit ont écrit	écrivis écrivis écrivit écrivîmes écrivîtes écrivirent	avais écrit avais écrit avait écrit avions écrit aviez écrit avaient écrit
10 **envoyer** envoyant envoyé	envoie envoies envoie envoyons envoyez envoient	envoyais envoyais envoyait envoyions envoyiez envoyaient	ai envoyé as envoyé a envoyé avons envoyé avez envoyé ont envoyé	envoyai envoyas envoya envoyâmes envoyâtes envoyèrent	avais envoyé avais envoyé avait envoyé avions envoyé aviez envoyé avaient envoyé
11 **faire** faisant fait	fais fais fait faisons faites font	faisais faisais faisait faisions faisiez faisaient	ai fait as fait a fait avons fait avez fait ont fait	fis fis fit fîmes fîtes firent	avais fait avais fait avait fait avions fait aviez fait avaient fait

		Conditionnel		Impératif	Subjonctif	
Futur	Futur antérieur	Présent	Passé		Présent	Passé composé du subjonctif
courrai	aurai couru	courrais	aurais couru		coure	aie couru
courras	auras couru	courrais	aurais couru	cours	coures	aies couru
courra	aura couru	courrait	aurait couru		coure	ait couru
courrons	aurons couru	courrions	aurions couru	courons	courions	ayons couru
courrez	aurez couru	courriez	auriez couru	courez	couriez	ayez couru
courront	auront couru	courraient	auraient couru		courent	aient couru
croirai	aurai cru	croirais	aurais cru		croie	aie cru
croiras	auras cru	croirais	aurais cru	crois	croies	aies cru
croira	aura cru	croirait	aurait cru		croie	ait cru
croirons	aurons cru	croirions	aurions cru	croyons	croyions	ayons cru
croirez	aurez cru	croiriez	auriez cru	croyez	croyiez	ayez cru
croiront	auront cru	croiraient	auraient cru		croient	aient cru
devrai	aurai dû	devrais	aurais dû		doive	aie dû
devras	auras dû	devrais	aurais dû	dois	doives	aies dû
devra	aura dû	devrait	aurait dû		doive	ait dû
devrons	aurons dû	devrions	aurions dû	devons	devions	ayons dû
devrez	aurez dû	devriez	auriez dû	devez	deviez	ayez dû
devront	auront dû	devraient	auraient dû		doivent	aient dû
dirai	aurai dit	dirais	aurais dit		dise	aie dit
diras	auras dit	dirais	aurais dit	dis	dises	aies dit
dira	aura dit	dirait	aurait dit		dise	ait dit
dirons	aurons dit	dirions	aurions dit	disons	disions	ayons dit
direz	aurez dit	diriez	auriez dit	dites	disiez	ayez dit
diront	auront dit	diraient	auraient dit		disent	aient dit
écrirai	aurai écrit	écrirais	aurais écrit		écrive	aie écrit
écriras	auras écrit	écrirais	aurais écrit	écris	écrives	aies écrit
écrira	aura écrit	écrirait	aurait écrit		écrive	ait écrit
écrirons	aurons écrit	écririons	aurions écrit	écrivons	écrivions	ayons écrit
écrirez	aurez écrit	écririez	auriez écrit	écrivez	écriviez	ayez écrit
écriront	auront écrit	écriraient	auraient écrit		écrivent	aient écrit
enverrai	aurai envoyé	enverrais	aurais envoyé		envoie	aie envoyé
enverras	auras envoyé	enverrais	aurais envoyé	envoie	envoies	aies envoyé
enverra	aura envoyé	enverrait	aurait envoyé		envoie	ait envoyé
enverrons	aurons envoyé	enverrions	aurions envoyé	envoyons	envoyions	ayons envoyé
enverrez	aurez envoyé	enverriez	auriez envoyé	envoyez	envoyiez	ayez envoyé
enverront	auront envoyé	enverraient	auraient envoyé		envoient	aient envoyé
ferai	aurai fait	ferais	aurais fait		fasse	aie fait
feras	auras fait	ferais	aurais fait	fais	fasses	aies fait
fera	aura fait	ferait	aurait fait		fasse	ait fait
ferons	aurons fait	ferions	aurions fait	faisons	fassions	ayons fait
ferez	aurez fait	feriez	auriez fait	faites	fassiez	ayez fait
feront	auront fait	feraient	auraient fait		fassent	aient fait

Infinitif Participes	Indicatif				
	Présent	Imparfait	Passé composé	Passé simple	Plus-que-parfait
12 **lire** lisant lu	lis lis lit lisons lisez lisent	lisais lisais lisait lisions lisiez lisaient	ai lu as lu a lu avons lu avez lu ont lu	lus lus lut lûmes lûtes lurent	avais lu avais lu avait lu avions lu aviez lu avaient lu
13 **mettre** mettant mis	mets mets met mettons mettez mettent	mettais mettais mettait mettions mettiez mettaient	ai mis as mis a mis avons mis avez mis ont mis	mis mis mit mîmes mîtes mirent	avais mis avais mis avait mis avions mis aviez mis avaient mis
14 **mourir** mourant mort	meurs meurs meurt mourons mourez meurent	mourais mourais mourait mourions mouriez mouraient	suis mort(e) es mort(e) est mort(e) sommes mort(e)s êtes mort(e)(s) sont mort(e)s	mourus mourus mourut mourûmes mourûtes moururent	étais mort(e) étais mort(e) était mort(e) étions mort(e)s étiez mort(e)(s) étaient mort(e)s
15 **naître** naissant né	nais nais naît naissons naissez naissent	naissais naissais naissait naissions naissiez naissaient	suis né(e) es né(e) est né(e) sommes né(e)s êtes né(e)(s) sont né(e)s	naquis naquis naquit naquîmes naquîtes naquirent	étais né(e) étais né(e) était né(e) étions né(e)s étiez né(e)(s) étaient né(e)s
16 **offrir** offrant offert	offre offres offre offrons offrez offrent	offrais offrais offrait offrions offriez offraient	ai offert as offert a offert avons offert avez offert ont offert	offris offris offrit offrîmes offrîtes offrirent	avais offert avais offert avait offert avions offert aviez offert avaient offert
17 **ouvrir** ouvrant ouvert	ouvre ouvres ouvre ouvrons ouvrez ouvrent	ouvrais ouvrais ouvrait ouvrions ouvriez ouvraient	ai ouvert as ouvert a ouvert avons ouvert avez ouvert ont ouvert	ouvris ouvris ouvrit ouvrîmes ouvrîtes ouvrirent	avais ouvert avais ouvert avait ouvert avions ouvert aviez ouvert avaient ouvert
18 **plaire** plaisant plu	plais plais plaît plaisons plaisez plaisent	plaisais plaisais plaisait plaisions plaisiez plaisaient	ai plu as plu a plu avons plu avez plu ont plu	plus plus plut plûmes plûtes plurent	avais plu avais plu avait plu avions plu aviez plu avaient plu

		Conditionnel		Impératif	Subjonctif	
Futur	Futur antérieur	Présent	Passé		Présent	Passé composé du subjonctif
lirai	aurai lu	lirais	aurais lu		lise	aie lu
liras	auras lu	lirais	aurais lu	lis	lises	aies lu
lira	aura lu	lirait	aurait lu		lise	ait lu
lirons	aurons lu	lirions	aurions lu	lisons	lisions	ayons lu
lirez	aurez lu	liriez	auriez lu	lisez	lisiez	ayez lu
liront	auront lu	liraient	auraient lu		lisent	aient lu
mettrai	aurai mis	mettrais	aurais mis		mette	aie mis
mettras	auras mis	mettrais	aurais mis	mets	mettes	aies mis
mettra	aura mis	mettrait	aurait mis		mette	ait mis
mettrons	aurons mis	mettrions	aurions mis	mettons	mettions	ayons mis
mettrez	aurez mis	mettriez	auriez mis	mettez	mettiez	ayez mis
mettront	auront mis	mettraient	auraient mis		mettent	aient mis
mourrai	serai mort(e)	mourrais	serais mort(e)		meure	sois mort(e)
mourras	seras mort(e)	mourrais	serais mort(e)	meurs	meures	sois mort(e)
mourra	sera mort(e)	mourrait	serait mort(e)		meure	soit mort(e)
mourrons	serons mort(e)s	mourrions	serions mort(e)s	mourons	mourions	soyons mort(e)s
mourrez	serez mort(e)(s)	mourriez	seriez mort(e)(s)	mourez	mouriez	soyez mort(e)(s)
mourront	seront mort(e)s	mourraient	seraient mort(e)s		meurent	soient mort(e)s
naîtrai	serai né(e)	naîtrais	serais né(e)		naisse	sois né(e)
naîtras	seras né(e)	naîtrais	serais né(e)	nais	naisses	sois né(e)
naîtra	sera né(e)	naîtrait	serait né(e)		naisse	soit né(e)
naîtrons	serons né(e)s	naîtrions	serions né(e)s	naissons	naissions	soyons né(e)s
naîtrez	serez né(e)(s)	naîtriez	seriez né(e)(s)	naissez	naissiez	soyez né(e)(s)
naîtront	seront né(e)s	naîtraient	seraient né(e)s		naissent	soient né(e)s
offrirai	aurai offert	offrirais	aurais offert		offre	aie offert
offriras	auras offert	offrirais	aurais offert	offre	offres	aies offert
offrira	aura offert	offrirait	aurait offert		offre	ait offert
offrirons	aurons offert	offririons	aurions offert	offrons	offrions	ayons offert
offrirez	aurez offert	offririez	auriez offert	offrez	offriez	ayez offert
offriront	auront offert	offriraient	auraient offert		offrent	aient offert
ouvrirai	aurai ouvert	ouvrirais	aurais ouvert		ouvre	aie ouvert
ouvriras	auras ouvert	ouvrirais	aurais ouvert	ouvre	ouvres	aies ouvert
ouvrira	aura ouvert	ouvrirait	aurait ouvert		ouvre	ait ouvert
ouvrirons	aurons ouvert	ouvririons	aurions ouvert	ouvrons	ouvrions	ayons ouvert
ouvrirez	aurez ouvert	ouvririez	auriez ouvert	ouvrez	ouvriez	ayez ouvert
ouvriront	auront ouvert	ouvriraient	auraient ouvert		ouvrent	aient ouvert
plairai	aurai plu	plairais	aurais plu		plaise	aie plu
plairas	auras plu	plairais	aurais plu	plais	plaises	aies plu
plaira	aura plu	plairait	aurait plu		plaise	ait plu
plairons	aurons plu	plairions	aurions plu	plaisons	plaisions	ayons plu
plairez	aurez plu	plairiez	auriez plu	plaisez	plaisiez	ayez plu
plairont	auront plu	plairaient	auraient plu		plaisent	aient plu

Infinitif Participes	Indicatif				
	Présent	Imparfait	Passé composé	Passé simple	Plus-que-parfait
19 **pleuvoir** pleuvant plu	pleut	pleuvait	a plu	plut	avait plu
20 **pouvoir** pouvant pu	peux peux peut pouvons pouvez peuvent	pouvais pouvais pouvait pouvions pouviez pouvaient	ai pu as pu a pu avons pu avez pu ont pu	pus pus put pûmes pûtes purent	avais pu avais pu avait pu avions pu aviez pu avaient pu
21 **prendre** prenant pris	prends prends prend prenons prenez prennent	prenais prenais prenait prenions preniez prenaient	ai pris as pris a pris avons pris avez pris ont pris	pris pris prit prîmes prîtes prirent	avais pris avais pris avait pris avions pris aviez pris avaient pris
22 **recevoir** recevant reçu	reçois reçois reçoit recevons recevez reçoivent	recevais recevais recevait recevions receviez recevaient	ai reçu as reçu a reçu avons reçu avez reçu ont reçu	reçus reçus reçut reçûmes reçûtes reçurent	avais reçu avais reçu avait reçu avions reçu aviez reçu avaient reçu
23 **rire** riant ri	ris ris rit rions riez rient	riais riais riait riions riiez riaient	ai ri as ri a ri avons ri avez ri ont ri	ris ris rit rîmes rîtes rirent	avais ri avais ri avait ri avions ri aviez ri avaient ri
24 **savoir** sachant su	sais sais sait savons savez savent	savais savais savait savions saviez savaient	ai su as su a su avons su avez su ont su	sus sus sut sûmes sûtes surent	avais su avais su avait su avions su aviez su avaient su
25 **suivre** suivant suivi	suis suis suit suivons suivez suivent	suivais suivais suivait suivions suiviez suivaient	ai suivi as suivi a suivi avons suivi avez suivi ont suivi	suivis suivis suivit suivîmes suivîtes suivirent	avais suivi avais suivi avait suivi avions suivi aviez suivi avaient suivi

		Conditionnel		Impératif	Subjonctif	
Futur	Futur antérieur	Présent	Passé		Présent	Passé composé du subjonctif
pleuvra	aura plu	pleuvrait	aurait plu		pleuve	ait plu
pourrai	aurai pu	pourrais	aurais pu		puisse	aie pu
pourras	auras pu	pourrais	aurais pu	(pas d'impératif)	puisses	aies pu
pourra	aura pu	pourrait	aurait pu		puisse	ait pu
pourrons	aurons pu	pourrions	aurions pu		puissions	ayons pu
pourrez	aurez pu	pourriez	auriez pu		puissiez	ayez pu
pourront	auront pu	pourraient	auraient pu		puissent	aient pu
prendrai	aurai pris	prendrais	aurais pris		prenne	aie pris
prendras	auras pris	prendrais	aurais pris	prends	prennes	aies pris
prendra	aura pris	prendrait	aurait pris		prenne	ait pris
prendrons	aurons pris	prendrions	aurions pris	prenons	prenions	ayons pris
prendrez	aurez pris	prendriez	auriez pris	prenez	preniez	ayez pris
prendront	auront pris	prendraient	auraient pris		prennent	aient pris
recevrai	aurai reçu	recevrais	aurais reçu		reçoive	aie reçu
recevras	auras reçu	recevrais	aurais reçu	reçois	reçoives	aies reçu
recevra	aura reçu	recevrait	aurait reçu		reçoive	ait reçu
recevrons	aurons reçu	recevrions	aurions reçu	recevons	recevions	ayons reçu
recevrez	aurez reçu	recevriez	auriez reçu	recevez	receviez	ayez reçu
recevront	auront reçu	recevraient	auraient reçu		reçoivent	aient reçu
rirai	aurai ri	rirais	aurais ri		rie	aie ri
riras	auras ri	rirais	aurais ri	ris	ries	aies ri
rira	aura ri	rirait	aurait ri		rie	ait ri
rirons	aurons ri	ririons	aurions ri	rions	riions	ayons ri
rirez	aurez ri	ririez	auriez ri	riez	riiez	ayez ri
riront	auront ri	riraient	auraient ri		rient	aient ri
saurai	aurai su	saurais	aurais su		sache	aie su
sauras	auras su	saurais	aurais su	sache	saches	aies su
saura	aura su	saurait	aurait su		sache	ait su
saurons	aurons su	saurions	aurions su	sachons	sachions	ayons su
saurez	aurez su	sauriez	auriez su	sachez	sachiez	ayez su
sauront	auront su	sauraient	auraient su		sachent	aient su
suivrai	aurai suivi	suivrais	aurais suivi		suive	aie suivi
suivras	auras suivi	suivrais	aurais suivi	suis	suives	aies suivi
suivra	aura suivi	suivrait	aurait suivi		suive	ait suivi
suivrons	aurons suivi	suivrions	aurions suivi	suivons	suivions	ayons suivi
suivrez	aurez suivi	suivriez	auriez suivi	suivez	suiviez	ayez suivi
suivront	auront suivi	suivraient	auraient suivi		suivent	aient suivi

Infinitif Participes	Indicatif				
	Présent	Imparfait	Passé composé	Passé simple	Plus-que-parfait
26 **valoir** valant valu	vaux vaux vaut valons valez valent	valais valais valait valions valiez valaient	ai valu as valu a valu avons valu avez valu ont valu	valus valus valut valûmes valûtes valurent	avais valu avais valu avait valu avions valu aviez valu avaient valu
27 **venir** venant venu	viens viens vient venons venez viennent	venais venais venait venions veniez venaient	suis venu(e) es venu(e) est venu(e) sommes venu(e)s êtes venu(e)(s) sont venu(e)s	vins vins vint vînmes vîntes vinrent	étais venu(e) étais venu(e) était venu(e) étions venu(e) étiez venu(e)(s) étaient venu(e)s
28 **vivre** vivant vécu	vis vis vit vivons vivez vivent	vivais vivais vivait vivions viviez vivaient	ai vécu as vécu a vécu avons vécu avez vécu ont vécu	vécus vécus vécut vécûmes vécûtes vécurent	avais vécu avais vécu avait vécu avions vécu aviez vécu avaient vécu
29 **voir** voyant vu	vois vois voit voyons voyez voient	voyais voyais voyait voyions voyiez voyaient	ai vu as vu a vu avons vu avez vu ont vu	vis vis vit vîmes vîtes virent	avais vu avais vu avait vu avions vu aviez vu avaient vu
30 **vouloir** voulant voulu	veux veux veut voulons voulez veulent	voulais voulais voulait voulions vouliez voulaient	ai voulu as voulu a voulu avons voulu avez voulu ont voulu	voulus voulus voulut voulûmes voulûtes voulurent	avais voulu avais voulu avait voulu avions voulu aviez voulu avaient voulu

Futur	Futur antérieur	**Conditionnel** Présent	Passé	**Impératif**	**Subjonctif** Présent	Passé composé du subjonctif
vaudrai	aurai valu	vaudrais	aurais valu		vaille	aie valu
vaudras	auras valu	vaudrais	aurais valu	vaux	vailles	aies valu
vaudra	aura valu	vaudrait	aurait valu		vaille	ait valu
vaudrons	aurons valu	vaudrions	aurions valu	valons	valions	ayons valu
vaudrez	aurez valu	vaudriez	auriez valu	valez	valiez	ayez valu
vaudront	auront valu	vaudraient	auraient valu		vaillent	aient valu
viendrai	serai venu(e)	viendrais	serais venu(e)		vienne	sois venu(e)
viendras	seras venu(e)	viendrais	serais venu(e)	viens	viennes	sois venu(e)
viendra	sera venu(e)	viendrait	serait venu(e)		vienne	soit venu(e)
viendrons	serons venu(e)s	viendrions	serions venu(e)s	venons	venions	soyons venu(e)s
viendrez	serez venu(e)(s)	viendriez	seriez venu(e)(s)	venez	veniez	soyez venu(e)(s)
viendront	seront venu(e)s	viendraient	seraient venu(e)s		viennent	soient venu(e)s
vivrai	aurai vécu	vivrais	aurais vécu		vive	aie vécu
vivras	auras vécu	vivrais	aurais vécu	vis	vives	aies vécu
vivra	aura vécu	vivrait	aurait vécu		vive	ait vécu
vivrons	aurons vécu	vivrions	aurions vécu	vivons	vivions	ayons vécu
vivrez	aurez vécu	vivriez	auriez vécu	vivez	viviez	ayez vécu
vivront	auront vécu	vivraient	auraient vécu		vivent	aient vécu
verrai	aurai vu	verrais	aurais vu		voie	aie vu
verras	auras vu	verrais	aurais vu	vois	voies	aies vu
verra	aura vu	verrait	aurait vu		voie	ait vu
verrons	aurons vu	verrions	aurions vu	voyons	voyions	ayons vu
verrez	aurez vu	verriez	auriez vu	voyez	voyiez	ayez vu
verront	auront vu	verraient	auraient vu		voient	aient vu
voudrai	aurai voulu	voudrais	aurais voulu		veuille	aie voulu
voudras	auras voulu	voudrais	aurais voulu	veuille	veuilles	aies voulu
voudra	aura voulu	voudrait	aurait voulu		veuille	ait voulu
voudrons	aurons voulu	voudrions	aurions voulu	veuillons	voulions	ayons voulu
voudrez	aurez voulu	voudriez	auriez voulu	veuillez	vouliez	ayez voulu
voudront	auront voulu	voudraient	auraient voulu		veuillent	aient voulu

Vocabulaire

Vocabulaire

Français-Anglais

A

à to, in, at; **à côté de** next to, beside; **à crédit** on credit; **à la légère** lightly; **à l'avance** in advance, **à la mode** in style; **à l'étranger** abroad; **à l'occasion de** on the occasion of, **à mi-temps** half-time; **à mon avis** in my opinion; **à part ça** apart from that; **à partir de** beginning in (starting from), since; **à plein temps** full-time; **à plus tard** see you later; **à proximité** nearby; **à temps partiel** part-time; **à tout à l'heure** *see you later*; **au cours de** during, while; **au fil de** with the flow, current; **au milieu de** in the middle of; **au moins** at least; **au pair** *working in exchange for food and lodging*; **au revoir** good-bye; **au sujet de** about, concerning

abandonner to abandon
abondant abundant, plentiful
aborder to bring up; to treat
s'abriter to take cover
absence *f* absence
absent absent
abstraction *f* abstraction
absolument absolutely
abstrait abstract
absurde *m* absurd
absurde absurd, preposterous, nonsensical
abus *m* abuse
accepter to accept
accessoire *m* accessory
accident *m* accident
accompagner to accompany
accomplir to accomplish
accord *m* agreement; **être d'accord** to agree
accorder to award, grant, to give
accueillant friendly, welcoming
accueillir (*pp* **accueilli**) *irreg* to welcome, greet
accuser to accuse
achat *m* purchase
acheter (j'achète) to buy
acide (*m*) **aminé** amino acid
acier *m* steel

acompte *m* partial payment, down payment
acteur, actrice *m, f* actor
actif/ive active, working
action *f* action
activement actively
activité *f* activity
actualités *f pl* news, current events
actuel(le) current
s'adapter to adapt
adieu good-bye, farewell
admettre (*like* **mettre**) *irreg* to admit
administration *f* administration
admirer to admire
adorable adorable
adorer to adore, to love
adresse *f* address
adulte *m, f* adult
aéroport *m* airport
affaires *f pl* business, matters; things
affecté affected
affection *f* affection, fondness
affectueusement affectionately
affiche *f* poster
agence *f* agency, office; **agence de voyages** travel office; **agence immobiliere** real estate agency
agent (*m*) **de police** police officer; **agent immobilier** real estatate agent
agglomération *f* town, urban area
agité restless, agitated
agréable pleasant
agricole agricultural
agriculteur/trice *m, f* farmer
agronome *m* agronomist
aide *f* help
aide *m, f* assistant, aide
aider to help, aid
ail *m* garlic
ailleurs elsewhere; **d'ailleurs** besides, anyway
aimer to like, love; **aimer mieux** to prefer
ainsi que as well as
air *m* air, atmosphere; **avoir l'air** to seem
ajouter to add
alcool *m* alcohol

algérien(ne) Algerian
alimentation *f* food, groceries
allégorie *f* allegory
allemand German
aller *irreg* to go
allergique allergic
allô hello (*on the telephone*)
allocations *f pl* subsidy, allowance
allumer to light, to turn on
alors then, so, well
amateur *m* fan, enthusiast, lover of (sports, music, etc.)
ambitieux/euse ambitious
américain American
ami(e) *m, f* friend
amidon *m* starch
amitié *f* friendship
amoureusement lovingly
amoureux/euse in love
ampleur *f* fullness
amusant entertaining, fun
s'amuser to have fun, have a good time
ananas *m* pineapple
ancêtre *m, f* ancestor
ancien(ne) old, former
anglais English
animal *m* animal
animation *f* liveliness, animation
animé lively, spirited; **dessin** (*m*) **animé** cartoon
animiste animist
année *f* year
annoncer (nous annonçons) to announce
anorak *m* ski jacket
août *m* August
apéritif *m* before-dinner drink
appareil-photo *m* camera
appartenir (*like* **tenir**) *irreg* to belong
appelation *f* designation, term
s'appeler (je m'appelle) to be named (called)
apporter to bring
apprendre (*like* **prendre**) *irreg* to learn
après after
après-midi *m* afternoon
aquarelle *f* watercolor
arabe Arabic

arbre *m* tree; **arbre généalogique** family tree
archipel *m* archipelago
architecte *m, f* architect
argent *m* money; silver; **argent liquide** cash
arme *f* weapon
arrêt *m* stop
arrêter to stop, turn off; **s'arrêter** to stop
arrière-grand-mère *f* great-grand-mother; **arrière-grands-parents** *m pl* great-grandparents; **arrière-grand-père** *m* great-grandfather
arrivée *f* arrival
arriver to arrive; to happen
arrondissement *m* administrative division, district
arsenal *m* arsenal
artichaut *m* artichoke
arts *m pl* the arts
ascenseur *m* elevator
ascension *f* climb, ascent
asile *m* asylum, mental hospital
aspirateur *m* vacuum cleaner; **passer l'aspirateur** to vacuum
aspirine *f* aspirin
assez rather, quite; **assez de** enough
assistant(e) *(m, f)* **social(e)** social worker
assister à to attend, be present at
associé associated
assurance *f* insurance; assurance
assurer to insure; to assure
attaquer to attack
attendre to wait (for); to expect
attentat *m* criminal attempt
attente *f* wait; **salle** *(f)* **d'attente** waiting room
attentif/ive attentive
attirer to attract
attraper to catch
auberge *(f)* **de jeunesse** youth hostel
augmentation *f* increase
augmenter to increase
aujourd'hui today
auparavant formerly, before
auprès de with, next to
aussi also; **aussi... que** as . . . as
autant de... que as much (many) . . . as
autobiographique autobiographical
autobus *m* city bus
autocar *m* motorcoach, interurban bus
auto-école *f* driving school
automne *m* autumn
autoportrait *m* self-portrait
autoroute *f* freeway, highway
autour de around
autrefois in the past, a long time ago
Autriche *f* Austria
avant before
avantage *m* advantage

avec with
avide avid, eager, greedy
avion *m* airplane
avis *m* opinion
avocat(e) *m, f* lawyer
avoir *(pp* **eu)** *irreg* to have; **avoir besoin de** to need; **avoir envie de** to feel like, to want; **avoir faim** to be hungry; **avoir l'air** to appear; **avoir le cafard** to feel depressed, to be down in the dumps; **avoir le délire** to be delirious; **avoir l'habitude** to be in the habit of, to be used to; **avoir lieu** to take place; **avoir l'intention de** to intend to; **avoir mal à la tête** to have a headache; **avoir peur** to be afraid; **avoir soif** to be thirsty; **avoir sommeil** to be sleepy; **avoir tendance à** to tend to
avouer to confess
avril *m* April

B

baguette *f* long loaf of French bread
baignoire *f* bathtub
bain *m* bath; **maillot** *(m)* **de bain** bathing suit; **salle** *(f)* **de bains** bathroom
baisser to lower
balcon *m* balcony
banane *f* banana
banlieue *f* suburb
barbe *f* beard
bas *m* bottom *(of something)*; stocking
base-ball *m* baseball
baser to base, be the basis of
basket-ball *m* basketball
bateau *m* boat; **bateau-croisière** cruise ship
bâtiment *m* building
batterie *f* drum
battu beaten
bavarder to chat
beau, (bel, belle, beaux, belles) beautiful
beaucoup very much; **beaucoup de** much, many, a great deal
beauté *f* beauty
bébé *m* baby
belge Belgian
bénévole unpaid *(service, work)*
bénévole *m* volunteer
bête stupid
beurre *m* butter
bibliothèque *f* library
bien well, indeed; **bien sûr** of course
bientôt soon
bienvenu welcome
bienvenue *f* welcome
bière *f* beer
biguine *f* dance of Martinique
billet *m* ticket; bill *(currency)*

biologie *f* biology
bizarre strange, bizarre
blâmer to blame
blanc(he) white
bleu blue
blond blond
bloquer to block, stop
bœuf *m* beef
boisson *f* drink
boîte *f* box, can, container
bon(ne) good; **bon marché** cheap; **bonnes occasions** *f pl* good buys
bonbons *m pl* candy
bonheur *m* happiness
bonjour hello, good day
bonnet *m* hat, headwear
bonsoir good evening
boubou *m* long outer tunic
bouche *f* mouth
boucherie *f* butcher shop
bouger (nous bougeons) to move; **il n'a pas bougé** he did not move/budge; **ne bouge pas** sit still; **arrête-toi de bouger** stop fidgeting
bouillir *(pp* **bouilli)** *irreg* to boil
boulangerie *f* bakery
bouquet *m* bouquet; aroma
bout *m* end, far end, extremity
bouteille *f* bottle
boutique *f* shop
bovins *m pl* cattle
bracelet *m* bracelet
bras *m* arm
bronzé tanned
brosse *f* brush; **brosse à dents** toothbrush
brouillard *m* fog
bruit *m* noise
brûler to burn
brun dark brown
brusquement abruptly, suddenly
bûcheron *m* logger
buffet *m* cabinet, buffet
but *m* goal, purpose, end

C

ça that; **ça ne fait rien** that doesn't matter; **ça ne se fait pas** that's not done; **ça ne suffit pas** it's not enough; **ça va?** how are things?
cadeau *m* gift
cadre *m* structure, frame; business executive
café *m* coffee; café
cahier *m* notebook; **cahier des charges** specifications, requirements
camarade *(m, f)* **de chambre** roommate
caméscope *m* camcorder
campagne *f* country, countryside, rural area
camper to camp
camping *m* camping, campground

campus *m* campus
canadien(ne) Canadian
canapé *m* sofa
cancer *m* cancer
candidat(e) *m, f* candidate; applicant
canot *m* canoe
canton *m* county, district
capitale *f* capital
caractère *m* character, personality
carafe *f* carafe
cardiaque cardiac; **crise** *(f)* **cardiaque** heart attack
caribou *m* caribou
carotte *f* carrot
carrefour *m* crossroads
carte *f* map; card; **carte d'assuré social** insurance card; **carte de crédit** credit card; **carte d'électeur** voter registration card; **carte d'étudiant** student ID card; **carte d'identité** ID card; **carte postale** postcard
case *f* box, blank *(to fill in)*
casino *m* casino
casser to break
casserole *f* pan
catamaran *m* catamaran
catastrophe *f* catastrophe, disaster
cause *f* cause
causerie *f* chat, talk
ce (cet, cette, ces) this, that, these, those; **ce que, ce qui, ce dont** which, what, that which
ceci this
cela that
célibataire unmarried, single
celui (celle, ceux, celles) the one, the ones
cendres *f pl* ashes
cendrier *m* ashtray
cent *m* hundred
centime *m* centime
centre *m* center; **centre commercial** shopping center; **centre-ville** *m* downtown
cependant however, yet
cerise *f* cherry
cerisier *m* cherry tree
certain certain; **certain(e)s** *m, f* certain ones, some
chacun(e) each one
chaîne *f* channel; **chaîne stéréo** stereo system
chaise *f* chair
chaleur *f* heat
chambre *f* bedroom, chamber (i.e. **La Chambre des députés** Chamber of Deputies)
chameau *m* camel
champignon *m* mushroom
champ *m* field
chance *f* luck; chance
changement *m* change
changer (nous changeons) to change

chanson *f* song
chanteur/euse *m, f* singer
chapeau *m* hat
chaque each
charcuterie *f* pork butcher shop and delicatessen
charger (nous chargeons) to load, fill; to entrust (**charger quelqu'un de faire quelque chose** to trust someone to do something)
charme *m* charm
chasse *f* hunting
chat(te) *m, f* cat
châtain brown *(hair)*
chaud hot, warm; **avoid chaud (j'ai chaud)** to be hot, to be warm; **faire chaud (il fait chaud)** it's hot, it's warm
chauffage *m* heating, heating system
chauffer to heat, warm
chaussette *f* sock
chaussure *f* shoe
chef *m* head, leader; chef
chemin *m* road, way
chemise *f* shirt
chèque *m* check
cher (chère) dear; expensive
chercher to seek, look for
chercheur/euse *m, f* researcher
cheval *(pl* **chevaux***) m* horse
cheveux *m pl* hair
chèvre *m* goat
chez at the place (office) of, at the home of
chic *(invariable)* stylish, fashionable, nice
chien(ne) *m, f* dog
chimie *f* chemistry
chinois Chinese
chirurgien(ne) *m, f* surgeon
chocolat *m* chocolate
choisir to choose
choix *m* choice
cholestérol *m* cholesterol
chômage *m* unemployment
choquer to shock
chorale *f* choir
chose *f* thing; **quelque chose** something
chrysanthème *m* chrysanthemum
ciel *m* sky
cigale *f* cicada
cinéma *m* movie theater; movies
circulation *f* traffic
cité *f* city
citer to cite
citron *m* lemon
citron *m* **pressé** fresh lemonade
clair clear; light *(color)*
clarinette *f* clarinet
classique classic, classical
client(e) *m, f* customer
climat *m* climate, weather

climatisation *f* air conditioning
climatisé air conditioned
coca *m* Coca-Cola
code *(m)* **postal** postal code
colère *f* anger; **se mettre en colère** to become angry
collection *f* collection
colorant *m* coloring
combien de how much, how many
combiner to combine
comité *m* committee
commander to order *(in a restaurant)*
comme like, as
commémorer to commemorate
commencer (nous commençons) to begin
comment how; **comment allez-vous** how are you; **comment vous appelez-vous** what's your name
commerçant(e) *m, f* businessperson, shopkeeper
commerce *m* business, commerce
commercial commercial; **centre** *(m)* **commercial** shopping center
commettre *(like* **mettre***) irreg* to commit
commissariat de police *m* police station
commode *f* chest of drawers
commode easy, practical
communiquer to communicate
compagnie *f* company
comparaison *f* comparison
comparer to compare
compassion *f* compassion
compatriote *m, f* fellow countryman (woman)
compétent competent
complexe *m* complex (**un complexe sportif**)
compliqué complicated, difficult
se comporter to behave
comportement *m* behavior
composer to compose; to dial *(a telephone number)*
compositeur *m* composer
comprendre *(like* **prendre***) irreg* to understand; to include
comprimé *m* tablet *(aspirin)*
compris included
comptable *m, f* accountant
compter to count
concert *m* concert
concession *f* concession, compound; **une concession familiale** a family compound
concours *m* competition
condamné condemned
condition *f* condition
conduire *(pp* **conduit***) irreg* to drive; **permis** *(m)* **de conduire** driver's license

confédération f confederation
conférence f lecture
confiance f confidence, trust
se confier to confide
conflit m conflict
conformiste conformist
confortable comfortable
congé m leave, holiday
connaître (pp **connu**) irreg to know, be familiar with
connu known
consacrer to dedicate, consecrate
conseiller/ère m, f adviser
conseil m advice
conserver to conserve, preserve
considérer (je **considère**) to consider
consommation f consumption
consommer to consume
constamment constantly
constituer to constitute
consulter to consult
contenir (like **tenir**) irreg to contain
content glad, happy, satisfied
continent m continent
continuer to continue
contre against
conversation f conversation
coopérative f cooperative; **une coopérative agricole** a farm co-op
copain (**copine**) m, f friend, pal
copier to copy
coranique Koranic, based on the Koran
corps m body; **Corps de la Paix** Peace Corps
corsage m blouse
costume m outfit, apparel; suit
côte f coast
coucher (m) **du soleil** sunset
se coucher to go to bed
coude m elbow
couler to flow
couleur f color
coup m blow, knock; **coup de fil** phone call; **coup de foudre** love at first sight; **coup de pompe** feeling of exhaustion; **coup de soleil** sunburn
coupable guilty
couper to cut
courageux/euse brave, courageous
courant m current; **se tenir au courant** to stay informed; **tenir au courant** to keep (someone) informed
cours m course (school); **au cours de** during, while
court short
couscous m couscous (a North African dish)
cousin(e) m, f cousin
coûter to cost
couvercle m cap, top, cover
couvert covered; **le ciel est couvert** it's cloudy

couvrir (pp **couvert**) irreg to cover
craie f chalk
cravate f tie
crayon m pencil
créer to create
crème f cream
creuser to dig out
crever (je **crève**) to burst, to die (for an animal)
crier to cry out, to shout
crime m crime
crise f crisis; **crise cardiaque** heart attack
croire (pp **cru**) irreg to believe
croiser to meet, cross
croisière f cruise
croissant m crescent roll
cuiller, cuillère f spoon
cuisine f kitchen; cooking
cuisiner to cook
cuisinier m cook
cuisinière f cooking stove
cuit cooked
cultivateur/trice m, f farmer
cultiver to farm, cultivate
culturel(le) cultural
cumuler to take on, accumulate
cyclisme m cycling
cyclone m cyclone

D
d'abord first (of all)
dangereux/euse dangerous
dans in
danse f dance
danser to dance
date f date (calendar)
de of, from; **de façon** (+ adjective) in a . . . manner; **de plus en plus** more and more; **de préférence** preferably
débouché m job opportunity (opening)
débrouillard resourceful
se débrouiller to work things out, manage
début m beginning
décembre m December
déchets m, pl waste materials
déchetterie f waste collection site
décider to decide
décision f decision; **prendre une décision** to make a decision
déclarer to declare
décorer to decorate
découverte f discovery
découvrir (like **couvrir**) irreg to discover
défavorisé disadvantaged
défendre to defend; to forbid
définitivement definitely
se dégager to get free, extricate; to emanate
dehors outside, outdoors

déjà already
déjeuner m lunch
déjeuner to have lunch
délayé thinned out; mixed
demain tomorrow
demander to ask; **se demander** to wonder
déménager (nous **déménageons**) to move, change residences
demi m half; **une heure et demie** an hour and a half; **demi-heure** f half an hour
démodé out of style, obsolete
dénoncer (nous **dénonçons**) to denounce
dent f tooth
dentifrice m toothpaste
dentiste m, f dentist
déodorant m deodorant
départ m departure
département m department (administrative unit)
se dépêcher to hurry
se déplacer (nous nous **déplaçons**) to move, to go from one place to another, to travel
depuis since, ever since; for
dernier/ière last
se dérouler to occur, take place; to unwind
derrière behind
des some, any, of the
désagréable unpleasant
descendre to go down; to get off
désirable desirable
désirer to want, desire
désolé sorry
dessert m dessert
dessin m design, drawing, sketch; **dessin animé** cartoon
dessiner to draw, sketch
destination f destination
détaillé detailed
se détendre to relax
détester to hate
détruire (like **conduire**) irreg to destroy
deuil m mourning
deuxième second
deuxièmement secondly
devant in front of
dévastation f devastation
développement m development
devenir (like **venir**) irreg to become
devoir (pp **dû**) irreg to have to
devoir m assignment; duty; pl homework
d'habitude usually
dictionnaire m dictionary
difficile difficult
difficulté f difficulty
digestif m after-dinner drink

dimension *f* dimension
diminuer to diminish
dîner to eat dinner, to dine
dîner *m* dinner
diplôme *m* diploma
dire (*pp* **dit**) *irreg* to say; to tell
direct direct
directeur/trice *m, f* director, manager, head
direction *f* direction, management
diriger (**nous dirigeons**) to direct, to manage
disco *m* disco
discours *m* speech (*sing & pl*)
discussion *f* discussion
discuter to discuss
disparaître (*like* **connaître**) *irreg* to disappear
se disputer to quarrel, argue
disque (*m*) **compact** compact disk
distinguer to distinguish
diversifier to diversify
divorce *m* divorce
divorcer (**nous divorçons**) to divorce
dizaine *f* about ten
doctorat *m* doctorate
doigt *m* finger
domaine *m* domain
domicile *m* address, residence
dominance *f* dominance
dommage *m* harm, damage; **c'est dommage** it's too bad, it's a shame
donc therefore
donner to give
dont of which, from which; that; whose
dorer to gild, glaze; **faire dorer le poulet** to brown the chicken
dormir *irreg* to sleep
dos *m* back
dose *f* dose, amount
doubler to double; **doubler une autre voiture** to overtake or to pass a car
douche *f* shower
doué gifted, talented
douleur *f* pain, grief
doux (**douce**) gentle, mild; sweet
douzaine *f* dozen
dramatique dramatic
dramaturge *m, f* playwright
drogue *f* drug
droguerie *f* drugstore
droit straight, upright
droit *m* law
droite *f* right (*direction*)
drôle funny
dune *f* dune
dûr hard
dynamique dynamic

E
eau *f* water

échalote *f* shallot
échanger (**nous échangeons**) to exchange
écharpe *f* neck scarf
échec *m* failure; **jouer aux échecs** to play chess
éclairer to light, illuminate
écologique ecological
économie *f* economy; **faire des économies** to save (money)
économique economical
économiser to save
écouter to listen
écran *m* screen
écrire (*pp* **écrit**) *irreg* to write
écrivain *m* writer
éduquer to educate
effet *m* effect, result
efficace effective
également likewise
église *f* church
élection *f* election
électoral electoral
électricien(ne) *m, f* electrician
électricité *f* electricity
électronique electronic
élégant elegant
élevage *m* raising (*of animals*)
élève *m, f* pupil, student
élever (**j'élève**) to raise, elevate
élevé high, expensive
éliminer to eliminate
élitisme *m* elitism
elle she, her, it
éloigné distant
émancipation *f* emancipation
emballage *m* packaging, wrapping
embaucher to hire
embêtant annoying, irritating
embêter to bother; to pester, to annoy
embrasser to kiss, embrace; **s'embrasser** to kiss each other
émeraude emerald
émission *f* broadcast, program, transmission
emmener (**j'emmène**) to take (*someone*) along
emploi *m* employment, job; use
employé(e) *m, f* employee
employer (**j'emploie**) to employ, use
emprunter to borrow
en of it, of them; from it, from them; some, any; in; to; at; **en commun** in common; **en délire** delirious; **en face de** facing, across from; **en fait** in fact; **en forme** in shape; **en général** in general; **en plus** moreover; **en pratique** in practice; **en priorité** first, most important; **en route** on the way; **en solde** on sale; **en voie de** on the way to, in the process of
enchanté pleased, delighted (to meet you)

encombrant cumbersome
encore yet; still; again
endroit *m* place, location
endurance *f* endurance
énergie *f* energy
enfance *f* childhood
enfant *m, f* child
enfin finally
engagement *m* commitment
engourdir to numb
enlever (**j'enlève**) to remove
ennui *m* problem, difficulty; boredom
ennuyer to bore, annoy; **s'ennuyer** (je m'ennuie) to be bored **ennuyeux/euse** boring
enregistrer to record
enseignement *m* teaching
enseigner to teach
ensemble together
ensuite then, next
entendre to hear; **s'entendre** to get along with
entente *f* agreement, understanding, harmony
enterrement *m* funeral, burial
entier/ière entire, whole
entouré surrounded
entre between
entrée *f* first course (*of a meal*); entrance
entreprise *f* business, company
entrer to enter, to go in
environ about, approximately
environnement (m) environment
environs *m pl* surroundings
envoyer (**j'envoie**) to send
épanoui radiant, in full bloom
épaule *f* shoulder
épice *f* spice
épicé spicy
épicerie *f* grocery store
épistolaire epistolary (*letter writing*)
époque *f* era, epoch
épreuve *f* test, ordeal
éprouver to feel, experience
équatorial equatorial
équilibré balanced
équipe *f* team
équipement *m* equipment, facilities
errer to wander
escalier *m* stairway; **escalier roulant** escalator
espagnol Spanish
espèce *f* species; kind
espérer (**j'espère**) to hope
espoir *m* hope
essayer (**j'essaie**) to try
essentiel *m* essential
essentiellement essentially
estomac *m* stomach
et and
établir to establish
établissement *m* establishment

étage m floor, level
étalage m display
étang m pond
étape f stage; **la première étape de la course état** m state
été m summer
éteindre (*pp* **éteint**) *irreg* to turn off, extinguish
s'étendre to stretch out
éternel(le) eternal
éternellement forever
ethnie f ethnic group
ethnique ethnic
étoile f star
étonnant surprising, astonishing; **s'étonner** to be surprised **étranger/ère** foreign; *m,f* foreigner
être (*pp* **été**) *irreg* to be; **être à l'heure** to be on time; **être d'accord** to agree; **être en avance** to be early; **être en retard** to be late; **être en train de** to be in the process of; **être obligé** to have to
études f pl studies
étudiant(e) m, f student
étudier to study
eux them; **eux-mêmes** themselves
évangélique evangelical
événement m event
éviter to avoid
évoquer to evoke
exagérer (**j'exagère**) to exaggerate
examen m examination, test; **passer un examen** to take a test or exam
excellent excellent
excepté except
exceptionnel(le) exceptional
s'exclamer to exclaim
excursion f trip, tour, excursion
excuse f excuse
excuser to excuse; **s'excuser** to apologize
exiger (**nous exigeons**) to require, to demand
exotisme m exoticism
explication f explanation
expliquer to explain
exploration f exploration
explorer to explore
exposition f exhibit
expression f expression
exprimer to express
extérieur m exterior; **à l'extérieur** outside
extinction f extinction
extraordinaire extraordinary
extrême extreme

F
face f face, side; **en face de** facing, across from
facile easy

facilité (f) facility, ease
faire (*pp* **fait**) *irreg* to do; to make; **faire appel à** to appeal to; to call for; **faire beau** to be nice weather; **faire chaud** to be warm; **faire des achats** to shop; **faire des courses** to run errands; **faire des économies** to save (money); **faire du camping** to go camping; **faire du ski** to go skiing; **faire du soleil** to be sunny; **faire du sport** to play sports; **faire du surfing** to go surfing; **faire du vent** to be windy; **faire frais** to be cool; **faire froid** to be cold; **faire la connaissance** to meet, become acquainted; **faire la cuisine** to cook; **faire la vaisselle** to wash the dishes; **faire le ménage** to do the housework, clean; **faire le tour de** to go around; **faire partie de** to be a part of, belong to; **faire plaisir** to please; **faire sa toilette** to get ready, wash; **faire ses devoirs** to do one's homework; **faire son lit** to make one's bed; **faire une promenade** to go for a walk; **faire un voyage** to take a trip
falloir (*pp* **fallu**) *irreg* to have to, must
familial family
familiarité f familiarity
familier/ière familiar
famille f family
fascinant fascinating
fatigant tiring
fatigué tired
faune f fauna, animal life
fauteuil m armchair, easy chair
fauvisme m fauvism (*artistic style*)
faux (**fausse**) false; **faux pas** m foolish mistake
fax m fax
fécule f potato or corn starch
félicitations f pl congratulations
femme f woman; wife
fenêtre f window
ferme f farm
fermer to close
festival m festival
fête f holiday; patron saint's day
fêter to celebrate
feu m fire
feuilleton m soap opera, story
février m February
fidèle faithful
fier (**fière**) proud
fierté f pride
fièvre f fever
fil m thread; **au fil de** with the flow, current
fille f girl; daughter
film m film
fils m son
fin f end

finir to finish; **finir par** to end up (*doing something*)
flatter to flatter
fleur f flower
fleuriste m, f florist
fleuve m major river
flore f flora, plant life
flûte f flute
fois f time, instance
folklore m folklore
foncé dark (*color*)
fonctionnement m functioning
fond m end, far end, bottom
fondre to melt
foot (**football**) m soccer
forêt f forest
formation f training, background
forme f form
former to form
formidable great, wonderful
fort strong
fougère f fern
foulard m scarf
four m oven; **four à micro-ondes** microwave oven
fourchette f fork
fournitures (f pl) **scolaires** school supplies
frais (**fraîche**) fresh, cool; **il fait frais** it's cool
fraise f strawberry
français French
frapper to strike
frère m brother
frigo m refrigerator, fridge
fromage m cheese
frontière f border (*between countries*)
frotté rubbed
frotter to rub
fruit m fruit
fusée f rocket
futé smart, sharp

G
gagner to earn; to win
galerie f gallery
garage m garage
garçon m boy; waiter
garder to keep; to take care of, to watch
gare f station (*railroad or bus*)
garni garnished, well-stocked
gaspillage (**gaspi**) m wasting
gâteau m cake
gauche f left
gaz m gas
geler (**il gèle**) to freeze
généralement generally
genou m knee
genre m kind, type
gens m pl people
gentil(le) nice, kind
gérant(e) m, f manager

gérer (je gère) to manage, administer
gestion *f* management
glace *f* ice; ice cream; mirror
glacé frozen
glisser to slip, slide
glucide *m* carbohydrate
golf *m* golf
gorge *f* throat; gorge, canyon
gousse *f* clove *(of garlic)*, pod
goût *m* taste
goûter to taste
goûter *m* after-school snack
gouvernement *m* government
gouvernemental governmental
grâce à thanks to
graisse *f* fat
gramme *m* gram
grand large, tall; **grand-mère** grand-mother; **grand-père** grand father; **pas grand-chose** not a big deal, not much
grandir to grow up
gras *(m)* **polyinsaturé** polyunsaturated fat
gratuit free of charge
grève *f* strike
grillé toasted, grilled
grillot *m* type of grilled pork in Haiti
griot *m* African storyteller
grippe *f* influenza
gris gray
gros(se) big, large, heavy
groupe *m* group
guerre *f* war
guichet *m* ticket window
guide *m, f* guide
guitare *f* guitar
gymnastique *f* gymnastics, physical education

H *(Words preceded by an asterisk begin with an aspirated* h.*)*
s'habiller to get dressed
habiter to live (in, at)
habitude *f* habit; **d'habitude** ususally
s'habituer to get accustomed
***haricot** *m* bean; **haricot vert** green bean
***haut** high
hébergement *m* lodging
***hein** eh, okay
herbe *f* grass
héritage *m* heritage
hésitation *f* hesitation
hésiter to hesitate
heure *f* hour, time; **quelle heure est-il** what time is it
heureusement fortunately
heureux/euse happy
hier yesterday
histoire *f* history; story
hiver *m* winter
***hockey** *(m)* **sur glace** ice hockey

homme *m* man
honnête honest, decent
***honte** *f* shame
hôpital *m* hospital
horaire *m* schedule, timetable
horreur *f* horror
***hors-d'œuvre** *m (invariable)* hors d'oeuvre, appetizer
hôte/sse *m, f* host/hostess
hôtel *m* hotel
hôtellerie *f* hotel industry
hôtesse *f* hostess
huile *f* oil
humain human
humeur *f* mood; **être de bonne humeur** to be in a good mood; **être de mauvaise humeur** to be in a bad mood
humilité *f* humility
humoristique humorous
hygiène *f* hygiene
hypermarché *m* superstore, hypermarket

I
ici here
idée *f* idea
identité *f* identity
idéologie *f* ideology
il he, it; **il faut** it is necessary, you'll have to; **il reste** there remains; **il s'agit de** it's a matter of; **il vaudrait mieux** it would be better; **il vaut mieux** it is better; **il y a** there is, there are
île *f* island
illustrer to illustrate
image *f* picture, image
immensité *f* immensity
immeuble *m* apartment building
immobilier *m* real estate
impatient impatient
impératif/ive imperative, necessary
implantation *f* introduction, setting up
impossible impossible
impression *f* impression
impressionnisme *m* impressionism *(artistic style)*
impulsif/ive impulsive
incendie *m* fire, accidental blaze
inconvénient *m* disadvantage
incroyable incredible
incroyablement incredibly
indépendance *f* independence
indépendant independent
indignation *f* indignation
indiquant indicating
indiquer to indicate
indispensable indispensable
individuel(le) individual
industrie *f* industry
inégalité *f* inequality
infection *f* infection
infini infinite

infiniment infinitely
infirmier/ière *m, f* nurse
inflation *f* inflation
infographie *f* computer graphics
informaticien(ne) *m, f* computer specialist
informations *f pl* news
informatique *f* computer science
informé informed
ingénieur *m* engineer
initiative *f* initiative; **syndicat** *(m)* **d'initiative** tourist information office
injuste unjust, unfair
injustice *f* injustice
inondation *f* flood, flooding
s'inquiéter (je m'inquiète) to worry
inquiétude *f* anxiety, restlessness
s'inspirer de to be inspired by
s'installer to set up; to settle
instituteur/trice *m, f* elementary school teacher
instrument *m* instrument
intelligent intelligent
intense intense
intensité *f* intensity
intéressant interesting
s'intéresser à to be interested in
intérêt *m* interest
intérieur interior; **à l'intérieur** inside, indoors
international international
Internet *m* Internet
interprète *m, f* interpreter
interview *m or f* interview
intitulé entitled, called
intolérance *f* intolerance
inutile useless; **inutile de** no need to
inventer to invent
inviter to invite
iris *m* iris
italien(ne) Italian

J
jaloux/ouse jealous
jambe *f* leg
jambon *m* ham
janvier *m* January
japonais Japanese
jardin *m* garden; **jardin d'enfants** kindergarten
jaune yellow
jean *m* jeans
jeter (je jette) to throw; to drop *(anchor)*
jeu *(pl* **jeux)** *m* game
jeunesse *f* youth; **auberge** *(f)* **de jeunesse** youth hostel
jogging *m* jogging; jogging (sweat) suit
joie *f* joy
joli pretty
jouer to play; **jouer à** to play *(sport or game)*; **jouer de** to play *(musical instrument)*

jouet *m* toy, plaything
jour *m* day
journal *m* newspaper; **journal intime** diary
journaliste *m, f* journalist
journée *f* day, daytime
judo *m* judo
juger (nous jugeons) to judge
juillet *m* July
juin *m* June
jupe *f* skirt
jus *m* juice
jusqu'à until, up to
juste close, tight, fair, just
justement just, exactly, precisely
justice *f* justice

K
karaté *m* karate
kilogramme, kilo *m* kilogram
kinésithérapeute, kiné *m, f* physical therapist
kiosque *m* kiosk, newsstand

L
là there, here; **là-bas** over there
laborantin(e) *m, f* laboratory assistant
lac *m* lake
laisser to let, allow
lait *m* milk
lampe *f* light, lamp
lancer (nous lançons) to throw, toss, launch
langue *f* language; tongue
latitude *f* latitude
laurier *m* laurel
lavabo *m* washbasin, sink
lavande *f* lavender
laver to wash; **se laver** to wash up
leçon *f* lesson
lecteur *(m)* **de disques compacts** *m* CD player
lecture *f* reading
légume *m* vegetable
lequel (laquelle, lesquels, lesquelles) which, which one
lettre *f* letter
lever to lift, to raise; to hold up; **se lever (je me lève)** to stand up, get up **liberté** *f* liberty; freedom
librairie *f* bookstore; **librairie-papeterie** *f* book and office supply store
libre free
lien *m* bond, tie, link, connection
lieu *m* place; **avoir lieu** to take place
linguistique *f* linguistics
liqueur *f* liqueur
liquide liquid; **argent** *(m)* **liquide** cash, ready money
lire *(pp* **lu)** *irreg* to read

liste *f* list
lit *m* bed; **faire son lit** to make one's bed
litre *m* liter
littérature *f* literature
livre *m* book
livre *f* pound
logement *m* housing
loggia *f* balcony
loi *f* law
loin de far from
loisirs *m pl* leisure activities
long(ue) long; **le long de** along
longtemps for a long time
louer to rent
lunettes *f pl* eyeglasses
lutter to struggle, fight; to wrestle
luxuriance *(f)* luxuriance
lycée *m* French secondary school

M
madère *m* Madeira wine
magasin *m* store
magie *f* magic
magique magic
magnétoscope *m* videotape recorder, VCR
magnifique magnificent
mai *m* May
maigrir to lose weight
maillot *(m)* **de bain** bathing suit
main *f* hand
maintenant now
maintenir *(like* **tenir)** *irreg* to maintain
mairie *f* city hall
mais but
maison *f* house, home
maître *m* master; teacher
majeur major; of age
majorité *f* majority
mal badly
mal *m* pain, ache; evil; **avoir mal à la tête** to have a headache
malade sick, ill
maladie *f* illness, sickness, disease
malentendu *m* misunderstanding
malgré in spite of
malheur *m* misfortune, bad luck, tragedy
malheureux/euse unhappy, miserable
malnutrition *f* malnutrition
maman *f* mom, mother
manger (nous mangeons) to eat
manière *f* manner
manioc *m* manioc *(plant that tapioca comes from)*
manifestation (manif) *f* demonstration *(political)*
manquer to lack; to miss
manteau *m* coat
manuel(le) manual

maquillage *m* make-up
marais *m* swamp, marsh
marchand(e) *m, f* merchant, shopkeeper
marchandise *f* merchandise, goods
marcher to walk; to work, function *(machinery)*
mari *m* husband
marié married
se marier to get married; **se marier avec** to marry *(someone)*
marine *f* navy
marketing *m* marketing
maroquinerie *f* leather goods store
marque *f* sign, mark; brand name
marquer to mark, indicate; to influence
marraine *f* godmother
marron *(invariable)* brown
mars *m* March
match *m* game, match, competition
maternel(le) maternal, motherly; **langue maternelle** native language; **école maternelle** preschool
mathématiques (maths) *f pl* mathematics
matin *m* morning
mauvais bad
mauve mauve, purple
mécanicien(ne) *m, f* mechanic
médecin *m* physician, doctor
médecine *f* medicine *(science)*
médias *m pl* media
médicament *m* medicine, medication
méfait *m* damage; misdeed; **se méfier de** to mistrust, beware of
meilleur better
mélange *m* mixture
melon *m* melon
mémé *f* grandma
même same; even
mémorisation *f* memorization
mener (je mène) to lead
mer *f* sea
merci thank you
mère *f* mother
merveilleux/euse wonderful, marvelous
message *m* message
mesure *f* measurement
mesurer to measure
métabolisme *m* metabolism
météo *f* weather report
métier *m* profession, trade, business
metteur *(m)* **en scène** theater or movie director
mettre *(pp* **mis)** *irreg* to put; **se mettre à** to start; **se mettre à table** to sit down to eat; **se mettre en colère** to become angry
meuble *m* piece of furniture
meubler to furnish

midi *m* noon; **le Midi** the south of France
mieux better
mijoter to simmer
mille thousand
millier *m* thousand
millionnaire *m, f* millionaire
mince thin, slender
minéral mineral
mini-croisière *f* short cruise
minuit *m* midnight
miracle *m* miracle
missionnaire *m, f* missionary
mobile mobile, movable
mobylette *f* moped
mode *f* fashion
modéré moderate
modérément moderately
moderne modern
modeste modest
moi me, I; **moi aussi** me too
moins less; minus; **au moins** at least; **moins de** less, fewer; **moins que** less than, fewer than
moitié *f* half
moment *m* moment
monde *m* world; people
monsieur mister, sir
montagne *f* mountain
montagneux/euse mountainous
monter to go up, climb
montrer to show
monument *m* monument
morceau *m* piece, chunk
mort *f* death
morts *m pl* dead people; the dead
mosquée *f* mosque
mot *m* word
motif *m* pattern, design
mourir (*pp* **mort**) *irreg* to die
mousson *f* monsoon
moustache *f* mustache
mouton *m* sheep
moyen *m* means
moyen(ne) average; **avoir la moyenne**
multimédia multimedia
multinational multinational
multiplication *f* multiplication
municipal municipal
mur *m* wall
muscle *m* muscle
musculation *f* body building
musée *m* museum
musicien(ne) *m, f* musician
musique *f* music
musulman *m* Moslem
mystère *m* mystery
mystérieux/euse mysterious

N
nager (**nous nageons**) to swim

naïf/ïve naïve
naissance *f* birth
naître (*pp* **né**) *irreg* to be born
natation *f* swimming; **faire de la natation** to swim
nationalité *f* nationality
natte *f* mat
nature *f* nature; **nature morte** still life
naturel(le) natural
navet *m* turnip; "loser" (*movie, TV program*)
navette *f* shuttle
naviguer l'Internet to surf the Internet
ne: ne... aucun not any, not a one; **n'est-ce pas** isn't that so; **ne... jamais** never; **ne... pas** not; **ne... pas du tout** not at all; **ne... personne** no one; **ne... plus** no longer; **ne... rien** nothing
neige *f* snow
neiger (**il neigeait**) to snow
nettoyer (**je nettoie**) to clean
neuf (**neuve**) new, brand new
neveu *m* nephew
nez *m* nose
nièce *f* niece
niveau *m* level
noir black
nom *m* name
nomade *m, f* nomad
nombre *m* number
nombreux/euse numerous
non no; **non plus** neither, not either
non coupable not guilty
nord *m* north
normal normal
noter to note
noué tied, cinched
nourrir to feed, nourish
nourriture *f* food
nouvelle *f* short story; *pl* news
nouveau (**nouvel, nouvelle, nouveaux, nouvelles**) new
novembre *m* November
nuage *m* cloud; **nuageux** cloudy
nucléaire nuclear; **centrale nucléaire** thermal or coal-fired/nuclear power station
nuit *f* night
numéro *m* number

O
oasis *f* oasis
objet *m* object
observer to observe
obtenir (*like* **tenir**) *irreg* to obtain
occasion *f* opportunity, occasion; **bonnes occasions** good buys; **d'occasion** used, secondhand
occidental western
occuper to occupy; **s'occuper de** to take care of

océan *m* ocean
octobre *m* October
œil *m* (*pl* **yeux**) eye
œuf *m* egg
œuvre *f* work (*literary, artistic*)
offert offered
offrir (*pp* **offert**) *irreg* to offer
oignon *m* onion
oiseau *m* bird
omniprésent omnipresent
oncle *m* uncle
opposé opposite
opticien(ne) *m, f* optician
optimiste optimistic
option *f* option **or** *m* gold
orage *m* storm
orange (*f*) orange
orateur *m* orator
orchestre *m* orchestra
ordinateur *m* computer
ordonnance *f* prescription
ordre *m* order
oreille *f* ear
organiser to organize
organisme *m* organism
orientation *f* orientation
s'orienter to find one's bearings
originalité *f* originality
origine *f* origin
ou or
où where
oublier to forget
ouest *m* west
outre-mer overseas

P
page *f* page
pain *m* bread
paix *f* peace
panneau (*m*) **d'affichage** bulletin board
pantalon *m* pants
papa *m* daddy, dad
papier *m* paper; **papier hygiénique** toilet paper
paquet *m* package
par by, through; **par conséquent** consequently; **par contre** on the other hand
paradis *m* paradise
parapluie *m* umbrella
parc *m* park
parce que because
pardon *m* forgiveness; pardon
pardonner to forgive
pareil(le) (the) same
parent(e) *m, f* parent; relative
paresseux/euse lazy
parfait perfect
parfois sometimes, occasionally
parfum *m* scent, fragrance, perfume; flavor
parfumerie *f* perfume shop

parisien(ne) Parisian
parking *m* parking lot
parler to speak
parmi among
parole *f* word *(spoken)*; *pl* lyrics
parrainer to sponsor
part *f* part, portion
partager (nous partageons) to share
partenaire *m, f* partner
parti *m (political)* party
particulièrement particularly
partie *f* part
partir *(like dormir) irreg* to leave
partout everywhere
pas *m* step
passage *m* passage, transition
passé past
passer to spend *(time)*; to move on; **passer l'aspirateur** to vacuum; **passer un examen** to take a test; **se passer** to happen, take place
passion *f* enthusiasm, passion
passionnant fascinating, exciting
passionné(e) *m, f* enthusiast
pastel *m* pastel color
patates *f pl* potatoes
pâte *f* dough, paste; pasta
pâté *m* pâté
patient patient
patinage *m* skating
patriarcal patriarchal
patriarche *m* patriarch
patron(ne) *m, f* boss, head, chief
pauvre poor
pauvreté *f* poverty
payer (je paie) to pay
pays *m* country
paysage *m* landscape, scenery, countryside
paysan(ne) *m, f* peasant, farmer
peau *f* skin
pêche *f* peach; fishing
pêcheur *m* fisherman
pédagogique pedagogic(al)
se peigner to comb one's hair
peindre *(pp peint) irreg* to paint
peine *f* pain, sorrow, punishment, trouble; **peine de mort** death penalty
pendant during
pénétrer (je pénètre) to penetrate, enter
pénible hard to bear, painful, a nuisance
pensée *f* thought
penser to think, **penser que oui (non)** to think so (not); **penser à, penser de** to think of **pension** *f* boardinghouse, guesthouse; **pension complète** full room and board
perdre to lose; to waste
père *m* father
perfectionner to perfect
période *f* period *(of time)*
permettre *(like mettre) irreg* to permit

permis *m* permit, license; **permis de conduire** driver's license
persil *m* parsley
personnel(le) personal
personnage *m* character *(literary)*
personne *f* person; **ne... personne** no one
perspective *f* perspective
pessimiste pessimistic
petit small; **petit déjeuner** *m* breakfast; **petits pois** *m pl* peas
peu (de) few, little
peur *f* fear; **avoir peur** to be afraid
peut-être perhaps
pharmacie *f* pharmacy
philosophie (philo) *f* philosophy
photo *f* photograph
photographie *f* photography
phrase *f* sentence, phrase
physique *f* physics
physiquement physically
piano *m* piano
pic *m* mountain peak
pièce *f* room; theatrical play
pied *m* foot; **à pied** on foot
pile *f* battery; stack
pilule *f* pill
piment *m* pepper, chili pepper
pionnier/ière *m, f* pioneer
piqûre *f* injection, shot
pisciculture *f* fish farming
piscine *f* swimming pool
place *f* place, seat; position
placer (nous plaçons) to put, place
plage *f* beach
se plaindre *(like peindre) irreg* to complain, grumble
plaine f plain, open country
plaire *(pp plu) irreg* to please; **s'il vous plaît** please; **ça ne me plaît pas** I don't like that
plaisanter to joke
plaisir *m* pleasure, delight; **faire plaisir (à)** to please
plan *m* drawing, diagram; map *(of a city)*
planche board; **planche (f) à neige** snow boarding
planétaire planetary
planète *f* planet
plantation *f* plantation
plante *f* plant
plat *m* course *(of a dinner)*; dish
plat/te flat
plateau *m* plateau; tray
plein full
pleurer to cry
pleuvoir *(pp plu) irreg* to rain
plombier/ière *m, f* plumber
pluie *f* rain
plupart *f* majority
plus more; plus; **plus (de)** more; **plus... que** more . . . than

plusieurs several
plutôt rather, somewhat
pluvieux/euse rainy, wet
poète *m* poet; **poésie** *f* poetry, **poème** *f* poem
poids *m* weight
poignant poignant
point *m* period, dot
pointure *f* size *(shoes)*
poire *f* pear
poisson *m* fish
poivre *m* pepper
poli polite
police *f* police; **agent** *(m)* **de police** police officer
polygamie *f* polygamy
politesse *f* politeness
politique political
politique *f* politics
polluer to pollute
pollution *f* pollution
pomme *f* apple; **pomme de terre** potato
pommier *m* apple tree
ponctuer to punctuate
pont *m* bridge
populaire popular
porc *m* pork, pig
porche *m* porch
port *m* port, harbor
porte *f* door
porter to carry; to wear; to relate to
portrait *m* portrait
posséder (je possède) to own, to possess
possession *f* possession
possibilité *f* possibility
possible possible
poste *f* post office; *m* job, position; **poste de police** police station; **poste de télévision** television station
posthume posthumous
poterie *f* pottery
poubelle *f* trash can
poulet *m* chicken
pour for
pourrir to rot, decay, spoil
pourquoi why
pouvoir *m* power
pouvoir *(pp pu) irreg* to be able, can
pratique practical; *f* practice
pratiquement practically
pratiquer to practice; to play *(sport)*
précédent preceding, previous
préciser to specify, make clear
préférer (je préfère) to prefer
préfigurer to prefigure, foreshadow
préjugé *m* predjudice
prémices *f pl* beginnings
premier/ière first
premièrement first, in the first place
prendre *(pp pris) irreg* to take; to have (in a restaurant); **prendre sa retraite**

to retire; **prendre une décision** to make a decision

prénom *m* first name

préparatifs *m pl* preparations

préparer to prepare; **se préparer** to get ready

près (de) near

présenter to introduce, present

presque almost

prêt ready

prêter to lend

preuve *f* proof

principal principal

printemps *m* spring

prise *(f)* **de conscience** awareness

prison *f* prison

privé private

prix *m* price; prize

prochain next

produit *m* product

professeur *m* teacher, professor

profession *f* profession

professionnel(le) *m, f* professional person

professionel/le professional

profiter de to take advantage of, enjoy

profond deep; dark

programmable programmable

programme *m* program, listing *(of TV shows, etc.)*

progrès *m* progress

projet *m* plan, project

prolifération *f* proliferation

promenade *f* walk, stroll; **faire une promenade** to go for a walk

promesse *f* promise

promettre *(like* **mettre***) irreg* to promise

proposer to propose, suggest

propre clean; own

propriétaire *m, f* landlord, owner

protection *f* protection

protéger **(je protège, nous protégeons)** to protect

protéine *f* protein

prouver to prove

proverbe *m* proverb

provisions *f pl* food, supplies

psychiatre *m, f* psychiatrist

psychologue *m, f* psychologist

public/ique public

publicité *f* advertising, publicity

publier to publish

puis then, next

pull-over (pull) *m* sweater, jersey

pyjama *m* pajamas

Q

qualité *f* quality

quand when; **quand même** in spite of it, just the same; nevertheless

quant à as for

quart *m* quarter, one fourth

quartier *m* neighborhood

que that, what

Québécois(e) *m, f* resident of Quebec

quel(le) what

quelque some; **quelque chose** something; **quelqu'un** someone

quelquefois sometimes

qu'est-ce que, qu'est-ce qui what; **qu'est-ce que c'est** what is it

question *f* question; **poser une question** to ask a question

qui who, which, that

quitter to leave *(a place or person)*

quotidien(ne) daily

R

racisme *m* racism

radio *f* radio

raisin *m* grape(s)

raison *f* reason; **avoir raison** to be right

ranger (nous rangeons) to arrange, put away

rapide fast

rappeler (je rappelle) to recall, remind

rapport *m* relationship; report

raquette *f* snowshoe; racket

rare rare

rarement rarely

rasoir *m* razor

ravi delighted

ravissant delightful

rayon *m* department, counter *(in a store);* ray

réaliser to achieve

réaliste realistic

réalité *f* reality

récemment recently

recensement *m* census

réceptionniste *m, f* receptionist

recette *f* recipe

recevoir *(pp* **reçu***) irreg* to receive

recherche *f* research

recommander to recommend, advise

se réconcilier to reconcile

reconnaissance *f* gratitude

reconnaissant grateful

reconnaître *(like* **connaître***) irreg* to recognize

se recoucher to go back to bed

recycler to recycle

réduction *f* reduction

réduire *(like* **conduire***) irreg* to reduce

réfléchir to think, reflect

refléter (il reflète) to reflect

refrain *m* refrain

réfrigérateur (frigo) *m* refrigerator

réfugié(e) *m, f* refugee

se régaler to enjoy, to have a feast

regarder to look at, watch

régime *m* diet

région *f* region

registre *m* register

règle *f* rule

regret *m* regret

régulier/ière regular

régulièrement regularly

rejoindre *(pp* **rejoint***) irreg* to join *(a person)*, get back to *(a place)*

relations *f pl* acquaintances; relationships, relations

relax relaxed, informal

remède *m* remedy

remercier to thank

remettre *(like* **mettre***) irreg* to put back, hand back; to postpone

remplir to fill

rencontrer to meet, run into; **se rencontrer** to meet, run into each other

rendez-vous *m* appointment

rendre to give back, return; to restore; to hand back; **rendre heureux** to make *(someone)* happy; **rendre visite à** to visit *(someone)*

renseignements *m pl* information

se renseigner to get information

rentrer to return home; to go back in

repas *m* meal

repasser to iron; to stop by again

répéter (je répète) to repeat

répondre to answer, respond

réponse *f* answer, response

reportage *m* reporting, report *(TV or newspaper)*

reposant relaxing, restful

reposer to put back, replace; **se reposer** to rest

repousser to push back, delay

représentant(e) *m, f* representative

reproduction *f* reproduction

réputation *f* reputation

réserver to reserve

résidence *f* dormitory, residence

respect *m* respect

respecter to respect

respectif/ive respective

respirer to breathe

responsabilité *f* responsibility

ressources *f pl* resources

restaurant (resto) *m* restaurant

restauration *f* restaurant business; restoration

reste *m* rest, remainder

rester to stay; **il reste** there remains

restrictif/ive restrictive

retour *m* return

retourner to return, go back

retraite *f* retirement; **prendre sa retraite** to retire

retrouver to rediscover, find again; **se retrouver** to meet *(by prior arrangement)*

réunion f meeting, reunion
réussir to succeed
rêve m dream
réveil m alarm clock; waking up
réveiller to awaken; **se réveiller** to wake up
revenir (*like* **venir**) *irreg* to come back, return
rêver to dream
revoir (*like* **voir**) *irreg* to see again; **au revoir** good-bye
revue f magazine, journal; review
rez-de-chaussée m ground floor
rhume m cold
riche rich
richesse f wealth
rigueur f rigor, severity
risquer (**de**) to risk, be in danger of
rituel m ritual
rivière f river, stream
riz m rice
robe f dress
rocher m rock, boulder
rocheux/euse rocky
rock rock (*music*)
rock m rock and roll music
rôle m role
roman m novel
romanche m Romansh
romancier/ière m, f novelist
rond m ring, circle
rose pink
rouge red
roumain Romanian
route f road, way; **en route** on the way
roux (rousse) red (*for hair*)
rue f street
rudiment m rudiment, basic element
ruisselant dripping wet, streaming
rythme m rhythm

S
sable m sand
sac m purse, bag; **sac à dos** backpack
sage well-behaved, wise
saison f season
salade f salad
salaire f salary
salle f room; **salle à manger** dining room; **salle de bains** bathroom; **salle de séjour** living room
salut hi
sandales f pl sandals
sandwich m sandwich
sans without; **sans cesse** continuously, without stopping; **sans doute** probably; **sans plus** nothing more
santé f health
satellite m satellite
satire f satire
sauce f sauce

saucisse f sausage
saucisson m salami
sauf except
sauvage wild
savane f savannah
savoir (*pp* **su**) *irreg* to know; to know how to
savon m soap
saxophone m saxophone
science-fiction f science fiction
science f knowledge, learning
sciences f pl science
scientifique scientific
sculpture f sculpture
séance f showing
sec (sèche) dry
sécheresse f drought
sèche-cheveux m hair dryer
secret m secret
sécurité f security
sédentaire sedentary
séduire (*like* **conduire**) *irreg* to seduce
séjour m stay
sel m salt
selon according to
semaine f week
sentiment m feeling, sentiment
(se) sentir (*like* **dormir**) *irreg* to feel **(se)**
   séparer de to separate, to part
septembre m September
sérénité f serenity
série f series
se serrer la main to shake hands
service m service
servir (*like* **dormir**) *irreg* to serve; **se servir** to help oneself; **se servir de** to use
session f session
seul alone
seulement only
sévère strict
sexisme m sexism
shampooing m shampoo
short m shorts
si if; so; yes (*to a negative question*)
SIDA m AIDS
siècle m century
siège m headquarters; seat
signer to sign
simple simple
simplifier to simplify
simpliste simplistic
sincère sincere
sinon if not; otherwise
sirop m syrup
site m site; Web site
situation f job; situation
situé located, situated
ski m ski; skiing; **ski de piste** downhill skiing; **ski de randonnée** cross-country skiing

skipper m skipper
slogan m slogan
sociologie f sociology
sœur f sister
soif f thirst; **avoir soif** to be thirsty
soigneusement carefully
soir m evening
soirée f evening; party
sol m soil, land
solde m sale; **en solde** on sale
solidarité f solidarity
solution f solution
sommeil m sleep; **avoir sommeil** to be sleepy
sommeiller to doze
sondage m survey
sort m fate
sorte f kind, type, sort
sortir (*like* **dormir**) *irreg* to go out
souci m worry
souffler to blow
souffrir (*like* **couvrir**) *irreg* to suffer; to be hurting
souhaiter to wish
souk m street market
soupçon m a suspicion
soupçonner to suspect
soupe f soup
source f spring (water); source
sourire m smile
sourire (*pp* **souri**) *irreg* to smile
sous under; **sous-sol** m basement; **sous-titre** m subtitle; **sous-vêtements** m pl underwear
souvenir m memory, souvenir
se souvenir de (*like* **venir**) *irreg* to remember
souvent often
spatial space, spatial
spécial special
spécialisé specialized
spécialité f specialty, special feature
spectaculaire spectacular
splendeur f splendor
spontané spontaneous
sport m sport; sports
sportif/ive athletic
stade m stadium
station (f) **de métro** subway station; **station de ski** ski resort
stationnement m parking
statistique f statistics
statue f statue
stimulant m stimulant
stress m stress
studieux/euse studious, hardworking
studio m studio apartment
stupidité f stupidity
style m style **stylo** m pen
subordination f subordination
subtilité f sublety

succès *m* success
succession *f* succession
sucre *m* sugar
sud *m* south
suffire (*pp* **suffi**) *irreg* to suffice
suffisant sufficient, enough
suisse Swiss; **petit suisse** *m* a kind of cream cheese
suivant following, next
suivre (*pp* **suivi**) *irreg* to follow; to take (*a course*)
sujet *m* subject, topic; **au sujet de** about, concerning
superflu superfluous, unnecessary
supérieur superior, higher
supermarché *m* supermarket
sûr sure; **bien sûr** of course
surfiste *m* surfer
surgelé deep- or quick-frozen; **produits** (*m pl*) **surgelés** frozen foods
surmonter to overcome
surpopulation *f* overpopulation
surprise *f* surprise
surtout especially
suspect *m* suspect
suspect suspicious, suspect
symbole *m* symbol
sympathique (**sympa,** *invariable*) nice, likable
symptôme *m* symptom
synagogue *f* synagogue
synthétiseur *m* synthesizer, keyboard instrument
systématiquement systematically

T
tabac *m* tobacco
table *f* table
tableau *m* painting; chalkboard
tablette *f* tablet; bar (*chocolate*)
taille *f* size (*clothing*); waist
talent *m* talent
tante *f* aunt
tard late
tasse *f* cup
taux *m* level, rate
technicien(ne) *m, f* technician
technique technical
technocrate *m, f* technocrat
technologique technological
tee-shirt *m* T-shirt
tel(le) such; **tel(le) que** such as
télécommunications *f pl* telecommunications
téléfilm *m* TV movie
téléphone *m* telephone
téléphoner to telephone
téléviser to televise
téléviseur *m* TV set
télévision (**télé**) *f* television
témoin *m* witness

tempête *f* storm
temps *m* time; weather; **quel temps fait-il** what's the weather like
tendresse *f* tenderness
tenir (*pp* **tenu**) *irreg* to hold; **se tenir au courant** to stay informed; **tenir au courant** to keep (*someone*) informed
tennis *m* tennis
tentation *f* temptation
tentative *f* attempt, try
tenter to tempt
terrasse *f* terrace
terre *f* land, earth
terrorisme *m* terrorism
tête *f* head
thé *m* tea
théâtre *m* theater
thème *m* theme
thermal hot; **source thermale** *f* hot spring
thym *m* thyme
timide timid, shy
tirer to pull (object/door); to shoot/fire (*a weapon*)
tisser to weave
tissu *m* fabric, material
titre *m* title; **sous-titre** *m* subtitle
toi you
tomate *f* tomato
tomber to fall; **tomber en panne** to break down; **tomber malade** to become ill
tondeuse (*f*) **à gazon** lawn mower
tornade *f* tornado
touche *f* touch, stroke; key (*on a keyboard*)
toucher to touch
toujours always
toundra *f* tundra
tour *f* tower
tour *m* trip, tour
tourisme *m* tourism
touristique touristic
tourner to turn; **tourner au ralenti** to idle (*engine*)
tousser to cough
tout (**toute, tous, toutes**) every, all; **tout le monde** everyone; **tous les jours** every day
tout entirely, all; **tout de suite** right away; **tout droit** straight ahead
toxique toxic
traditionaliste traditionalist
traducteur/trice *m, f* translator
traduire (*pp* **traduit**) *irreg* to translate; **comment est-ce que ça se traduit** how is it translated
train *m* train
traîneau *m* sleigh
tranche *f* slice
tranquille peaceful, **laisse-moi tranquille** leave me alone

transport *m* transportation; **moyen** (*m*) **de transport** means of transportation
travail (**travaux** *pl*) *m* work
travailler to work
traverser to cross
tremblement *m* trembling, shaking; **tremblement de terre** earthquake
très very
triste sad
tristesse *f* sadness
trompette *f* trumpet
trop too; **trop de** too much, too many
tropical tropical
tropiques *m pl* tropics
trouver to find; **se trouver** to be located
tunisien(ne) Tunisian
tutoyer (**je tutoie**) to use
type *m* character; guy; type

U
unique unique; only, sole
universitaire university-related
université *f* university
urbain urban
utile useful
utiliser to use

V
vacances *f pl* vacation
vahinée *f* Tahitian woman
valise *f* suitcase
vallée *f* valley
valoir (**il vaut**) to be worth; **il vaut mieux** it is better/preferable; **il vaudrait mieux** it would be better; **valoir la peine** (*pp* **valu**) *irreg* to be worth the trouble
vanille *f* vanilla
varier to vary
variété *f* variety
veau *m* veal; calf
vedette *f* star (*e.g., movie*)
végétation *f* vegetation
veiller to stay up, be awake
vélo *m* bicycle; **à vélo** by bike
vendre to sell; **vendre aux enchères** to auction
se venger (**nous nous vengeons**) to take revenge
venir (*pp* **venu**) *irreg* to come; **venir de** to have just (*done something*)
véranda *f* veranda, porch
vérifier to confirm, verify
vérité *f* truth
verre *m* glass; **verre de contact** contact lens
vers toward; about
vert green; ***haricot** (*m*) **vert** green bean; **les « Verts »** the "green" party (*supporting protection of the environment*)

veste *f* jacket
vêtements *m pl* clothes, clothing
vétérinaire *m, f* veterinarian
viande *f* meat
vibrant vibrant, bright
vide empty
vidéo-clip *m* music video
vider to empty
vie *f* life
vieillesse *f* old age
vieux (vieil, vieille, vieilles) old
village *m* village
ville *f* city, town
vin *m* wine
violence *f* violence
violent violent
violon *m* violin
visa *m* visa
visage *m* face
visiter to visit (*a place*)
visiteur/euse *m, f* visitor
vitamine *f* vitamin

vite quickly, fast
vitrine *f* display window, store window
vivant alive, living
vivants *m pl* the living
vivement strongly, sharply
vivre (*pp* **vécu**) *irreg* to live
vœux *m pl* wishes
voici here is/are
voie (*f*) **lactée** Milky Way
voilà there is/are, here is/are
voile *f* sail (boat); **faire de la voile** to go sailing
voile *m* veil
voir (*pp* **vu**) *irreg* to see
voiture *f* car, automobile; **en voiture** by car
vol *m* flight; theft
volcan *m* volcano
volontaire *m, f* volunteer
volume *m* volume
voter to vote

vouloir (*pp* **voulu**) *irreg* to want; to wish; **je voudrais** I would like
voyage *m* trip; **agence** (*f*) **de voyages** travel agency; **voyage d'affaires** business trip
voyager (**nous voyageons**) to travel
vrai true
vraiment truly, really
vulgaire vulgar

W
W.-C *m pl* toilet, restroom
week-end *m* weekend

Y
y there; to it, to them
yeux *m pl* eyes

Z
zut darn

Vocabulaire

Anglais-Français

A

abandon (to) abandonner
about environ; au sujet de
abroad à l'étranger
absence absence *f*
absent absent
abuse abus *m*
accessory accessoire *m*
accident accident *m*
accompany accompagner
accomplish accomplir
according to selon
accountant comptable *m, f*
achieve réaliser
action action *f*
active actif/ive
activity activité *f*
actor acteur/trice *m, f*
add ajouter
address adresse *f*
administration administration *f*
admire admirer
admit admettre
adorable adorable
adore adorer
adult adulte *m, f*
advantage avantage *m*
advertising publicité *f*
adviser conseiller/ère *m, f*
affection affection *f*
after après
afternoon après-midi *m*
again encore, de nouveau
against contre
agency agence *f*
agree être d'accord
airplane avion *m*
airport aéroport *m*
all tout (toute, tous, toutes)
allow permettre, laisser
almost presque
alone seul
already déjà
also aussi
always toujours
among parmi
and et
announce annoncer

annoying embêtant
apartment building immeuble *m*
apologize (to) s'excuser
apology excuse
appear apparaître, paraître, avoir l'air
apple pomme *f*
approximately environ
architect architecte *m, f*
arm bras *m*
around autour de
arrange ranger; arranger
arrive arriver
artichoke artichaut *m*
as comme; **as . . . as** aussi... que
ask demander; **to ask a question** poser une question
aspirin aspirine *f*
assignment devoir *m*
at à, en; **at least** au moins; **at the place/office/home of** chez
athletic sportif/ive
attend assister à
attract attirer
aunt tante *f*
autumn automne *m*
avoid éviter
awaken réveiller; se réveiller

B

bad mauvais
badly mal
balcony balcon *m*
banana banane *f*
basement sous-sol *m*
bathing suit maillot *m* de bain
battery pile *f*; **car battery** une batterie **be (to)** être; —**able** pouvoir; —**afraid** avoir peur; —**angry** être en colère, — **born** naître; —**cold** avoir froid; —**early** être en avance; —**hot** avoir chaud; — **hungry** avoir faim; —**in the process of** être en train de; —**interested in** s'in-téresser à; —**late** être en retard; —**on time** être à l'heure; —**sleepy** avoir som-meil; —**thirsty** avoir soif
beach plage *f*
beautiful beau (bel, belle, beaux, belles)
beauty beauté *f*

because parce que
become devenir
bed lit *m*
bedroom chambre *f*
beef bœuf *m*
beer bière *f*
before avant
begin commencer
beginning début *m*, commencement *m*
behind derrière
believe croire
belong appartenir (à)
beside à côté de
better mieux; meilleur
between entre
bicycle bicyclette *f*, vélo *m*
bill billet *(currency) m*; addition *f*
biology biologie *f*
bird oiseau *m*
birth naissance *f*
black noir
blue bleu
boat bateau *m*
body corps *m*
book livre *m*
bookstore librairie *f*
bore ennuyer
boring ennuyeux/euse
borrow emprunter
boss patron(ne) *m, f*
bottle bouteille *f*
bottom fond *m*, bas *m*
box boîte *f*
boy garçon *m*
bread pain *m*
break casser
breakfast petit déjeuner *m*
breathe respirer
bridge pont *m*
bring apporter *(an object)*; emmener *(a person)*
broadcast émission *f*
brother frère *m*
brown brun, marron
building bâtiment *m*
bus autobus *(city)*; autocar *m (interur-ban)*
businessperson commerçant(e) *m, f*

business affaires *f pl*
but mais
butter beurre *m*
buy acheter
by par, près de

C
cake gâteau *m*
calf veau *m*
camcorder caméscope *m*
camera appareil-photo *m*
camp camper
campus campus *m*
can boîte *f*; **can, to be able** pouvoir
candy bonbons *m pl*
car voiture *f*, automobile *f*
card carte *f*
carrot carotte *f*
cartoon dessin *(m)* animé
cash argent *(m)* liquide
cat chat(te) *m, f*
catch attraper
CD player lecteur *(m)* de disques compacts
celebrate fêter, célébrer
center centre *m*
century siècle *m*
certain certain
chair chaise *f*
chalk craie *f*; **a piece of chalk** un morceau de craie
chalkboard tableau *m*
change changer; monnaie *f*
character personnage *m (literary)*; caractère *m*
cheap bon marché
check chèque *m*
cheese fromage *m*
chemistry chimie *f*
cherry cerise *f*
chicken poulet *m*
child enfant *m, f*
childhood enfance *f*
chocolate chocolat *m*
choice choix *m*
choose choisir
church église *f*
city ville *f*
classic classique
clean (to) nettoyer; propre
close fermer
clothes vêtements *m pl*
cloud nuage *m*
coast côte *f*
coat manteau *m*
coffee café *m*
cold froid; rhume *m*; **to catch a cold** prendre froid; **to be or feel cold** avoir froid; **it's cold** il fait froid
color couleur *f*
comb (se) peigner
come venir; **come back** revenir

comfortable confortable
commit commettre
communicate communiquer
compact disk disque *(m)* compact
company compagnie *f*, entreprise *f*
compare comparer
competent compétent
competition compétition *f*, concours *m*
complain se plaindre
computer ordinateur *m*; **computer graphics** infographie *f*; **computer science** informatique *f*
concert concert *m*
condition condition *f*
confide se confier
confirm confirmer
conflict conflit *m*
congratulations félicitations *f pl*
consequently par conséquent
consider considérer
consult consulter
consume consommer
continue continuer
conversation conversation *f*
cook cuisiner; cuisinier/ière *m, f*
copy copier
cost coûter
cough tousser
count compter
counter rayon *m*
country pays *m*; campagne *f*
course cours *m*; plat *m (dinner)*; **of course** bien sûr
cousin cousin(e) *m, f*
cream crème *f*
create créer
crime crime *m*
crisis crise *f*
cry pleurer; **cry out** crier
cultural culturel(le)
cup tasse *f*
cut couper

D
daily quotidien(ne)
dance danser; danse *f*
dangerous dangereux/euse
date date *f*
daughter fille *f*
day jour *m*; journée *f*
dear cher (chère)
decide décider
decision décision *f*; **make a decision** prendre une décision
declare déclarer
defend défendre
delighted ravi
demonstration *(political)* manifestation *f*
dentist dentiste *m, f*
deodorant déodorant *m*
desirable désirable
dessert dessert *m*

destination destination *f*
destroy détruire
development développement *m*
dial (a phone number) composer le numéro
dictionary dictionnaire *m*
die mourir
diet régime *m*
difficult difficile
diminish diminuer
dine dîner
dinner dîner *m*
diploma diplôme *m*
direct diriger; direct
director directeur/trice *m, f*
disadvantage inconvénient *m*
disappear disparaître
discover découvrir
discovery découverte *f*
discuss discuter
discussion discussion *f*
dish plat *m*
distinguish distinguer
divorce divorce *m*; divorcer
do faire
doctorate doctorat *m*
dog chien(ne) *m, f*
door porte *f*
dozen douzaine *f*
draw dessiner; tirer
drawing dessin *m*
dream rêver; rêve *m*
dress robe *f*; **get dressed (to), dress (to)** s'habiller (il s'habille bien)
drink boisson *f*; boire
driving school auto-école *f*
drug drogue *f*; **drugstore** droguerie *f*
during pendant
dynamic dynamique

E
each chaque
ear oreille *f*
earn gagner
earth terre *f*; **earthquake** tremblement *(m)* de terre
easy facile
eat manger; **eat dinner** dîner
economy économie *f*; **to economize** faire des économies
effect effet *m*
egg œuf *m*
elbow coude *m*
election élection *f*
electrician électricien(ne) *m, f*
electricity électricité *f*
electronic électronique
elegant élégant
elevator ascenseur *m*
elsewhere ailleurs
employ employer

employment emploi *m*
empty vider; vide
end fin *f*, bout *m*
energy énergie *f*
engineer ingénieur *m*
English anglais
enough assez (de)
enter entrer
entertaining amusant
enthusiasm enthousiasme
entire entier/ière
especially surtout
essential essentiel *m*
even même
evening soir *m*; soirée *f*
event événement *m*
every tout, tous, toute, toutes; **every day** tous les jours
everyone tout le monde
everywhere partout
exaggerate exagérer
examination examen *m*; **to take an exam** passer un examen
excellent excellent
except sauf, excepté
exchange échanger
excuse excuse *f*
exhibit exposition *f*
explain expliquer
explanation explication *f*
explore explorer
express exprimer
expression expression *f*
eye œil *m*; **eyes** yeux *m pl*
eyeglasses lunettes *f pl*

F
facing en face de
failure échec *m*
fall tomber; automne *m (season)*
family famille *f*
far (from) loin (de)
farm ferme *f*
farmer agriculteur/trice *m, f*, cultivateur/trice *m, f*, fermier/ière *m, f*
fashion mode *f*
fast rapide; vite
father père *m*
feel sentir; se sentir; **feel like** avoir envie de
feeling sentiment *m*
fever fièvre *f*
few peu (de)
film film *m*
finally enfin
find trouver
finger doigt *m*
finish finir
fire feu *m*; **(forest) fire** incendie (de fôret) *m*
first premier/ière, d'abord; **first name** prénom *m*
fish poisson *m*

flight vol *m*
flood inondation *f*
florist fleuriste *m, f*
flower fleur *f*
follow suivre
following suivant
food nourriture *f*
for pour
forbid défendre; interdire
forest forêt *f*
forget oublier
forgive pardonne
fork fourchette *f*
formerly auparavant, autrefois
fortunately heureusement
free libre; **free of charge** gratuit
freedom liberté *f*
freeway autoroute *f*
freeze geler
French français
fresh frais (fraîche)
friend ami(e) *m, f*
friendship amitié *f*
from de
fruit fruit *m*
full plein

G
game match *m*, jeu *m*
garage garage *m*
garden jardin *m*
gas gaz *m*
generally en général
German allemand
get along s'entendre bien
gift cadeau *m*
gifted doué
girl fille *f*, jeune fille *f*
give donner
glad content
glass verre *m*; **glasses** lunettes
go (to) aller; **to go down** descendre; **to go out** sortir; **to go to bed** se coucher; **to go up** monter
goal but *m*
gold or *m*
golf golf *m*
good bon(ne); **good-bye** au revoir, adieu
government gouvernement *m*
grape(s) raisin *m*
great grand; formidable
green vert
grocery store épicerie *f*
ground floor rez-de-chaussée *m*
group groupe *m*
grow up grandir
guide guide *m, f*
guilty coupable
guitar guitare *f*

H
hair cheveux *m pl*

half demi
hand main *f*; **hand in** rendre
happen arriver, se passer
happiness bonheur *m*
happy heureux/euse
hard dûr; difficile
hate détester
have avoir; **have fun** s'amuser
heat chaleur *f*
head tête *f*; chef *m*
health santé *f*
healthy en bonne santé
hear entendre
heart cœur *m*
heavy lourd
hello bonjour; allô *(on the phone)*
help aider; aide *f*
here ici; **here is** voici
hesitate hésiter
hi salut
high haut; élevé
history histoire *f*
holiday fête *f*; vacances *(f pl)*
home maison *f*, domicile *m*, **at the home of** chez soi; **to stay home** rester à la maison
honest honnête
hope espérer; espoir *m*
horse cheval *m*
hospital hôpital *m*
host hôte *m*
hostess hôtesse *f*
hot chaud; **to be or feel hot** avoir chaud; **it's hot** *(weather)* faire chaud
hotel hôtel *m*
hour heure *f*
house maison *f*
how comment; **how much, many** combien (de)
however cependant
human humain
hurry se dépêcher
husband mari *m*

I
ice glace *f*; **ice cream** glace *f*
idea idée *f*
identity identité *f*
if si; **if not** sinon
ill malade
illness maladie *f*
impatient impatient
impossible impossible
impression impression *f*
in en; dans; **in front of** devant; **in general** en général; **in love** amoureux/euse; **in spite of** malgré; **in the middle of** au milieu de
included compris
incredible incroyable
indicate indiquer
individual individuel(le)

industry industrie *f*
infection infection *f*
intelligent intelligent
intend avoir l'intention (de)
intense intense
interest intérêt *m*
interesting intéressant
Internet Internet *m*
interpreter interprète *m, f*
interview interview *m or f*
introduce présenter
invent inventer
invite inviter
island île *f*
Italian italien(ne)

J
Japanese japonais
jealous jaloux/ouse
jeans jean *m*
job poste *m*, emploi *m*
jogging jogging *m*
journalist journaliste *m, f*
joy joie *f*
judge juger
juice jus *m*
just juste

K
keep garder, tenir; **to keep one's word** tenir sa promesse **kind** gentil(le); sorte *f*
kiss embrasser, s'embrasser
kitchen cuisine *f*
knee genou *m*
know savoir; connaître

L
lack manquer
land terre *f*
landlord propriétaire *m, f*
landscape paysage *m*
language langue *f*
large grand, gros(se)
last dernier/ière
late tard; en retard
law loi *f*; droit *m*
lawyer avocat(e) *m, f*
lazy paresseux/euse
lead mener
leader chef *m*
learn apprendre
leave partir; quitter *(a place or person)*
lecture conférence *f*
left gauche *f*
leg jambe f
leisure activities loisirs *m pl*
lend prêter
less moins
lesson leçon *f*
let laisser, permettre

letter lettre *f*
level niveau *m*
liberty liberté *f*
library bibliothèque *f*
life vie *f*
like aimer (bien); comme
list liste *f*
listen écouter
literature littérature *f*
little petit; peu (de)
live vivre; **live in** habiter
long long(ue)
look: look at regarder; **look for** chercher
lose perdre
love aimer, adorer
lunch déjeuner *m*

M
magazine revue *f*
maintain maintenir
majority majorité *f*, plupart *f*
make faire; rendre **to make bigger** rendre plus grand; **make-up** maquillage *m*
man homme *m*
management gestion *f*
many beaucoup (de)
map carte *f*; plan *m (city)*
marry marier; se marier
marvelous merveilleux/euse
mathematics mathématiques *f pl*
measurement mesure *f*
meat viande *f*
mechanic mécanicien(ne) *m, f*
media médias *m pl*
medicine médecine *f (profession)*; médicament *m (medication)*
meeting réunion *f*
merchandise marchandise *f*
merchant marchand(e) *m, f*
message message *m*
midnight minuit *m*
milk lait *m*
miracle miracle *m*
miss manquer
missionary missionnaire *m, f*
misunderstanding malentendu *m*
mixture mélange *m*
modern moderne
modest modeste
moment moment *m*
money argent *m*
monument monument *m*
more plus
morning matin *f*
mother mère *f*
mountain montagne *f*
mouth bouche *f*
move bouger; déménager *(change residences)*
much beaucoup
muscle muscle *m*

museum musée *m*
mushroom champignon *m*
music musique *f*; **music video** vidéo-clip *m*
musician musicien(ne) *m, f*

N
name nom *m*; **my name is . . .** je m'appelle...
nationality nationalité *f*
nature nature *f*
near près de
need avoir besoin de
neighborhood quartier *m*
nephew neveu *m*
new nouveau (nouvel, nouveaux, nouvelle, nouvelles); neuf (neuve)
news nouvelles *f pl*, actualités *f pl*
newspaper journal *m*
next prochain; **next to** à côté de
nice gentil(le), sympa(thique)
niece nièce *f*
night nuit *f*
noise bruit *m*
noon midi *m*
north nord *m*
nose nez *m*
notebook cahier *m*
novel roman *m*
now maintenant
number nombre *(counting)m*; numéro *(address)m*
nurse infirmier/ière *m, f*

O
object objet *m*
observe observer
obtain obtenir
occupy occuper
occur se passer
ocean océan *m*
of de; **of course** bien entendu, bien sûr
offer offrir
often souvent
oil huile *f*
old vieux (vieil, vieille, vieilles); **old age** vieillesse *f*
on sur
only seulement
opinion opinion *f*, avis *m*
optician opticien(ne) *m, f*
optimistic optimiste
or ou
orchestra orchestre *m*
order ordre *m*; commander *(in a restaurant)*
origin origine *f*
outdoors dehors
oven four *m*; **microwave oven** four à micro-ondes
over there là-bas

overcome surmonter
overseas outre-mer
own posséder; propre

P

package paquet *m*
page page *f*
pain peine *f*, mal *m*
paint peindre
painting peinture *f*; tableau *m*
pal copain (copine) *m*, *f*
pants pantalon *m*
paper papier *m*
paradise paradis *m*
pardon pardon *m*; pardonner
parent parent *m*
park parc *m*
parking stationnement *m*; **parking lot**
  parking *m*
part partie *f*
partner partenaire *m*, *f*
past passé
patient patient
pay payer
peace paix *f*
pear poire *f*
peas petits pois *m pl*
pen stylo *m*
pencil crayon *m*
people gens *m pl*
pepper poivre *m*
perfect parfait
perfume parfum *m*
perhaps peut-être
period période *f*; point *m* (*punctuation*)
permit permettre; permis *m*
person personne *f*
pessimistic pessimiste
pharmacy pharmacie *f*
philosophy philosophie *f*
photograph photo *f*
photography photographie *f*
physician médecin *m*
physics physique *f*
piano piano *m*
piece morceau *m*
pig porc *m*
pill pilule *f*
pink rose
place place *f*, lieu *m*; mettre
planet planète *f*
plant plante *ff*
plateau plateau m
please s'il vous plaît; faire plaisir (à)
pleasure plaisir *m*
plumber plombier/ière *m*, *f*
poet poète *m*
police police *f*; **police officer** agent (*m*)
  de police
polite poli
politeness politesse *f*

political politique
politics politique *f*
pollute polluer
pollution pollution *f*
poor pauvre
popular populaire
pork porc *m*
portrait portrait *m*
possess posséder
possession possession *f*
possibility possibilité *f*
possible possible
post office poste *f*
poster affiche *f*
postpone remettre
potato pomme (*f*) de terre
pound livre *f*
poverty pauvreté *f*
prefer préférer
prepare préparer
prescription ordonnance *f*
preserve préserver
pretty joli
price prix *m*
pride fierté *f*
prison prison *f*
private privé
probably probablement, sans doute
problem problème *m*, ennui *m*
product produit *m*
profession profession *f*, métier *m*
professor professeur *m*
program programme *m*; émission *f*
  (*broadcast*)
progress progrès *m*
promise promettre; une promesse *f*
propose proposer; suggérer
protect protéger
protection protection *f*
proud fier (fière)
psychiatrist psychiatre *m*, *f*
psychologist psychologue *m*, *f*
purchase acheter; achat *m*
purse sac (*m*) main
put mettre; **put back** remettre
pajamas pyjama *m*

Q

quality qualité *f*
question question *f*
quickly vite; rapidement

R

radio radio *f*
railroad station gare *f*
rain pluie *f*; pleuvoir
rare rare
rarely rarement
rather plutôt, assez
razor rasoir *m*
read lire

reading lecture *f*
real estate immobilier *m*
realistic réaliste
reality réalité *f*
reason raison *f*
receive recevoir
recently récemment
receptionist réceptionniste *m*, *f*
recipe recette *f*
recognize reconnaître
recommend recommander
red rouge; roux (rousse) (*hair*)
reduce réduire
reduction réduction *f*
reflect réfléchir
refrigerator réfrigérateur *m*, frigo *m*
region région *f*
regret regret *m*
regular régulier/ière
relationship rapport *m*
relative parent *m*
relax se détendre
relaxed relax
remedy remède *m*
remember se souvenir
rent louer
report rapport *m*; **report, article**
  reportage
reputation réputation *f*
reserve réserver, retenir
resourceful débrouillard
respect respect *m*
responsibility responsabilité *f*
rest reste *m*; se reposer
restaurant restaurant *m*
retire prendre sa retraite
return retourner; rendre; **return home**
  rentrer
rice riz *m*
rich riche
right (*direction*) droite; **to have the
  right to** avoir le droit de; **be right
  (to)** avoir raison; **right away** tout de
  suite
river rivière *f*; fleuve *m*
road route *f*, chemin
role rôle *m*
room pièce *f*; salle *f*
roommate camarade (*m*, *f*) de chambre
rule règle *f*

S

sad triste
sadness tristesse *f*
salad salade *f*
salary salaire *m*
sale solde *m* or *f*
salt sel *m*
same même
sand sable *m*
sandwich sandwich *m*

sauce sauce *f*
save économiser
say dire
science sciences *f pl*
scientific scientifique
screen écran *m*
sculpture sculpture *f*
sea mer *f*
season saison *f*
secret secret *m*
see voir
seek chercher
sell vendre
send envoyer
sentence phrase *f*
series série *f*
serve servir
session session *f*
set up (s')installer
several plusieurs
shame honte *f*
share partager
shoe chaussure *f*
short court
shorts short *m*
show montrer; spectacle *m*; émission *f*
  (*broadcast*)
shower douche *f*
shut fermer
shy timide
sick malade
simple simple
since depuis
sincere sincère
sing chanter
singer chanteur/euse *m, f*
sir monsieur *m*
sister sœur *f*
site site *m*
size taille *f (clothing)*; pointure *f (shoes)*
skating patinage *m*
skin peau *f*
skirt jupe *f*
sky ciel *m*
sleep dormir; sommeil *m*
slice tranche *f*
slide glisser
small petit
smile sourire
snow neige *f*; neiger
soap savon *m*; **soap opera** feuilleton *m*
soccer football *m*
sociology sociologie *f*
soldier soldat *m*
solution solution *f*
some quelques, des; **someone** quelqu'un
  something quelque chose; **sometimes** quelquefois, parfois
son fils *m*
song chanson *f*
soon bientôt, tôt

soup soupe *f*
south sud *m*
Spanish espagnol
speak parler
special spécial
specialty spécialité *f*
specify spécifier
spend dépenser *(money)*; passer *(time)*
spontaneous spontané
spoon cuiller, cuillère
sport(s) sport *m*
spring printemps *m*
stadium stade *m*
stairway escalier *m*
stand up se lever
star étoile *f*; vedette *f (celebrity)*
start commencer
state état *m*
statistics statistique *f*
statue statue *f*
stay rester
step pas *m*
stereo chaîne *(f)* stéréo
still encore
stomach estomac *m*
stop arrêter, s'arrêter; arrêt *m*
store magasin *m*; **store window** vitrine *f*
storm orage *m*; tempête *f*
story histoire *f*
strawberry fraise *f*
street rue *f*
strict sévère
strike grève *f*
strong fort
struggle lutter
student étudiant(e) *m, f*
studies études *f pl*
study étudier
stupid bête, stupide
style style *m*
stylish chic
subject sujet *m*
suburb banlieue *f*
succeed réussir
success succès *m*
such tel(le)
suffice suffire
sufficient suffisant
sugar sucre *m*
suit costume *m*; **suitcase**
  valise *f*
summer été *m*
superfluous superflu
supermarket supermarché *m*
superstore hypermarché *m*
sure sûr
surprise surprise *f*
survey sondage *m*
suspect soupçonner
sweet doux (douce)
swim nager

swimming natation *f*;
  swimming pool piscine *f*
symbol symbole *m*

T
table table *f*
take prendre; **take (someone) along**
  emmener; **take (something) along**
  emporter
talent talent *m*
tall grand
taste goût *m*
tea thé *m*
teach enseigner
teacher professeur *m*;
  instituteur/trice *m, f*
technician technicien(ne) *m, f*
tee-shirt t-shirt *m*
telephone téléphone *m*; téléphoner
television télévision *f*; **television set**
  téléviseur *m*
tell dire
temptation tentation *f*
tennis tennis *m*
terrace terrasse *f*
thank remercier; **thanks to** grace à;
  thank you merci
that que; qui; ce (cet, cette, ces)
theater théâtre *m*
theme thème *m*
then ensuite, puis, alors
there là; y; **there is/are** il y a
therefore donc, par conséquent
thing chose *f*
think penser
thought pensée *f*
throat gorge *f*
through par, à travers
throw (away) jeter
ticket billet *m*
tie cravate *f*
time temps *m*; fois *f*; heure *f*; **to have the
  time** avoir le temps; **several times (or
  the first time)** plusieurs fois; **what
  time is it** quelle heure est-il
timid timide
tired fatigué
title titre *m*
to à, en
tobacco tabac *m*
today aujourd'hui
together ensemble
tomato tomate *f*
tomorrow demain
tongue langue *f*
too trop; **too much, too many** trop de
tooth dent *f*
tornado tornade *f*
touch toucher
tourism tourisme *m*
toward vers

toy jouet *m*
traffic circulation *f*
train train *m*
translate traduire
trash can poubelle *f*
travel voyager
tree arbre *m*
trip voyage *m*
true vrai
truly vraiment
trumpet trompette *f*
truth vérité *f*
try essayer
turn tourner
type type *m*, sorte *f*

U
umbrella parapluie *m*
uncle oncle *m*
under sous
understand comprendre
unemployment chômage *m*
unfair injuste
university université *f*; universitaire
unmarried célibataire
until jusqu'à
use utiliser
useful utile
useless inutile
usually d'habitude

V
vacation vacances *f pl*
vacuum cleaner aspirateur *m*
variety variété *f*

vary varier
veal veau *m*
vegetable légume *m*
very très
veterinarian vétérinaire *m, f*
village village *m*
violence violence *f*
violent violent
violin violon *m*
visit visiter *(place);* rendre visite à *(person)* visite *f*
vitamin vitamine *f*
volcano volcan *m*
vote voter

W
wait (for) attendre
walk marcher; promenade *f*
walking marche *(f)* à pied
wall mur *m*
want vouloir, désirer, avoir envie de
war guerre *f*
wash laver; wash up se laver
watch regarder; montre *f*
water eau *f*
wear porter
weather temps *m*; weather report météo *f*
Web site site *m*
week semaine *f*
weekend week-end *m*
welcome bienvenu; bienvenue *f*
well bien; well-behaved sage
west ouest *m*

what quel(le); qu'est-ce que, qu'est-ce qui; quoi
when quand
where où
which qui, que; ce qui, ce que
white blanc(he)
who qui
whom que
why pourquoi
wife femme *f*
wild sauvage
win gagner
window fenêtre *f*
wine vin *m*
winter hiver *m*
wish vouloir; souhaiter
with avec
without sans
witness témoin *m*
woman femme *f*
wonder se demander
word mot *m*; parole *f*
work travailler; travail *m*
world monde *m*
wrestle lutter
write écrire

Y
year an *m*, année *f*
yellow jaune
yesterday hier
yet encore
youth jeunesse *f*

Index

Index

A

à
  aller, 94
  être, 74
  penser, 346
accent marks, 7
acheter, 91
activities, 15–16
  talking about, 23–24
adjectives
  adverbs +, 46
  agreement, 49–50
  comparative forms, 262
  demonstrative, 121
  être +, 46
  placement before the noun, 76–77
  plural, 49
  possessive, 74
  pronunciation of masculine/
    feminine, 62
  rien and **personne** with, 321
adverbs
  adjectives +, 46
  comparative forms, 262
  placement with **passé composé,**
    179
advertising, 267–269
agreement, expressions of, 29
aller
  à, 94
  to express future, 94
  + infinitive, 199
  + infinitive to express future, 367
  passé composé, 202
  subjunctive, 235
alphabet, 7
Antilles, 107–110
après, + past infinitive, 398
articles
  definite, 19–20

  indefinite, 19
  partitive, 124–125
arts and leisure, 387–388, 390
aussi, 321
aussi... que, 262
aussitôt que, + future tense, 368
avoir, 71
  expressions with, 71–72
  faim/soif, 129
  futur antérieur with, 369
  imperative form, 259
  passé composé with, 178–179
  present participle, 398
  subjunctive, 235

B

baccalauréat, 18, 32–33
Barbara, 352–354
beverages, 129
bien, 263
body, human, reflexive verbs use
  with parts of, 291
boire, 129
  past participle, 179
bon, 263
Braque, Georges, *Mozart Kubelick,*
  405

C

ça fait, 53
Cameroun, 383
ceci/cela, 391
celui/celle, 391
ce qui/ce que/ce dont, 375
c'est, *vs.* **il/elle est,** 46
choisir, 182
classroom, objects, 5–6
climate, French, 197–198
clothing, 310
cognates, 9–11

colors, 311
comparisons, 262–263
conditional tense, 371–372
  past, 394
Congo, Democratic Republic of, 86
countries, 97
croire, with subjunctive, 349
cultural life, in France, 390

D

date, 94
  expression of years, 100
David, Jacques-Louis, *Sappho et*
  Phaon, 405
days of the week, 8
D day, 355–356
de
  definite article +, 74
  in expressions of quantity, 124
  to express possession, 73–74
  to express relationship, 73
definite article, 19–20, 121
  aller à +, 94
  de +, 74
  vs. partitive article, 124–125
demonstrative adjectives, 121
demonstrative pronouns, 391
Départements et territoires
  français d'outre-mer, 211–213
depuis, 206
desire, expressing, 349
dès que, + future tense, 368
devoir, 228
direct object complement, 315
direct object pronoun, 230
  imperative form and, 259, 315
  infinitive with, 230–231
  passé composé with, 230, 315
distances, 103–104
DOM et TOM, 211–213

dont, 375
doubt, expressing, 349

E
ecology movements, 379–380
education, employment and,
240–241
elle/elles, 24
emotion, expressing, 349
employment, young people,
240–241
en, 346
present participle +, 398
entertainment, 170–171
environmental issues, 377–379
-er verbs, 23
imperative, 258
passé composé, 178–179
subjunctive, 234–235
espérer, with subjunctive, 349
est-ce que, 28
reflexive verbs and, 291, 296
être, 45–46
à, 74
futur antérieur with, 369
imparfait of, 339–340
imperative form, 259
passé composé with, 202–203
past participle, 179
present participle, 398
present tense of, 45
subjunctive, 235
être en train de, + infinitive, 199
euro, 270–271

F
faire, 151
expressions with, 151
past participle, 179
present participle, 398
subjunctive, 235
family, 71
in France, 81–82
fashion, 313–314
feelings, 335
foods, 125. *See also* meals
buying, 116–117
ordering in restaurant, 133–134
France, map of, 142
French people, 42–44
futur antérieur, 369

future, 367–369
with **aller,** 94
expressions, 94

G
Gauthier, Claude, 57
geographical names, preposition +,
98
-ger verbs, 23
gestures, as means of expression,
327
government, French, 367
greetings, 4–5

H
Haïti, 138
health, 283
sport and, 301–302
homes/houses, 66–69, 83
housing, during vacation, 91
human body, 282
reflexive verbs' use with parts of,
291

I
identification papers, 43–44
Ile de La Réunion, 215
il faut
+ subjunctive, 234–235
vs. **il faut que,** 236
il/ils, 24
il vaut mieux que, + subjunctive,
234–235
il y a, 71
+ amount of time, 206
imparfait, 339–341
vs. **passé composé,** 340–341
imperative form, 258–259
indirect object pronoun with, 315
reflexive verbs, 298
Impression: Sunrise, 405
indefinite article, 19, 121
avoir and, 71
indirect object complement, 315
infinitive
aller +, 199, 369
direct object pronoun and,
230–231
prepositions and, 398
reflexive verbs use in, 291
use instead of subjunctive, 349

venir de +, 199
information and media, 364–365
intentions, expressing, 227
interrogation, 154–155. *See also*
questions
interrogatives, 154
inversion, 154–155
with reflexive verbs, 296
-ir verbs, 182
imperative, 258
subjunctive, 234–235

L
La Sieste, 402
lequel/laquelle/lesquels/lesquelles,
375
liaison, 19, 35, 255
life stages, 334
living surroundings, 158–159
lorsque, + future tense, 368
Luxembourg, 61

M
Madagascar, 360
manners and politeness
conditional tense and, 372
in France, 324–326
mathematical operations, expressions for, 53
Mauritania, 166
meals, 119–121
meilleur, 263
mettre, 318
verbs conjugated like, 318–319
mieux, 263
Millet, Jean-François, 401–403
The Haymaker's Rest, 402
moins... que, 262
Monet, Claude, *Impression: Sunrise,*
405
month, 94
Morocco, 278
Mozart Kubelick, 405
musée d'Orsay, 403–404

N
nationalities, 40–41
ne... jamais, 28
ne... pas, 28
ne... pas du tout, 320
ne... plus, 122, 320

negation, 320–321
  partitive article after, 124
negative form, 28
  passé composé, 179
  reflexive verbs, 291, 295
New Guinea, 330
Niger, 244
non plus, 321
nouns
  gender, 19
  plural of, 19
numbers
  0-31, 8
  30-99, 52
  above 100, 100
  decimal, 100
  ordinal, 101

O
object pronoun, 230
  imperative form and, 259
  infinitive with, 230–231
on, 24

P
partir, 198
partitive article, 124–125
passé composé, 178–179
  direct object pronoun with, 230
  with **être,** 202–203
  indirect object pronoun with, 315
  reflexive verbs, 295–296
  rien and **personne** with, 321
  vs. **imparfait,** 340–341
past conditional, 394
pendant, 206
penser
  à/de, 346
  with subjunctive, 349
personne, 321
physical activities, 301–302
physical description, 311
plus... que, 262
plus-que-parfait, 393–394
politeness, expressions of, 6
possessive adjectives, 74
pouvoir, 227
preferences, expression of, 15–17,
  372
prendre, 129
  past participle, 179

subjunctive, 235
prepositions
  of location, 148
  place names +, 98
presentations, 14
present participle, 397
Prévert, Jacques, *Barbara,* 352–354
professions, 41–42, 222–224,
  238–239
pronoun, 24
  direct object, 230
  en, 346
  indirect object, 315
  reflexive, 290–291
  y, 345–346
pronunciation
  closed/open vowels, 216–217
  /i/, /y/, and /u/ sounds, 164–165
  letter /e/, 276
  masculine/feminine adjectives, 62
  nasal sounds **in, ain, ien,** 111
  nasal vowels, 85
  /r/ sound, 137
  /s/, /z/, 188
  vowels /y/, /oe/, /ø/, 243

Q
quand, + future tense, 368
que, 374
Québec, 57, 306
questions
  about time, 206
  asking, 28
  with **est-ce que,** 154
  inversion in, 154–155, 296
  with reflexive verbs and **est-ce
    que,** 291, 296
  rien, personne, jamais as answers
    to, 321
qui, 374

R
reflexive pronouns, 290–291
reflexive verbs, 290–291
  imperative, 298
  passé composé, 295–296
relationships with others, 335
relative pronouns, 374–375
-re verbs, 255
  imperative, 258
rien, 321

rituals and customs, 338

S
Sappho et Phaon, 405
savoir, present participle, 398
seasons, 90, 195
Sénégal, 408
shopping, in France, 253–254
shops and services, 248–251
si, condition with, 372
sizes, shoes and clothing, 311, 313
sortir, 198
sport, 284
  French people and, 285–286
  health and, 301–302
studies
  high school in France, 18
  subject of, 16
  university, 32–33
subjunctive, 234–236, 349
superlative forms, 262–263

T
Tahiti, 112
television, 170, 184–187
  French, 172–173
The Haymaker's Rest, 402
time
  expressing, 173–174
  expressions of, 206
Togo, 218
town, 143–144
transportation, 160
  French network, 146–147
  means of, 90, 147
travailler, 23
tu, *vs.* **vous,** 24

U
urban life, 160

V
vacations, 90–91, 92–93
Van Gogh, Vincent, 401–403
  La Sieste, 402
vendre, 255
  verbs like, 255
venir
  de + infinitive, 199
  subjunctive, 235
  verbs like, 199

verbs. *See* **-er** verbs; **-ir** verbs; **-re**
    verbs
voici, direct object pronoun +, 231
voilà, direct object pronoun +, 231
voir, past participle, 179
vouloir, 227
vous, *vs.* **tu,** 24

W
weather, 194–195
work conditions, in France, 226

Y
y, 345–346

Literary and Realia

The authors are indebted to the following sources for permission to reproduce this material.

Literary Credits

Song by Claude Gauthier entitled, "Identité." From Gamma Records, Montréal, Canada.

Jacques PREVERT, "Barbara" extrait de Paroles, © Editions GALLIMARD.

Jacques PREVERT, "Déjeuner du matin" extrait de Paroles, © Editions GALLIMARD.

Loïs Stavridès, "Van Gogh et Millet enfin réunis," *L'Express*, #2463, du 17 au 23 septembre 1998.

Realia Credit

Map of Paris Metro Rail System. Reprinted by permission of the Régie Autonome des Transports Parisiens.